D1268045

COMENTÁRIOS
EXPOSITIVOS
HAGNOS

Hernandes Dias Lopes

ROMANOS

O evangelho segundo Paulo

ύνη γὰρ θεοῦ ἐν αὐτῷ
ύπτεται ἐκ πίστεως εἰς
καθὼς γέγραπται, Ὁ
ιος ἐκ πίστεως ζήσεται.

HAGNOS

© 2010 Hernandes Dias Lopes

Revisão
Andrea Filatro
João Guimarães

Adaptação de capa
Patrícia Caycedo

Diagramação
Sandra Oliveira

Gerente editorial
Juan Carlos Martinez

1ª edição - Março - 2010

Coordenador de produção
Mauro W. Terrengui

Impressão e acabamento
Imprensa da fé

Todos os direitos desta edição reservados para:
Editora Hagnos
Av. Jacinto Júlio, 27
04815-160 - São Paulo - SP - Tel/Fax: (11) 5668-5668
hagnos@hagnos.com.br - www.hagnos.com.br

Dados Internacionais de Catalogação na Publicação (CIP)
(Câmara Brasileira do Livro, SP, Brasil)

Lopes, Hernandes Dias

Romanos: O evangelho segundo Paulo / Hernandes Dias Lopes. -- São Paulo: Hagnos, 2010.

ISBN 978-85-7742-068-1

1. Bíblia. N.T. Romanos - Comentários   I. Título.

10-00360   CDD-227.106

Índices para catálogo sistemático:
1. Romanos: Epístolas de Paulo:
Comentários 227.106

Dedicatória

DEDICO ESTE LIVRO a minha amada esposa, Udemilta Pimentel Lopes, companheira fiel, amiga preciosa, bálsamo de Deus em minha vida, intercessora perseverante e preciosa ajudadora no ministério.

Sumário

Prefácio

ROMANOS É O MAIOR TRATADO TEOLÓGICO do Novo Testamento. Nesta carta, Paulo, o maior bandeirante do cristianismo, alcança as alturas excelsas e contempla desses píncaros o plano glorioso da redenção. O projeto de Deus recua à eternidade. Não há improvisação nos decretos divinos. Nada apanha Deus de surpresa. Ele não precisa revisar seus planos. Antes dos tempos eternos, Deus decretou criar todas as coisas para o louvor da sua glória. Ele não precisava trazer à existência as coisas que existem para derivar da criação alguma glória para si. Deus não depende da criação, é a criação que depende dele. Deus não precisava criar o homem para preencher a lacuna da solidão em seu ser. Deus é triúno e perfeitamente feliz em si mesmo. Nas palavras de Michael Horton, não é Deus que é solitário sem o homem, mas o homem que é solitário sem Deus.[1]

Deus não é responsável pela queda dos nossos primeiros pais nem foi o autor de tal episódio, mas a queda não apanhou Deus de surpresa. Mesmo antes da fundação do mundo, Deus já havia feito provisão eficaz para salvar do pecado o homem, uma vez que o Cordeiro de Deus foi morto desde a fundação do mundo (Ap 13.8). Nos decretos de Deus, desde a eternidade, Jesus já estava pregado naquela sangrenta cruz. Deus vê o passado, o presente e o futuro em seu eterno agora.

Como Adão era o cabeça federal da raça humana, com sua queda, toda a raça humana, que estava potencialmente nele, também caiu. A queda atingiu toda a raça. Escreve o apóstolo: "Todos pecaram e destituídos estão da glória de Deus" (Rm 3.23). Aprouve a Deus, conforme seu beneplácito e segundo a sua graça, escolher-nos em Cristo para a salvação, de tal forma que a causa da nossa salvação é a graça, enquanto a causa da condenação daqueles que se mantêm rebeldes é o pecado.

A morte de Cristo foi vicária, ou seja, substitutiva. Ele morreu não para possibilitar a salvação, mas para salvar efetivamente. Morreu por suas ovelhas. Deu sua vida por sua igreja. Cristo foi à cruz como nosso fiador e representante. Por sua morte, pagou a nossa dívida e satisfez plenamente a justiça de Deus, cumprindo cabalmente a lei que transgredimos. Por nossa união com Cristo, morremos com ele para o pecado e ressuscitamos com ele para uma nova vida.

Aqueles a quem Deus escolheu e por quem Cristo morreu são eficazmente chamados para a salvação, mediante a fé na verdade e a santificação do Espírito. Paulo acentua essa verdade sublime quando escreve: "Aos que Deus predestinou, a esses também chamou; e aos que chamou, a esses também justificou; e aos que justificou, a esses também glorificou" (Rm 8.30). Isso tornou impossível que pereçam eternamente os alcançados pela graça salvadora. A verdade da perseverança dos santos está fundamentada sobre o sólido alicerce da eleição do Pai, do sacrifício do Filho e da operação do Espírito Santo.

A carta aos Romanos descortinará para nós essas sublimes verdades, tomando-nos pela mão e conduzindo-nos pelas veredas das doutrinas da graça. Estudar esta carta é como matricular-se na escola superior do Espírito Santo e aprender as verdades mais profundas e mais importantes do cristianismo. Convido você a fazer comigo esta viagem extraordinária!

Hernandes Dias Lopes

NOTA DO PREFÁCIO

[1] HORTON, Michael. *As doutrinas maravilhosas da graça*. São Paulo: Cultura Cristã, 2003, p. 32.

Capítulo 1

Introdução à carta aos Romanos
(Rm 1.1)

A CARTA DE PAULO AOS ROMANOS é muito mais que simplesmente uma carta, é um tratado teológico. É o maior compêndio de teologia do Novo Testamento. É a epístola das epístolas, a mais importante e proeminente carta de Paulo.[2] Na linguagem de John Murray, é uma exposição e uma defesa do evangelho da graça.[3] John Stott considera Romanos uma espécie de manifesto cristão.[4] Já F. F. Bruce chama Romanos de "o evangelho segundo Paulo".[5] Guilherme Orr diz que doutrinariamente Romanos é o maior livro já escrito.[6]

Nenhum livro da Bíblia exerceu tanta influência sobre a teologia protestante e nenhuma carta de Paulo revela de forma tão clara o pensamento teológico do apóstolo aos gentios.[7] Calvino chega a registrar o temor de que seus elogios a essa carta, longe de aumentarem sua grandeza, pudessem apenas diminuí-la, uma vez que ela explica a si mesma desde o princípio e se dá a conhecer mais claramente do que jamais poderíamos expressar com palavras.[8]

A influência de Romanos alcança até mesmo o meio acadêmico. Francis Schaeffer diz que até bem pouco tempo o livro de Romanos era estudado em escolas de direito norte-americanas, a fim de ensinar aos estudantes a arte de tecer uma argumentação.[9]

William Greathouse, descrevendo ainda a singularidade de Romanos, cita Lutero, afirmando o seguinte:

> Esta epístola é a parte principal do Novo Testamento, e o mais puro evangelho, que certamente merece a honra de um cristão não apenas conhecê-la de memória, palavra por palavra, mas de também dedicar-se a ela diariamente, como alimento para a sua alma. Pois ela nunca será exaustivamente lida ou entendida. E quanto mais é ela estudada, tanto mais agradável se torna, e melhor parece.[10]

Os eruditos comparam Romanos à cordilheira do Himalaia. Nessa epístola Paulo subiu às alturas excelsas e atingiu o ponto culminante da teologia cristã. Por inspiração divina, o velho apóstolo expôs de forma lógica as grandes doutrinas da graça. Juan Schaal está correto quando diz que a carta aos Romanos tem sido o ponto de partida, inspiração e fonte de muitos pensamentos teológicos. Os líderes do passado e do presente veem Romanos como o livro básico para a interpretação sistemática da sua fé. O estudo de Romanos foi fonte de grande inspiração durante os tempos da Reforma, e depois dela. Na realidade, cada grande avivamento religioso tem emanado do estudo de Romanos.[11] Calvino chegou a declarar que, se atingirmos uma verdadeira compreensão quanto a essa epístola, teremos uma porta aberta para todos os tesouros mais profundos das Escrituras.[12]

Nenhum livro da Bíblia teve maior influência na história da igreja que a carta aos Romanos. Esta epístola, provavelmente mais que qualquer livro da Bíblia, tem influenciado a história do mundo de formas dramáticas.

Foi por intermédio da sua leitura que Aurélio Agostinho (354-430), o grande líder religioso e intelectual da África do Norte, professor de retórica em Milão, o maior expoente da igreja ocidental no período dos pais da igreja, foi convertido a Cristo em 386 d.C. Agostinho viveu de forma devassa, entregue às paixões carnais, prisioneiro do sexo ilícito e ao mesmo tempo objeto das orações de Mônica, sua mãe, até que se assentou a chorar no jardim de seu amigo Alípio, quase persuadido a começar vida nova, mas sem chegar à resolução final de romper com a vida que levava. Ali sentado, ouviu uma criança cantar numa casa vizinha: *Tolle, lege! Tolle, lege!* (Pega e lê! Pega e lê). Ao tomar o manuscrito do amigo que estava ao lado, seus olhos caíram nestas palavras: "Andemos dignamente, como em pleno dia, não em orgias e bebedices, não em impudicícias e dissoluções, não em contendas e ciúmes; mas revesti-vos do Senhor Jesus Cristo e nada disponhais para a carne no tocante às suas concupiscências" (Rm 13.13,14).[13] Seus olhos foram imediatamente abertos, seu coração foi transformado e as sombras de suas dúvidas, dissipadas.

O próprio Agostinho confessa: "Não li mais nada e não precisava de coisa alguma. Instantaneamente, ao terminar a sentença, uma clara luz inundou meu coração e todas as trevas da dúvida se desvaneceram".[14] Agostinho tornou-se o maior teólogo da igreja ocidental, fonte da qual beberam Lutero, Calvino e outros reformadores. De forma pertinente, F. F. Bruce afirma que está além da nossa capacidade de avaliação o que a igreja e o mundo devem a esse influxo de luz que iluminou a mente de Agostinho ao ler essas palavras de Paulo.[15]

O monge agostiniano Martinho Lutero (1483-1546) rompeu os grilhões da escravidão espiritual diante de Romanos 1.17 e descobriu que o justo vive pela fé. Até então, Lutero vivia atormentado pela culpa. A justiça de Deus o esmagava e o levava ao desespero. O monge afligia sua alma com intérminas confissões ao vigário, no confessionário, flagelando seu corpo com castigos e penitências. Lutero recorreu a todos os recursos do catolicismo de sua época na tentativa de amenizar a angústia de um espírito alienado de Deus, diz Stott.[16]

No afã de agradar a Deus pelo viés das obras, afundava-se cada vez mais no desespero, ao perceber que não era justo o bastante para alcançar o favor divino. A verdade divina da justificação pela fé entrou em sua vida como um raio de luz. Ele saiu de um caminho de escuridão para a luz da verdade. Lutero abandonou o caminho da autoflagelação, da busca fracassada da autojustificação e refugiou-se nos braços de Cristo. Seu coração encontrou pouso seguro na obra de Cristo. A justiça de Deus revelada no evangelho trouxe-lhe descanso e segurança.

Em novembro de 1515, Martinho Lutero, então professor de teologia sagrada na Universidade de Wittenberg, começou a expor a epístola de Paulo aos Romanos a seus alunos, seguindo este curso até setembro seguinte. As consequências desta nova compreensão que

Martinho Lutero obteve do estudo de Romanos tiveram grande repercussão na História.[17] Em 31 de outubro de 1517, Lutero fixou nas portas da igreja de Wittenberg as 95 teses contra as indulgências, deflagrando assim a Reforma Protestante do século 16. Devemos à carta aos Romanos esse maior movimento religioso na história da igreja desde o Pentecostes. Segundo Walter Elwell e Robert Yarbrouch, a imagem da Europa se transformou pela Reforma Protestante que Lutero ajudou a deslanchar. Romanos foi o trampolim da revolução que ele ajudou a colocar em movimento.[18]

Os grandes avivamentos espirituais que varreram a Inglaterra no século 18 foram incendiados pelo efeito de Romanos.[19] Naquele tempo havia grande sequidão espiritual. Pregadores insossos pregavam sermões mortos para auditórios vazios. Esses mesmos pregadores desciam do púlpito para se embriagar nas mesas de jogos. Poucos pregadores ousavam crer na veracidade e na suficiência das Escrituras. Nesse tempo de apostasia e mornidão espiritual, um grupo de jovens começou a orar pelo reavivamento da Inglaterra em Oxford, formando o chamado "Clube Santo".

Em 24 de maio de 1738, durante uma reunião dos irmãos morávios na rua Aldersgate, em Londres – à qual, aliás, João Wesley tinha comparecido muito a contragosto – algo maravilhoso aconteceu. Wesley ouviu o líder da reunião ler o prefácio de Lutero ao comentário de Romanos, e seu coração foi aquecido. Seus olhos se iluminaram, grande doçura invadiu seu peito e as portas do paraíso lhe foram abertas. Começava ali um grande despertamento espiritual, que veio culminar no grande reavivamento inglês do século 18.

F. F. Bruce acredita que esse momento crítico da vida de João Wesley, mais que todos os outros, deu início ao avivamento evangélico do século 18.[20] João Wesley tornou--se um líder espiritual de grande expressão na Inglaterra. Criou depois a igreja metodista, uma igreja que buscava a santidade sem deixar de engajar-se firmemente na obra missionária. O reavivamento inglês salvou a Inglaterra dos horrores da Revolução Francesa. Esse movimento espiritual espalhou-se para a Nova Inglaterra e atingiu horizontes ainda mais largos.

No século 20, mais precisamente em 1918, temos outro fato digno de nota a respeito de Romanos. Trata-se da publicação do comentário de Karl Barth aos Romanos. Essa obra foi considerada uma granada no pátio de recreio dos teólogos, uma verdadeira bomba no acampamento dos teólogos liberais. Barth, conhecido como o mais prolífico escritor protestante do século 20, combateu tenazmente o liberalismo, e esta carta é uma de suas obras mais robustas e mais contundentes. Concordo com a declaração de F. F. Bruce de que não é possível predizer o que pode acontecer quando as pessoas começam a estudar a epístola aos Romanos. O que sucedeu com Agostinho, Lutero, Wesley e Barth acionou grandes movimentos espirituais que deixaram sua marca na história do mundo.[21]

Destaco alguns pontos acerca de Romanos.

O autor da carta aos Romanos

Há pouca dúvida acerca da autoria da carta aos Romanos. John Murray, ao falar sobre a autoria paulina de Romanos, registra: "Esta é uma proposição que não precisamos discutir".[22] Até mesmo os críticos mais céticos se curvam diante das robustas evidências da autoria paulina. Fato digno de nota é que o herético Marcion foi o primeiro escritor conhecido a reconhecer a autoria paulina de Romanos.[23]

Há abundantes evidências internas e externas acerca da autoria paulina de Romanos. Paulo se apresenta como o remetente da carta. Ele o faz com senso de humildade, chamando a si mesmo de servo de Cristo e, também, com senso de autoridade, afirmando seu apostolado (1.1). Pais da igreja como Eusébio, Irineu, Orígenes, Tertuliano e Clemente dão pleno testemunho da autoria paulina de Romanos.[24]

Alguns eruditos questionam a autenticidade do capítulo 16, uma vez que Paulo faz 26 saudações pessoais, entre as quais 24 são citadas nominalmente, dando a ideia de que parecia conhecer a todos os citados intimamente mesmo sem nunca ter estado na cidade de Roma. Outros estudiosos argumentam que o capítulo 16 foi endereçado à igreja de Éfeso e não à igreja de Roma.

É importante ressaltar que Paulo foi o grande bandeirante do cristianismo no primeiro século, especialmente no meio gentílico. Seus contatos transcendiam as fronteiras geográficas visitadas pessoalmente por ele. Além disso, Roma era a cidade mais cosmopolita do império. Pessoas chegavam a essa cidade diariamente de todas as partes do mundo e dela saíam para os rincões mais longínquos. Assim, é absolutamente legítimo Paulo ter vários amigos que se haviam mudado para Roma e a quem ele envia suas calorosas saudações.

Se alguém coloca em dúvida a prática de Paulo mencionar tantos nomes em sua saudação a uma igreja que ele não conhecia pessoalmente, já que essa não era uma prática em suas saudações a igrejas conhecidas, William

Barclay responde: "A razão é muito simples. Se Paulo tivesse enviado saudações pessoais a igrejas que conhecia bem, teria provocado ciúmes; entretanto, quando escrevia às igrejas que nunca havia visitado, queria estabelecer tantos laços pessoais quanto fosse possível".[25]

O local e a data de onde Paulo escreveu a carta aos Romanos

Há um consenso geral de que Paulo escreveu Romanos durante sua estada de três meses na Grécia (At 20.2,3), na província da Acaia, numa região próxima de Corinto. Isso é confirmado pela recomendação de Paulo a Febe, a portadora da carta à igreja de Roma. Febe era da igreja de Cencreia (Rm 16.1), uma pequena cidade a 12 quilômetros de Corinto, onde se situava um importante porto da capital da Acaia.

Podemos afirmar com absoluta garantia que Paulo estava encerrando sua terceira viagem missionária e se preparava para viajar a Jerusalém a fim de levar as ofertas levantadas entre as igrejas gentias que socorreriam os pobres da Judeia (15.30,31).

É bastante provável que esta carta tenha sido escrita por volta do ano 57 ou 58 d.C. É, portanto, a última carta escrita por Paulo antes de seu prolongado período de detenção, primeiro em Cesareia (At 23.31—26.32) e depois em Roma (At 28.16-31). Nesse tempo, o veterano apóstolo já havia concluído suas três viagens missionárias. Na primeira delas, percorreu a província da Galácia, onde plantou igrejas, reanimou os crentes e elegeu presbíteros, líderes locais, que pudessem pastorear as igrejas.

Na segunda viagem missionária, Paulo, por orientação divina, entrou na província da Macedônia, deixando igrejas estabelecidas em Filipos, Tessalônica e Bereia, importantes cidades da região. Filipos era uma colônia romana. Tessalônica era a capital da Macedônia, e Bereia, uma importante e rica cidade da região. Nessa segunda viagem missionária, Paulo passou por Atenas, onde deixou alguns convertidos. Dali prosseguiu para o norte da Grécia e fixou-se em Corinto, a capital da Acaia, onde ficou 18 meses plantando e fortalecendo uma importante igreja.

Em sua terceira viagem missionária, Paulo concentrou-se em Éfeso, a capital da Ásia Menor. Dessa grande metrópole, onde estava o templo de Diana, uma das sete maravilhas do mundo antigo, o evangelho se irradiou por toda a Ásia Menor (At 19.10).

Franz Leenhardt tem razão quando diz que a última parada de Paulo na Grécia apresenta um caráter único. Consumou-se a obra do apóstolo na bacia oriental do Mediterrâneo. Vencidas foram as principais dificuldades. O evangelho foi anunciado e aceito. O nome de Cristo foi proclamado por toda parte. A primeira etapa de seu ministério se encerrava. Ele havia testemunhado o evangelho desde Jerusalém até ao Ilírico (Rm 15.19). Era hora de alevantar os olhos e empreender novas cruzadas. O nome de Cristo precisava ser levado aos lugares onde não se fizera ainda ouvir (15.20).[26]

Em 19 d.C., os judeus de Roma foram expulsos da cidade por um decreto do imperador Tibério, mas em poucos anos estavam de volta em número maior que nunca. No ano 49 d.C., o imperador Cláudio (41-54) expulsou de Roma todos os judeus (At 18.2), em virtude de um motim provocado por um homem chamado Crestus. Essa expulsão provocou grandes transtornos sociais. Muitos judeus perderam suas casas, seus bens e tiveram de retornar à Palestina em precárias condições financeiras. Paulo, que já havia assumido o compromisso de não esquecer os pobres (Gl 2.10), resgata esse compromisso, levantando uma oferta entre as igrejas da Macedônia e Acaia a favor dos santos da Judeia.

F. F. Bruce destaca que os efeitos da ordem de expulsão dos judeus de Roma duraram pouco. Não muito tempo depois, a comunidade judaica florescia uma vez mais em Roma, e o mesmo acontecia com a comunidade cristã. Menos de três anos após a morte de Cláudio, Paulo pôde escrever aos cristãos de Roma e falar sobre a fé que eles tinham como assunto que era do conhecimento universal (Rm 1.8).[27]

A carta aos Romanos foi escrita exatamente no momento em que Paulo se preparava para viajar a Jerusalém, com o propósito de levar essas ofertas (15.25). Paulo expressa seu desejo de ir a Roma algumas vezes. A primeira menção desse desejo encontra-se logo depois de sua saída de Éfeso (At 19.21). A segunda menção é feita quando ele já estava em Jerusalém sob a ameaça da conspiração dos judeus (At 23.11). Na introdução de sua carta aos Romanos por duas vezes ele faz novamente menção de seu desejo de ir a Roma e visitar a igreja (1.11,15).

A igreja de Roma

Paulo escreveu à igreja de Roma, igreja que ele não fundara nem ainda conhecia pessoalmente. Destacamos alguns pontos aqui.

Em primeiro lugar, *quem fundou a igreja de Roma?* A origem da igreja em Roma perde-se na obscuridade.[28] Há várias hipóteses, mas nenhuma certeza. Com toda convicção podemos afirmar que Paulo não foi o fundador da igreja, uma vez que ele escreve falando acerca de seu desejo de visitar aqueles irmãos (Rm 1.10-13). Tampouco a igreja de Roma foi fundada por algum dos outros apóstolos. O catolicismo romano ensina que o apóstolo Pedro foi o fundador da igreja, e seu episcopado na igreja durou 25 anos, ou seja, de 42-67 d.C. Essa tese, porém, carece de fundamentação. Primeiro, porque Pedro era o apóstolo da circuncisão (Gl 2,9), e não o apóstolo destinado aos gentios. Segundo, porque Paulo não menciona Pedro em sua carta aos Romanos, o que seria uma gritante falta de cortesia. Concordo com Cranfield quando disse: "Uma vez que Romanos não contém referência alguma a Pedro, é praticamente certo que ele não estava em Roma no tempo em que Paulo escrevia, e provavelmente que, até esse tempo, ele nunca estivera lá".[29] Terceiro, porque Paulo diz que gostaria de ir a Roma para compartilhar o evangelho e distribuir algum dom espiritual (Rm 1.11), o que não faria sentido se Pedro já estivesse entre eles. Além disso, Paulo tinha o princípio de pregar o evangelho não onde Cristo já fora anunciado, para não edificar sobre fundamento alheio (15.20).

Há duas possibilidades para a origem da igreja de Roma. A primeira é que essa igreja foi estabelecida pelos judeus ou prosélitos de Roma, convertidos na Festa do Pentecostes em Jerusalém no ano 30 d.C., os quais retornaram à capital do império para plantar a igreja (At 2.10). Em Roma estava o maior centro judaico do mundo antigo. Havia mais de treze comunidades sinagogais na cidade. Mantinham um contato intenso com Jerusalém. As pessoas viajavam para lá e para cá como comerciantes, artesãos e também como peregrinos devotos. Confessando sua fé, deram origem a um movimento cristão muito vivo. Desse modo, o cristianismo em Roma originou-se da atuação de crentes para nós anônimos.[30] As famosas estradas romanas facilitaram sobremodo a mobilização das pessoas e a rápida expansão do evangelho. A via Ápia, a via Cornélia, a via Aurélia e a via Valéria eram algumas das estradas que cruzavam o império. Vinte rodovias principais partiam do "Marco Miliário de Ouro" em Roma, cada uma delas com numerosos ramos, de modo que as várias partes do império se uniam por uma gigantesca rede de artérias.[31]

A segunda possibilidade é que essa igreja tenha sido estabelecida por cristãos desconhecidos, convertidos pelo ministério de Paulo, emissários de algum dos centros gentílicos que haviam compreendido plenamente o caráter universal do evangelho. Vale ressaltar que as três grandes cidades onde Paulo estivera por mais tempo – Antioquia, Corinto e Éfeso – eram justamente as três com as quais (assim como Alexandria) o intercâmbio com Roma se mostrava mais intenso.[32]

John Peter Lange destaca o fato de que o banimento dos judeus da cidade de Roma pelo imperador Cláudio foi uma ocasião especial usada pela providência divina para o estabelecimento da igreja de Roma. Alguns judeus fugitivos de Roma migraram para a vizinha região da Grécia onde Paulo estava radicado e ali se tornaram cristãos e discípulos paulinos. Após seu retorno a Roma, transformaram-se em arautos do cristianismo, tomando parte na organização da igreja. Isso pode ser provado pelo exemplo de Priscila e Áquila, que, tendo estado com Paulo em Corinto (At 18.2), passaram a abrigar uma igreja em sua casa, em Roma (Rm 16.3-5).[33]

Mesmo que esse ponto não esteja definido com diáfana clareza, temos a garantia de que em Roma havia uma igreja à qual Paulo escreve sua mais importante carta. Concordo com Donald Guthrie quando ele disse que, embora Paulo não tenha sido o fundador da igreja de Roma, ele a considerava parte de seu campo como apóstolo aos gentios. Assim, a igreja de Roma estava dentro da esfera de sua própria comissão.[34]

Em segundo lugar, *quem fazia parte da igreja de Roma?* A igreja de Roma era composta por judeus e também por gentios. A carta é dirigida tanto a uns como aos outros. A capital do império era uma grande metrópole com mais de um milhão de habitantes. Havia grande concentração de judeus em Roma, tanto na época da expulsão deles em 49 d.C. pelo imperador Cláudio, como no tempo em que o imperador Nero incendiou Roma, em 64 d.C. Nessa ocasião, as chamas devoraram dez dos quatorze bairros de Roma. Os quatro bairros poupados eram densamente povoados por judeus e cristãos. Isso serviu de álibi para Nero colocar a culpa do incêndio nos cristãos e judeus. Leenhardt, diferenciando-se da posição de John Peter Lange, alega que o desenvolvimento da jovem comunidade se processou na ausência dos judeus cristãos, num sentido que lhes tornou difícil a readaptação ao retornar. É talvez uma situação assim que Paulo tomou em consideração nos capítulos 14 e 15.1-13.[35]

A cidade de Roma

Rômulo e Remo fundaram a cidade de Roma, às margens do rio Tigre por volta de 754 a.C. Roma começou como um reino, depois se converteu em república e finalmente em império. Estendeu-se à Europa, Ásia e África do Norte. Quando Paulo escreveu aos romanos, Roma era conhecida como "a cidade imperial" e "a cidade eterna". Além de ser a capital da Itália era também do mundo.[36] No tempo de Jesus, talvez cem milhões de pessoas habitassem o território romano. Poucos impérios, em qualquer época da história mundial, rivalizaram em tamanho, poder e esplendor.[37]

Paulo era um missionário estratégico. Como mostra o livro de Atos, ele permaneceu nas vias de maior trânsito e passou ao largo das aldeias, até que, às vezes, após centenas de quilômetros, chegava de novo à cidade maior mais próxima. Ali ele fundava uma igreja, que imediatamente recebia a responsabilidade missionária pela região adjacente. Para Paulo o surgimento de uma igreja numa localidade central significava a conquista da terra em redor, uma vez que ele tinha certeza de que o fogo se espalha por si. Na opinião paulina, Filipos representava a Macedônia (Fp 4.15), Tessalônica a Macedônia e a Acaia (1Ts 1.7,8), Corinto a Acaia (1Co 16.15; 2Co 1.1), e Éfeso a Ásia (Rm 16.5; 1Co 16.19; 2Co 1.8).[38]

Quando Paulo escreveu a carta aos Romanos, Roma devia ter aproximadamente de um milhão a um milhão e meio de habitantes, dos quais quarenta mil eram judeus. Cosmopolita e abrigando pessoas de todas as regiões do mundo, a cidade construída sobre as sete colinas tinha papel estratégico na proclamação do evangelho. Roma era o centro do mundo ocidental. Para ela convergiam todos os caminhos. Levar o cristianismo a Roma significava levá-lo ao coração de um mundo ocupado e famoso. Conquistar Roma para Cristo era o sonho e a visão de Paulo.[39]

Se por um lado Roma era a síntese do poder, da riqueza, do luxo e do *glamour*, por outro lado era considerada a cloaca do mundo, o esgoto pútrido em que as pessoas chafurdavam nas práticas mais aviltantes. Charles Erdman comenta sobre a degradação da cidade: "Roma era o empório em que tinham todos os povos despejado suas idolatrias e corrupções, seus desregramentos e seu pecado; era Roma um espelho do mundo pagão, com sua sordidez, e miséria, e tremendo pressentimento da ira vindoura".[40]

Porque Roma estava podre por dentro, o poder político de Roma entrou em colapso em 410 d.C., quando caiu nas mãos dos vândalos. O império caiu em 476 d.C. e nunca mais recobrou seu encanto nem seu poder. Em 728 d.C., Roma se fez independente sob os papas, que consideravam seu poder superior ao dos governantes temporais, e permaneceu como sede da corte papal até 20 de setembro de 1870. Hoje a igreja católica romana tem seu centro no Vaticano, que é um reino independente, no coração da cidade de Roma.[41]

O propósito da carta aos Romanos

Diferentemente das outras cartas, Paulo não escreveu aos romanos para resolver problemas locais e circunstanciais. Por isso, essa carta parece mais um tratado teológico que uma missiva pastoral.[42] A carta aos Romanos tem sido chamada de "carta profilática". Paulo sabia que a melhor proteção contra a infecção do falso ensino era o antisséptico da verdade.[43]

Paulo tem pelo menos cinco propósitos em seu coração ao escrever esta carta.

Em primeiro lugar, *pedir oração da igreja em seu favor*. Paulo estava prestes a realizar uma viagem extremamente perigosa a Jerusalém (Rm 15.30,31). Mesmo com o coração cheio de amor e as mãos transbordando de ofertas para os pobres da Judeia, ele conhecia os perigos da viagem. Ele temia duas coisas: 1) que os judeus o matassem; 2) que os "santos" de Jerusalém nem mesmo se dispusessem a receber o generoso donativo vindo dos crentes gentios. Seus pressentimentos não eram sem fundamento (At 20.3). Ao despedir-se dos presbíteros de Éfeso, o apóstolo os alerta sobre essa dolorosa possibilidade (At 20.22,23). Chegando a Cesareia, ele foi alertado a não subir a Jerusalém, pois lá o esperavam cadeias e tribulações (At 21.8-14). Na cidade, Paulo foi recebido com alegria pelos irmãos (At 21.17), mas com sórdida crueldade pelos judeus, que entraram em conspiração para matá-lo (At 21.27-31). Pressentindo esse desfecho, Paulo escreveu aos crentes de Roma pedindo oração em seu favor (Rm 15.30,31).

Em segundo lugar, *demonstrar seu desejo de visitar a igreja de Roma.* Paulo desejou visitar a igreja de Roma algumas vezes, mas isso lhe foi impedido (Rm 1.13). Portas abertas e portas fechadas, porém, são a mesma coisa, se abertas ou fechadas por Deus. Porque não pôde ir a Roma, Paulo escreveu esta carta, o maior tratado teológico do Novo Testamento. A impossibilidade de Paulo viajar a Roma privou aqueles crentes por um tempo da presença do apóstolo, mas abençoou todas as igrejas ao longo dos tempos, por meio dessa carta inspirada. Geoffrey Wilson descreve essa verdade como segue:

> Ao invés de simplesmente edificar os crentes em Roma pelo ensino oral, uma honra bem maior foi reservada por Deus ao seu servo; pois todo cristão que deseja se tornar firmemente fundamentado na fé deve ainda colocar-se aos pés de Paulo de Tarso para receber, com toda humildade, aquele "evangelho de Deus" que foi primeiro confiado a ele "mediante a revelação de Jesus Cristo" (Gl 1.12).[44]

Em terceiro lugar, *demonstrar seu desejo de compartilhar com os crentes de Roma algum dom espiritual.* O interesse de Paulo em ir a Roma era compartilhar com os crentes de Roma o evangelho. Mesmo não tendo sido o fundador da igreja, aquela igreja estava sob sua jurisdição espiritual, uma vez que era o apóstolo enviado por Jesus aos gentios.

Em quarto lugar, *ser enviado pela igreja de Roma à Espanha*. Paulo queria uma base missionária para os seus novos projetos. Depois de concluir seu trabalho missionário nas quatro províncias da Galácia, Macedônia (nordeste da Grécia), Acaia (sudeste da Grécia) e Ásia Menor, Paulo tinha planos de ampliar os horizontes e chegar à Espanha (Rm 15.24,28), a mais antiga colônia romana no Ocidente e o principal baluarte da civilização romana naquelas partes.[45] Para isso, precisava de suporte financeiro e apoio espiritual (15.24). Essas coisas ele buscava na igreja de Roma.

William Barclay acentua o fato de que, se Paulo desejava lançar-se em campanha missionária rumo ao Ocidente, precisaria de uma base de operações. Necessitava de um quartel-general, de onde partiriam suas linhas de comunicação. A melhor base que ele poderia ter naquele momento era Roma. Foi por essa razão que Paulo escreveu esta carta.[46] Nessa mesma linha de pensamento, Adolf Pohl diz que Paulo estava como que no "intervalo do jogo". Encontrava-se diante da virada para um avanço missionário para o oeste do império. Por isso, planejou uma estada intermediária em Roma como apoio para o seu projeto.[47] Concluímos esse ponto com as palavras de Wright: "De fato Paulo queria usar Roma como uma base de operações no Mediterrâneo Ocidental, como havia usado Antioquia (originalmente) como base no Oriente".[48]

Em quinto lugar, *fazer uma exposição detalhada do evangelho*. Paulo escreve Romanos para repartir com a igreja da capital do império o significado do evangelho. Nessa carta ele discorre sobre a condição de ruína e perdição tanto dos gentios como dos judeus. Também mostra que a salvação é pela graça, independentemente das obras, tanto para os gentios como para os judeus. Charles Erdman está correto quando diz que o evangelho de Cristo, que a epístola aos Romanos expõe, é a mais doce música jamais ouvida na terra, a mais poderosa mensagem proclamada entre os homens, o mais precioso tesouro confiado ao povo de Deus.[49]

As principais ênfases da carta aos Romanos

A carta aos Romanos é uma verdadeira enciclopédia teológica. Não temos a pretensão de esgotar seus temas nem mesmo de descobrir todas as suas ênfases. Destacaremos, aqui, apenas alguns dos principais pontos abordados pelo apóstolo nessa epístola.

Em primeiro lugar, *mostrar a unidade da igreja*. A igreja de Cristo é formada por judeus e gentios. Pelo sangue de Cristo a parede da separação foi derrubada e, agora, os judeus e os gentios constituem a igreja (Ef 2.14-16). Vale lembrar que grande parte dos cristãos gentios se aproximou do cristianismo por meio de uma conexão anterior com o judaísmo.[50] William Hendriksen destaca o fato de que a igreja de Roma consistia de judeus e gentios. Por essa razão havia o risco de que um grupo fosse tratado com desdém pelo outro: os judeus pelos gentios (Rm 2.1s.), os gentios pelos judeus (11.18). Paulo enfatiza, então, que "[...] não há distinção entre judeu e grego, uma vez que o Senhor é o Senhor de todos" (10.12).[51] Stott entende que a redefinição do que é povo de Deus – não mais de acordo com a descendência, a circuncisão ou a cultura, mas segundo a fé em Jesus, é um dos temas principais de Romanos. Citando Sanders, ele chega mesmo a dizer que o mais importante de todos os temas de Romanos é o da igualdade entre judeus e gentios.[52]

Em segundo lugar, *evidenciar a universalidade do pecado*. Paulo expõe com argumentos irresistíveis a culpabilidade dos gentios e também dos judeus. Deus encerrou todos no pecado para usar de misericórdia para com todos. O pecado atingiu a todos sem exceção. Todos pecaram e destituídos estão da glória de Deus (Rm 3.23). Stott diz que o apóstolo divide a raça humana em três grupos distintos: a sociedade gentílica depravada (1.18-32), os críticos moralistas, sejam judeus ou gentios (2.1-16), e os judeus instruídos e autoconfiantes (2.17–3.8). E então conclui acusando toda a raça humana (3.9-20). Em cada caso o seu argumento é o mesmo: que ninguém vive à altura do conhecimento que tem.[53]

Em terceiro lugar, *manifestar a justiça de Deus no evangelho*. A justiça de Deus manifesta-se no evangelho. Na cruz de Cristo Deus revelou sua ira sobre o pecado e seu amor ao pecador. A cruz de Cristo foi a justificação de Deus, uma vez que nela Deus satisfez plenamente sua justiça violada. Se a ira de Deus se revela do céu contra toda impiedade e perversão dos homens, no evangelho a justiça de Deus se revela para a salvação de todo o que crê. Stott afirma corretamente que o "mas agora" de Romanos 3.21 é um dos maiores adversativos encontrados na Bíblia, pois denota que, em meio à treva universal do pecado e da culpabilidade humana, brilhou a luz do evangelho.[54]

Em quarto lugar, *anunciar a doutrina da justificação pela fé*. A justificação não é alcançada pelas obras da lei, mas pela fé na obra de Cristo. Não é a obra que fazemos para Deus que nos salva, mas a obra que Deus fez por nós em Cristo que nos traz a vida eterna. Não é nossa justiça que nos recomenda a Deus, mas a justiça de Cristo a nós imputada. O Justo justifica o injusto. O injusto que não tem justiça própria é justificado ao confiar na justiça de Jesus Cristo, o Justo. Romanos 4 é um brilhante ensaio no qual Paulo prova que o próprio Abraão, o pai fundador de Israel, foi justificado não por suas obras (4.4-8), nem por sua circuncisão (4.9-12), nem pela lei (4.13-15), mas pela fé. Em consequência, Abraão é agora "o pai de todos os que creem", sejam eles judeus ou gentios (4.11,16-25). A imparcialidade divina é evidente.[55]

Em quinto lugar, *proclamar a nova vida na pessoa de Cristo*. Deus nos salvou *do* pecado, e não *no* pecado (Rm 6.1). A salvação implica a libertação da condenação, do poder e da presença do pecado. Não podemos viver no pecado, nós que para ele morremos. Fomos crucificados com Cristo e sepultados com ele na morte pelo batismo, de tal maneira que devemos considerar-nos mortos para o pecado e carregar nosso certificado de óbito no bolso.

Em sexto lugar, *anunciar a vida vitoriosa no Espírito*. Depois de mostrar o grande conflito interior e a total impossibilidade de alcançarmos uma vida vitoriosa pela energia da carne (7.1-24), Paulo exulta num brado de vitória ao anunciar a vida triunfante que temos pelo Espírito (8.1-18). O Espírito Santo nos vivifica, nos capacita e nos reveste de poder para vivermos em santidade.

Em sétimo lugar, *revelar a soberania de Deus na salvação*. Paulo ensina de forma grandiosa a doutrina da eleição da graça. Não somos nós que escolhemos a Deus, mas é ele quem nos escolhe. Deus nos escolhe não *por causa* de nossos méritos, mas *apesar* de nossos deméritos (9.1—11.36).

Em oitavo lugar, *mostrar a vital necessidade de relaciona-mentos transformados*. Depois que Paulo encerra a magistral sessão doutrinária, ele aplica a doutrina mostrando a necessidade de estabelecermos relacionamentos corretos com Deus, com nós mesmos, com o próximo, com os inimigos e com as autoridades (12.1—13.7). Devemos em nossas relações respeitar aqueles que têm a consciência fraca, não lhes servindo por causa de tropeço (14.1—15.13).

A carta termina com uma longa lista de saudações, mostrando que a igreja precisa ser um lugar onde florescem relacionamentos saudáveis, onde devemos ter coração aberto, mãos abertas, casas abertas e lábios abertos para abençoar uns aos outros (16.3-24). O fechamento da carta é uma explosão doxológica na qual o apóstolo exalta a Deus por meio de Cristo.

NOTAS DO CAPÍTULO 1

2   LANGE, John Peter. Epistle of Paul to the Romans. In: *Lange's Commentary on the Holy Scriptures*. Vol. 10. Grand Rapids: Zondervan Publishing House, 1980, p. v., 1.

3   MURRAY, John. *Romanos*. São José dos Campos: Fiel, 2003, p. 12.

4   STOTT, John. *Romanos*. São Paulo: ABU, 2003, p. 13.

5   BRUCE, F. F. *Romanos: introdução e comentário*. São Paulo: Vida Nova, 2001, p. 20.

6   Orr, Guilherme W. *27 Chaves para o Novo Testamento*. São Paulo: Imprensa Batista Regular, 1976, p. 23.

7   Barclay, William. *Romanos*. Buenos Aires: La Aurora, 1973, p. 6.

8   Calvino, João. *Epístola a los Romanos*. Grand Rapids: TELL, 1977, p. 13.

9   Schaeffer, Francis A. *A obra consumada de Cristo*. São Paulo: Cultura Cristã, 2003, p. ix.

10 Greathouse, William M. A epístola aos Romanos. In: *Comentário Bíblico Beacon*. Vol. 8. Rio de Janeiro: CPAD, 2006, p. 21.

11 Schaal, Juan H. *El camino real de Romanos*. Grand Rapids: TELL, 1977, p. 11.

12 Calvino, João. *Epístola a los Romanos*, p. 8.

13 Bruce, F. F. *Romanos: introdução e comentário*, p. 50, 51.

14 *Confissões* VIII. 29.

15 Bruce, F. F. *Romanos: introdução e comentário*, p. 51.

16 Stott, John. *Romanos*, p. 15.

17 Bruce, F. F. *Romanos: introdução e comentário*, p. 51.

18 Elwell, Walter A.; Yarbrouch, Robert W. *Descobrindo o Novo Testamento*. São Paulo: Cultura Cristã, 2002, p. 275.

19 Elwell, Walter A.; Yarbrouch, Robert W. *Descobrindo o Novo Testamento*, p. 275.

20 Bruce, F. F. *Romanos: introdução e comentário*, p. 52.

21 Bruce, F. F. *Romanos: introdução e comentário*, p. 52.

22 Murray, John. *Romanos*, p. 11.

23 MacDonald, William. *Believer's Bible commentary*. Nashville: Thomas Nelson Publishers, 1995, p. 1673.

24 Hendriksen, William. *Romanos*. São Paulo: Cultura Cristã, 2001, p. 11,12.

25 Barclay, William. *Romanos*, p. 20.

26 Leenhardt, Franz. J. *Epístola aos Romanos*. São Paulo: ASTE, 1969, p. 9.

27 Bruce, F. F. *Romanos: introdução e comentário*, p. 16.

28 Erdman, Charles, R. *Comentários de Romanos*. São Paulo: Casa Editora Presbiteriana, n.d., p. 14.

29 Cranfield, C. E. B. *Comentários de Romanos*. São Paulo: Vida Nova, 2005, p. 13.

30 Pohl, Adolf. *Carta aos Romanos*. Curitiba: Editora Evangélica Esperança, p. 19.

31 Hendriksen, William. *Romanos*, p. 27.

32 Murray, John. *Romanos*, p. 16.

33 LANGE, John Peter. *The Epistle of Paul to the Romans,* p. 32.
34 GUTHRIE, Donald. *New Testament introduction.* Downers Grove: Intervarsity Press, 1990, p. 403.
35 LEENHARDT, Franz. J. *Epístola aos Romanos,* p. 11.
36 SCHAAL, Juan H. *El camino real de Romanos,* p. 6.
37 ELWELL, Walter A.; YARBROUCH, Robert W. *Descobrindo o Novo Testamento,* p. 275, 276.
38 POHL, Adolf. *Carta aos Romanos,* p. 21.
39 SCHAAL, Juan H. *El camino real de Romanos,* p. 14, 15.
40 ERDMAN, Charles, R. *Comentários de Romanos,* p. 13.
41 SCHAAL, Juan H. *El camino real de Romanos,* p. 13, 14.
42 GUTHRIE, Donald. *New Testament Introduction,* p. 409.
43 BARCLAY, William. *Romanos,* p. 14.
44 WILSON, Geoffrey B. *Romanos.* São Paulo: PES, 1981, Introdução.
45 BRUCE, F. F. *Romanos: introdução e comentário,* p. 14.
46 BARCLAY, William. *Romanos,* p. 16.
47 POHL, Adolf. *Carta aos Romanos,* p. 13.
48 WRIGHT, N. T. *The climax of the covenant. Christ and the law in Pauline theology.* Edinburgh: T. and T. Clark, 1991, p. 234.
49 ERDMAN, Charles R. *Comentários de Romanos,* p. 11.
50 MURRAY, John. *Romanos,* p. 18.
51 HENDRIKSEN, William. *Romanos,* p. 9.
52 STOTT, John. *Romanos,* p. 34.
53 STOTT, John. *Romanos,* p. 36.
54 STOTT, John. *Romanos,* p. 36.
55 STOTT, John. *Romanos,* p. 36.

Capítulo 2

O evangelho, a igreja e o apóstolo
(Rm 1.1-13)

A INTRODUÇÃO DE PAULO à carta aos Romanos é a mais longa de todas as suas cartas. No texto original essa introdução é composta de 93 palavras.[56] Cada parte da saudação é ampliada – o nome do remetente, o nome dos destinatários e as saudações propriamente ditas.[57]

O apóstolo faz questão de definir, com muita clareza, logo de início, o evangelho, tema que discorrerá em toda a carta. Menciona também as marcas da verdadeira igreja e fecha sua introdução falando um pouco de si e de seu desejo e propósito de visitar os crentes de Roma.

No capítulo anterior, abordamos a incomparável importância de Romanos na história da igreja e de sua indisputável influência tanto na Reforma do século 16 como nos grandes reavivamentos espirituais posteriores. Neste capítulo, iniciaremos o estudo da carta, a partir de sua longa introdução.

William Barclay destaca que, quando Paulo escreveu esta carta, dirigiu-se a uma igreja que não conhecia pessoalmente, situada numa cidade que nunca tinha visitado; a maior cidade, a capital do maior império do mundo, razão pela qual o apóstolo escolhe com muito cuidado suas palavras.[58]

As marcas do evangelho verdadeiro (1.1-5)

A epístola aos Romanos não foi escrita prioritariamente para corrigir algum problema na igreja de Roma, mas para fazer uma apresentação e uma defesa do evangelho. Como dissemos no capítulo anterior, mais do que uma carta, Romanos é um tratado teológico.

Seis verdades devem ser aqui destacadas:

Em primeiro lugar, *o arauto do evangelho* (1.1). No primeiro século, o remetente de uma carta colocava seu nome no início da missiva. Por isso, Paulo abre a epístola fazendo três afirmações sobre si mesmo.

a. *Paulo era servo de Cristo* (1.1). A palavra grega *doulos,* traduzida por "servo", significa escravo, aquele que foi comprado por um preço, pertence a seu senhor e está completamente à sua disposição. Um escravo não tem vontade própria nem liberdade para fazer o que lhe agrada. Um escravo vive para agradar a seu senhor e obedecer-lhe as ordens.

No império romano os escravos carregavam uma pesada argola de ferro soldada em volta do pescoço com o nome do seu senhor.[59] Acredita-se que havia cerca de sessenta milhões de escravos em todo o império romano; um escravo não era considerado uma pessoa, mas apenas uma propriedade, uma ferramenta viva.[60] Como propriedade de seu dono, este poderia submetê-lo a trabalhos forçados, castigá-lo e até matá-lo.

Paulo, porém, não é escravo de um senhor carrasco. Seu senhor deu a vida por ele, comprou-o com seu próprio sangue e conquistou-o com imensurável amor. Assim, a expressão "servo de Jesus Cristo" descreve ao mesmo tempo a obrigação de um grande amor e a honra de um grande ofício.[61] Charles Erdman diz que Paulo indicava com essa expressão plena submissão a seu Senhor.[62]

Vale ressaltar que, quando Paulo se apresenta como servo de Cristo, isso se refere não apenas uma posição de grande humildade, mas também de subida honra. Cranfield diz que, no antigo Israel, chamar um homem de "servo de Deus" era conceder-lhe título de honra.[63] Isso, porque patriarcas, reis e profetas se apresentavam como servos do Senhor. Assim, Paulo se autoposiciona na mesma linhagem de Abraão, Moisés e Davi.

b. *Paulo foi chamado para ser apóstolo* (1.1). A palavra grega *apostolos* significa "enviado". Paulo foi chamado do mundo para ser enviado de volta ao mundo a fim de anunciar o evangelho, especialmente aos gentios.

Há forte contraste entre os dois termos usados por Paulo. Se a palavra *servo* expressa grande humildade, o título *apóstolo* enfatiza grande autoridade.[64] Servo é um termo geral para todos os cristãos; apóstolo é um termo específico apenas para aqueles que foram chamados por Cristo e testemunharam sua ressurreição.

Calvino corrobora esse pensamento ao declarar: "Paulo é servo de Jesus Cristo, como a maioria, e apóstolo por vocação de Deus, e não por atrevida usurpação".[65] William Hendriksen diz que o apóstolo é investido com a autoridade daquele que o enviou, e essa autoridade diz respeito tanto à doutrina quanto à vida.[66] Nessa mesma linha, John Murray afirma que a pregação dos apóstolos estava investida da autoridade de Cristo e do Espírito Santo.[67]

Pelo fato de ter perseguido a igreja de Deus, Paulo não se considerava digno de ser apóstolo (1Co 15.9), mas ao ser chamado pelo Cristo glorificado (At 26.15-18), sendo testemunha, portanto, de sua ressurreição (1Co 9.1; 15.8), recebeu a mesma autoridade que os demais apóstolos (Gl 1.15-17), tendo sua missão divinamente confirmada pelos sinais que acompanhavam suas obras (2Co 12.12).

Cranfield destaca o fato de que não é na base do egoísmo humano presunçoso, mas na base do chamamento divino, que Paulo é apóstolo.[68] Aqueles, portanto, que hoje se autointitulam apóstolos estão em desacordo com a Palavra de Deus. Não temos mais apóstolos no mesmo sentido do Novo Testamento. Aqueles eram o fundamento da igreja e recebiam os oráculos de Deus. Hoje a revelação de Deus está completa. Concordo com Geoffrey Wilson quando diz: "Uma vez que a função dos apóstolos é essencialmente impossível de ser repetida, a única sucessão apostólica conhecida no Novo Testamento é a fidelidade continuada ao depósito sagrado de verdade, que foi, de uma vez por todas, dado à igreja por eles".[69]

c. *Paulo foi separado para o evangelho de Deus.* Paulo foi separado por Deus antes mesmo do seu nascimento (Gl 1.15) para anunciar o evangelho da graça (At 26.16,17). Francis Schaeffer diz corretamente que separações envolvem sempre duas ações: *separação de* e *separação para.* A separação *de* é algo facilmente entendido. Existem muitas coisas que nos podem manter afastados de Deus, e não é possível sermos *separados para* Deus, a não ser que sejamos separados destas coisas.[70]

A consagração de Paulo ao evangelho foi total e integral. Ele chega a chamar o evangelho de Deus de *meu* evangelho (Rm 2.16; 16.25). John Stott enfatiza que a palavra grega *aphorismenos* tem o mesmo significado que a palavra "fariseu". Como fariseu, Paulo havia sido separado para a lei; mas agora Deus o havia separado para o evangelho.[71] Concordo com F. F. Bruce quando ele diz que todos os ricos e variados dons da herança de Paulo (judaica, grega e romana) e de sua educação foram predestinados por Deus com vistas a seu serviço.[72]

Em segundo lugar, *a fonte do evangelho.* "... separado para o evangelho de Deus" (1.1). Paulo deixa claro que ele não é a fonte do evangelho, mas apenas seu arauto. O apóstolo não é a fonte da mensagem, mas seu canal. Ele não cria a mensagem, apenas a transmite. O evangelho não vem do homem, mas de Deus. Sua origem não está na terra, mas no céu. O evangelho não é fruto da lucubração humana, mas da revelação divina.

Nas palavras de Charles Erdman, o evangelho não é invenção humana; é uma revelação celestial, gloriosa, divina.[73] Cranfield está coberto de razão quando diz que a mensagem da boa-nova que Paulo deve proclamar é a palavra autorizada de Deus. Sua fonte não é outra senão o próprio Deus.[74] Na mesma linha de pensamento, Leenhardt diz que o autor último do evangelho é o próprio Deus. A mensagem não é meramente humana; ao contrário, é a Palavra de Deus, ação em que Deus está presente e age eficazmente a tal ponto de ele mesmo ser o agente do evangelho apostólico.[75]

Há muitos "evangelhos" inventados ou distorcidos pelos homens. Esses outros evangelhos representam as reivindicações pretensiosas de homens presunçosos. Esses evangelhos não passam de falso evangelho (Gl 1.6-8). Concordo com John Stott quando ele diz que os apóstolos não inventaram o evangelho; ele foi revelado e a eles confiado por Deus. Por isso, o que temos não é uma miscelânea de especulações humanas, nem mais uma religião a ser adicionada ao que já existe. O que temos é o evangelho de Deus, a boa-nova do próprio Deus para um mundo perdido. Sem esta convicção, a evangelização perde todo o seu conteúdo, propósito e motivação.[76] O evangelho de Deus é sua jubilosa proclamação da vitória e da exaltação de seu Filho, e da consequente anistia e libertação que os homens podem desfrutar pela fé nele.[77]

Em terceiro lugar, *a antiguidade do evangelho*. "O qual foi por Deus, outrora, prometido por intermédio dos seus profetas nas Sagradas Escrituras" (1.2). O evangelho não é uma inovação, uma espécie de plano B, porque o plano A fracassou. O evangelho foi concebido na eternidade, anunciado por Deus na História, prometido pelos profetas, prefigurado nos sacrifícios judaicos e plenamente cumprido em Cristo. Há uma continuidade perfeita entre o Antigo e o Novo Testamento.

O evangelho não é ruptura, mas atualização.[78] Nas palavras de William Greathouse, o evangelho não é uma ruptura com o passado, mas sua consumação (1Co 15.3,4).[79] Charles Erdman diz acertadamente que nessas "Escrituras", ora conhecidas como o Antigo Testamento, estava contido o evangelho em tipo, símbolo e profecia; elas predisseram os grandes eventos redentores que formariam a substância da mensagem do evangelho.[80] Desta forma, segundo John Murray, Paulo demonstrou tanto a unidade como a continuidade da dispensação do evangelho em relação ao Antigo Testamento.[81]

O evangelho que Paulo anuncia é aquele prometido pelos profetas no Antigo Testamento e revelado aos apóstolos no Novo Testamento. Calvino diz que o evangelho não foi dado pelos profetas, mas prometido por eles. Por isso, engana-se quem confunde as promessas com o evangelho.[82] Na visão de John Stott, o evangelho de Deus tem duplo atestado de autenticidade, a saber: os profetas do Antigo Testamento e os apóstolos do Novo Testamento. Os dois dão testemunho de Jesus Cristo.[83] É bem conhecida a célebre declaração de Aurélio Agostinho: "O Novo Testamento está oculto no Antigo Testamento e o Antigo Testamento está revelado no Novo".

Concordo com Leenhardt quando ele afirma que há um só Deus, o qual fala de maneiras várias segundo a diversidade dos tempos, mas diz sempre a mesma coisa, porque é verídico; e realiza sempre a mesma obra, porque é fiel. Sua veracidade e sua fidelidade alcançam expressão suprema em Cristo Jesus.[84] A linha de raciocínio do apóstolo Paulo é que as boas-novas da salvação pela fé não constituem inovação e que o cristianismo não é uma contradição ao judaísmo; antes, porém, o cumprimento, a consumação, o clímax dessa dispensação. O Messias predito do Antigo Testamento é o Cristo do Novo; o Servo do Senhor a quem os profetas predisseram é o Filho de Deus a quem os apóstolos pregaram.[85]

Paulo crê firmemente na suficiência das Escrituras para nos revelar o conteúdo do evangelho. Ele não aceita nenhum evangelho além daquele revelado nas Escrituras. Nada de revelações forâneas às Escrituras. Nada de introduzir alguma novidade estranha à Palavra de Deus. O conteúdo do evangelho se limita à revelação divina que temos nas Sagradas Escrituras. Adolf Pohl diz que o intuito divino era pôr o cumprimento ao lado da promessa.[86]

Em quarto lugar, *a essência do evangelho*. "Com respeito a seu Filho, o qual, segundo a carne, veio da descendência de Davi e foi designado Filho de Deus com poder, segundo o espírito de santidade pela ressurreição dos mortos, a saber, Jesus Cristo, nosso Senhor" (1.3,4). O evangelho de Deus revelado nas Sagradas Escrituras tem um centro ao redor do qual tudo gira. Do começo até o final, ele trata do Filho de Deus.[87]

O evangelho tem como essência o Filho de Deus. É o evangelho de Jesus Cristo. Jesus Cristo é o eixo, o cerne, o conteúdo e a essência do evangelho. John Stott tem razão quando diz que a boa-nova de Deus é Jesus. Portanto, apartar-se de Jesus, um passo que seja, significa afastar-se do evangelho.[88] Adolf Pohl corrobora essa ideia ao escrever: "O evangelho prometido no Antigo Testamento trata do Filho de Deus [...]. O centro das Escrituras é o próprio Cristo. Como Filho, ele é mais que Abraão, Moisés, Davi, Salomão ou qualquer profeta. É a plenitude concreta de Deus.[89] Na verdade o cristianismo é Cristo. Ele é a essência, a suma e a substância do evangelho. Jesus é o Messias dos judeus e o Senhor dos cristãos".[90]

Paulo destaca duas verdades sobre Jesus:

Sua encarnação (1.3). O Filho do Deus eterno encarnou e entrou no mundo como descendente de Davi (2Sm 7.16). Francis Schaeffer aponta que, se observarmos que a genealogia em Mateus se refere a José e a genealogia em Lucas se refere a Maria, descobriremos que Jesus descendeu de Davi por ambas as partes, materna e paterna.[91]

A encarnação de Cristo é um dos pilares do evangelho. Fala do seu estado de humilhação. O verbo se fez carne. O Deus eterno entrou no tempo. Aquele que preenche todas as coisas esvaziou-se. O Senhor do universo se fez servo. O Deus bendito se fez homem. Aquele que é bendito eternamente se fez maldição. O Santo de Israel se fez pecado. O autor da vida sofreu morte de cruz.

Geoffrey Wilson diz que na cruz o "Sol da Justiça" foi eclipsado durante aquelas horas terríveis em que ele sofreu a execução penal da ira divina contra o pecado. A glória essencial de Cristo foi obscurecida quando ele, voluntariamente, desceu àquele profundo abismo de vergonha e sofrimento que marcou o ponto mais baixo de sua humilhação.[92]

Sua ressurreição (1.4). Jesus Cristo foi designado Filho de Deus com poder, pela ressurreição dos mortos. O Filho de Deus se manifestou primeiro com fraqueza, depois com poder. Ele, que era Filho desde a eternidade, não deixou de ser Filho ao esvaziar-se na encarnação e humilhar-se em morte de cruz. Agora, porém, é designado Filho de Deus, em poder, pela ressurreição dos mortos.

Antes de ressuscitar, ele era o Filho de Deus em fraqueza e humildade. Por meio da ressurreição, torna-se o Filho de Deus em poder.[93] Obviamente Paulo não está dizendo que Cristo só se tornou Filho de Deus pela ressurreição, uma vez que ele é o Filho do Deus eterno, e esta filiação não teve nenhum começo histórico. O que Paulo afirma é que Cristo foi designado Filho do Deus em poder pela ressurreição. Assim, Paulo não está aludindo às duas naturezas de Cristo (humana e divina), mas aos dois estados, de humilhação e exaltação. É um e o mesmo Filho de Deus que aparece igualmente em humilhação e em exaltação.[94]

O Filho realmente era o único gerado do Pai antes de todos os mundos, e a divindade do Filho necessariamente é a base da encarnação e da ressurreição. Jesus foi o Filho de Deus em fraqueza e humildade na encarnação. A glória divina, que antes estava oculta, se manifestou depois da ressurreição. A partir daquele instante ele é o Filho de Deus em um novo sentido: é o Filho de Deus em poder, o Filho de Deus em glória e em pleno poder.[95] O apóstolo Paulo diz que, pela ressurreição, Deus o exaltou sobremaneira e lhe deu o nome que está acima de todo nome, para que ao nome de Jesus se dobre todo joelho nos céus, na terra e debaixo da terra (Fp 2.9-11).

A ressurreição de Cristo marca o fim do sofrimento messiânico e o começo do senhorio transcendente do Mediador (At 2.36; Fp 2.9-11). A entronização de Cristo inaugurou a era do Espírito, pois é o Cristo exaltado que derrama o Espírito sobre a igreja.

Em quinto lugar, *a abrangência do evangelho*. "... entre todos os gentios" (1.5) O evangelho de Deus, cujo conteúdo é Cristo, destina-se a todos os gentios, a todos os povos. A palavra grega *ethne,* traduzida por "gentios", significa "nações" e refere-se a todos os gentios.[96] Os judeus pensavam que as boas-novas de salvação eram destinadas apenas a eles. No entanto, o plano eterno de Deus incluía todos os povos. Cristo morreu a fim de comprar para Deus os que procedem de toda tribo, língua, povo e nação (Ap 5.9). John Stott é enfático quando escreve: "Precisamos libertar-nos de todo orgulho, seja de raça, nação, tribo, casta ou classe, e reconhecer que o evangelho de Deus é para todos, sem exceção e sem distinção. Este é um tema de suma importância em Romanos".[97]

O evangelho é universal em seu alcance, mas não universalista em sua aplicação. Seu propósito é salvar apenas os que creem (Rm 1.16), ou seja, todos os homens sem acepção, mas não todos os homens sem exceção.

Em sexto lugar, *a finalidade do evangelho*. "Por intermédio de quem viemos a receber graça e apostolado por amor do seu nome, para a obediência por fé..." (1.5). O evangelho é o poder de Deus para a salvação de todo aquele que crê, mas todo aquele que crê prova sua fé pela obediência.

William Hendriksen corretamente enfatiza que a obediência está baseada na fé e dela emana. Obediência e fé são gêmeas idênticas e inseparáveis. Uma não existe sem a outra.[98] O domínio de um senhor e a obediência a ele são coisas correlatas. O ato de fé é a submissão a Deus. Assim, a causa da salvação é a graça. O instrumento da salvação é a fé. A evidência da salvação é a obediência. "Obediência por fé" é a resposta que o evangelho exige;[99] é a sujeição voluntária ao evangelho ouvido.[100] Geoffrey Wilson tem razão quando diz que a obediência a Cristo é fruto da fé nele. Entretanto, recusar-se a confiar nele para a salvação é a pior forma de desobediência (Jo 16.9).[101]

Não poderíamos sintetizar os pontos mencionados anteriormente melhor do que John Stott o fez: "A boa-nova é o evangelho de Deus, sobre Cristo, segundo as Escrituras, para as nações, para a obediência por fé, por causa do Nome – o nome de Cristo".[102]

As marcas da igreja verdadeira (1.6-8)

Tendo apresentado os distintivos do evangelho verdadeiro, Paulo passa a falar das marcas da igreja verdadeira. Destacamos cinco pontos importantes a seguir.

Em primeiro lugar, *a igreja é o povo amado de Deus*. "A todos os amados de Deus, que estais em Roma..." (1.7). A igreja é um povo amado de Deus. Deus amou a igreja na eternidade e a atraiu para si com cordas de amor (Jr 31.3). Não foi a igreja que escolheu a Deus, foi Deus quem a escolheu. Não foi a igreja que amou a Deus primeiro, foi

Deus quem a amou, e desde a eternidade. Deus colocou seu coração na igreja antes mesmo de lançar os fundamentos da terra (8.30-39). O amor de Deus pelos crentes de Roma é um amor que antecede, acompanha e segue o amor deles por Deus.[103]

Em segundo lugar, *a igreja é o povo chamado para ser propriedade de Cristo*. "De cujo número sois também vós, chamados para serdes de Jesus Cristo" (1.6). Os crentes pertencem a Cristo por predestinação, redenção e chamamento. Sua salvação tem origem no chamamento eficaz de Deus (Rm 8.30; 11.29).[104] A igreja é o presente de Deus Pai ao Deus Filho. A igreja é o povo chamado para ser propriedade de Cristo.

Em terceiro lugar, *a igreja é o povo chamado para ser santo*. "... chamados para serdes santos..." (1.7). A igreja é chamada do mundo, para ser separada do mundo, mesmo estando no mundo, para viver exclusivamente para Deus no mundo como sal e luz. Bonnet e Schroeder estão corretos em alegar que o chamamento não é fruto da santidade; ao contrário, a santidade é o fruto do chamamento.[105]

A santidade é tanto uma dádiva quanto uma exigência. William Greathouse afirma corretamente que a ideia básica da santificação é a separação; os santos, porém, não são apenas os separados, mas também os purificados.[106] Em outras palavras, o povo de Deus é santo tanto de forma posicional como processual. Todos os que creem em Cristo são separados para Deus (santificação posicional). Todos os santos devem santificar-se (santificação processual). Os santos precisam santificar-se. Ser santo não significa ser canonizado. Todos os que creem em Cristo são santos e chamados para se santificarem.

Em quarto lugar, *a igreja é o povo que recebe graça e*

paz. "... graça a vós outros e paz, da parte de Deus, nosso Pai, e do Senhor Jesus Cristo" (1.7). Tanto a graça quanto a paz são dádivas divinas à igreja. É impossível pertencer à igreja sem ter graça e paz. A graça é o amor imerecido de Deus aos pecadores, revelado em Cristo. A paz é o estado de reconciliação com Deus desse pecador salvo pela graça.

A graça indica sempre algum dom absolutamente gratuito e totalmente imerecido,[107] enquanto a paz é o bem-estar que os homens desfrutam mediante a graça.[108] A graça é a raiz; a paz é o fruto. A graça é a causa da salvação; a paz, seu resultado.

William Hendriksen afirma de forma sublime que a graça de Deus é o favor em ação, sua benignidade em operação, o arco-íris que circunda seu próprio trono, do qual saem relâmpagos, sons e estrondos de trovão (Ap 4.3,5). Pensamos no juiz que não só comuta a pena, mas também cancela a culpa do ofensor e ainda o adota como filho. A graça traz paz. Esta é tanto um estado, o de reconciliação com Deus, quanto uma condição, a convicção interior de que, consequentemente, tudo está bem.[109]

Concordo com Geoffrey Wilson quando ele diz que a morte propiciatória de Cristo provê a única base para a restauração da comunhão entre Deus e o homem. É a apropriação subjetiva daquele grande fato objetivo do evangelho que produz a paz com Deus e a paz de Deus.[110]

Em quinto lugar, *a igreja é o povo que dá testemunho da sua fé*. "Primeiramente, dou graças a meu Deus, mediante Jesus Cristo, no tocante a todos vós, porque, em todo o mundo, é proclamada a vossa fé" (1.8). A igreja não é apenas chamada do mundo para ser propriedade de Cristo, mas é também enviada de volta ao mundo para ser embaixadora de Cristo e dar testemunho da sua fé.

William Greathouse diz que Paulo nada sabe de uma fé que é tão oculta, da qual nada é visível.[111] Em linguagem hiperbólica, Paulo declara que a fé dos crentes de Roma era conhecida em toda a igreja, em todos os lugares onde o cristianismo fora estabelecido no vasto império romano.

As marcas do apóstolo verdadeiro (1.8-13)

Depois de falar sobre o evangelho e a igreja, Paulo conclui sua introdução falando sobre si mesmo. Embora não fosse o fundador da igreja, Paulo se sentia responsável por ela, uma vez que era o apóstolo destinado aos gentios. Roma, a capital do império, estava dentro da sua jurisdição.

Destacamos quatro verdades importantes aqui:

Em primeiro lugar, *Paulo dá graças pela igreja* (1.8). A única igreja pela qual Paulo não dá graças é pela igreja da Galácia. Aquela igreja estava sendo seduzida por falsos mestres judaizantes a abandonar o evangelho de Cristo e abraçar outro evangelho. Quanto à igreja de Roma, ele dá graças a Deus, porque, embora aquela igreja tivesse sido estabelecida por crentes desconhecidos, sua fé era conhecida no mundo inteiro.

Paulo dá graças a Deus pela igreja por meio de Cristo. A ação de graças ascende a Deus por Jesus Cristo, pois que é por ele que a graça desceu aos homens.[112] William Hendriksen diz que esse círculo nunca deve ser quebrado. As bênçãos divinas, descendo do céu, retornam ao céu na forma de grato reconhecimento.[113]

Em segundo lugar, *Paulo ora pela igreja*. "Porque Deus, a quem sirvo em meu espírito, no evangelho de seu Filho, é minha testemunha de como incessantemente faço menção de vós em todas as minhas orações, suplicando que, nalgum tempo, pela vontade de Deus, se me ofereça boa ocasião de visitar-vos" (1.9,10). Mesmo não conhecendo pessoalmente a igreja de Roma, Paulo ora pelos crentes sem cessar, chamando o próprio Deus por testemunha. Em todas as suas orações havia sempre um propósito firme e incansável de rogar a Deus uma oportunidade para visitar a igreja.

Paulo acredita na eficácia da oração. Ele não apenas ensina sobre a importância da oração, mas também ora. A teologia da oração e a prática da oração andam de mãos dadas na vida do apóstolo. A oração é o meio ordenado por Deus para conceder bênçãos ao seu povo. Citando Robert Haldane, Geoffrey Wilson registra: "Orar sem trabalhar é zombar de Deus; trabalhar sem orar é roubar de Deus sua glória".[114]

Em terceiro lugar, *Paulo anseia ver a igreja*. "Porque muito desejo ver-vos [...]. Porque não quero, irmãos, que ignoreis que, muitas vezes, me propus ir ter convosco, no que tenho sido, até agora, impedido..." (1.11,13). Paulo informa a seus leitores que não se tratava apenas de desejo e oração, mas ele também tinha o propósito constante de visitá-los.[115] Tanto a mente quanto o coração de Paulo estavam voltados para esse ardente anseio de visitar a igreja de Roma. Ele faz questão de informar aos crentes que muitas vezes se propôs a ir, mas a sábia providência divina não o permitiu.

Possivelmente os empreendimentos não terminados o haviam retido até aquele momento no Oriente (15.22,23). Mas aquilo que parecia um problema tornou-se grande bênção. Como Paulo não pôde visitar a igreja de Roma, escreveu-lhe. Por isso, temos esta carta aos Romanos. Quando nosso desejo não é realizado, é porque um propósito maior está em curso. Quando nossos sonhos não são cumpridos, é porque os sonhos de Deus são maiores que os nossos.

Em quarto lugar, *Paulo deseja estabelecer uma relação de reciprocidade com a igreja*. "... a fim de repartir convosco algum dom espiritual, para que sejais confirmados, isto é, para que, em vossa companhia, reciprocamente nos confortemos por intermédio da fé mútua, vossa e minha [...] para conseguir igualmente entre vós algum fruto, como também entre os outros gentios" (1.11-13). Há três verdades no texto que merecem destaque:

a. *Paulo quer repartir com os crentes algum dom espiritual* (1.11). A palavra *charisma* é a mesma utilizada para descrever os dons espirituais. Não se tem certeza, porém, sobre que tipo específico de dom espiritual Paulo está falando.[116] William Hendriksen opina que Paulo se refere ao fortalecimento espiritual em geral e não à comunicação de algum dom carismático específico, como falar em línguas etc.[117]

b. *Paulo quer confortar e ser confortado pelos crentes* (1.12). Paulo não tem a pretensão de apenas confortar os crentes; também deseja ser confortado por eles. Não quer apenas dar; deseja também receber. Adolf Pohl diz que cada um dá o que tem e recebe o que lhe falta.[118] No âmbito do corpo de Cristo, ninguém dá sem receber em troca.[119] Cranfield está certo quando diz que não há ninguém tão desprovido de dons na igreja que não possa, de alguma forma, contribuir para o nosso progresso espiritual. São a má vontade e o orgulho que nos impedem de tirar proveito uns dos outros.[120]

c. *Paulo quer colher entre os crentes algum fruto espiritual* (1.13). Por "fruto" entende-se, sem dúvida, a recompensa esperada de suas atividades apostólicas, a conquista de novos convertidos e o fortalecimento da fé e da obediência daqueles que já criam.[121] Paulo não quer apenas semear, mas também colher. Ele não deseja apenas ter o pesado labor do investimento, mas anseia também obter a deleitosa recompensa desses investimentos, e não apenas entre os crentes da igreja de Roma, mas igualmente entre os demais gentios.

NOTAS DO CAPÍTULO 2

[56]   HENDRIKSEN, William. *Romanos*, p. 51, 52.
[57]   BRUCE, F. F. *Romanos: introdução e comentário*, p. 59.
[58]   BARCLAY, William. *Romanos*, p. 23.
[59]   SCHAEFFER, Francis A. *A obra consumada de Cristo*, p. 14.
[60]   WIERSBE, Warren W. *Comentário bíblico expositivo*. Vol. 5. Santo André: Geográfica, 2006, p. 668.
[61]   BARCLAY, William. *Romanos*, p. 24.
[62]   ERDMAN, Charles, R. *Comentários de Romanos*, p. 19.
[63]   CRANFIELD, C. E. B. *Comentário de Romanos*, p. 20.
[64]   LEENHARDT, Franz. J. *Epístola aos Romanos*, p. 33; STOTT, John. *Romanos*, p. 47.
[65]   CALVINO, João. *Epístola a los Romanos*, p. 25.
[66]   HENDRIKSEN, William. *Romanos*, p. 53.
[67]   MURRAY, John. *Romanos*, p. 30.
[68]   CRANFIELD, C. E. B. *Comentário de Romanos*, p. 21.
[69]   WILSON, Geoffrey B. *Romanos*, p. 2.
[70]   SCHAEFFER, Francis A. *A obra consumada de Cristo*, p. 14, 15.

71 STOTT, John. *Romanos*, p. 47.
72 BRUCE, F. F. *Romanos: introdução e comentário*, p. 59.
73 ERDMAN, Charles, R. *Comentários de Romanos*, p. 20.
74 CRANFIELD, C. E. B. *Comentário de Romanos*, p. 21.
75 LEENHARDT, Franz. J. *Epístola aos Romanos*, p. 34.
76 STOTT, John. *Romanos*, p. 48.
77 BRUCE, F. F. *Romanos: introdução e comentário*, p. 59.
78 LEENHARDT, Franz. J. *Epístola aos Romanos*, p. 35.
79 GREATHOUSE, William. *A epístola aos Romanos,* p. 29.
80 ERDMAN, Charles R. *Comentários de Romanos*, p. 20.
81 MURRAY, John. *Romanos*, p. 31.
82 CALVINO, João. *Epístola a los Romanos*, p. 26.
83 STOTT, John. *Romanos*, p. 49.
84 LEENHARDT, Franz. J. *Epístola aos Romanos*, p. 34.
85 ERDMAN, Charles R. *Comentários de Romanos*, p. 20.
86 POHL, Adolf. *Carta aos Romanos*, p. 28.
87 GREATHOUSE, William. *A epístola aos Romanos,* p. 29.
88 STOTT, John. *Romanos*, p. 49, 50.
89 POHL, Adolf. *Carta aos Romanos*, p. 29.
90 ERDMAN, Charles R. *Comentários de Romanos*, p. 21.
91 SCHAEFFER, Francis A. *A obra consumada de Cristo*, p. 16.
92 WILSON, Geoffrey B. *Romanos*, p. 4.
93 NYGREN, Anders. *Commentary on Romans.* Philadelphia: Fortress, 1949, p. 51.
94 BRUCE, F. F. *Romanos: introdução e comentário*, p. 61.
95 GREATHOUSE, William. *A epístola aos Romanos,* p. 30, 31.
96 BRUCE, F. F. *Romanos: introdução e comentário*, p. 61.
97 STOTT, John. *Romanos*, p. 53.
98 HENDRIKSEN, William. *Romanos*, p. 62.
99 STOTT, John. *Romanos*, p. 53.
100 POHL, Adolf. *Carta aos Romanos*, p. 30.
101 WILSON, Geoffrey B. *Romanos*, p. 5.
102 STOTT, John. *Romanos*, p. 56.
103 HENDRIKSEN, William. *Romanos*, p. 64.
104 WILSON, Geoffrey B. *Romanos*, p. 6.
105 BONNET, Luis; SCHROEDER, A. *Comentario del Nuevo Testamento.* Vol. 3. El Paso: Casa Bautista de Publicaciones, 1982, p. 39.
106 GREATHOUSE, William. *A epístola aos Romanos,* p. 33.
107 BARCLAY, William. *Romanos*, p. 24.
108 BRUCE, F. F. *Romanos: introdução e comentário*, p. 62.

[109] HENDRIKSEN, William. *Romanos*, p. 66.
[110] WILSON, Geoffrey B. *Romanos*, p. 6.
[111] GREATHOUSE, William. *A epístola aos Romanos*, p. 33.
[112] LEENHARDT, Franz. J. *Epístola aos Romanos*, p. 39.
[113] HENDRIKSEN, William. *Romanos*, p. 68.
[114] WILSON, Geoffrey B. *Romanos*, p. 8.
[115] MURRAY, John. *Romanos*, p. 51.
[116] MURRAY, John. *Romanos*, p. 50.
[117] HENDRIKSEN, William. *Romanos*, p. 71.
[118] POHL, Adolf. *Carta aos Romanos*, p. 34.
[119] LEENHARDT, Franz. J. *Epístola aos Romanos*, p. 41.
[120] CRANFIELD, C. E. B. *Comentário de Romanos*, p. 32.
[121] CRANFIELD, C. E. B. *Comentário de Romanos*, p. 32.

Capítulo 3

A singularidade do evangelho
(Rm 1.14-17)

Os ESTUDIOSOS AFIRMAM que a carta de Paulo aos Romanos é a cordilheira do Himalaia de toda a revelação bíblica. Nesse caso, Romanos 1.16,17 é o monte Everest, seu ponto culminante. Esses dois versículos formam a transição da introdução para o tema da epístola.[122] São o tema central da carta, e todo o restante da epístola é apenas um comentário em torno deles.

O texto em tela traz a gloriosa doutrina da justificação pela fé. Esta doutrina é a essência do evangelho. Com ela a igreja mantém-se em pé ou cai.

Paulo trata aqui do evangelho. Três pontos serão destacados: a necessidade de pregar o evangelho, o poder do evangelho e a eficácia do evangelho.

A necessidade de pregar o evangelho (1.14-16)

Paulo menciona três disposições inabaláveis de seu coração em relação ao evangelho: "Eu sou devedor (1.14); "estou pronto" (1.15) e "eu não me envergonho" (1.16). Temos aqui três verdades: a obrigação do evangelho: "sou devedor"; a dedicação ao evangelho: "estou pronto"; e a inspiração do evangelho: "não me envergonho".[123] Paulo é devedor como servo, está pronto como apóstolo e não se envergonha como alguém que foi separado para o evangelho de Deus.[124] Examinaremos esses pontos com mais vagar.

Em primeiro lugar, *estou pronto a pregar o evangelho* (1.15). Paulo estava pronto a pregar o evangelho em Roma, a capital do império romano. A demora em ir a Roma não decorria de falta de desejo do apóstolo, mas impedimentos circunstanciais. Não se tratava de oposição espiritual, mas de aproveitamento de portas abertas para o evangelho. Tal atraso, porém, enquadra-se no sábio arbítrio de Deus, pois resultou na escrita desta epístola, que tem merecido o encômio de ser "o principal livro do Novo Testamento e o evangelho perfeito".[125]

Paulo sempre esteve pronto a pregar. Pregava em prisão e em liberdade; nas sinagogas e nas cortes; nos lares e nas praças. Pregava em pobreza ou com fartura. Chegou a dizer: "Ai de mim, se não pregar o evangelho" (1Co 9.16). Pregar o evangelho era sua paixão e a razão de sua vida. Falando aos presbíteros de Éfeso, declarou: "Em nada considero a vida preciosa para mim mesmo, contanto que complete a minha carreira e o ministério que recebi do Senhor Jesus para testemunhar o evangelho da graça de Deus" (At 20.24).

Franz Leenhardt diz acertadamente que o evento decisivo da história do mundo é a pregação do evangelho de Cristo Jesus, que instaura, no processo de desenvolvimento desta história natural, uma história sobrenatural, e inaugura, neste mundo dos homens, o mundo de Deus.[126]

Em segundo lugar, *sou devedor do evangelho* (1.14). John Stott diz que há duas maneiras de alguém se endividar. A primeira é emprestando dinheiro de alguém; a segunda é quando alguém nos dá dinheiro para uma terceira pessoa. É ao segundo caso que Paulo se refere aqui.[127] Deus havia confiado o evangelho a Paulo como um tesouro que ele deveria entregar em Roma e no mundo inteiro. Ele não podia reter esse tesouro. Precisava entregá-lo com fidelidade.

Deus nos confiou sua Palavra. Ele nos entregou um tesouro. Precisamos ir e anunciar. Sonegar o evangelho é como um crime de apropriação indébita. O evangelho não é para ser retido, mas para ser proclamado. Ninguém pode reivindicar o monopólio do evangelho. A boa-nova de Deus é para ser repartida. É nossa obrigação fazê-la conhecida de outros. Em qualquer lugar do mundo, deixar de pagar uma dívida é considerado algo vergonhoso.[128]

Concordo com Charles Erdman quando ele diz que proclamar este evangelho em todo o mundo e a toda criatura não é questão de sentimento ou preferência; é obrigação moral; é dever sagrado.[129]

Em terceiro lugar, *não me envergonho do evangelho* (1.16). Para F. F. Bruce, a expressão "Não me envergonho do evangelho" quer dizer que Paulo se gloria no evangelho e considera alta honra proclamá-lo.[130] Ao levar em conta, porém, todos os fatores que circundavam o apóstolo, poderíamos perguntar: Por que Paulo seria tentado a envergonhar-se do evangelho ao planejar sua viagem para Roma?

a. *Porque o evangelho era identificado com um carpinteiro judeu que fora crucificado.* Os romanos não cultivavam nenhuma apreciação especial pelos judeus, e a crucificação era a forma de execução mais abjeta, reservada aos criminosos. Além do mais, Roma era uma cidade altiva, e os cristãos não faziam parte da elite da sociedade. Eram pessoas comuns e, até mesmo, escravos.[131] Por isso, para os orgulhosos romanos, a ideia de um judeu fabricador de tendas planejar uma viagem a Roma para pregar o evangelho parecia cômica.

James Hastings tem razão quando declara que as palavras de Paulo estão vivas ainda hoje, enquanto a Roma de Nero está sepultada sob os escombros de um passado remoto. Sobre as ruínas romanas a mensagem que Paulo pregou edificou um império espiritual muito mais amplo que o império dos césares.[132]

b. *Porque naquela época, como ainda hoje, os sábios do mundo nutriam desprezo pelo evangelho.* Paulo deixa isso meridianamente claro quando escreve sua primeira carta aos Coríntios (1Co 1.18,23-25). Naquela época, Roma, a capital do império romano, era a sede do poder mundial. Roma era uma cidade orgulhosa. Os romanos pensavam que tinham tudo. Agora, Paulo deseja ir a Roma para compartilhar o evangelho. Alguns podiam objetar que não havia nada a receber de um pregador cristão. Eles tinham muitos deuses. Tinham o poder político. Tinham riquezas e glórias humanas. É nesse contexto que Paulo diz: "Eu não me envergonho do evangelho".

c. *Porque o evangelho, centralizado na cruz de Cristo, era visto com desdém tanto pelos judeus como pelos gentios.* Para os gregos a cruz era loucura e para os judeus, escândalo (1Co 1.23). Sempre que o evangelho é pregado com fidelidade, ele gera oposição, desprezo e até escárnio. No entanto, Paulo diz que a fraqueza de Deus é mais forte que a força dos poderosos, e a loucura de Deus mais sábia que a sabedoria dos entendidos. Aprouve a Deus salvar o homem pela loucura da pregação (1Co 1.21). Geoffrey Wilson destaca que a impopularidade de um Cristo crucificado tem levado muitos pregadores a apresentar uma mensagem mais ao gosto dos incrédulos. Entretanto, um evangelho inofensivo é também um evangelho inoperante.[133]

d. *Porque pelo evangelho Paulo já havia enfrentado muitas dificuldades.* Por causa do evangelho Paulo já havia sido perseguido em Damasco, rejeitado em Jerusalém, apedrejado em Listra, açoitado em Filipos, enxotado de Tessalônica e Bereia, chamado de tagarela em Atenas e tachado de impostor em Corinto. Por causa do evangelho, Paulo enfrentava lutas que estavam além de suas forças. Por causa desse evangelho, ainda enfrentaria prisões e o próprio martírio. Porém, ele diz com insólita galhardia: "Eu não me envergonho do evangelho".

Listamos, a seguir, sete razões pelas quais Paulo, o maior bandeirante do cristianismo, não se envergonhou do evangelho.

— *A origem do evangelho* (1.16a). A mensagem do evangelho não é uma palavra de César, mas do Filho de Deus. O evangelho não emana da terra, mas do céu; não procede de homens, mas de Deus; não é fruto da lucubração humana, mas da revelação divina.

— *A natureza do evangelho* (1.16,17). O evangelho é a boa-nova do amor de Deus ao homem; é a boa notícia do perdão de Deus ao pecador. No evangelho resplandecem tanto o amor quanto a justiça de Deus. Citando Lutero, William Greathouse registra: "Deus não quer nos salvar pela nossa justiça, mas por uma justiça externa que não se origina em nós, mas que nos vem de fora de nós, que não surge em nosso planeta terra, mas que vem do céu."[134]

— *O poder do evangelho* (1.16). O evangelho é o poder de Deus. O evangelho é onipotente, como Deus é onipotente. Não há coração tão duro que ele não possa alcançar.

— *O propósito do evangelho* (1.16). O evangelho é o poder de Deus para a salvação. O evangelho não é um poder destruidor, mas salvador. Nenhum poder na terra pode salvar o homem, exceto o evangelho.

— *O alcance do evangelho* (1.16). O evangelho é para o judeu e para o grego. Ele está endereçado a todos os povos. O evangelho é universal em seu alcance. É tão amplo a ponto de oferecer salvação a todos os homens; e, ao mesmo tempo, é tão restrito a ponto de salvar apenas os que creem. O evangelho alcança todos os homens sem acepção, mas não todos os homens sem exceção.

— *A condição do evangelho* (1.16). O evangelho estabelece uma condição clara para a salvação: a fé em Cristo. O evangelho só oferece salvação àquele que crê. Os que não creem perecem. A salvação é pela fé, e pela fé somente. A condição para a salvação do judeu e do gentio é a mesma: a fé em Cristo.

— *O resultado do evangelho* (1.17). O evangelho produz não apenas fé salvadora, mas também fé santificadora. O justo viverá pela fé. O justo é salvo pela fé, vive pela fé, vence pela fé e caminha de fé em fé.

W. Burrows sintetiza esses pontos indicando as razões pelas quais o evangelho é um poder extraordinário: 1) ele é o poder de Deus; 2) é o poder de Deus para salvar; 3) é o poder de Deus para salvar o homem sem distinção de nação ou classe; 4) é o poder de Deus para salvar os homens sob a mais simples condição.[135]

O poder do evangelho (1.16)

Há os que se envergonham do evangelho, os que são a vergonha do evangelho e os que não se envergonham do evangelho.

Para prosseguir nessa questão, precisamos definir melhor o que é o evangelho. Antes de analisar o que é, veremos o que não é o evangelho.

Em primeiro lugar, *o evangelho que Paulo anuncia não é o evangelho da prosperidade.* Hoje vemos florescer no mundo outro evangelho (Gl 1.6,7), um falso evangelho, o evangelho da prosperidade, e não o evangelho da cruz. Esse evangelho promete conforto, e não sacrifício; sucesso, e não renúncia; riquezas na terra, e não bem-aventurança no céu. Esse evangelho coloca o ser humano no centro, em vez de Deus. É antropocêntrico, e não teocêntrico. Nesse evangelho é Deus quem está a serviço do homem, e não o homem a serviço de Deus. Nesse evangelho é a vontade do homem que deve ser feita no céu, e não a vontade de Deus que deve ser feita na terra.

O evangelho da prosperidade é um falso evangelho. Confunde prosperidade com salvação; riqueza na terra com bem-aventurança no céu. Troca a cruz pelo dinheiro; a bem-aventurança eterna pela prosperidade; a salvação pelo sucesso. Esse falso evangelho substitui a promessa das mansões celestiais pelas mansões da terra.

O evangelho da prosperidade é popular, mas não é verdadeiro. Ele atrai multidões, mas não reconcilia o homem com Deus. Produz o entusiasmo da carne, mas não alivia a consciência da culpa. Enche o pecador de soberba em vez de levá-lo ao pó do arrependimento. Constrói castelos de areia na terra, mas não faz nenhuma provisão para o céu. Esse evangelho falso tem ludibriado muitos obreiros gananciosos, atraído muitas pessoas avarentas e afastado de Deus os incautos em vez de conduzi-los ao Salvador.

Em segundo lugar, *o evangelho que Paulo anuncia não está centralizado em milagres e prodígios*. Há muitos falsos obreiros que pregam um evangelho apenas para aliviar a dor do corpo, e não para sarar as enfermidades da alma. Pregam cura, e não arrependimento; milagres, e não a fé salvadora. Pregam sobre os supostos direitos que o homem tem e não sobre a necessidade de esse mesmo homem se arrepender.

Precisamos reafirmar com toda convicção que Deus realiza milagres, pois ele é o mesmo ontem, hoje e eternamente. Ele jamais abdicou de seu poder. Porém, o evangelho não é constituído apenas de milagres. O milagre pode abrir portas para o evangelho, mas não é o evangelho. As pessoas que mais viram milagres foram as gerações mais incrédulas. As três gerações que mais viram prodígios na História foram as pessoas que viveram nos dias de Moisés, de Elias e dos apóstolos. Essas três gerações se renderam à incredulidade. O milagre em si não é suficiente para converter o pecador. Somente o Espírito Santo pode fazê-lo. Depois do estupendo milagre do Pentecostes, o povo ficou cheio de ceticismo, preconceito e zombaria, mas quando Pedro se levantou para pregar a Palavra os corações se derreteram.

Jesus não veio ao mundo apenas com o propósito de aliviar a dor do corpo; ele veio para salvar o homem do pecado e da ira vindoura. Sua missão principal foi morrer na cruz e ressuscitar dentre os mortos para nos salvar.

Em terceiro lugar, *o evangelho que Paulo anuncia não é o evangelho do descompromisso com o senhorio de Cristo*. Há muitas pessoas que entram para a igreja, mas não nascem de novo. Elas fazem parte da igreja na terra, mas não da igreja no céu. Têm seu nome registrado no rol de membros da igreja, mas não no Livro da Vida. São filhos de crentes, mas não filhos de Deus. Foram batizados com água, mas não com o Espírito Santo.

São pessoas que aderiram à igreja, mas não se converteram a Cristo. Professam o nome de Cristo com seus lábios, mas o negam com suas obras. Chamam Jesus de Salvador, mas não o obedecem como Senhor. São pessoas que frequentam a igreja, mas não mudam de vida. Professam uma coisa, mas praticam outra. Há um abismo entre o que dizem e o que fazem, entre sua teologia e sua vida.

Hoje temos visto muita adesão e pouca conversão. Muito ajuntamento e pouco quebrantamento. Muito barulho carnal e pouco choro pelo pecado. Os crentes entram para o evangelho, mas o evangelho não entra neles.

Há crentes que não têm sede de Deus nem se deleitam na Palavra de Deus. Há crentes que não oram nem se alegram em estar na casa de Deus. Amam o mundo e as coisas que há no mundo. São amigos do mundo e com ele se conformam. Há crentes que querem viver no mundo e na igreja ao mesmo tempo. Querem servir a Deus e às riquezas. Aqueles que ainda têm apetite pelas iguarias do mundo nunca experimentaram o sabor do pão do céu, pois Jesus disse que quem comer esse pão nunca mais terá fome. Aqueles que correm para as fontes do mundo jamais beberam da água da vida, pois Jesus disse que quem beber dessa água nunca mais terá sede.

Tendo visto o que o evangelho não é, veremos agora o que é o verdadeiro evangelho. Quais são suas marcas e distintivos. Como podemos identificá-lo?

Em primeiro lugar, *o evangelho tem um poder irresistível* (1.16). Este evangelho é o da onipotência divina, operando para a salvação, afirma John Murray.[136] O evangelho é o poder de Deus, e Deus é onipotente. Ele pode todas as coisas. Ninguém é capaz de resistir ao seu poder. Ele pode tudo quanto quer. Assim, o evangelho é irresistível. Ninguém se envergonha do que é poderoso. Ninguém precisa ficar constrangido quando tem posse de algo que é onipotente. O evangelho é *dynamis*. O evangelho é a dinamite de Deus. Esse poder explode pedra granítica, quebra barreiras e atravessa muralhas. Ele desconhece impossibilidades. O evangelho tem o poder de produzir algo; não é mero adorno, nem aprazível história, muito menos interessante sistema filosófico.[137]

William Hendriksen observa que, comparado ao poder de Deus, quão frágil é o poder de Roma ou de qualquer hoste terrena. Os exércitos terrenos destroem; o evangelho salva. Ele é o poder de Deus para a salvação.[138]

O evangelho entra em todas as culturas e quebra o muro de separação entre os povos. Entrou no palácio de Nero e conquistou o coração dos soldados da guarda pretoriana. O evangelho conquistou o coração do povo romano. Em poucos anos, o evangelho havia dominado o mundo. O evangelho entrou nas muralhas de concreto do comunismo. Penetrou nas prisões e libertou os encarcerados.

Quando estava criando o universo, bastou Deus falar e tudo se fez. Para nos salvar, contudo, uma palavra não foi suficiente. O próprio Deus Filho precisou esvaziar-se, humilhar-se, fazer-se carne e vir ao mundo para morrer em nosso lugar. A redenção é uma obra maior que a criação! O poder que operou na cruz é maior que o poder que trouxe o universo à existência!

Em segundo lugar, *o evangelho é o único poder capaz de salvar o pecador* (1.16). O evangelho é o poder de Deus para a salvação. Concordo com William Greathouse quando diz ele que o poder de Deus só é operante para a salvação através do evangelho. É o evangelho que é o poder de Deus para a salvação.[139]

Há poderes que destroem, como a bomba atômica que sepultou as cidades de Hiroshima e Nagasaki, no Japão. O evangelho, porém, é o poder de Deus para a salvação. Não há salvação fora do evangelho. Não há esperança para o pecador sem o evangelho. O evangelho é a mensagem do amor de Deus, da graça salvadora e do perdão infinito. O evangelho é Deus amando o pecador; é o justo perdoando o culpado; é a porta do céu escancarando-se para o perdido. É a vida sendo oferecida aos mortos em seus delitos e pecados.

O evangelho é o poder onipotente de Deus para livrar o homem da ira vindoura e reintegrá-lo àquela glória da qual ele foi destituído por causa do pecado. O evangelho livra o homem da condenação e dá-lhe salvação. Tira-o do império das trevas e transporta-o para o reino da luz. O evangelho arranca o homem das cadeias da condenação e concede-lhe libertação. Tira-o das entranhas da morte e oferta-lhe vida eterna. William Hendriksen diz que ser salvo significa ser emancipado do maior mal e receber a posse do maior bem.[140]

Essa salvação é passada, presente e futura. Quanto à justificação, já fomos salvos; quanto à santificação, estamos sendo salvos; quanto à glorificação, seremos salvos. Na justificação fomos salvos da condenação do pecado; na santificação estamos sendo salvos do poder do pecado; e na glorificação seremos salvos da presença do pecado.

A carta aos Romanos cobre todos os três tempos da salvação. Francis Schaeffer diz que os capítulos 1–4 lidam com a perspectiva passada da salvação, que é a justificação. O trecho de Romanos 5–8.17 trata do aspecto presente da salvação, que é a santificação. Em seguida, de forma breve, mas bastante contundente, a passagem de 8.18-39 aborda o aspecto futuro da salvação: a glorificação.[141]

Essa verdade dá garantia ao pregador de que a Palavra de Deus não volta vazia. Sempre que alguém se levanta para pregar a Palavra, tem a garantia de que essa pregação produzirá resultado. O evangelho é o poder de Deus para a salvação. Não lidamos com uma mensagem fraca, mas poderosa. Os resultados não dependem do pregador nem dos ouvintes, pois é Deus quem opera tanto o querer como o realizar. É Deus quem abre o coração. É Deus quem dá o arrependimento para a vida. É Deus quem concede a fé salvadora. É Deus quem regenera e justifica. É Deus quem sela com o Espírito Santo, santifica e glorifica. Tudo provém de Deus. A salvação é obra exclusiva de Deus.

Muitos buscam salvação nas obras. Outros nos méritos, nos ritos sagrados, no autossacrifício, na psicologia de autoajuda, no legalismo religioso, na reencarnação, na intercessão dos santos. A salvação, contudo, só pode ser alcançada no evangelho.

Em terceiro lugar, *o evangelho é o poder de Deus para a salvação apenas dos que creem* (1.16). Há uma limitação imposta pelo próprio evangelho. O evangelho não salva a todos. Não porque não haja nele poder intrínseco para salvar, mas porque aprouve a Deus que experimentem esse poder salvador apenas os que creem. A fé é a condição da salvação. É por ela que recebemos esse presente.

Para William Hendriksen, a fé é o tronco da árvore cujas raízes representam a graça e cujos frutos simbolizam as boas obras. É o acoplamento que conecta o comboio humano à locomotiva de Deus. É a mão vazia do homem estendida para Deus, o doador.[142] Cranfield diz corretamente que essa fé não é algo que acontece à parte do evangelho. Essa fé vem pelo evangelho.[143]

Entretanto, a salvação é universal. Ou seja, destina-se a todo aquele que crê. Destina-se tanto ao judeu quanto ao grego. Nesta passagem, o termo "grego" é usado para denotar o mundo gentílico no seu todo em contraste com o mundo judeu.[144] A salvação é oferecida sem levar em conta raça, nacionalidade, idade, sexo, condição social, grau de educação ou cultura.

John Murray diz ainda que não existe nenhum obstáculo proveniente das degradações do pecado. Onde quer que exista fé, ali também a onipotência de Deus se mostra operante para a salvação.[145]

Segundo Francis Schaeffer, não existem duas religiões na Bíblia, não existem duas formas de salvação, somente uma.[146] O justo viverá pela fé, seja ele judeu ou gentio. Charles Erdman observa que nenhum judeu pode ser salvo à parte da fé em Cristo, e pela fé em Cristo qualquer gentio se pode salvar.[147] John Stott corretamente afirma que todos os que são salvos são salvos exatamente da mesma maneira: por meio da fé.[148]

Concluímos destacando que a salvação não é pelas obras. Ela não é merecimento humano, é graça divina. Não é alcançada como prêmio, mas recebida como presente. Não é o que fazemos para Deus, mas o que ele fez por nós. A fé é o braço estendido de um mendigo para receber o presente de um rei.

A eficácia do evangelho (1.17)

O apóstolo Paulo menciona algumas verdades importantes aqui.

Em primeiro lugar, *o evangelho é o poder de Deus para a salvação porque nele se revela a justiça de Deus* (1.17). Paulo diz que a ira de Deus se revela contra toda impiedade e perversão dos homens (1.18), mas a justiça de Deus se revela no evangelho (1.17).

Deus é justo. É tão puro de olhos que não pode contemplar o mal. É justo em todas as suas obras. Sendo justo, não inocenta o culpado. Sendo justo, julgará a todos com justiça. Ele é o juiz de vivos e mortos. Teremos de comparecer um dia perante o seu tribunal. Todos nós daremos contas de nossa vida. No dia do juízo, os livros serão abertos e seremos julgados conforme o que estiver ali registrado.

Naquele dia haverá testemunhas contra nós – nossas palavras, obras, omissões, nossos desejos e pensamentos. Se pecássemos apenas três vezes por dia, teríamos noventa pecados por mês e mais de mil pecados por ano. Se eu, particularmente, tivesse apenas mil pecados por ano, já acumularia cerca de cinquenta mil pecados. O que aconteceria a um réu se um advogado de acusação e um promotor provassem pelos autos do processo que ele cometeu cinquenta mil transgressões da lei? Sua causa seria indefensável!

Aqui na terra podemos até corromper o juiz e subornar as testemunhas. Mas quem subornará o justo Juiz de vivos e de mortos? A Bíblia diz que a alma que pecar, essa morrerá (Ez 18.20). Diz que Deus não inocentará o culpado (Êx 34.7). Mas não seriam necessários milhares de pecados para alguém deixar de entrar no céu. Bastaria um, e não poderíamos entrar. Lúcifer foi expulso do céu por um só pecado. Nada imperfeito e contaminado pode entrar no céu (Ap 21.27). No céu só entram pessoas perfeitas. As palavras de Cristo são: "Sede vós perfeitos como perfeito é o vosso Pai celeste" (Mt 5.48). Porém, a Bíblia diz que somos imperfeitos. Todos pecaram e destituídos estão da glória de Deus (Rm 3.23). Se obedecermos à lei inteira, mas tropeçarmos num único ponto, seremos culpados de toda a lei (Tg 2.10).

John Murray faz uma interpretação correta quando diz que não é o mero atributo da justiça que opera a nossa salvação (este atributo, por si mesmo, seria o selo de nossa condenação), mas a justiça justificadora de Deus.[149] John Stott corrobora essa ideia ao afirmar que, em Romanos, a manifestação suprema da justiça pessoal de Deus se revela na cruz de Cristo. Quando Deus "o apresentou como sacrifício para propiciação", ele o fez "para demonstrar sua justiça", para que ele mesmo possa ser simultaneamente "justo" e o "justificador daquele que tem fé em Jesus" (Rm 3.26).[150] A justiça de Deus que se revela no evangelho é a justiça de Cristo imputada a nós. Essa justiça é uma dádiva de Deus, e não uma conquista humana.

Em segundo lugar, *o evangelho revela a justiça de Cristo imputada a nós* (1.17). O que não podíamos fazer, Deus fez por nós em Cristo Jesus. Ele veio ao mundo como nosso fiador, representante e substituto. Quando Jesus estava lá na cruz, Deus fez cair sobre ele a iniquidade de todos nós (Is 53.6). Ele foi ferido pelos nossos pecados e traspassado pelas nossas transgressões. Deus o fez enfermar e naquele momento ele se tornou pecado por nós. Ele foi feito maldição por nós. O castigo que nos traz a paz estava sobre ele.

Do alto da cruz, com o corpo ferido, os músculos esmagados, dores alucinantes, o rosto empapuçado de sangue, ele gritou: "Deus meu, Deus meu, por que me desamparaste?" (Mc 15.34). Nem mesmo o Pai pôde ampará-lo. Naquele momento não havia beleza nele. Naquele momento o Pai escondeu o rosto dele, e a lei exigiu sua morte. O universo inteiro entrou em convulsão. O sol escondeu o rosto e houve trevas ao meio-dia. Ele desceu ao inferno. Sua agonia foi indescritível. Ele bebeu sozinho o cálice amargo da ira de Deus contra o pecado.

No entanto, quando o inferno pensou que estava alcançando grande vitória, Jesus deu um brado na cruz: "Está consumado!" (Jo 19.30). Ele, então, esmagou a cabeça da serpente. Triunfou sobre os principados e potestades. Pegou o escrito de dívida que era contra nós, rasgou-o, anulou-o e encravou-o na cruz (Cl 2.14,15).

John Stott descreve essa gloriosa verdade nos seguintes termos:

> Parece legítimo afirmar, portanto, que "a justiça de Deus" é a iniciativa justa tomada por Deus ao justificar os pecadores consigo mesmo, concedendo-lhes uma justiça que não lhes pertence, mas que vem do próprio Deus. "A justiça de Deus" é a justificação justa do injusto, sua maneira justa de declarar justo o injusto, pela qual ele demonstra sua justiça e, ao mesmo tempo, nos confere justiça. Ele o fez por intermédio de Cristo, o justo, que morreu pelos injustos.[151]

A justificação é mais do que perdão. Cristo não apenas cancelou a nossa dívida, pagando-a completamente por meio do seu sacrifício substitutivo, mas também Deus depositou em nossa conta a infinita justiça de Cristo, de tal forma que estamos completamente quites com a lei e com a justiça divina. O perdão é a imputação da nossa dívida a

Cristo. A justificação é a imputação da justiça de Cristo a nós.

Agora, deixamos de ser réus e filhos da ira. Tornamo-nos filhos amados. Somos membros da família de Deus. Somos seus herdeiros, sua herança e seu deleite. Quando pecamos, não perdemos nossa filiação, pois quando confessamos os nossos pecados ele é fiel e justo para nos perdoar os pecados e nos purificar de toda injustiça (1Jo 1.9). O justo não perdoa. Por que então, o apóstolo João diz que Deus é fiel e justo para nos perdoar, em vez de dizer que Deus é fiel e misericordioso? É porque esse pecado já foi levado à cruz. Cristo já morreu por esse pecado. E Deus é justo para não puni-lo outra vez!

Em terceiro lugar, *a justiça de Deus é recebida pela fé* (1.17). A justiça de Deus é recebida pela fé, e não operada pelas obras. O justo vive pela fé. A nossa justiça não é a nossa própria, mas a justiça de Cristo a nós imputada e por nós recebida mediante a fé.

Recebemos essa justiça quando cremos em Cristo. É mediante a fé, e não pelas obras. A fé não é a base da justificação, mas seu instrumento de apropriação. O homem não é salvo por causa da fé, mas mediante a fé.

Podemos sintetizar a gloriosa doutrina da justificação em três pontos:

a. *O justo é aquele a quem Deus declara justo.* A justificação é um ato e não um processo. O crente mais fraco está tão justificado quanto o santo mais piedoso. Não há graus de justificação. A justificação acontece uma única vez e jamais precisa ser repetida. A justificação é um ato forense e legal que ocorre no tribunal de Deus, e não em nosso coração. É algo que Deus faz por nós, e não em nós. Na justificação somos declarados justos, e não feitos justos. Robert Kendall tem razão ao dizer: "Pelo fato de a justificação pela fé ser forense, não há necessidade que necessariamente devamos sentir. Porém, embora não nos sintamos justos, nós o somos; embora não possamos nos sentir perdoados, nós o somos. 'Justificados' é como Deus nos vê; não como vemos a nós mesmos".[152]

b. *O justo é aquele que é justificado mediante a justiça de outro.* Não somos declarados justos por causa da nossa justiça. Deus não justifica os justos, mas pecadores. Deus trata como justo o injusto por causa da justiça daquele que é justo. A justiça do justo é imputada ao injusto. Somos justificados pela morte substitutiva de Cristo. Assim como Moisés levantou a serpente no deserto, o Filho do homem foi levantado, para que todo o que nele crê não pereça!

c. *O justo é aquele que é justificado mediante a fé.* A fé não é a causa da justificação, mas seu instrumento. Essa fé não é merecimento humano; é dádiva de Deus. A justiça de Deus se revela no evangelho de fé em fé. Ela baseia-se na fé e se dirige para a fé. É um caminho que parte da fé e na fé termina.[153] Ela procede inteiramente da fé, em primeira e em última instância.[154] Adolf Pohl interpreta a formulação dupla "de fé em fé", como unicamente pela fé, ou seja, fé de A a Z, fé ininterrupta.[155] Concordo com Francis Schaeffer quando ele diz que a salvação envolve mais do que justificação. Somos justificados pela fé, mas também devemos viver de acordo com a mesma fé no presente. Depois de termos sido justificados pela fé, devemos viver pela fé. Este é o segundo aspecto da salvação, a nossa santificação.[156]

NOTAS DO CAPÍTULO 3

[122] HASTINGS, James. *The great texts of the Bible (Acts-Romans)*. Vol. VIII. Grand Rapids: Wm. B. Eerdmans Publishing Company, n.d., p. 236.

[123] GREATHOUSE, William. *A epístola aos Romanos,* p. 40.

[124] SCHAAL, Juan H. *El camino real de Romanos,* p. 30.

[125] ERDMAN, Charles R. *Comentários de Romanos,* p. 26.

[126] LEENHARDT, Franz. J. *Epístola aos Romanos,* p. 44.

[127] STOTT, John. *Romanos,* p. 62.

[128] STOTT, John. *Romanos,* p. 63.

[129] ERDMAN, Charles R. *Comentários de Romanos,* p. 26.

[130] BRUCE, F. F. *Romanos: introdução e comentário,* p. 65.

[131] WIERSBE, Warren W. *Comentário bíblico expositivo,* p. 671.

[132] HASTINGS, James. *The great texts of the Bible (Acts-Romans),* p. 241.

[133] WILSON, Geoffrey B. *Romanos,* p. 11.

[134] GREATHOUSE, William. *A epístola aos Romanos,* p. 38.

[135] BURROWS, W. Romans. In: *The preacher's complete homiletic commentary.* Vol. 26. Grand Rapids: Baker Books, 1996, p. 31.

[136] MURRAY, John. *Romanos,* p. 56.

[137] ERDMAN, Charles R. *Comentários de Romanos,* p. 28.

[138] HENDRIKSEN, William. *Romanos,* p. 79.

[139] GREATHOUSE, William. *A epístola aos Romanos,* p. 35.

[140] HENDRIKSEN, William. *Romanos,* p. 79, 80.

[141] SCHAEFFER, Francis A. *A obra consumada de Cristo,* p. 23.

[142] HENDRIKSEN, William. *Romanos,* p. 80.

[143] CRANFIELD, C. E. B. *Comentário de Romanos,* p. 36.

[144] ERDMAN, Charles R. *Comentários de Romanos,* p. 28.

[145] MURRAY, John. *Romanos,* p. 57.

[146] SCHAEFFER, Francis A. *A obra consumada de Cristo,* p. 25.

[147] ERDMAN, Charles R. *Comentários de Romanos,* p. 28.

[148] STOTT, John. *Romanos,* p. 64.

[149] MURRAY, John. *Romanos,* p. 59, 61.

[150] STOTT, John. *Romanos,* p. 65, 66.

[151] STOTT, John. *Romanos,* p. 68.

[152] KENDALL, Robert T. *Esboços de teologia, doutrina e sermões.* São Paulo: Candeia/Arte Editorial, 2007, p. 225.

[153] BRUCE, F. F. *Romanos: introdução e comentário,* p. 66.

[154] ERDMAN, Charles R. *Comentários de Romanos,* p. 30.

[155] POHL, Adolf. *Carta aos Romanos,* p. 39.

[156] SCHAEFFER, Francis A. *A obra consumada de Cristo,* p. 25.

Capítulo 4

A depravação da sociedade gentílica
(Rm 1.18-32)

A QUEDA NÃO TROUXE apenas alguns arranhões à humanidade, mas ruína, destruição e morte espiritual. O homem não precisa apenas de cosméticos para melhorar sua aparência; precisa de ressurreição para levantá-la da morte. Francis Schaeffer destaca que o nosso problema não é metafísico, mas moral.[157] O homem está sob a ira de Deus, por isso precisa de salvação. Não precisamos de nenhum guia espiritual ou do exemplo inspirador de algum mártir. Precisamos de um Salvador real, porque estamos sob a ira real de Deus.[158]

Depois que Paulo apresentou o tema da carta (Rm 1.16,17), falando do evangelho, ele passa a ressaltar a necessidade do evangelho (1.18–3.23). O apóstolo Paulo argumenta, de forma irrefutável, que tanto os gentios como os judeus são absolutamente culpados diante de Deus. Ambos pecaram e estão destituídos da glória de Deus. Os gentios pecaram contra a revelação natural e os judeus contra a revelação especial. Ambos precisam de igual forma ser salvos e ambos só podem ser salvos pela fé em Cristo Jesus.

O texto em apreço não é apenas uma radiografia da sociedade gentílica dos dias de Paulo e um sombrio quadro do mundo pagão,[159] mas também um diagnóstico sombrio da condição do homem contemporâneo. A humanidade toda está moralmente arruinada.[160] Chamamos a atenção para alguns pontos:

Em primeiro lugar, *Paulo rechaça a teoria de que o homem é naturalmente bom*. O pensador francês Jean Jacques Rousseau estava rotundamente equivocado quando postulou que o homem é essencialmente bom. O mal não está apenas nas estruturas sociais. O mal não é apenas um subproduto do ambiente. O coração do homem é a fonte poluída da qual jorra aos borbotões toda sorte de sujeira e maldade. O caos infernal da sociedade é apenas um reflexo da malignidade do corrupto coração humano. O mundo gentio é descrito por Paulo como um antro de vícios (Rm 1.24-32).

Em segundo lugar, *Paulo rejeita a ideia de que o maior problema humano é a falta de conhecimento*. O problema do homem não é a ignorância da verdade de Deus, mas abafar e sufocar essa verdade. Não é o desconhecimento involuntário da verdade de Deus, mas a rejeição consciente dessa verdade. Deus se revelou ao homem, mas ele sufocou esse conhecimento, banindo Deus deliberadamente da sua vida.

Adolf Pohl diz que a boa criação de Deus rebrilha para dentro de cada consciência, de modo que cada um poderia ser grato (Rm 1.20,21).[161] Francis Schaeffer está certo quando diz que o homem não vive numa caverna escura.[162] A criação é testemunha de Deus. A natureza revela conhecimento. Há uma voz que é ouvida onde quer que os seres humanos vivam, estejam eles com ou sem a Bíblia. É a voz da criação (Sl 19.1-3). Mesmo aqueles que não dispõem da Bíblia têm conhecimento suficiente de Deus a ponto de serem indesculpáveis (At 14.17).

Em terceiro lugar, *Paulo repudia a falsa mensagem de que o homem tem apenas necessidades imediatas.* A pregação contemporânea apresenta uma falsa visão da queda, do pecado, do homem e da salvação. A visão bíblica de que o homem está morto em seus delitos e pecados e vive prisioneiro da carne, do mundo e do diabo não mais é proclamada na maioria dos púlpitos. A pregação contemporânea mostra que o homem tem algumas necessidades imediatas e temporais, mas não está perdido. A Bíblia, porém, diz que o homem é um ser rebelado contra Deus; está debaixo da ira de Deus e sob o seu castigo temporal e eterno. Essa é a condição de toda a humanidade (3.23). O estado dos povos é descrito por Paulo como completamente sem esperança.

Em quarto lugar, *Paulo rejeita uma evangelização que não trate do núcleo do problema humano.* Floresce no meio evangélico uma mensagem focada nas necessidades imediatas do homem (cura e prosperidade) e dos pretensos direitos desse homem. Os púlpitos massageiam o ego dos pecadores. Tornam-se divãs eivados da psicologia de autoajuda. Isso porque perdemos a consciência do estado de rebeldia contra Deus em que o homem se encontra. Com isso a igreja perde o fervor missionário e passa a pregar apenas em panaceia, sem tocar no âmago do problema humano, que é o pecado.

Warren Wiersbe, interpretando a passagem em apreço, cita os quatro estágios do mundo gentio culpado diante de Deus: 1) inteligência (Rm 1.18-20); 2) ignorância (1.21-23); 3) imoralidade (1.24-27); e 4) impenitência (1.28-32).[163] Augustus Nicodemos, em célebre mensagem sobre o referido passo bíblico, interpretou-o, abordando três grandes assuntos: revelação, rejeição e retribuição. Examinaremos agora esses três pontos.

A revelação (1.18-20)

Paulo não se constrange de discorrer sobre a ira de Deus. Não está preocupado em ferir os melindres dos mais sensíveis. Assim como a justiça de Deus se revela no evangelho, a ira de Deus se revela desde o céu contra toda impiedade e perversão humana.

Geoffrey Wilson diz acertadamente que Deus não é indiferente ao pecado, pois este é uma afronta a sua santidade, um assalto direto à sua majestade. Assim, a ira de Deus é uma expressão que indica o justo derramamento do desfavor divino sobre o pecador.[164]

Cranfield tem razão ao declarar que a ira de Deus não é incompatível com o seu amor: ao contrário, é uma expressão do seu amor. É justamente porque nos ama verdadeira, séria e fielmente, que Deus está irado conosco em nossa pecaminosidade.[165] Entretanto, o pleno significado da ira de Deus não deve ser visto nas desgraças que acontecem a homens pecadores no decorrer da História: a sua realidade só é verdadeiramente conhecida quando vista na sua revelação no Getsêmani e no Gólgota.[166]

Destacaremos alguns pontos aqui:

Em primeiro lugar, *a ira de Deus é justa por causa da forma injusta que o homem se relaciona com a verdade.* "A ira de Deus se revela do céu contra toda impiedade e perversão dos homens que detêm a verdade pela injustiça" (1.18). A ira de Deus não é destempero emocional. Não é explosão de raiva. Não está eivada de caprichos. Não deve ser concebida em termos de explosões de ódio, às quais a ira, em nós, está frequentemente associada.[167]

A ira de Deus é sua santa repulsa ao mal, é seu desprazer dinâmico contra o pecado. Segundo F. F. Bruce, a ira de Deus é a reação da santidade divina à impiedade e rebelião do homem.[168] John Murray explica que a ira consiste na santa reação do ser de Deus contra aquilo que é contrário à sua santidade.[169]

Concordo com Charles Erdman quando ele diz que não se deve associar a ira de Deus a nenhuma ideia de humana paixão, fraqueza ou vingança. Nem devemos perder de vista o universal amor de Deus. Ela é em verdade o reverso do divino amor.[170] Assim, no conflito moral, o contrário de "ira" não é "amor", mas "neutralidade".[171]

Vejamos algumas verdades:

a. *A dinâmica da ira* (1.18). O verbo "revelar-se" está no presente contínuo e isso significa que a manifestação da ira é contínua. O pecado atrai a ira de Deus. Foi assim no dilúvio, na destruição de Sodoma e Gomorra, nas pragas do Egito e em todas as visitações da ira de Deus na história humana. A revelação da "ira vindoura" nos tempos finais (1Ts 1.10) é antecipada pela revelação do mesmo princípio na vida corrente do mundo.[172]

b. *A origem da ira* (1.18). A ira de Deus se revela desde o céu. Ela vem de cima, do trono daquele que governa moralmente o universo e não pode tolerar passivamente o mal. A História é o palco da manifestação dessa ira contínua de Deus. Por ser procedente do céu, o trono de Deus, a ira divina é ativa.

c. *A causa da ira* (1.18). A causa da ira é a impiedade e a perversão humana. Fritz Rienecker diz que a impiedade se refere ao relacionamento com Deus e a perversão, ao relacionamento com os homens.[173] Impiedade é rebelião contra Deus; perversão é rebelião contra o próximo. Impiedade é a quebra da primeira tábua da lei; perversão é a quebra da segunda tábua da lei.

A "impiedade" diz respeito àquela perversão de natureza religiosa, ao passo que a "perversão" se refere àquilo que tem caráter moral; a primeira pode ser ilustrada pela idolatria; a última, pela imoralidade.[174] Geoffrey Wilson argumenta que a impiedade para com Deus resulta em injustiça para com os homens.[175] Nas palavras de Cranfield, a impiedade se refere a violações dos quatro primeiros mandamentos, e a injustiça, à violação dos seis últimos; porém, mais verossímil é que as duas palavras sejam empregadas como duas expressões para a mesma coisa.[176]

d. *O alvo da ira* (1.18). A ira de Deus se revela contra toda impiedade e perversão dos homens que "detêm a verdade pela injustiça". Por causa da impiedade e da perversão, os homens sufocam e abafam a verdade. William Greathouse tem razão quando diz que todo o pecado é uma resistência deliberada a Deus.[177] A palavra "deter" significa matar por afogamento. Adolf Pohl ressalta que os homens, com inumeráveis maldades, martelam contra esse saber (1.20,21), prendendo-o no porão de sua consciência, não permitindo que se erga.[178] É muito difícil, porém, excluir Deus do raciocínio, por mais fácil que seja excluí-lo do discurso.[179]

Em segundo lugar, *a ira de Deus é justa por causa da forma consciente que o homem rejeita a revelação divina* (1.19,20). Chamamos a atenção para algumas verdades solenes:

a. *O homem só pode conhecer a Deus porque este se revelou* (1.19). Calvino inicia as *Institutas* dizendo que só podemos conhecer a Deus porque ele se revelou. O conhecimento de Deus não é fruto da lucubração humana, mas da própria revelação que Deus faz de si mesmo.

b. *A revelação natural é suficiente para mostrar a majestade de Deus* (1.20). O homem tem a verdade porque Deus se revelou na natureza. John Stott destaca que a criação é uma manifestação visível do Deus invisível.[180] A criação ou revelação natural fala sobre os atributos invisíveis de Deus, seu eterno poder e sua divindade.

John Murray diz corretamente que as obras visíveis da criação de Deus manifestam suas perfeições invisíveis. Deus deixou sobre sua obra criada as "impressões digitais" de sua glória, que se torna manifesta a todos.[181] Depreendemos desse fato que Deus é distinto da criação. Ele não se confunde com as coisas criadas. O panteísmo, portanto, é uma falácia. De igual forma, concluímos que Deus é soberano, uma vez que trouxe à existência as coisas que não existiam. O universo não é fruto de geração espontânea. O universo não pariu a si mesmo. Ele foi criado. O universo não é resultado de uma explosão cósmica, uma vez que a desordem não produz a ordem nem o caos produz o cosmo. O universo não é consequência de uma evolução de bilhões e bilhões de anos. Antes, é obra de Deus e arauto de Deus. O rei Davi escreve: "Os céus proclamam a glória de Deus, e o firmamento anuncia as obras das suas mãos" (Sl 19.1). Todo o cosmo é um testemunho eloquente da existência de Deus.

Segundo John Stott, a autorrevelação de Deus por meio das "coisas que foram criadas" tem quatro características básicas: 1) ela é universal ou geral, porque se destina a todo o mundo em todos os lugares; 2) ela é natural, porque se deu pela ordem natural; nisso ela se opõe à sobrenatural, que envolve a encarnação do Filho e a inspiração das Escrituras; 3) ela é contínua, pois vem desde a criação do mundo e continua dia após dia, noite após noite, ao contrário da "final", que é completa em Cristo e nas Escrituras; 4) ela é criacional, revelando a glória de Deus por intermédio da criação, no que se opõe è revelação salvadora, que manifesta a graça salvadora de Deus em Cristo.[182]

c. *A revelação natural é suficiente para tornar o homem indesculpável perante Deus* (1.20). Mesmo que a revelação natural não seja suficiente para salvar o homem, é suficiente para responsabilizá-lo. Todos os homens são indesculpáveis perante Deus porque a verdade de Deus tem-se manifestado a eles tanto na luz da consciência como no testemunho da criação (1.19,20). Os homens não poderão fazer apologia em seu próprio favor. Ninguém poderá dizer a Deus no dia do juízo: "Ah! eu não sabia que o Senhor existia, não sabia que o Senhor é criador do universo". Charles Erdman tem razão quando diz que o próprio mundo é descrito pelo termo *cosmo,* que significa "ordem" e implica desígnio por parte do Criador.[183]

Aqui cai por terra a teoria do índio inocente, dos povos remotos que estão em estado de inocência. Não é essa a teologia de Paulo. Todos os povos são indesculpáveis diante de Deus. Eles pecam contra Deus conscientemente.

Paulo está dizendo também que o ateísmo é uma grande tolice. Ninguém nasce ateu. Na verdade, esse conhecimento de Deus é sufocado. Os ateus se fazem assim. O ateísmo não é uma questão intelectual, mas moral. Cranfield afirma corretamente que o pecado é sempre um assalto à verdade, isto é, a verdade fundamental de Deus como Criador, Redentor e Juiz.[184]

A rejeição (1.21-23)

Paulo traça os passos pelos quais o mundo pagão descambou do conhecimento do Deus verdadeiro à idolatria mais degradada e abstrusa.[185] Destacamos aqui quatro pontos:

Em primeiro lugar, *conhecimento suficiente*. "Porquanto, tendo conhecimento de Deus..." (1.21). O problema humano não é ausência do conhecimento de Deus, mas a negação de Deus. O homem possui suficiente conhecimento da verdade para garantir ser descrito como tentando abafá-la. Ele tem conhecimento suficiente, mas sufoca esse conhecimento. O homem quer tirar Deus do seu caminho, eliminar Deus do seu pensamento, banir Deus da sua vida. O homem tem conhecimento suficiente de Deus para torná-lo indesculpável.

Em segundo lugar, *rejeição consciente*. "... não o glorificaram como Deus, nem lhe deram graças; antes, se tornaram nulos em seus próprios raciocínios..." (1.21). Em princípio, o pecado humano é pecado por omissão. Um duplo "não" os acusa (eles não glorificaram a Deus nem lhe deram graças). Portanto, no começo não está o "dizer não", mas o "não dizer".[186] Geoffrey Wilson está certo em sua análise: "Quando os homens rejeitam a verdade, abraçam a mentira em seu lugar. A ausência da verdade sempre assegura a presença do erro".[187]

O homem rejeita conscientemente o conhecimento de Deus de duas formas:

a. *Deixando de glorificá-lo por quem ele é.* O homem deveria olhar para a natureza e ver nela a glória de Deus. Deixar de reconhecer os atributos invisíveis de Deus, seu eterno poder e sua divindade nas obras da criação é privar Deus da sua própria glória. John Murray esclarece que glorificar a Deus como Deus não é aumentar a glória de Deus; significa meramente atribuir a Deus a glória que lhe pertence como Deus, ou seja, dar a ele, nos pensamentos, afetos e devoção, o lugar que lhe é devido, em virtude das perfeições que a própria criação visível manifesta.[188]

Atribuir a criação ao acaso é despojar Deus de sua majestade. Portanto, quando os povos pagãos, seja nos grandes centros urbanos, seja nas selvas mais remotas, dão glória aos seus ídolos, não fazem isso de forma inocente. Trata-se de uma rebelião deliberada.

b. *Deixando de agradecer-lhe pelo que fez.* Glorificamos a Deus por quem ele é e damos graças a Deus por aquilo que ele faz. A criatura deixa de ser grata para ser ingrata. Deus criou a terra e a encheu de fartura. Deus deu ao homem vida, saúde, pão, as estações e tudo mais para o seu aprazimento. Contudo, a resposta do homem a todo esse bem é uma consciente e deliberada ingratidão.

Qual é a razão dessa rejeição consciente? Tudo começa na mente. Os homens se tornaram nulos em seus próprios raciocínios. O homem começou a pensar e tirou Deus como referência do seu pensamento. O homem começou a refletir e tirou Deus como fonte de todo o bem. O homem começou a criar as suas próprias hipóteses, e muitas filosofias foram inventadas. O homem tornou-se o centro e a medida de todas as coisas. Não havia mais espaço para Deus. O resultado é que, nesse vazio de Deus, o raciocínio do homem tornou-se nulo.

Em terceiro lugar, *comportamento inconsequente.* "... obscurecendo-se-lhes o coração insensato. Inculcando-se por sábios, tornaram-se loucos" (1.21,22). O que começa na mente vai para o coração. O raciocínio errado leva o coração às trevas. Quando o homem perde o conhecimento de Deus, perde também a referência de santidade. Não sabe mais de onde vem, nem para onde vai. Torna-se totalmente louco, não compreendendo a si mesmo ou mesmo o universo em que vive. "É fatal confundir esclarecimento filosófico com iluminação espiritual, pois o efeito do pecado sobre a mente do homem é tornar sua suposta sabedoria em tolice".[189]

Um raciocínio nulo gera um coração obscuro. Uma mente sem Deus produz uma vida de trevas. Banir Deus deliberadamente da vida desemboca no obscurantismo moral, na loucura mais consumada. Essa é a situação hedionda em que os homens se meteram. Eles achavam que deixar Deus de fora seria um ato de sabedoria, mas Paulo diz que essa é a mais consumada loucura. Para William Hendriksen, tal obscurantismo indica embotamento mental, desespero emocional e depravação espiritual.[190]

Charles Erdman arrazoa: "Essa é a divina estimativa dos mais orgulhosos filósofos da Grécia e de Roma, e de toda a blasonada sabedoria do Eufrates e do Nilo. Ainda hoje a mais obtusa infidelidade pode coincidir com a mais deslavada presunção. O moderno sábio adora-se a si mesmo.[191]

Em quarto lugar, *idolatria irreverente.* "E mudaram a glória do Deus incorruptível em semelhança da imagem de homem corruptível, bem como de aves, quadrúpedes e répteis" (1.23). Aquilo que começou na mente e desceu ao coração deságua na religião. A pretensa sabedoria humana de rejeitar o conhecimento de Deus e mudar a glória do Deus incorruptível em imagens de homens, aves, quadrúpedes e répteis é a mais tosca loucura e o nível mais baixo da degradação espiritual. Em seu pensamento os seres humanos reduzem Deus a duas pernas, depois a quatro patas, e finalmente a rastejar sobre o ventre. E em todo o tempo eles se dizem sábios.[192]

Partindo da adoração do Deus vivo e verdadeiro, a humanidade gradualmente desceu à idolatria e ao fetichismo.[193] Warren Wiersbe diz que, se o homem não adora o Deus verdadeiro, adorará um deus falso, mesmo que ele próprio tenha de confeccioná-lo.[194] A mente humana nunca é um vácuo religioso; se houver a ausência do que é verdadeiro, sempre haverá a presença do que é falso. A razão separada da fonte de luz conduziu os homens a um delírio de inutilidade.[195]

Geoffrey Wilson argumenta com propriedade que ainda hoje muitos religiosos alegam invocar seu deus por meio de imagens, afirmando que eles não se curvam à imagem em si. Arão fez um bezerro de ouro, mas não tinha a menor intenção de levar o povo a adorar a imagem. Ele disse: "Amanhã, será festa *ao Senhor*" (Êx 32.5). O bezerro era simplesmente um auxílio à devoção, mas o julgamento de Deus a respeito foi muito diferente: "Em Horebe, fizeram um bezerro e adoraram o ídolo fundido. E, assim, trocaram a glória de Deus pelo simulacro de um novilho que come erva" (Sl 106.19,20).[196]

Charles Erdman tem razão quando diz que aqueles que se recusam a render culto a Deus e não sentem prazer em prestar-lhe obediência são comumente os autores de teorias e crenças errôneas tão populares quanto vazias e absurdas.[197]

Paulo descreve os muitos deuses egípcios, bem como o panteão de deuses gregos e romanos. No berço onde nasceu a filosofia, o povo estava mergulhado no obscurantismo. O apogeu da filosofia grega não passava de um tempo de ignorância (At 17.30). A idolatria é uma rebelião contra Deus. Substituir o Deus incorruptível por criaturas corruptíveis e prostrar-se diante de obras das próprias mãos é perverter o culto divino e desonrar o Senhor. A hediondez da idolatria pode ser notada não apenas na imoralidade que engendra, mas também no fato de que ela caricatura e falseia a Deus.

A retribuição (1.24-32)

Da idolatria para a imoralidade é um passo. John Stott diz: "A história do mundo confirma que a tendência da idolatria é acabar em imoralidade. Uma falsa imagem de Deus leva a um falso conceito do sexo.[198]

A perversão da vida surge da perversão da fé. Se a raiz do pecado humano é a perversidade religiosa, o fruto é a corrupção moral. Arrancado de Deus, da fonte da sua vida e felicidade, o homem procurou a satisfação na criatura. A rebelião contra Deus criou um vácuo na natureza humana. Todos os desejos e excessos do comportamento humano são tentativas malogradas de satisfazer àquele doloroso vazio que o mundo nunca poderá preencher. Como resultado do seu afastamento de Deus, o homem está condenado a um anelo insaciável.[199]

Paulo relaciona aqui três vezes o abandono de Deus às consequências do comportamento humano (1.24a; 26,27a e 28b-31), e três vezes a miséria daí resultante (1.24b, 27b, 32). Nessa descrição, a exposição da culpa se torna passo a passo mais breve, e suas consequências, sempre mais detalhadas, até que se derrama diante de nós praticamente um dilúvio de vícios, fazendo estourar toda a podridão interna da sociedade humana.[200]

Concordo plenamente com John Murray quando ele diz que a penalidade infligida pertence à esfera moral distinta da esfera religiosa – a degeneração religiosa é penalizada mediante a entrega à imoralidade; o pecado cometido no terreno religioso é castigado pelo pecado na esfera moral.[201]

Algumas verdades solenes devem ser aqui destacadas:

Em primeiro lugar, *o juízo de Deus é tanto temporal como eterno* (1.24,26,28). Enganam-se aqueles que pensam que o Deus do juízo está dormindo, inativo ou indiferente ao que acontece no mundo. O estado de degradação em que a sociedade se encontra já é uma retribuição divina, uma manifestação temporal do seu juízo.

William Hendriksen escreve: "Embora o derramamento de sua ira, em toda sua plenitude, seja um problema do futuro, o impenitente experimenta uma prelibação ainda aqui e agora. Deus finalmente os abandona, permitindo-lhes perecer em sua própria impiedade".[202]

No dia do juízo, a sentença eterna de Deus será apenas esta: "Continue o injusto fazendo injustiça, continue o imundo ainda sendo imundo..." (Ap 22.11). A penalidade eterna do homem será experimentar eternamente os resultados de seu abominável pecado.

Adolf Pohl esclarece que Deus não é um espectador que tão-somente grava na memória os pecados do homem para recuperá-los no juízo final. Ao contrário, sua ira interior já hoje se torna resistência ativa.[203] Nessa mesma linha de pensamento, William Hendriksen diz que a misericórdia não correspondida produz ira. A paciência divina sem resposta humana favorável resulta no derramamento da indignação divina.[204]

Em segundo lugar, *o juízo mais severo de Deus é dar ao homem o que ele quer* (1.24,26,28). Não há castigo maior para o homem do que Deus o entregar a si mesmo. Deus pergunta: "É isso que você quer? Seja feita a sua vontade". Esse é o maior juízo de Deus, entregar o homem a si mesmo, à sua própria vontade. Os homens que tanto amam o esgoto do pecado são enviados para lá; o que querem, eles terão.[205]

Deus entrega esses "filhos da ira" (Ef 2.3) desprotegidamente a si próprios, a saber, às concupiscências de seu coração (1.24), às paixões infames (1.26), a uma disposição mental reprovável (1.28), ou seja, à maneira que eles próprios escolheram para viver.[206] Em outras palavras, Deus os entregou à sensualidade (1.24,25), à perversão sexual (1.26,27), e à vida antissocial (1.28-32).[207] Assim, os perdidos gozam para sempre da horrível liberdade que sempre pediram; porém, essa liberdade é a mais perturbadora escravidão.

A graça restritiva de Deus age no mundo, apesar da rebeldia humana, e assim, impede que a sociedade chafurde no abismo do pecado e se transforme num inferno existencial. Os juízos dentro da História ainda não são juízos totais. São aplicados como que com freios acionados, mesclados a uma profusão de paciência e longanimidade (Rm 2.4). No entanto, quando o homem se mostra resistente à graça e obcecado por lambuzar-se no pecado, Deus então o entrega.

A humanidade é como um caminhão que desce ladeira abaixo. Deus está com o pé no freio, e o homem, com o pé no acelerador. Deus quer evitar a tragédia, e o homem acelera rumo ao abismo, até o momento que Deus tira o pé do breque e esse caminhão avança desgovernado para uma terrível tragédia. Francis Schaeffer ilustra essa realidade de outra forma. O homem pretende fugir de Deus, o seu dono. Por isso, Deus simplesmente tira a coleira. As pessoas escolheram abrir mão da verdade, e Deus abre mão das pessoas.[208]

O que acontece é que Deus tira a culpa. O homem consegue pecar e a consciência não o acusa mais. Aí ele se gloria no pecado e aplaude o vício. As pessoas mergulham no pântano mais asqueroso da imoralidade e se corrompem ao extremo sem nenhum constrangimento. Isso é o juízo de Deus.

Por que Deus não manda fogo e enxofre como fez com Sodoma e Gomorra? Pior é entregar o pecador ao fogo do seu coração, preparando-o para o fogo do juízo.

Em terceiro lugar, *a idolatria e a imoralidade são tanto a causa como a consequência do juízo divino* (1.24,25). Porque o homem desonrou a Deus, mudando a glória do Deus incorruptível em semelhança da imagem de homem corruptível, bem como de aves, quadrúpedes e répteis, Deus também entregou os homens para desonrar o seu corpo entre si.

Francis Schaeffer diz que, quando o homem se rebela e se afasta da sua referência primeira em Deus, do relacionamento apropriado com Deus, tudo se torna mentira. O ser humano não sabe quem é. Toda verdade é negada. Ele passa questionar não apenas a existência de Deus. Questiona igualmente a própria existência. Quando as pessoas jogam fora o Deus da verdade, a verdade desaparece como um todo. E tudo o que resta são conjuntos de opiniões, deuses e prazeres pessoais.[209]

A idolatria e a sensualidade sempre andaram juntas. São tanto a causa da ira divina como consequência do juízo divino. A humanidade colocou a si mesma no centro do universo. O resultado é que muitos de nós adoramos aquela criatura que melhor conhecemos – nós mesmos.[210] Calvino destaca que não se pode honrar a criatura religiosamente sem desonrar perversa e impiamente a Deus, dando a outros a honra que só a ele pertence.[211]

Em quarto lugar, *o homossexualismo é o mais baixo nível de degradação moral e a maior expressão do juízo de Deus* (1.24-28). Paulo diz que Deus entregou tais homens à imundícia (1.24), a paixões infames (1.26) e a uma disposição mental reprovável (1.28). Tanto a imundícia como as paixões infames, assim como a disposição mental reprovável, apontam para a imoralidade sexual, sobretudo o homossexualismo. Em sua ira Deus entrega aqueles que o desonraram à desonra de seu próprio corpo.[212] Deus entregou aqueles que abandonaram o Autor da natureza a não guardar a ordem natural.[213] Eles pecaram degradando a Deus, pelo que também Deus os degradou.

O que começou no raciocínio, passou pelo julgamento e se transformou em religião agora desemboca num comportamento desregrado. Geoffrey Wilson diz que a degeneração moral do mundo antigo é retratada neste horrível catálogo de vícios sexuais que a religião pagã, ao invés de restringir, promovia ativamente. Hoje em dia, a existência destas perversões sexuais, complacentemente consideradas "variantes interessantes" pelas pessoas que se dizem evoluídas, é uma marca terrível da ira de Deus sobre uma civilização que se orgulha de seu caráter "pós-cristão".[214]

Três pecados são aqui destacados pelo apóstolo Paulo:

a. *O lesbianismo* (1.26). A relação sexual entre mulher e mulher já era prática comum nos dias de Paulo, mas não com tanta publicidade como existe hoje. Deus tirou o pé do breque. Entregou essas pessoas a paixões infames, e as mulheres se entregaram ao lesbianismo. Quando Paulo diz "até as mulheres mudaram o modo natural de suas relações íntimas por outro contrário à natureza", está enfatizando o grau superlativo da degradação. As mulheres sempre foram guardiãs da moralidade. Quando até as mulheres se corrompem, a cultura já chegou ao fundo do poço.

b. *O homossexualismo* (1.24,27). Quando o homem desprezou o conhecimento de Deus e perverteu o culto divino, perdeu a própria identidade. O homossexualismo é uma negação total do mundo real. Refuta qualquer possibilidade de continuidade e ameaça a identidade da pessoa como fruto do relacionamento de um pai e uma mãe.[215] Não podemos concordar com a bandeira levantada pela homofobia, quando os ativistas desse movimento afirmam que o homossexualismo é uma opção normal e que o casamento entre pessoas do mesmo sexo é uma união de amor que deve ser chancelada pela lei de Deus e dos homens. Ao descrever o homossexualismo, Paulo aponta sete características desse pecado abominável: 1) imundícia (1.24); 2) desonra para o corpo (1.24); 3) paixão infame (1.26); 4) antinaturalidade (1.26); 5) contrariedade à natureza (1.26); 6) torpeza (1.28); e 7) erro (1.28).

c. *A disposição mental reprovável* (1.28-31). O homem é o que ele pensa. Porque ele é entregue a uma disposição mental reprovável para praticar coisas inconvenientes, a prática se segue. Aí Paulo faz uma lista de 21 itens, num diagnóstico sombrio da realidade que nos cerca. A decadência moral atinge todos os relacionamentos: com Deus, consigo próprio, com o próximo e com a família. Esta é a mais longa lista de pecados encontrada nas epístolas de Paulo (1.29-31). William Barclay nos ajuda a compreender o sentido dessas palavras:[216]

1. Cheios de *injustiça* – A palavra grega *adikia* significa roubar tanto aos homens como a Deus de seus direitos.

2. Cheios de *malícia* – A palavra grega *poneria* se refere a uma maldade sedutora, maligna. Trata-se da pessoa que não apenas é má, mas procura arrastar os outros para a sua maldade.

3. Cheios de *avareza* – A palavra grega *pleonexia* é o desejo desenfreado que não conhece limites nem leis, o desejo insaciável de ter o que não lhe pertence por direito. É amor insaciável às possessões e aos prazeres ilícitos.

4. Cheios de *maldade* – A palavra grega *kakia* descreve o homem desprovido de todo o bem. Trata-se da pessoa que tem inclinação para o pior. É o vício essencial que inclui todos os outros e do qual todos os outros procedem.

5. Possuídos de *inveja* – A palavra grega *fthonos* descreve o terrível sentimento de sentir-se desconfortável com o sucesso dos outros, não só desejando o que lhes pertence, mas também alegrando-se com suas tragédias.

6. Possuídos de *homicídio* – A palavra grega *fonos* se refere a desejo, intenção ou atitude de ferir o outro para tirar-lhe a vida. O assassino é também aquele que odeia a seu irmão (1Jo 3.15). O homem pode ver a ação, mas Deus conhece a intenção.

7. Possuídos de *contenda* – A palavra grega *eris* diz respeito ao sentimento e à atitude daquela pessoa que é dominada pela inveja e por isso se torna facciosa e briguenta.

8. Possuídos de *dolo* – A palavra grega *dolos* retrata a pessoa que não age de maneira reta, usando sempre

métodos tortuosos e clandestinos para tirar alguma vantagem. A palavra vem do verbo *doloun* usado para referir-se à falsificação de metais preciosos e a adulteração de vinhos.

9. Possuídos de *malignidade* – A palavra grega *kakoetheia* descreve a pessoa que sempre supõe o pior acerca dos outros. É a pessoa que sempre vê as coisas pelo lado mais sombrio.

10. *Difamadores* – A palavra grega *psithyristes* representa a pessoa que murmura suas histórias maliciosas de ouvido a ouvido.

11. *Caluniadores* – A palavra grega *katalalos* refere-se à pessoa que proclama publicamente suas infâmias.

12. *Aborrecidos de Deus* – A palavra grega *theostygeis* retrata o homem que odeia a Deus, porque sabe que Deus é estorvo em seu caminho de licenciosidade. De bom grado eliminaria Deus se pudesse, pois para ele o mundo sem Deus lhe abriria o caminho para o pecado.

13. *Insolentes* – A palavra grega *hybristes* retrata a pessoa altiva, soberba, sadicamente cruel, que encontra prazer em prejudicar o próximo.

14. *Soberbos* – A palavra grega *hyperefanos* descreve a pessoa que está cheia de si mesma como um balão de vento. Este é o ponto culminante de todos os pecados. Trata-se de quem despreza a todos, exceto a si mesmo, e tem prazer em rebaixar e humilhar os outros.

15. *Presunçosos* – A palavra grega *alazon* descreve a pessoa que pensa de si mesma além do que convém e exalta a si mesma acima da medida. Diz respeito a quem pretende ter o que não tem, saber o que não

sabe e jacta-se de grandes negócios que só existem em sua imaginação.

16. *Inventores de males* – As palavras gregas *efeuretes kakon* retratam aquelas pessoas que buscam novas formas de pecar, novos recônditos nos vícios, porque estão enfastiadas e sempre à procura de novas emoções em alguma forma diferente de transgressão.

17. *Desobedientes aos pais* – a palavras gregas *goneusin apeitheis* se referem àquela atitude dos filhos de sacudir o jugo da obediência aos pais. Trata-se de filhos rebeldes e irreverentes.

18. *Insensatos* – A palavra grega *asynetos* descreve o homem que é incapaz de aprender as lições da experiência. Trata-se da pessoa culpada de grande sandice, que se recusa a usar a mente e o cérebro que Deus lhe deu.

19. *Pérfidos* – A palavra grega *asynthetos* descreve a pessoa que não é confiável. É aquele desonesto em quem não se pode confiar.

20. *Sem afeição natural* – A palavra grega *astorgos* significa sem amor à família. Trata do desamor dos pais aos filhos e dos filhos aos pais. É a falta de afeto entre irmãos de sangue. A prática abusiva de abortos e os crimes familiares apontam para a gravidade desse pecado em nossos dias.

21. *Sem misericórdia* – A palavra grega *aneleemon* retrata a pessoa implacável, sem piedade, que fere e mata o outro sem compaixão.

Depois de descrever com cores fortes o estado de decadência da sociedade, Paulo faz duas afirmações ainda mais chocantes:

— *Os homens pecam conscientemente.* "Ora, conhecendo eles a sentença de Deus, de que são passíveis de morte os que tais coisas praticam não somente as fazem..." (1.32a). As pessoas agem sabendo que estão agindo errado. Elas sufocam a verdade, abafam a voz da consciência, apagam a luz vermelha do alarme, mas no íntimo sabem que aquilo que praticam é um ato de rebeldia contra Deus e passível de morte. O conhecimento do justo juízo de Deus não cria, porém, nenhum ódio contra o pecado nem fomenta alguma disposição para essas pessoas se arrependerem do pecado.[217]

— *Os homens aplaudem os que praticam as mesmas coisas.* "... mas também aprovam os que assim procedem" (1.32b). Aqui a sociedade se mostra jactanciosa e até entusiasmada pelo pecado.[218] O nível mais baixo da degradação moral de uma sociedade é quando ela não apenas pratica o mal, mas também o incentiva e o aplaude. Esse é o clímax da perversidade. É isso que vemos todos os dias na televisão e nos outros meios de comunicação.

Cranfield expressa com clareza sua posição:

> O homem que aplaude ou encoraja os que praticam algo vergonhoso, embora não o praticando ele mesmo, não só é tão depravado como os que o praticam, mas muitas vezes, se não sempre, mais depravado do que eles realmente. Pois os que aplaudem e encorajam as ações perversas de outros contribuem deliberadamente para o estabelecimento de opinião pública favorável ao vício e, com isso, promovem a corrupção de multidão inumerável.[219]

John Murray ainda é mais enfático nesse ponto ao afirmar que a pior condição é aquela em que, com a prática, há também o apoio e o encorajamento de outros para a prática do mal. Dizendo-o sem rodeios, inclinamo-nos não apenas a condenar a nós mesmos, mas também nos congratulamos com os outros por fazerem coisas que sabemos resultar em condenação. Odiamos os outros tanto quanto a nós mesmos e, portanto, aprovamos neles o que sabemos que merece apenas condenação.[220]

NOTAS DO CAPÍTULO 4

[157] SCHAEFFER, Francis A. *A obra consumada de Cristo*, p. 29.

[158] SCHAEFFER, Francis A. *A obra consumada de Cristo*, p. 30.

[159] ERDMAN, Charles R. *Comentários de Romanos*, p. 33.

[160] BRUCE, F. F. *Romanos: introdução e comentário*, p. 68.

[161] POHL, Adolf. *Carta aos Romanos*, p. 42.

[162] SCHAEFFER, Francis A. *A obra consumada de Cristo*, p. 31.

[163] WIERSBE, Warren W. *Comentário bíblico expositivo*, p. 674, 675.

[164] WILSON, Geoffrey B. *Romanos*, p. 13.

[165] CRANFIELD, C. E. B. *Comentário de Romanos*, p. 44.

[166] CRANFIELD, C. E. B. *Comentário de Romanos*, p. 45.

[167] MURRAY, John. *Romanos*, p. 64.

[168] BRUCE, F. F. *Romanos: introdução e comentário*, p. 69.

[169] MURRAY, John. *Romanos*, p. 64.

[170] ERDMAN, Charles R. *Comentários de Romanos*, p. 33.

[171] STOTT, John. *Romanos*, p. 77.

[172] BRUCE, F. F. *Romanos: introdução e comentário*, p. 69.

[173] RIENECKER, Fritz; ROGERS, Cleon. *Chave linguística do Novo*

*Testamento Grego. S*ão Paulo: Vida Nova, 1985, p. 256.

[174] Murray, John. *Romanos*, p. 65.

[175] Wilson, Geoffrey B. *Romanos*, p. 14.

[176] Cranfield, C. E. B. *Comentário de Romanos*, p. 45.

[177] Greathouse, William. *A epístola aos Romanos,* p. 43.

[178] Pohl, Adolf. *Carta aos Romanos*, p. 43.

[179] Pohl, Adolf. *Carta aos Romanos*, p. 45.

[180] Stott, John. *Romanos*, p. 79.

[181] Murray, John. *Romanos*, p. 69.

[182] Stott, John. *Romanos*, p. 79,80.

[183] Erdman, Charles R. *Comentários de Romanos*, p. 34.

[184] Cranfield, C. E. B. *Comentário de Romanos*, p. 45.

[185] Erdman, Charles R. *Comentários de Romanos*, p. 35.

[186] Pohl, Adolf. *Carta aos Romanos*, p. 45.

[187] Wilson, Geoffrey B. *Romanos*, p. 16.

[188] Murray, John. *Romanos*, p. 70.

[189] Wilson, Geoffrey B. *Romanos*, p. 16, 17.

[190] Hendriksen, William. *Romanos*, p. 95.

[191] Erdman, Charles R. *Comentários de Romanos*, p. 35.

[192] Greathouse, William. *A epístola aos Romanos,* p. 45.

[193] Erdman, Charles R. *Comentários de Romanos*, p. 36.

[194] Wiersbe, Warren W. *Comentário bíblico expositivo*, p. 675.

[195] Murray, John. *Romanos*, p. 71.

[196] Wilson, Geoffrey B. *Romanos*, p. 18.

[197] Erdman, Charles R. *Comentários de Romanos*, p. 35.

[198] Stott, John. *Romanos*, p. 83.

[199] Greathouse, William. *A epístola aos Romanos,* p. 43, 45.

[200] Pohl, Adolf. *Carta aos Romanos*, p. 46.

[201] Murray, John. *Romanos*, p. 73.

[202] Hendriksen, William. *Romanos*, p. 100.

[203] Pohl, Adolf. *Carta aos Romanos*, p. 46.

[204] Hendriksen, William. *Romanos*, p. 100.

[205] Wilson, Geoffrey B. *Romanos*, p. 19.

[206] Pohl, Adolf. *Carta aos Romanos*, p. 47.

[207] Greathouse, William. *A epístola aos Romanos,* p. 45.

[208] Schaeffer, Francis A. *A obra consumada de Cristo*, p. 40.

[209] Schaeffer, Francis A. *A obra consumada de Cristo*, p. 41.

[210] Schaeffer, Francis A. *A obra consumada de Cristo*, p. 42.

[211] Calvino, João. *Epístola a los Romanos*, p. 49, 50.

[212] Wilson, Geoffrey B. *Romanos*, p. 18.

[213] WILSON, Geoffrey B. *Romanos*, p. 20.

[214] WILSON, Geoffrey B. *Romanos*, p. 20.

[215] SCHAEFFER, Francis A. *A obra consumada de Cristo*, p. 44.

[216] BARCLAY, William. *Romanos*, p. 45-51.

[217] MURRAY, John. *Romanos*, p. 81.

[218] POHL, Adolf. *Carta aos Romanos*, p. 42.

[219] CRANFIELD, C. E. B. *Comentário de Romanos*, p. 52.

[220] MURRAY, John. *Romanos*, p. 82.

Capítulo 5

Os críticos moralistas sob julgamento
(Rm 2.1-16)

A TESE DEFENDIDA pelo apóstolo Paulo nos três primeiros capítulos da carta aos Romanos é que tanto os gentios como os judeus são culpados diante de Deus em virtude da revelação que receberam. Os judeus receberam a revelação especial, as Escrituras; e os gentios, a revelação natural. Por não viverem de acordo com a revelação recebida, ambos são indesculpáveis perante Deus.

No capítulo anterior vimos que os gentios são indesculpáveis porque, mesmo conhecendo a Deus, não o glorificaram como Deus nem lhe deram graças, antes desprezaram esse conhecimento, tornando-se nulos em seu raciocínio e loucos em suas atitudes. Como consequência, Deus os entregou aos desatinos de sua vontade pervertida.

Neste capítulo voltamos nossa atenção especialmente para os judeus. Uma vez que Paulo demonstrou a culpa dos gentios, ele agora trata do caso dos judeus.[221] Vale ressaltar que não há consenso entre os estudiosos acerca do público a quem Paulo se dirige nos versículos em apreço, se apenas aos judeus ou se aos críticos moralistas em geral. John Murray é da opinião que essa questão não pode ser determinada de modo decisivo.[222]

A esmagadora maioria dos comentaristas, entrementes, crê que Paulo se dirige exclusivamente aos judeus, mostrando sua culpa em contraste com a culpa dos gentios, evidenciada no capítulo anterior. William Hendriksen argumenta que, enquanto os gentios eram idólatras, boa parte dos judeus, por meio de sua autorretidão, estava fazendo de si própria um ídolo.[223] A tendência de julgar os gentios por causa de sua perversão moral e religiosa era característica dos judeus.[224] Geoffrey Wilson diz que a condenação de outros era o passatempo nacional do judeu.[225] Os judeus criam que todos estavam destinados ao juízo, exceto eles mesmos.[226]

Concordo com John Stott quando ele diz que o foco do apóstolo aqui não são exclusivamente os judeus, mas todos os críticos moralistas, tanto judeus quanto gentios.[227] Na mesma linha de pensamento William Greathouse argumenta que, embora Paulo esteja pensando basicamente nos judeus, ele constrói seu argumento em termos suficientemente genéricos para incluir outras pessoas que também criticam os maus procedimentos delineados na seção anterior.[228]

O que se combate aqui é a atitude insolente e implacável de julgar os outros em vez de lamentar os próprios erros.

Juan Schaal diz que o refinado gentio e o judeu do pacto condenariam rapidamente o bárbaro tosco e imoral descrito no capítulo 1. Os pecados são grosseiros e a maldade tão grande que a pessoa "normal" automaticamente diz: "É claro que tais pecados horríveis devem ser condenados, mas nós somos diferentes, não somos pecadores grosseiros como eles". Com essa atitude, o indivíduo mais refinado se põe acima dos demais e diz: "Eu não sou tão mau".[229] Há muitos que, ignorando a corrupção de seu próprio coração, se julgam melhores do que os outros. Por isso, apressam-se a julgar e a condenar os outros.

Concordo com William Greathouse quando ele diz que o fariseu vangloria-se em cada um de nós: "Ó Deus, graças te dou, porque não sou como os demais homens". Este é o espírito do irmão mais velho condenado pelo nosso Senhor na parábola dos dois irmãos (Lc 15.25-32). O orgulho espiritual nos torna tão culpados quanto os que cometem adultério ou roubo. Assim Jesus ensinou, e assim Paulo adverte.[230]

Tanto os gentios como os judeus são culpados por não viverem em conformidade com o conhecimento recebido. Os dois grupos têm algum conhecimento de Deus como criador (Rm 1.20) ou juiz (1.32; 2.2) e ambos contradizem, com o seu comportamento, o conhecimento que possuem. Qual é, então, a diferença entre eles? Os gentios são mais coerentes que os judeus moralistas. É que os gentios praticam coisas que sabem ser erradas e aprovam os outros que as praticam (1.32), e os judeus moralistas praticam coisas que sabem ser erradas, mas condenam os outros que agem da mesma forma.[231] Assim, o segundo grupo é culpado do pecado da hipocrisia, pois condena o erro na vida dos outros enquanto eles próprios praticam os mesmos erros.

Até entre os gentios havia moralistas que não praticavam nem aprovavam a conduta desregrada da sociedade, conforme o apóstolo descreveu. Dentre esses moralistas podemos citar Sêneca, o tutor de Nero. Ele exaltou as grandes virtudes morais. Denunciou a hipocrisia, pregou a igualdade de todos os seres humanos e reconheceu o caráter corrosivo do mal. Praticava e insistia na autoavaliação diária, ridicularizava a idolatria vulgar e até mesmo assumiu o papel de guia moral.[232]

Esses moralistas podiam argumentar que aqueles que vivem nos vícios degradantes podem estar sob o julgamento de Deus, mas eles devem ser vistos sob outra perspectiva. Os judeus críticos e moralistas podiam até mesmo aplaudir Paulo pela descrição tão realista e sombria dos gentios. No entanto, eles se julgavam diferentes. Estavam num nível mais elevado. Não eram culpados como os depravados gentios nem mereciam juízo tão severo. Segundo F. F. Bruce, os judeus religiosos encontravam amplo campo de ação para lançar juízo moral adverso sobre os seus vizinhos gentios.[233]

O texto em apreço foi escrito para demonstrar que esses críticos moralistas estavam equivocados. Mais uma vez concordo com a análise de Stott quando ele diz que para esses críticos moralistas o juízo de Deus é inevitável, justo e imparcial.[234] Detalharemos esses pontos a seguir.

O juízo de Deus aos críticos moralistas é inevitável (2.1-4)

O apóstolo Paulo dispara o alarme para avisar sobre quatro perigos que os críticos moralistas enfrentam:

Em primeiro lugar, *o perigo da projeção*. "Portanto, és indesculpável, ó homem, quando julgas, quem quer que sejas; porque, no que julgas a outro, a ti mesmo te condenas; pois praticas as próprias coisas que condenas. Bem sabemos que o juízo de Deus é segundo a verdade contra os que praticam tais coisas" (2.1,2). A progressão do pensamento desenvolve-se da seguinte forma: 1) tu julgas a outrem por fazerem certas coisas; 2) tu mesmo praticas essas coisas; 3) portanto, condenas a ti mesmo e não tens justificativa.[235]

Em virtude da sinuosidade da nossa natureza pecaminosa, chegamos a experimentar um prazer vicário em condenar os outros pelas mesmas falhas que perdoamos em nós mesmos. Sigmund Freud, o pai da psicanálise, chama essa ginástica moral de "projeção".[236] Charles Erdman argumenta que não é raro que os mais prontos e severos em julgar sejam os mais culpados, uma vez que geralmente observamos na vida dos outros as faltas que existem em nós mesmos.[237] Em virtude dessa miopia espiritual, Calvino chamou tais moralistas de hipócritas e santarrões.[238]

Os moralistas usam lupa para ver os pecados alheios, mas colocam vendas para enxergar os seus próprios. Eles são céleres para julgar os outros, mas lerdos para reconhecer a própria culpa. Escondem os próprios pecados, mas os projetam nas outras pessoas. Julgam os pecados alheios, enquanto eles mesmos praticam as coisas que condenam.

É mais fácil ver o erro nos outros que em nós; julgar os outros que a nós mesmos; abominar o pecado nos outros que em nós e enfrentar a feiura do pecado dos outros do que os nossos. Concordo com John Stott quando ele diz que Paulo põe à mostra uma estranha fraqueza humana: nossa tendência em criticar todo mundo, à exceção de nós mesmos. Geralmente somos tão intransigentes ao julgar os outros quanto condescendentes em relação às nossas faltas.[239] Conforme William Hendriksen, fazemos "uma avaliação demasiadamente favorável de nós mesmos e um juízo demasiadamente severo dos outros".[240]

John Murray destaca que havia hipocrisia e cegueira na condenação que proferiam contra os outros; hipocrisia, porque julgavam os outros pelos próprios atos de que eram culpados, e cegueira, porque não viam a própria condenação.[241]

Em segundo lugar, *o perigo da miopia espiritual* (2.1). Em seu estado de torpor espiritual, os gentios eram mais coerentes que os críticos moralistas. Aqueles praticavam as coisas erradas e também aprovavam aqueles que assim procediam (1.32), mas estes condenavam as coisas erradas nos outros, embora as praticassem. Eles enxergavam bem a culpa dos outros, mas não a própria. Viam com lentes de aumento os pecados alheios, mas não as próprias transgressões.

Além de se tornarem culpados dos mesmos pecados dos gentios, os críticos moralistas se fizeram também hipócritas. Pior que praticar as coisas erradas é praticá-las e não admitir. Concordo com Franz Leenhardt quando diz: "Aos olhos de Deus, não é o homem aquilo que sabe nem aquilo que diz, mas aquilo que faz".[242]

Paulo diz, que agindo dessa forma, nós nos expomos ao juízo de Deus e acabamos ficando sem desculpas nem saída (2.1,2). Com isso Paulo não está alegando que devemos perder completamente o senso crítico e deixar de reprovar o que está errado em nós e nos outros. O propósito do apóstolo é reprovar a atitude dos que se arvoram em juízes dos outros em vez de condenar a si mesmos, já que são culpados de cometer os mesmos atos que condenam. Essa atitude de ser exigente com os outros e complacente consigo, de ter um alto padrão para os outros e uma exigência mínima para si é a mais consumada hipocrisia.

Aqueles que se mostram mais dispostos a emitir juízos condenatórios contra os outros parecem imaginar que serão julgados por alguma regra diferente, escapando assim da condenação de Deus. Paulo, contudo, afirma que o juízo de Deus é segundo a verdade (2.2). Adolf Pohl defende que a arbitrariedade não tem espaço no juízo final. Lá não vigora nenhum critério além da verdade. Deus é fiel a si mesmo. Deus jamais se desviará de Deus. A pessoa que especula que nesse juízo receberia um tratamento especial teria de esperá-lo à revelia de toda a história da revelação divina.[243]

Calvino diz que a intenção de Paulo é destruir todas essas jactâncias dos hipócritas para que eles jamais pensem que, porque o mundo os louva ou eles mesmos se absolvem, estarão livres de outro exame no julgamento divino.[244] O julgamento divino é segundo a verdade, ou seja, Deus não faz acepção de pessoas nem fixará na aparência externa, muito menos se contentará com a obra que não proceda da pureza do coração.[245]

Em terceiro lugar, *o perigo da falsa segurança*. "Tu, ó homem, que condenas os que praticam tais coisas e fazes as mesmas, pensas que te livrarás do juízo de Deus?" (2.3). Os críticos moralistas não apenas julgam as pessoas, praticam atos errados e se julgam inocentes, mas também têm uma falsa segurança com respeito ao juízo divino. Pensam estar blindados por uma imunidade especial. Acreditam no mito da impunidade. Dormem no berço esplêndido da falsa segurança.

Em quarto lugar, *o perigo da falsa interpretação teológica*. "Ou desprezas a riqueza da sua bondade, e tolerância, e longanimidade, ignorando que a bondade de Deus é que te conduz ao arrependimento?" (2.4). Os críticos moralistas, tanto judeus como gentios, olham para a bondade de Deus como uma licença para pecar, e não como um chamado ao arrependimento. Veem a bondade de Deus como uma prova da parcialidade divina a eles demonstrada. Interpretam mal a bondade de Deus. Acreditam: "Nós não fomos abandonados por Deus a uma vida de escandalosa imoralidade (1.22-32). A bondade de Deus está sorrindo para nós. Deus deve estar muito satisfeito conosco". No entanto, a ausência de qualquer dos vícios pagãos não constitui sequer uma única virtude. O alvo divino em demonstrar sua bondade não é produzir soberba espiritual, mas arrependimento.[246] Esses arrogantes moralistas pensam que só os devassos carecem de arrependimento; eles não.

A teologia errada produz um comportamento errado. Eles usam a bondade de Deus como uma blindagem para fugir do juízo em vez de reconhecer essa bondade como um constrangimento eloquente à santidade. Warren Wiersbe alerta para o fato de que não é o julgamento de Deus que conduz os homens ao arrependimento, mas sim sua bondade.[247]

É um estágio avançado de degradação moral quando apelamos para o caráter de Deus, especialmente as riquezas da sua bondade, tolerância e longanimidade, a fim de permanecermos em nossos pecados, alegando que Deus é bom e demasiadamente longânimo para castigar quem quer que seja e, portanto, podemos pecar e permanecer impunes. Isso é distorcer as Escrituras para nos favorecer. Isso é afrontar a Deus e sua Palavra. Isso é presunção, e não fé.[248] Concordo com Adolf Pohl quando ele diz: "Quem deseja a graça, mas uma graça que não leva ao arrependimento, despreza a graça".[249]

O juízo de Deus aos críticos moralistas é justo (2.5-11)

Depois de declarar que o juízo de Deus é inevitável, Paulo passa a tratar do caráter justo desse juízo. Destacamos aqui cinco pontos importantes.

Em primeiro lugar, *a demora do julgamento não diminui o peso da sentença*. "Mas, segundo a tua dureza e coração impenitente, acumulas contra ti mesmo ira para o dia da ira e da revelação do justo juízo de Deus" (2.5). Contar com a bondade e a paciência de Deus, como se o seu propósito fosse encorajar a permissividade e não a penitência, é um sinal evidente de endurecimento espiritual. Significa que estamos acumulando alguma coisa para nós. Não algum tesouro precioso, mas a terrível ira divina para o dia do julgamento.[250] A ira é aqui invocada sobre o crítico moralista como já fora invocada sobre a humanidade em geral (1.18). Essa ira acumulada será executada no dia do juízo.

Os críticos moralistas perverteram a bondade de Deus, fazendo dela uma desculpa para continuarem pecando. Assim, tornaram-se mais impenitentes e mais endurecidos. Longe de afastar a ira vindoura, essa atitude enche ainda mais a medida do seu cálice. Mesmo que esse moralista não sofra no presente a manifestação do juízo como no caso do pagão imoral (1.24,26,28), enfrentará o inevitável julgamento de Deus no dia do juízo.

Francis Schaeffer tem razão quando diz que tudo o que fazemos na vida tem consequências eternas. Tudo o que falamos ou fazemos representa um investimento – para o bem ou para o mal – no banco da eternidade. A vida não se encerra com a morte. Ou estamos "acumulando e estocando" bons tesouros no céu, ou "acumulando" a ira para o dia do julgamento.[251]

Em segundo lugar, *o juízo de Deus é individual, intransferível e absolutamente justo*. "... que retribuirá a cada um segundo o seu procedimento" (2.6). Paulo não está ensinando salvação pelas obras aqui. Está salientando a imparcialidade de Deus com relação a judeus e gentios.[252] O julgamento divino é pessoal, individual, intransferível e absolutamente justo. O que o homem semear, isso colherá. O seu malfeito cairá sobre a própria cabeça. Esse é o princípio da justa retribuição no qual se fundamenta a justiça.[253]

Todo homem será julgado pelo seu procedimento. Essa verdade é ensinada em todas as Escrituras (Ec 11.9; 12.14; Mt 16.27; 25.31-46; Jo 4.19-29; 1Co 3.12-15; 4.5; 2Co 5.10; Gl 6.7-9; Ef 6.8; Ap 2.23; 11.18; 20.12,13). O julgamento não será coletivo, mas pessoal. O pai não será julgado no lugar do filho, nem a esposa no lugar do marido. Cada um comparecerá diante de Deus para prestar contas da sua vida.

Citando Charles Hodge, Geoffrey Wilson diz que os ímpios serão punidos por causa de, e de acordo com, suas obras; os justos serão recompensados, não por causa de, mas de acordo com, suas obras.[254]

Em terceiro lugar, *no julgamento divino haverá penalidades e recompensas eternas*. "A vida eterna aos que, perseverando em fazer o bem, procuram glória, honra e incorruptibilidade; mas ira e indignação aos facciosos, que desobedecem à verdade e o obedecem à injustiça" (2.7,8). Paulo traça uma antítese entre a perseverança na prática do bem e a desobediência à verdade conjugada com a obediência à injustiça. Essas duas condutas opostas produzem resultados opostos. A prática do bem que implica buscar a glória, a honra e a incorruptibilidade resulta em vida eterna, mas os facciosos que se entregam a desobedecer à verdade e a obedecer à injustiça colhem ira e indignação. No dia do juízo haverá bem-aventurança eterna e condenação eterna, alegria indizível e choro e ranger de dentes. Nas palavras de Jesus, "[...] irão estes para o castigo eterno, porém os justos, para a vida eterna" (Mt 25.46).

Concordo com Charles Erdman, erudito professor do Seminário de Princeton, quando disse: "O pecado é a causa da morte; não a eleição, ou a predestinação, nem falta de conhecimento ou ignorância de Cristo, mas o pecado voluntário, propositado, a desobediência à lei, a inconformidade com a luz, isso é que ocasionará a "morte".[255]

Em quarto lugar, *a salvação é pela fé, mas o julgamento é pelas obras.* "Tribulação e angústia virão sobre a alma de qualquer homem que faz o mal, ao judeu primeiro e também ao grego; glória, porém, e honra, e paz a todo aquele que pratica o bem, ao judeu primeiro e também ao grego" (2.9,10). Se a salvação é pela fé (1.16), e não pelas obras (3.28), por que os homens serão julgados pelas obras? Seria uma contradição em Paulo? Não! No julgamento das obras, ninguém alcança nota suficiente para passar no teste. Mesmo aqueles que recebem aplausos dos homens não passam no crivo da perfeição exigida pela lei (Tg 2.10; Gl 3.10). Todos os homens fazem o mal e todos merecem tribulação e angústia. Os que praticam o bem, o fazem em virtude da graça de Deus operando em seu coração.

Deus não tem dois pesos e duas medidas em seu julgamento. Judeus e gregos serão julgados sob os mesmos critérios e receberão recompensas ou penalidades de acordo com suas obras. John Stott está certo quando diz que a presença ou a ausência da fé salvadora em nosso coração se evidencia pela presença ou ausência de boas obras de amor em nossa vida. A fé autêntica e salvadora resulta invariavelmente em boas obras (Tg 2.18; Gl 5.6).[256] William Barclay tem razão ao ressaltar que uma fé que não se expressa em obras seria uma simulação e uma paródia da fé. De fato não seria fé.[257]

Em quinto lugar, *não há imunidade especial no julgamento divino*. "Porque para com Deus não há acepção de pessoas" (2.11). O argumento de Paulo é que tanto os gentios devassos quanto os judeus moralistas terão de comparecer perante o tribunal de Deus. Ambos serão julgados pelos mesmos critérios e Deus não inocentará o culpado, seja ele judeu ou grego. Para Deus não há acepção de pessoas (Dt 10.17; At 10.34). É impossível subornar este Juiz, cuja sentença está rigorosamente de acordo com o caráter, e não é afetada por "estado e condição externos, como nacionalidade, sexo, riquezas ou sabedoria".[258]

O juízo de Deus aos críticos moralistas é imparcial (2.12-16)

O fato de que o julgamento de Deus será justo, conforme aquilo que tivermos feito (2.6-8), ou seja, imparcial entre judeus e gentios, sem nenhum favoritismo (2.9-11), é desenvolvido por Paulo agora em relação com a lei mosaica.[259] Destacaremos quatro verdades para elucidar esse ponto.

Em primeiro lugar, *o julgamento divino será de acordo com a luz recebida*. "Assim, pois, todos os que pecaram sem lei também sem lei perecerão; e todos os que com lei pecaram mediante lei serão julgados" (2.12). Os gentios ou pagãos que não tiveram a lei escrita de Deus não serão poupados do julgamento. Serão julgados e condenados pelo conhecimento que têm de Deus por meio da revelação natural (1.20,32). Já os judeus que têm a lei também não serão poupados, pois mediante a lei serão julgados (2.12).

Firma-se o princípio de que os homens são julgados segundo a luz que tiveram, não segundo a luz que não tiveram.[260]

Paulo põe tanto judeus como gentios na mesma categoria de pecado e morte. Os gentios não serão julgados por um padrão que não conhecem. Eles perecerão em virtude do seu pecado, não por desconhecerem a lei. Os judeus que conhecem a lei serão julgados pelo padrão que conhecem. John Stott acertadamente diz: "Não haverá dois pesos e duas medidas. A base do julgamento são as suas obras; a regra do julgamento é o seu conhecimento".[261]

Cada um será julgado mediante a luz que recebeu. Os judeus serão julgados com base na lei escrita; os gentios, com base na lei moral implantada em seu coração, a lei da consciência.[262]

Aqui está a resposta para aqueles que perguntam como ficará a situação dos que viveram antes de Cristo ou mesmo dos índios embrenhados nas selvas, que nunca ouviram o evangelho. Todos serão julgados segundo a luz do conhecimento que receberam. Deus se revelou na criação do mundo e na consciência humana. Por isso, todo o homem é indesculpável, tanto o gentio que não tem lei (1.20) como o judeu que tem a lei (2.3).

Em segundo lugar, *a religião formal não poderá ajudar o homem no julgamento.* "Porque os simples ouvidores da lei não são justos diante de Deus, mas os que praticam a lei hão de ser justificados" (2.13). Concordo com John Stott quando diz ele que esta é naturalmente uma afirmação hipotética, já que nenhum ser humano chegou a cumprir totalmente a lei (3.20). Não existe, portanto, nenhuma possibilidade de salvação por esse caminho. Paulo, contudo, está escrevendo sobre o julgamento, e não sobre a salvação. Está enfatizando que a própria lei não dava aos judeus garantia de imunidade no julgamento, como eles acreditavam, pois o importante não é ter a lei, mas obedecer-lhe.[263]

Nas palavras de F. F. Bruce, "seja conhecida a vontade de Deus pela lei de Moisés ou pela voz da consciência, o conhecimento da sua vontade não basta; fazer a sua vontade é que conta".[264] Concordo com Geoffrey Wilson quando ele diz que aquele que procura justificação mediante a lei precisa ser perfeitamente obediente à lei. E a inferência é que tal conformidade está além da capacidade do homem pecador.[265]

John Murray lança luz sobre o assunto, esclarecendo que é desnecessário procurar descobrir, neste versículo, qualquer doutrina de justificação pelas obras, em conflito com o ensino desta carta acerca da justificação pela fé. O principal argumento deste versículo não é mostrar que os ouvintes ou meros possuidores da lei não serão justificados diante de Deus; é mostrar que, em relação à lei, o critério consiste em praticar, e não em ouvir.[266]

Na mesma linha de pensamento, William Hendriksen nos ajuda a compreender este ponto:

> O apóstolo não está delineando um contraste entre justificação *pela fé* e justificação *pelas obras da lei*. Os que assim interpretam o que ele está dizendo estariam levando Paulo a contradizer-se, porque todo o propósito dessa carta é provar que uma pessoa não é justificada pelas obras da lei, mas pela fé em Cristo. A antítese que ele está discutindo aqui em 2.12,13 é aquela entre dois grupos de pessoas: 1) os que não só ouvem, mas também obedecem, e 2) os que meramente ouvem. Certamente que é o primeiro que será declarado justo por Deus (Mt 7.24-29).[267]

Os judeus nutriam uma falsa segurança pelo fato de ouvirem a lei, de frequentarem a sinagoga e de terem familiaridade com as coisas sagradas. Não são, contudo, os ouvintes da lei que agradam a Deus e serão justificados, mas aqueles que lhe obedecem. Como já deixamos claro, Paulo não está afirmando que o homem possa ser justificado pela lei, já que nenhum homem consegue obedecer plenamente a lei. William Hendriksen é enfático ao registrar: "Quando Paulo discute a antítese: justificação *pela fé* ou *pelas obras,* ele deixa suficientemente claro que não é pelas obras, mas pela fé, que uma pessoa é justificada (3.20,28; 4.2; Gl 2.16; 3.11,12).[268]

Em terceiro lugar, *antes de ser julgado pelo tribunal de Deus, o homem é julgado pelo tribunal da consciência.* O apóstolo deixa isso claro:

> Quando, pois, os gentios, que não têm lei, procedem, por natureza, de conformidade com a lei, não tendo lei, servem eles de lei para si mesmos. Estes mostram a norma da lei gravada no seu coração, testemunhando-lhes também a consciência e os seus pensamentos, mutuamente acusando-se ou defendendo-se (2.14,15).

Embora todos os homens sejam pecadores e estejam em estado de depravação total, nem todos se reduziram a um estado aviltante de decadência moral. Nem todos são bandidos, vilões, ladrões, adúlteros e assassinos. Há muitas pessoas que honram aos pais, são fiéis ao cônjuge, são bondosas com os filhos, têm um coração voltado para os pobres, promovem a honestidade no governo, revelam coragem na luta contra o crime, são honestas em seus negócios e comprometidas com os castiços valores morais. Como explicar o fato de que, embora muitas dessas pessoas não tenham a lei, agem como se a conhecessem? É que essas pessoas servem de lei para si mesmas, pois quando Deus as criou as fez pessoas morais e autoconscientes. De tal forma que elas demonstram por seu comportamento que as exigências da lei estão gravadas em seu coração (2.15).[269]

Além de revelar-se aos homens nas obras da criação (1.20), Deus também se revelou a eles em sua consciência (1.19; 2.14,15). A consciência é um tribunal interior instalado por Deus dentro dos homens, por meio do qual eles são julgados todos os dias. É aquele senso íntimo do certo e do errado.[270] A consciência é um alarme que dispara toda vez que alguém transgride a lei. O filósofo alemão Emmanuel Kant dizia: "Duas coisas me encantam: o céu estrelado acima de mim e a lei moral dentro de mim". Todo ser humano tem uma noção inata do bem e do mal. Mesmo os gentios que não têm lei, têm a lei gravada em seu coração, e esta os acusa e os defende como num julgamento no qual interagem a promotoria e a defesa.[271] Essa consciência dá ao homem a capacidade de estar acima de si mesmo e de ver os seus atos e o seu caráter objetivamente.[272] Antes de o homem ser julgado no tribunal de Deus, ele já é julgado no tribunal da consciência. É bem verdade que o pecado obscureceu essa consciência, mas não a anulou de todo.

Em quarto lugar, *o juízo de Deus abrange até mesmo o foro íntimo*. "No dia em que Deus, por meio de Cristo Jesus, julgar os segredos dos homens, de conformidade com o meu evangelho" (2.16). Paulo conclui esse assunto, dizendo que nenhum tribunal da terra tem competência para julgar foro íntimo, mas o tribunal de Deus tem essa competência. Deus não julga apenas as palavras e as ações dos homens, mas também suas intenções, desejos e pensamentos. Deus vê o coração. Ninguém poderá escapar desse escrutínio divino. O apóstolo Paulo diz que foi o décimo mandamento da lei que lhe deu consciência da sua desesperadora condição de pecador (Rm 7.7). Isso porque os nove primeiros mandamentos da lei são mandamentos objetivos, mas o décimo mandamento: "Não cobiçarás" é um mandamento subjetivo, ou seja, de foro íntimo.

Paulo fala sobre quatro verdades importantes aqui:

a. *Deus já marcou o dia do julgamento* (2.16). Esse dia já está estabelecido e agendado (At 17.31). Esse é o dia da ira de Deus e do Cordeiro. Nesse dia todos terão de comparecer perante o tribunal de Deus para prestar contas. Ninguém escapará.

b. *Deus já nomeou o juiz do julgamento* (2.16). Deus julgará os segredos dos homens no dia do juízo por meio de Cristo Jesus. O Filho de Deus será o juiz naquela suprema corte.[273] Diante dele todo joelho se dobrará no céu, na terra e debaixo da terra.

c. *Deus já definiu a abrangência do julgamento* (2.16). Deus não apenas julga os homens de acordo com a verdade (2.2) e "segundo o seu procedimento" (2.6), como também julga "os segredos dos homens" (2.16).[274] Naquele dia Deus julgará não só os atos públicos dos homens, mas até mesmo seus segredos (Ec 12.14; Lc 12.3; 1Co 4.5).[275] No dia do juízo, Deus, por meio de Cristo Jesus, julgará os segredos dos homens. O juízo de Deus abrangerá as áreas ocultas de nossa vida. Todos os fatos virão a público, inclusive aqueles que no presente não são conhecidos, por exemplo, nossas motivações.[276] Tudo o que foi feito às escondidas será trazido à plena luz. O que foi ocultado nos tribunais e praticado nas caladas da noite, no anonimato das trevas, será proclamado dos eirados. Naquele dia Deus destampará o fosso do coração humano e revelará os seus segredos. William Greathouse apropriadamente diz que nenhuma demonstração externa de piedade ou de moralidade enganará os olhos de Deus naquele dia da verdade. O juiz não ficará satisfeito com um desfile de justiça exterior.[277]

Segundo Francis Schaeffer, Deus não julgará apenas as coisas abertas, mas também os segredos. O santarrão moralista pode dizer: Aquela mulher ou aquele homem merece o justo juízo de Deus, pois se trata de uma pessoa imoral; mas, depois, acaba praticando as mesmas coisas, muitas vezes na surdina. Os moralistas hipócritas condenam as outras pessoas pelas coisas mais explícitas, as coisas que dão manchete. No entanto, na sua própria vida secreta, vivem do mesmo jeito. Deus, porém, julgará não só o que se encontra publicado nas manchetes, mas todas as mais secretas coisas. Toda aquela boa gente. Todos aqueles que atiram pedras, todos aqueles que escrevem os editoriais serão julgados por Deus. No dia do juízo os segredos do seu coração serão revelados.[278]

d. *Deus já estabeleceu a referência do julgamento* (2.16). No dia do juízo, Deus, por meio de Cristo Jesus, julgará os segredos dos homens, segundo o evangelho. Esse evangelho traz boas-novas aos que se arrependem e creem, mas também juízo e condenação aos impenitentes e rebeldes. Concordo com John Stott quando ele diz: "Nós barateamos o evangelho quando o retratamos apenas como algo que nos liberta da tristeza, do medo, da culpa e de outras necessidades pessoais, ao invés de apresentá-lo como uma força que nos liberta da ira vindoura".[279] Concluo com a explicação de Geoffrey Wilson com respeito à expressão "segundo o meu evangelho", que registra a convicção de Paulo de que ele não fora somente comissionado para pregar o evangelho da graça, mas também para advertir sobre "o Juízo vindouro" (At 24.25).[280]

NOTAS DO CAPÍTULO 5

[221] WILSON, Geoffrey B. *Romanos*, p. 23.

[222] MURRAY, John. *Romanos*, p. 83.

[223] HENDRIKSEN, William. *Romanos*, p. 117.

[224] MURRAY, John. *Romanos*, p. 83.

[225] WILSON, Geoffrey B. *Romanos*, p. 23.

[226] BARCLAY, William. *Romanos*, p. 53.

[227] STOTT, John. *Romanos*, p. 89.

[228] GREATHOUSE, William. *A epístola aos Romanos*, p. 49.

[229] SCHAAL, Juan H. *El camino real de Romanos*, p. 38, 39.

[230] GREATHOUSE, William. *A epístola aos Romanos*, p. 51.

[231] STOTT, John. *Romanos*, p. 90.

[232] BRUCE, F. F. *Romanos: introdução e comentário*, p. 72.

[233] BRUCE, F. F. *Romanos: introdução e comentário*, p. 72.

[234] STOTT, John. *Romanos*, p. 90-98.

[235] MURRAY, John. *Romanos*, p. 84.

[236] STOTT, John. *Romanos*, p. 90.

[237] ERDMAN, Charles R. *Comentários de Romanos*, p. 39.

[238] CALVINO, João. *Epístola a los Romanos*, p. 55.

[239] STOTT, John. *Romanos*, p. 90.

[240] HENDRIKSEN, William. *Romanos*, p. 118.

[241] MURRAY, John. *Romanos*, p. 85.

[242] LEENHARDT, Franz. J. *Epístola aos Romanos*, p. 76.

[243] POHL, Adolf. *Carta aos Romanos*, p. 52.

[244] CALVINO, João. *Epístola a los Romanos*, p. 56.

[245] CALVINO, João. *Epístola a los Romanos*, p. 56.

[246] HENDRIKSEN, William. *Romanos*, p. 119.

[247] WIERSBE, Warren W. *Comentário bíblico expositivo*, p. 676.

[248] STOTT, John. *Romanos*, p. 91.

[249] POHL, Adolf. *Carta aos Romanos*, p. 52.

[250] STOTT, John. *Romanos*, p. 92.

[251] SCHAEFFER, Francis A. *A obra consumada de Cristo*, p. 49, 50.

[252] BRUCE, F. F. *Romanos: introdução e comentário*, p. 74.

[253] STOTT, John. *Romanos*, p. 92.

[254] WILSON, Geoffrey B. *Romanos*, p. 25.

[255] ERDMAN, Charles R. *Comentários de Romanos*, p. 41, 42.

[256] STOTT, John. *Romanos*, p. 93.

[257] BARCLAY, William. *Romanos*, p. 55.

[258] WILSON, Geoffrey B. *Romanos*, p. 27.

[259] STOTT, John. *Romanos*, p. 94.

[260] BRUCE, F. F. *Romanos: introdução e comentário*, p. 74.

[261] STOTT, John. *Romanos*, p. 95.

[262] BRUCE, F. F. *Romanos: introdução e comentário*, p. 73.

[263] STOTT, John. *Romanos*, p. 95, 96.

[264] BRUCE, F. F. *Romanos: introdução e comentário*, p. 73.

[265] WILSON, Geoffrey B. *Romanos*, p. 28, 29.

[266] MURRAY, John. *Romanos*, p. 99, 100.

[267] HENDRIKSEN, William. *Romanos*, p. 127.

[268] HENDRIKSEN, William. *Romanos*, p. 127.

[269] STOTT, John. *Romanos*, p. 96.

[270] HENDRIKSEN, William. *Romanos*, p. 129.

[271] STOTT, John. *Romanos*, p. 97.

[272] GREATHOUSE, William. *A epístola aos Romanos*, p. 54.

[273] Mateus 7.21; Mateus 25.31; Atos 17.31.

[274] WIERSBE, Warren W. *Comentário bíblico expositivo*, p. 677.

[275] HENDRIKSEN, William. *Romanos*, p. 130.

[276] STOTT, John. *Romanos*, p. 97.

[277] GREATHOUSE, William. *A epístola aos Romanos*, p. 55.

[278] SCHAEFFER, Francis A. *A obra consumada de Cristo*, p. 54.

[279] STOTT, John. *Romanos*, p. 98.

[280] WILSON, Geoffrey B. *Romanos*, p. 30.

Capítulo 6

A presunção dos judeus é derrubada
(Rm 2.17–3.8)

A GRANDE TESE DEFENDIDA pelo apóstolo Paulo nesta carta é que todos os homens são culpados diante de Deus. Ele já provou que os gentios que tiveram a revelação natural e a desprezaram, entregando-se à idolatria e à imoralidade, não escaparão do juízo divino (1.18-32). Também demonstrou que os moralistas, tanto judeus como gentios, que julgam e condenam os outros, mas vivem de forma inconsistente, são igualmente culpados (2.1-16). Agora, Paulo volta suas baterias contra os judeus presunçosos que se julgavam melhores do que os outros homens pelo fato de terem a lei e a circuncisão (2.17-29).

Paulo parte do geral para o particular em sua argumentação. Ele utilizou o genérico "ó homem" (2.1,3) e agora usa o específico "tu, que tens por sobrenome judeu" (2.17). Não há sombra de dúvida de que a passagem em apreço tem o judeu presunçoso como alvo. Desta forma, Paulo fura o balão do orgulho e da presunção dos judeus.[281]

A falsa segurança é uma armadilha perigosa. Muitos indivíduos pensam que estão salvos, quando ainda estão perdidos. Há os que descansam numa base falsa e caminham céleres para a perdição. Jesus alerta para esse perigo:

> Nem todo o que me diz: Senhor, Senhor! Entrará no reino dos céus, mas aquele que faz a vontade de meu Pai, que está nos céus. Muitos, naquele dia, hão de dizer-me: Senhor, Senhor! Porventura, não temos nós profetizado em teu nome, e em teu nome não expelimos demônios, e em teu nome não fizemos muitos milagres? Então, lhes direi explicitamente: nunca vos conheci. Apartai-vos de mim, os que praticais a iniquidade (Mt 7.21-23).

O texto que estamos considerando apresenta duas dádivas magníficas de Deus ao povo judeu, o povo da aliança: a lei e a circuncisão. Essas duas dádivas distinguiam os judeus das demais nações. Os privilégios, entretanto, tinham o propósito de fazer de Israel uma luz entre os gentios. Eles foram abençoados para serem abençoadores. Receberam para repartir. Seus privilégios não lhes davam permissão para pecar; ao contrário, tornavam-nos mais responsáveis diante de Deus e das nações vizinhas.

Na verdade os judeus fizeram uma leitura errada de seus privilégios. Estes não lhes foram dados para mostrar que eles eram melhores que os demais homens. Antes, foram-lhes concedidos para que servissem de exemplo aos demais homens. Privilégios maiores implicam responsabilidades maiores.

Consideraremos essas duas dádivas divinas a Israel, que acabaram tornando-se amuletos em vez de instrumentos para o testemunho eficaz.

A falsa confiança na lei (2.17-24)

Destacaremos alguns equívocos dos judeus presunçosos em relação à lei. Por fazerem uma leitura errada, transformaram uma bênção divina num falso refúgio. A sua hermenêutica defeituosa conduziu-os a conclusões teológicas perigosas:

Em primeiro lugar, *uma confiança infundada na herança externa, e não na transformação interna*. "Se, porém, tu, que tens por sobrenome judeu, e repousas na lei e te glorias em Deus" (2.17). A confiança desses judeus presunçosos estava no nome que eles ostentavam. Eles se julgavam melhores que os outros homens apenas por serem judeus. Não sabemos ao certo quando os israelitas receberam o nome de "judeus". Há eruditos que pensam que esse nome foi cunhado no cativeiro babilônico. Citando Flávio Josefo, Calvino diz que esse nome lhes foi dado na época de Judas Macabeu, pois foi ali que sua liberdade foi conquistada, depois de terem passado muito tempo apagados e quase sepultados.[282]

Os judeus repousavam na lei apenas por possuí-la e conhecê-la, mas não por obedecer-lhe. Conhecimento sem obediência é um falso refúgio. Gloriavam-se em Deus apenas no sentido de que se julgavam especiais, amados e escolhidos por Deus, mas não no sentido de honrar a Deus e glorificá-lo entre as nações.

Os judeus tinham elevado conceito de si mesmos. O judeu presunçoso batia palmas para si mesmo, cantando: "Quão grande és tu diante do espelho". Geoffrey Wilson tem razão ao destacar que os judeus, ao vangloriar-se de que sua nação era a única beneficiária do favor divino, transferiam para si a glória que pertence somente a Deus.[283] Entretanto, alguém gabar-se de ter íntima relação com Deus, como se essa obtenção fosse uma realização humana, é muitíssimo pecaminoso. E isso é o que estavam fazendo os judeus que Paulo tinha em mente, diz William Hendriksen.[284]

Em segundo lugar, *uma confiança infundada na conformação apenas externa da lei*. "... e repousas na lei e te glorias em Deus; que conheces a sua vontade e aprovas as coisas excelentes, sendo instruído na lei" (2.17,18). Os gentios não tinham a revelação escrita de Deus. Essa revelação escrita da Palavra de Deus fora dada aos judeus. O conhecimento do judeu em relação à vontade de Deus era superior ao conhecimento dos outros povos. Os pagãos só tinham a revelação natural, a obra da criação; os judeus tinham a revelação especial, a Bíblia. Os pagãos só podiam olhar para a criação e ver nela os atributos invisíveis de Deus; os judeus podiam ler a lei e conhecer a vontade de Deus para a sua vida. Os pagãos conheciam o certo e o errado pela revelação divina na consciência; os judeus conheciam com diáfana clareza os mandamentos divinos porque Deus lhes dera a sua lei.

Os judeus, porém, não fizeram uso devido desse conhecimento. A luz do conhecimento cegou-lhes os olhos, em vez de iluminar-lhes o coração. Warren Wiersbe está certo ao analisar: "O povo judeu possuía uma religião de rituais externos, não de atitudes interiores".[285] Os judeus mostraram na prática que "o pecado mais grosseiro jaz muito próximo do privilégio mais elevado".[286] Os judeus transformaram uma bênção mui especial, a Bíblia, em motivo de altivez. Francis Schaeffer ressalta que essa bênção tão especial, em vez de quebrantá-los, os tornou soberbos.[287]

Em terceiro lugar, *uma confiança infundada na análise superdimensionada de si mesmo*. "Que estás persuadido de que és guia dos cegos, luz dos que se encontram em trevas, instrutor de ignorantes, mestre de crianças, tendo na lei a forma da sabedoria e da verdade" (2.19,20). Adolf Pohl explica que Israel foi convocado para ser guia, luz, instrutor e mestre das nações. É uma coroa preciosa que Paulo tece para o judeu da lei e lhe põe sobre a cabeça. De modo algum o apóstolo contesta essa dignidade dos judeus.[288]

O propósito dos escribas e fariseus, porém, não era tanto transformar um gentio em judeu; ao contrário, era fazer dele um fariseu emplumado, legalista, ritualista, minucioso, dominado pelo zelo fanático por sua nova religião de salvação pelas obras.[289]

Os judeus se consideravam não apenas melhores que os outros homens, mas também estavam persuadidos de que eram seus instrutores e mestres. Viam os gentios como cegos, ignorantes e crianças, enquanto encaravam a si mesmos como mestres iluminados, instrutores cheios de sabedoria e verdade. Repousavam nessa condição para eximirem a si mesmos de uma análise mais detalhada e meticulosa. Nem se apercebiam de que estavam exatamente quebrando a lei que proclamavam conhecer. Não atentavam ao fato de que eram tão transgressores da lei quanto os pagãos que viviam imersos no mais tosco obscurantismo espiritual. Isso com um agravante. Eles eram duplamente culpados, pois pecavam contra a revelação natural e contra a revelação especial.

Longe de isentá-los, esse conhecimento os tornava mais responsáveis diante de Deus. John Murray diz que o pecado dos judeus consistia na jactância de falar uma coisa e viver outra, ensinar uma coisa e não viver o que ensinavam de forma coerente.[290]

Em quarto lugar, *uma confiança infundada em virtude de ostentarem uma conduta contraditória* (2.21-24). Paulo agora vira a mesa sobre os judeus, denunciando que eles não viviam de acordo com o conhecimento que possuíam e não praticavam o que pregavam.[291] Paira sobre os judeus a acusação de furto, adultério, sacrilégio e outras transgressões da própria lei em que se gloriavam.[292] Paulo elenca seis atitudes contraditórias dos judeus no texto em apreço. Passaremos a observá-las.

a. *O processo ensino-aprendizado estava falido.* "Tu, pois, que ensinas a outrem, não te ensinas a ti mesmo?" (2.21a). O judeu ensinava os outros, mas não a si mesmo. Ele via o pecado dos outros, mas não o próprio. Julgava que os outros precisavam conhecer a vontade de Deus, mas ele mesmo vivia longe dessa vontade. O judeu esqueceu que o exemplo não é apenas uma forma de ensinar, mas a única maneira eficaz de fazê-lo. Juan Schaal esclarece esse ponto de forma brilhante:

> O santarrão estava pronto para ensinar e pregar esta lei como a norma para os outros; mas como ele acreditava ser um homem escolhido, confiava que Deus o olhava com favoritismo. Ele cria que poderia livrar-se do juízo, porque Deus o havia escolhido. Paulo reduz a nada essa ideia. Tais judeus estavam blasfemando o nome de Deus entre os gentios como se Deus mostrasse favoritismo aos judeus e fosse injusto e parcial com os gentios.[293]

b. *A honestidade é apenas de fachada.* "Tu, que pregas que não se deve furtar, furtas?" (2.21b). O judeu conhecia com exatidão o oitavo mandamento: "Não furtarás". Ensinava esse mandamento aos pagãos. No entanto, ao mesmo tempo em que conhecia e ensinava isso aos outros, ele mesmo quebrava esse preceito divino. Sua honestidade não passava de uma fina camada de verniz. Sua integridade era apenas de fachada. O judeu pregava uma coisa e vivia outra. Concordo com F. F. Bruce quando diz: "O judeu que quebra a lei não é melhor do que o gentio".[294]

c. *A pureza moral é apenas de aparência.* "Dizes que não se deve cometer adultério e o cometes?" (2.22a). O judeu considerava o adultério um gravíssimo pecado. Os adúlteros eram apedrejados. O sétimo mandamento era conhecido de todos: "Não adulterarás". No entanto, o judeu praticava o que condenava nos outros. Proibia o adultério como danoso à sociedade e à família, mas praticava o que sabia ser errado. Sua pureza moral era apenas uma tênue casca. Sua santidade era apenas um brilho falso, uma miragem ilusória, uma propaganda enganosa.

d. *A contradição religiosa era gritante.* "Abominas os ídolos e lhes roubas os templos?" (2.22b). O judeu abominava a idolatria. Ele conhecia bem o segundo mandamento do decálogo: "Não farás para ti imagem de escultura". O judeu não se curvava diante de ídolos. Essa lição ele aprendera desde o cativeiro babilônico. Por ter horror à idolatria, um judeu nem sonhava em ir a um lugar que estivesse próximo a um templo dedicado a algum ídolo – a não ser para roubar. Em tais casos, "o escrúpulo dava lugar à avareza".[295] O mesmo judeu que abominava os ídolos, acabou cinzelando um ídolo de estimação para si, o dinheiro.

Paulo denuncia essa terrível incongruência espiritual. O judeu abominava os ídolos, mas lhes roubava os templos, seja pessoalmente cometendo o sacrilégio de pilhar essas imagens revestidas de ouro, seja fazendo receptação de objetos roubados. A ganância do judeu tornou-o tão idólatra quanto os pagãos. Geoffrey Wilson corrobora essa ideia: "O conhecido ódio judaico à idolatria era superado por uma rapacidade que não tinha escrúpulos em roubar objetos ou oferendas dos idólatras, apesar da proibição imposta em Deuteronômio 7.25,26. Desta forma o judeu acabava se tornando um pagão praticante".[296]

F. F. Bruce sugere que esse pecado de sacrilégio, de roubar os templos, se refere a algum incidente escandaloso, como o do ano 19 d.C., registrado por Josefo (*Antiguidades* 18:81ss.), quando quatro judeus de Roma, guiados por um que dizia ensinar a fé judaica a gentios interessados, persuadiram uma dama da nobreza romana, convertida ao judaísmo, a fazer generosa contribuição a favor do templo de Jerusalém, porém se apropriaram da oferta para o próprio uso. Quando o fato veio à luz, o imperador Tibério expulsou de Roma todos os judeus ali residentes. Um incidente como esse dava má reputação ao nome de "judeu" entre os gentios.[297]

e. *A obediência à lei é apenas aparente.* "Tu, que te glorias na lei, desonras a Deus pela transgressão da lei?" (2.23). O judeu se gloriava na lei como suprema dádiva divina, mas desonrava Deus pela transgressão dessa mesma lei. Ele usava mal o objeto do seu louvor. Ao mesmo tempo em que transgredia a lei, dava graças a Deus por ela. Sua obediência era apenas aparente. Sua observância da lei não passava de um simulacro, uma ilusão, uma mentira deslavada. Para usar as palavras de Warren Wiersbe: "A mesma lei que os judeus afirmavam obedecer também os acusava de desobediência".[298]

f. *O construtor de pontes apenas cavou abismos.* "Pois, como está escrito, o nome de Deus é blasfemado entre os gentios por vossa causa" (2.24). Os judeus receberam a lei para conhecê-la, vivê-la e ensiná-la (Ed 7.10). Os judeus foram escolhidos por Deus para serem luz entre as nações. Foram chamados do mundo para serem enviados de volta como embaixadores de Deus. Contudo, em vez de serem ministros da reconciliação, tornaram-se pedra de tropeço; em vez de construírem pontes, cavaram abismos. Geoffrey Wilson tem razão quando diz: "Muito longe de os gentios terem o monopólio do pecado, Paulo provou pelas Escrituras que a culpa do judeu é agravada pelo fato de que ele sempre peca contra a luz" (Is 52.5).[299]

F. F. Bruce está correto ao dizer que a triste situação dos judeus no exílio levava os gentios a falar levianamente de seu Deus, imaginando-o incapaz de socorrer seu povo. O mau comportamento levava os gentios a concluir que o seu Deus não podia ser de muita valia.[300]

Um dos maiores perigos que a igreja contemporânea enfrenta é o da inconsistência no testemunho. Um cristão de vida dupla é pior que um ateu. Um crente vivendo na prática do pecado é o maior agente do diabo na igreja. Francis Schaeffer narra algumas dificuldades das empreitadas missionárias por causa dessas inconsistências:

> Quando David Livingstone tentou pregar o evangelho na África teve de encarar o fato de que as pessoas relacionavam o cristianismo aos portugueses, que foram traficantes de escravos naquela parte do mundo. Até recentemente, o maior problema que os missionários enfrentavam nas regiões muçulmanas era que os muçulmanos, que não devem beber vinho, associavam os cristãos aos mercadores que lucravam com a venda daquela mercadoria que eles mesmos não podiam comercializar. Quando indivíduos com a Bíblia – sejam judeus ou cristãos – têm este tipo de comportamento, ao invés de irradiarem luz estão disseminando a escuridão.[301]

Praticamente todos os líderes de seitas do mundo de hoje foram formados nas nossas universidades e delas saíram intocados e sentindo repulsa. Ao mesmo tempo, Deus muitas vezes também retirou a sua mão protetora, permitindo que os povos pautados pelo cristianismo caíssem sob a influência de ideologias como o comunismo ateísta ou as religiões pagãs do Oriente. Nossa situação é perfeitamente paralela àquela dos judeus nos tempos bíblicos. Tanto os judeus daquela época quanto os cristãos de hoje falharam em manifestar a todo o mundo o fato de que Deus realmente existe. Em vez de sermos missionários, temos dado motivos de blasfêmia aos incrédulos.[302]

A falsa confiança na circuncisão (2.25-29)

O apóstolo agora "persegue os judeus até seu último esconderijo" e "passa a despojá-los do último refúgio onde geralmente se ocultavam, a sua ilusória confiança na posse da circuncisão".[303]

Os judeus certamente poderiam argumentar com Paulo que eles eram diferentes e melhores que os gentios pagãos e não podiam ser postos no mesmo nível, uma vez que possuíam o selo de Deus, a circuncisão. Esse selo os tornava um povo especial e diferente no mundo.

John Stott alerta corretamente para o fato de que a circuncisão não era um substituto para a obediência; constituía, antes, um compromisso com a obediência. Os judeus, no entanto, tinham uma confiança quase supersticiosa no poder salvador de sua circuncisão. Epigramas rabínicos – por exemplo: "O homem circuncidado não vai para o inferno" e "A circuncisão livrará Israel do inferno" – eram evidentes expressões dessa crença.[304]

Para os judeus, os gentios eram "cães incircuncisos". O mais triste é que os judeus se fiavam na marca física, em vez de depositarem sua fé na realidade espiritual que esse sinal representava (Dt 10.16; Jr 9.26; Ez 44.9). O verdadeiro judeu era aquele que possuía uma experiência espiritual interior no coração, não apenas uma cirurgia física exterior.[305] Concordo com Juan Schaal quando ele diz que um judeu verdadeiro é aquele que não se jacta de nada externo, material e visível, mas que tem uma nacionalidade espiritual interna, como membro da família de Deus. A circuncisão que vale não é a do prepúcio externo, mas a circuncisão interna do coração.[306]

Os judeus sentiam-se seguros acerca da sua salvação por causa da circuncisão. De igual forma, muitos cristãos hoje podem argumentar que são especiais porque possuem a Bíblia, frequentam uma igreja, foram batizados e participam da eucaristia. O verdadeiro cristão, porém, não é uma pessoa que meramente se submete a certos ritos, mas alguém que adotou esses ritos porquanto crê que foram estabelecidos pelo Senhor e deseja desta forma expressar-lhe amor e devotamento, buscando o louvor que procede não dos homens, mas de Deus.[307]

Paulo destrói os alicerces da falsa confiança dos judeus na circuncisão, usando cinco argumentos.

Em primeiro lugar, *a circuncisão não pode ser substituto para a obediência*. "Porque a circuncisão tem valor se praticares a lei; se és, porém, transgressor da lei, a tua circuncisão já se tornou incircuncisão" (2.25). A circuncisão foi o selo da aliança divina com Abraão (Gn 17.10). Era o selo da justiça da fé (4.11), a marca distintiva do povo de Deus. A circuncisão era o sinal externo de uma transformação interna. Agostinho de Hipona definiu sacramento como um sinal visível de uma graça invisível. O sacramento não opera a mudança, ele revela essa mudança. O selo externo sem a mudança interna não tem valor algum.

Assim também é com respeito ao batismo. Aqueles que ensinam a regeneração batismal estão em desacordo com as Escrituras. O batismo não age por si mesmo. É apenas um símbolo visível de uma graça invisível.

Mais uma vez Geoffrey Wilson é oportuno ao declarar que, sempre que a igreja verdadeira declina, aumenta a tendência para atribuir uma importância indevida a ritos exteriores. A igreja, quando perdeu sua espiritualidade, ensinou que a água batismal lavava o pecado. Como é grande a quantidade de cristãos nominais que depositam todas as suas esperanças na ideia da eficácia inerente de ritos exteriores.[308]

Em segundo lugar, *a transformação interior é mais importante que o rito exterior.* "Se, pois, a incircuncisão observa os preceitos da lei, não será ela, porventura, considerada como circuncisão?" (2.26). Transformar o rito em realidade é uma inversão de valores. John Stott corretamente afirma que é um erro muito grave elevar o sinal ao nível do que o seu significado deveria ocupar.[309] A bandeira brasileira é um símbolo do Brasil, mas não é o Brasil nem substitui o Brasil. A circuncisão é um símbolo da transformação interior, mas não é essa transformação. O batismo é sinal da regeneração, mas não é a regeneração. É possível ter o sinal exterior sem ter a transformação interior, assim como é possível alguém ter sido transformado internamente sem ainda ter recebido o sinal externo. Havia gentios convertidos a Cristo que observavam os preceitos da lei em virtude da ação do Espírito Santo e estavam salvos pela graça, não obstante não ostentaram o sinal da circuncisão. Esses estavam em posição superior aos judeus que se gloriavam na circuncisão, mas não eram convertidos. John Stott está correto em sua análise de que circuncisão menos obediência é igual a incircuncisão, enquanto incircuncisão mais obediência é igual a circuncisão.[310]

Concordo com John Murray, que diz que a circuncisão era o sinal e o selo do pacto firmado com Abraão (4.11), pacto que era uma aliança de promessa e de graça. Por conseguinte, este pacto só tinha relevância no contexto da graça, e não no contexto da lei e das boas obras, em oposição à graça. Portanto, praticar a lei que torna a circuncisão proveitosa é o cumprir as condições de fé e obediência, à parte das quais as promessas, os privilégios e a graça do pacto eram presunção e zombaria. A prática da lei, pois, equivale a guardar o pacto.[311] Daí o rito da circuncisão só ter valor em conjunto com aquilo que ele simboliza e, se aquilo que ele simboliza estiver presente, a ausência do símbolo não anula esta graça.[312]

Em terceiro lugar, *o cumprimento da lei se dá por transformação interna e não por rito externo*. "E, se aquele que é incircunciso por natureza cumpre a lei, certamente, ele te julgará a ti, que, não obstante a letra e a circuncisão, és transgressor da lei" (2.27). Paulo obviamente não está afirmando que alguém é capaz de cumprir a lei. A lei exige perfeição absoluta (Tg 2.10; Gl 3.10). Tornamo-nos cumpridores da lei em Cristo. Como nosso substituto e representante, ele cumpriu a lei ativamente vivendo em santidade e passivamente morrendo na cruz em nosso lugar. Porque estamos em Cristo, somos cumpridores da lei. De outro modo, o que não podíamos fazer pela fraqueza da nossa carne, agora, pela operação do Espírito em nós, podemos: cumprir a lei e nela nos deleitar. É desta forma que o incircunciso se torna cumpridor da lei. Ao converter-se a Cristo, uma transformação interna operada por Deus realiza aquilo que o rito externo por si mesmo não pode efetuar.

Em quarto lugar, *o verdadeiro judeu não é o herdeiro do sangue de Abraão, mas o herdeiro da sua fé.* "Porque não é judeu quem o é apenas exteriormente, nem é circuncisão a que é somente na carne. Porém judeu é aquele que o é interiormente, e circuncisão, a que é do coração, no espírito, não segundo a letra..." (2.28,29). Paulo redefine neste texto a identidade judaica. No versículo 28 ele define o judeu de forma negativa, dizendo o que ele não é, e, no versículo 29, define o judeu de forma positiva, afirmando o que ele é.

William Barclay está certo ao dizer que ser judeu não é uma questão de ascendência, mas uma questão de caráter.[313] Os judeus estavam dando mais importância ao sangue que corria em suas veias que a fé que deveria alimentar seu coração. O verdadeiro judeu, ou seja, o verdadeiro Israel de Deus, é um povo espiritual, e não uma raça consanguínea. Os filhos de Abraão são aqueles que creem, e não os que recebem um rito externo; são os herdeiros da fé que Abraão tinha, e não os herdeiros de seu sangue.

John Stott sintetiza esse ponto da seguinte maneira:

> Nesse processo de redefinição do que significa ser judeu, um membro autêntico do povo da aliança, Paulo prossegue traçando um contraste que se revela em quatro aspectos. Primeiro, a essência do que é ser um verdadeiro judeu (que, na verdade, pode até ser alguém que seja etnicamente um gentio) não é algo exterior e visível, mas é interno e invisível. Segundo, a verdadeira circuncisão acontece no coração e não na carne. Terceiro, ela é efetuada pelo Espírito, e não pela lei. Quarto, a sua aprovação provém de Deus e não dos seres humanos. O ser humano sente-se muito bem com o que é exterior, visível, material e superficial. Para Deus, o que importa é uma obra profunda, íntima e secreta do Espírito Santo em nossa vida.[314]

Em quinto lugar, *a aprovação da verdadeira espiritualidade deve vir de Deus, e não dos homens.* "... e cujo louvor não procede dos homens, mas de Deus" (2.29b). Os judeus gostavam de elogiar a si mesmos. Vangloriavam-se da lei, da circuncisão, do conhecimento e de suas pretensas virtudes. Aplaudiam a si mesmos. Viam todos os pecados nos outros e todas as virtudes em si. O termo "judeu" vem da tribo de Judá, cujo significado é "louvor". Lia, mãe de Judá, proclamou quando ele nasceu: "Esta vez louvarei o Senhor" (Gn 29.35). Jacó, pai de Judá, proferiu a seguinte bênção no seu leito de morte: "Judá, teus irmãos te louvarão" (Gn 49.8). Consequentemente, Paulo argumenta que o verdadeiro judeu é o homem cuja vida é digna de louvor pelos padrões de Deus, cujo coração é puro à vista de Deus, cuja circuncisão é a circuncisão interna, do coração. Este é judeu de verdade, homem verdadeiramente digno de louvor – e seu louvor não é matéria de aplauso humano, mas de aprovação divina.[315] Os judeus, porém, descansavam no fato de terem de si mesmos um alto conceito. Eles repousavam na autoaprovação, enquanto deviam buscar a aprovação divina.

Concluo esse ponto citando William Hendriksen:

> Como é evidente à luz da Escritura, muitos dentre os judeus louvavam a si próprios (2.17-20) e eram ávidos por receber louvor dos homens (Mt 6.1-8, 16-18; 23.5-12). Portanto, não mereciam ser chamados "judeus", porque, em concordância com Romanos 2.29, um judeu genuíno é aquele cujo louvor não procede dos homens, mas de Deus.[316]

A falsa confiança nos arrazoados teológicos (3.1-8)

Os judeus estavam em posição vantajosa, porém eram culpados. A lei e a circuncisão não lhes davam garantia de imunidade no julgamento nem lhes serviam como garantia de sua identidade como povo de Deus.

Aos olhos dos judeus, entretanto, isso parecia colocar em dúvida a aliança, as promessas e o próprio caráter de Deus.[317] John Stott entende que os judeus devem ter reagido a Paulo com um misto de incredulidade e indignação, pois toda a tese paulina seria para eles uma ultrajante destruição daquilo que constitui as próprias bases do judaísmo, a saber, o caráter de Deus e a sua aliança.[318]

Daí eles levantarem tantas objeções ao ensino de Paulo. Para enfrentar as objeções dos judeus, Paulo faz uso de uma "diatribe", uma convenção literária, em que um professor desenvolve um diálogo com seus críticos ou com seus alunos, primeiro apresentando e depois respondendo as próprias perguntas.[319] John Stott coloca essas quatro objeções dos judeus nos seguintes termos:[320]

Em primeiro lugar, *o ensino de Paulo é uma sabotagem da aliança de Deus* (3.1,2). Os judeus, inconformados com a teologia de Paulo que dinamitou os alicerces de sua pretensa segurança, investem contra o apóstolo com a seguinte pergunta: "Qual é, pois, a vantagem do judeu? Ou qual a utilidade da circuncisão?" (3.1). O veterano apóstolo responde com firmeza: "Muita, sob todos os aspectos. Principalmente porque aos judeus foram confiados os oráculos de Deus" (3.2). Paulo e os judeus estavam em pleno acordo com o fato de que Deus havia escolhido os judeus como povo especial e dado a eles a lei e a circuncisão. Agora, se a lei e a circuncisão não davam aos judeus nenhuma garantia em relação ao juízo divino, qual então era a vantagem de ser judeu?

Muita, sob todos os aspectos! Um item, porém, sobrepuja a todos os outros, a saber: o fato de que aos judeus, e a nenhuma nação, foi atribuído o privilégio singular, a honra máxima, de serem eles os guardiões dos oráculos de Deus, de toda a revelação especial que consistia não só em mandamentos, mas também em predições e promessas.[321]

O problema é que os judeus pensavam que possuir os oráculos de Deus era privilégio, e não responsabilidade. William Hendriksen tem razão ao dizer: "Privilégios implicam deveres; honras vão de braços dados com responsabilidades".[322] Com certeza ser guardião dessa revelação especial de Deus é um privilégio imenso, mas também implica gigantesca responsabilidade.

Em segundo lugar, *os ensinamentos de Paulo anulam a fidelidade de Deus* (3.3,4). A segunda objeção dos judeus vem nestes termos: "E daí? Se alguns não creram, a incredulidade deles virá desfazer a fidelidade de Deus?" (3.3). Paulo responde prontamente: "De maneira nenhuma! Seja Deus verdadeiro, e mentiroso, todo homem, segundo está escrito: Para seres justificado nas tuas palavras e venhas a vencer quando fores julgado" (3.4).

John Stott diz que a ideia seria mais ou menos esta: "Se alguém a quem as promessas de Deus foram confiadas não lhe corresponder com confiança, será que a sua falta de confiança destruiria a confiabilidade de Deus?"[323] Se o povo de Deus é infiel, isso significa necessariamente que Deus também o é? Toda vez que o testemunho divino é contradito pelo testemunho humano, seja o homem considerado mentiroso. Quando o homem discute com Deus, ele consegue somente cobrir-se de opróbrio e vergonha.

A resposta dos homens não pode afetar o propósito de Deus. A infidelidade dos homens não atinge a fidelidade de Deus. Se aqueles a quem Deus confiou seus oráculos não são fiéis e fracassam em cumprir sua missão, Deus permanece fiel. A infidelidade do povo de Deus não anula a fidelidade de Deus. A infidelidade humana não sabota a fidelidade divina.

Concordo com Charles Erdman quando ele diz que as promessas de Deus a Israel haverão de cumprir-se indubitavelmente, a despeito de parcial cegueira e temporária incredulidade. Como ressalta Paulo de maneira mais apurada nos capítulos 9–11 da epístola, um Israel convertido ainda haverá de ser fonte de bênção para todas as nações do mundo.[324]

Em terceiro lugar, *os ensinamentos de Paulo contradizem a justiça de Deus* (3.5,6). Os judeus voltam novamente suas baterias contra Paulo com a seguinte objeção: "Mas, se a nossa injustiça traz a lume a justiça de Deus, que diremos? Porventura, será Deus injusto por aplicar a sua ira? (Falo como homem.) A resposta não se deixa esperar: "Certo que não. Do contrário, como julgará Deus o mundo?"

Paulo vem argumentando desde Romanos 1.18-32 que Deus julgará os gentios pelo mau uso que fizeram do conhecimento recebido. Também demonstrou que os críticos moralistas não ficarão de fora desse julgamento, uma vez que julgam e condenam os outros, quando eles mesmos praticam as mesmas coisas (2.1-16). Agora, Paulo está demolindo a falsa confiança dos judeus que se vangloriavam na lei e na circuncisão (2.17-29). Estes também não escaparão do juízo divino. O fato, porém, de que o pecado humano ocasiona a manifestação da justiça divina, não isenta o homem de culpa nem torna injusta a ira divina. A mesma ira de Deus que caiu sobre os gentios imorais (1.18) e sobre os críticos moralistas (2.5) também alcançará os judeus presunçosos (3.5,6). É absolutamente falacioso o argumento usado pelos judeus de que, se a injustiça humana traz a lume a justiça de Deus, então seria injustiça de Deus aplicar sua ira.

Em quarto lugar, *os ensinamentos de Paulo são uma falsa promoção da glória de Deus* (3.7,8). Os judeus queimaram os últimos cartuchos em sua artilharia contra Paulo, perguntando: "E, se por causa da minha mentira, fica em relevo a verdade de Deus para a sua glória, por que sou eu ainda condenado como pecador?" (3.7). Paulo responde a essa objeção com outra pergunta e finaliza seu argumento com uma contundente afirmação: "E por que não dizemos, como alguns, caluniosamente, afirmam que o fazemos: Pratiquemos males para que venham bens? A condenação destes é justa" (3.8).

A mente adoecida desses judeus arrazoava que Deus devia estar muito satisfeito ou até agradecido por lhes estar prestando um serviço com sua mentira, uma vez que essa mentira colocava em relevo a verdade de Deus para a sua glória. Eles raciocinavam: Se o meu pecado traz vantagem para Deus, por que então sou condenado por esse pecado? Se os meus males redundam em bens para Deus, por que devo ser castigado por eles? Essa falaciosa ideia desemboca em justa condenação, afirma o apóstolo.

Charles Erdman está coberto de razão quando diz: "A despeito da verdade de que Deus pode derivar bem do mal, este resultado jamais isenta de culpabilidade aquele por quem o mal foi praticado. O fim nunca justifica os meios".[325]

Notas do capítulo 6

[281] Stott, John. *Romanos*, p. 101.

[282] Calvino, João. *Epístola a los Romanos*, p. 67.

[283] Wilson, Geoffrey B. *Romanos*, p. 31.

[284] Hendriksen, William. *Romanos*, p. 135.

[285] Wiersbe, Warren W. *Comentário bíblico expositivo*, p. 677.

[286] Murray, John. *Romanos*, p. 110.

[287] Schaeffer, Francis A. *A obra consumada de Cristo*, p. 57.

[288] Pohl, Adolf. *Carta aos Romanos*, p. 57.

[289] Hendriksen, William. *Romanos*, p. 138.

[290] Murray, John. *Romanos*, p. 111.

[291] Stott, John. *Romanos*, p. 102.

[292] Erdman, Charles R. *Comentários de Romanos*, p. 46.

[293] Schaal, Juan H. *El camino real de Romanos*, p. 46.

[294] Bruce, F. F. *Romanos: introdução e comentário*, p. 75.

[295] Stott, John. *Romanos*, p. 103.

[296] Wilson, Geoffrey B. *Romanos*, p. 32.

[297] Bruce, F. F. *Romanos: introdução e comentário*, p. 76.

[298] Wiersbe, Warren W. *Comentário bíblico expositivo*, p. 677.

[299] Wilson, Geoffrey B. *Romanos*, p. 33.

[300] Bruce, F. F. *Romanos: introdução e comentário*, p. 77.

[301] Schaeffer, Francis A. *A obra consumada de Cristo*, p. 58, 59.

[302] Schaeffer, Francis A. *A obra consumada de Cristo*, p. 60, 61.

[303] Murray, John. *Romanos*, p. 114.

[304] Stott, John. *Romanos*, p. 104.

[305] Wiersbe, Warren W. *Comentário bíblico expositivo*, p. 677.

[306] Schaal, Juan H. *El camino real de Romanos*, p. 46.

[307] Erdman, Charles R. *Comentários de Romanos*, p. 47.

[308] Wilson, Geoffrey B. *Romanos*, p. 34.

[309] Stott, John. *Romanos*, p. 106.

[310] Stott, John. *Romanos*, p. 104.

[311] Murray, John. *Romanos*, p. 114.

[312] Murray, John. *Romanos*, p. 115.

[313] Barclay, William. *Romanos*, p. 59.

[314] Stott, John. *Romanos*, p. 106.

[315] Bruce, F. F. *Romanos: introdução e comentário*, p. 76.

[316] Hendriksen, William. *Romanos*, p. 145.

[317] Stott, John. *Romanos*, p. 108.

[318] Stott, John. *Romanos*, p. 107.

319 STOTT, John. *Romanos*, p. 107.
320 STOTT, John. *Romanos*, p. 108-111.
321 HENDRIKSEN, William. *Romanos*, p. 146.
322 HENDRIKSEN, William. *Romanos*, p. 146.
323 STOTT, John. *Romanos*, p. 109.
324 ERDMAN, Charles R. *Comentários de Romanos*, p. 49.
325 ERDMAN, Charles R. *Comentários de Romanos*, p. 49.

Capítulo 7

A depravação total da humanidade
(Rm 3.9-20)

PAULO ESTÁ CHEGANDO AO FIM de seu mais arrasador argumento: todos os homens são culpados diante de Deus. Ele já fundamentou sua tese provando que os gentios, mesmo não tendo a lei escrita, tinham a lei moral dentro deles e o céu estrelado acima deles, mostrando-lhes a majestade de Deus. Uma vez que não deram glórias nem graças a Deus, antes se enveredaram pelos atalhos da idolatria e da imoralidade, tornaram-se passíveis de morte (Rm 1.18-32).

De forma semelhante, Paulo desbancou a tola pretensão dos críticos moralistas que julgavam e condenavam publicamente os gentios por seus grosseiros pecados, mas os cometiam em segredo.

Por serem hipócritas, pregando uma coisa e vivendo outra, também não escapariam do justo juízo de Deus (2.1-16).

Com a mesma veemência, Paulo atacou a falsa confiança dos judeus que se julgavam melhores que os demais homens, refugiando-se na lei e na circuncisão, acreditando que Deus os trataria com favoritismo. Paulo põe o machado da verdade na raiz dessa tola pretensão, lançando assim os judeus na mesma vala comum dos demais homens, provando que eles eram tão culpados diante de Deus quanto os gentios pagãos e tão inescusáveis quanto os críticos moralistas (2.17–3.8).

Finalmente, Paulo chega ao ponto mais alto de sua tese. Seu propósito é provar que todos os homens, sem distinção de raça, cultura ou religião são culpados diante de Deus. O pecado atingiu a todos, sem exceção. No julgamento divino todos os homens estarão silenciados pela culpa (3.9-20).

Em Romanos 3.9, Paulo faz uma pergunta, dá uma reposta e uma explicação: "Que se conclui? Temos nós qualquer vantagem? Não, de forma nenhuma; pois já temos demonstrado que todos, tanto judeus como gregos, estão debaixo do pecado". Segundo Charles Erdman, Paulo chega aqui à primeira grande conclusão da epístola. O gentio pecou contra a luz da natureza e da consciência; o judeu, em desafio à lei revelada; logo, o mundo inteiro está debaixo de condenação.[326]

Destacamos neste versículo três pontos para análise:

Em primeiro lugar, *uma aparente contradição* (3.9a). Em Romanos 3.1,2, Paulo respondeu à pergunta: Qual é, pois, a vantagem do judeu? Ou qual a utilidade da circuncisão? Muita, sob todos os aspectos, retruca o apóstolo. Agora, em Romanos 3.9 ele responde de forma diametralmente oposta a uma pergunta aparentemente semelhante: Que se conclui? Temos nós alguma vantagem? Não, de forma nenhuma, responde Paulo. Essa contradição é apenas aparente. Os judeus têm muitas vantagens em relação aos gentios quando se olha para os seus privilégios e responsabilidades, uma vez que eles receberam a revelação escrita de Deus, mas nenhuma vantagem quando se olha para o seu julgamento, pois Deus não os tratará com favoritismo. Nas palavras de Geoffrey Wilson, "embora Paulo tenha insistido no valor dos privilégios gozados pelos judeus (3.2), ele nega vigorosamente que estas vantagens melhorem sua situação diante de Deus (3.9)".[327] F. F. Bruce esclarece esse ponto:

> "Muitas, sob todos os aspectos" refere-se aos privilégios desfrutados pelos judeus como nação eleita; enquanto "Não, de forma nenhuma" relaciona-se com a posição deles diante de Deus. Com privilégios ou sem eles, judeus e gentios têm igual necessidade da graça divina.[328]

Em segundo lugar, *uma dolorosa demonstração* (3.9b). Paulo chama a atenção dos seus leitores para o fato de que, até aqui, o seu grande propósito na carta era provar que tanto judeus como gregos são culpados diante de Deus. Tanto os que estão sob a lei como aqueles que desconhecem a lei são indesculpáveis diante de Deus. O pecado atingiu a todos e a culpa está sobre todos. Francis Schaeffer diz que esta concepção da universalidade do pecado é o maior e o mais genuíno "nivelador" da humanidade. Diante de Deus, todas as pessoas estão no mesmo nível.[329]

Em terceiro lugar, *uma terrível escravidão* (3.9c). Judeus e gregos estão debaixo do pecado, esmagados sob seu peso, escravizados à sua tirania, dominados por suas algemas, condenados à morte por seu salário. John Stott diz que o pecado está em cima de nós, pesa sobre nós e é um fardo esmagador.[330] Nessa mesma trilha, William Barclay diz que a expressão grega *upo hamartian* significa "em poder de" ou "sob a autoridade de". Assim, o homem sem Cristo está debaixo das ordens, sob a autoridade, sob o domínio do pecado e incapacitado a escapar dele.[331]

Em Romanos 3.10-18, Paulo utiliza uma prática rabínica ao ligar uma passagem à outra, formando uma espécie de colar de pérolas e trazendo à memória uma série de sete citações do Antigo Testamento[332] (Eclesiastes, Salmos e Isaías), com o propósito de mostrar a depravação total de todos os homens. Para William Hendriksen, essa cadeia de passagens do Antigo Testamento, citada pelo apóstolo Paulo, é um material relevante, bem selecionado e inspirado.[333] John Murray afirma que essas várias passagens combinadas do Antigo Testamento usadas pelo apóstolo Paulo formam um sumário unificado acerca da abrangente pecaminosidade da raça humana.[334]

A depravação total da humanidade pode ser vista na distorção e perversão do seu relacionamento com Deus, consigo e com o próximo. Consideraremos agora esses pontos.

A depravação total refletida na relação do homem com Deus (3.10-12)

O apóstolo registra: "Como está escrito: Não há justo, nem um sequer, não há quem entenda, não há quem busque a Deus; todos se extraviaram, à uma se fizeram inúteis; não há quem faça o bem, não há nem um sequer" (3.10-12). É interessante observar o uso de "nem um", "não há" e "todos", asseverando assim a universalidade da culpa humana.[335] Ninguém é justo ou bom (3.10-12), uma vez que todos pecam por palavras (3.13,14) e por obras (3.15), por causa de um estilo de vida que é mau e desastroso (3.16), e não bom (3.17), já que lhes falta o temor do Senhor, que é o princípio da sabedoria (3.18).[336]

William Hendriksen corretamente destaca que o quadro que Paulo pinta é sinistro: ninguém é justo; de fato, ninguém entende sua deplorável condição. E ninguém está tentando entender, nem mesmo procurando por Deus, a fonte de toda sabedoria e conhecimento.[337]

O veterano apóstolo usa dois argumentos para provar a tese da culpabilidade humana, especialmente em sua rebelião contra Deus.

Em primeiro lugar, *a rebelião humana contra Deus é provada pelas Escrituras* (3.10). Paulo não busca nos anais da sociologia nem nos estudos da antropologia os argumentos para provar a rebeldia humana contra Deus. Ele não percorre os corredores das religiões de mistério nem vasculha o próprio interior. Quando se trata de provar a depravação humana, especialmente sua rebeldia contra o Criador, Paulo recorre às Escrituras. Essa é a autoridade máxima. A Bíblia não tem uma opinião entre muitas; tem a palavra final, o argumento irresistível e irrefutável.

Franz Leenhardt escreve: "Apoiando-se na autoridade da Escritura, vai Paulo forçar o leitor, judeu ou grego, a penetrar o próprio eu e reconhecer diante de Deus que está 'debaixo do pecado'".[338]

Calvino alerta para o fato de que, se Paulo usou a autoridade das Escrituras para convencer os homens de sua iniquidade, aqueles que estão encarregados do ensino na igreja devem tornar-se muito mais atentos para não agir de outro modo na pregação do evangelho.[339]

Em segundo lugar, *a rebelião humana contra Deus é provada pela experiência* (3.10-12). A linguagem de Paulo é tanto de inclusão como de exclusão. Ele se refere a todos ou a nenhum sequer. Ao fazer o diagnóstico da condição humana, usa tanto uma descrição negativa quanto positiva.

Diz ao mesmo tempo que não há nenhum justo, ninguém que entenda, que busque a Deus ou faça o bem; e também que todos se extraviaram e à uma se fizeram inúteis. Segundo Warren Wiersbe, estes versículos (3.10-12) indicam que todo o ser interior do homem está sob o controle do pecado: sua mente ("Não há quem entenda"); seu coração ("Não há quem busque a Deus") e sua volição ("Não há quem faça o bem").[340]

Paulo identifica cinco elementos da rebeldia do homem contra Deus:

a. *A injustiça é praticada por todos* (3.10). Nenhum homem consegue cumprir as exigências da santa lei de Deus. Não há justo, nenhum sequer. Todos estão aquém do padrão da perfeição. O pecado é a transgressão da lei. Essa transgressão torna o homem culpado diante de Deus e essencialmente injusto.

b. *O obscurantismo intelectual atingiu a todos* (3.11a). A mente do pecador tornou-se obtusa e obscurecida para compreender as coisas espirituais. O diabo cegou o entendimento dos incrédulos. Mediante a graça comum, o homem consegue grandes avanços na ciência e é capaz de extraordinárias façanhas, mas espiritualmente ele vive imerso no mais tosco obscurantismo. Paulo se revoltou com a idolatria de Atenas, a cidade mais culta do mundo antigo. Ele considerou a cultura dos grandes corifeus da filosofia grega como tempos de ignorância (At 17.30).

c. *A vontade adormecida é a marca de todos* (3.11b). A inclinação do homem natural é fugir de Deus e insurgir-se contra ele. A inclinação da carne é inimizade contra Deus. Se os gentios pagãos cometeram o pecado da idolatria, os judeus religiosos se entregaram à antropolatria. Aqueles adoraram a ídolos; estes adoraram a si mesmos. John Stott diz que a impiedade é a essência do pecado (1.18). O pecado é a revolta do eu contra Deus. É destronar Deus; é autodeificar-se; é a atrevida determinação de ocupar o trono que pertence somente a Deus.[341] W. Burrows chama de ateísmo prático essa atitude de não procurar nem temer a Deus.[342] O ateu teórico diz que não há Deus; o ateu prático age como se Deus não existisse.

d. *A apostasia é a ação de todos* (3.12a). Paulo diz que todos se extraviaram. Em vez de reconhecerem a majestade de Deus na obra da criação, perverteram o culto a Deus em vil idolatria. Essa apostasia não foi por falta de luz, mas por rebeldia deliberada. O homem sacudiu de sobre si o jugo de Deus. Abandonou a fonte da vida para cavar cisternas rotas. Abandonou o Deus verdadeiro para se prostrar diante de ídolos criados por suas próprias mãos.

e. *A futilidade moral é uma prática de todos* (3.12b). Abandonar a Deus desemboca em degradação moral. A impiedade deságua na perversão. Porque os homens abandonaram a Deus, chafurdaram no pântano nauseabundo das práticas mais aviltantes. Todos os homens deixaram a prática do bem para se entregar à prática do mal. John Murray diz que a expressão "se fizeram inúteis" tem no grego a conotação de inutilidade e no hebraico a conotação de corrupção. Como o sal que perdeu o sabor ou a fruta podre que não serve mais para nenhum propósito útil, assim também os homens são vistos, todos, como estragados.[343]

A depravação total refletida na relação do homem consigo próprio (3.13,14)

Paulo faz um diagnóstico do estado deplorável em que o homem se encontra. O pecado atingiu todo o seu ser: corpo e alma. O pecado enfiou seus tentáculos em todas as áreas da sua vida: razão, emoção e volição. Não há parte sã no seu corpo. O homem está chagado da cabeça aos pés. Seu corpo é uma fábrica de pecados. Todo o seu ser está rendido ao pecado e a serviço do pecado.

John Stott vê aqui a natureza destruidora do pecado, a capacidade que ele tem de infestar a nossa vida, pois afeta todas as partes da constituição humana, todas as faculdades e funções, inclusive nossa mente, emoções, sexualidade, consciência e vontade.[344]

William MacDonald diz que se Paulo desejasse dar um catálogo completo de pecados, poderia ter citado *os pecados do sexo*: adultério, homossexualismo, lesbianismo, perversão, bestialidade, prostituição, estupro, luxúria, pornografia e obscenidade. Poderia ter mencionado *os pecados associados à guerra*: destruição de inocentes, atrocidades, câmaras de gás, fornos crematórios, campos de concentração, tortura, sadismo. Poderia ter registrado *os pecados do casamento*: infidelidade, divórcio, espancamento de mulheres, tortura mental, abuso de crianças. Acrescente a esses os crimes de assassinato, mutilação, roubo, arrombamento, fraude, vandalismo, corrupção. Também *os pecados da língua*: profanação, piadas imorais, linguagem obscena, maldição, blasfêmia, mentira, fofoca, murmuração. *Outros pecados pessoais* são: embriaguez, dependência de drogas, orgulho, inveja, cobiça, ingratidão, ódio, racismo, quebra de votos. Que necessidade teríamos mais para provar a depravação humana?[345]

Sem usar uma lista exaustiva de pecados, Paulo reúne apenas os pecados da fala, da comunicação, para mostrar a gravidade dessa depravação total. Concordo com John Stott quando ele diz que esses membros e órgãos do nosso corpo foram criados e dados a nós para que, por meio deles, pudéssemos servir às pessoas e dar glória a Deus. Em vez disso, porém, eles são usados para ferir as pessoas e oferecer rebeldia contra Deus. Essa é a doutrina bíblica da depravação total.[346]

Por depravação total não estamos dizendo que todos os homens são depravados em grau superlativo da mesma maneira, mas que todos os homens foram afetados em todas as áreas da vida pelo pecado. Para usar uma expressão de J. I. Packer: "Ninguém é tão mau quanto poderia ser e nenhum dos nossos atos é tão bom quanto deveria ser".[347]

Vejamos a triste descrição do apóstolo:

Em primeiro lugar, *a garganta é uma sepultura ávida para enterrar as pessoas* (3.13a). Paulo não tem uma visão otimista da natureza humana. Certamente a teologia paulina está em total desacordo com a visão de Jean Jacques Rousseau, que afirmou que o homem é essencialmente bom. Paulo também não concorda com a tese de John Locke de que o homem é apenas produto do meio. Nem Paulo corrobora a visão positivista de Augusto Comte, de que o problema do homem é a ignorância. O homem é um ser caído, falido espiritualmente e arruinado moralmente. É um poço de perdição. Sua garganta não é um canteiro de vida, mas uma cova de morte. Não é uma fonte de consolo, mas um abismo de perdição.

Calvino diz que no homem há um abismo devorador de homens. Isso é mais grave que chamar o homem de antropófago, devorador de carne humana. Paulo diz que a garganta humana é um abismo, grande o bastante para devorar e tragar toda a humanidade.[348]

Em segundo lugar, *a língua é uma agência de engano e mentira* (3.13b). Paulo diz que, "... com a língua, urdem engano". A língua não é apenas o órgão da fala, mas o laboratório da mentira. A língua é o rei do disfarce, a dama do engano, a prostituta da sedução. Ela fala coisas bonitas, mas esconde coisas horrendas. Bajula com suavidade, mas açoita com violência. Tiago diz que a língua tem poder de destruir. Ela é como o fogo e como o veneno.

Em terceiro lugar, *os lábios são um reservatório de veneno letal* (3.13c). Paulo é contundente ao declarar: "... veneno de víbora está nos seus lábios". A cobra tem uma bolsa cheia de veneno letal na base de suas presas.[349] Quando morde alguém, destila seu veneno, e esse veneno mata. O pecado afetou de tal maneira o ser humano que um dos seus maiores distintivos, a comunicação, tornou-se um veneno mortal. Em vez de seus lábios destilarem mel, destilam veneno. Os lábios humanos são mais venenosos que a víbora mais peçonhenta. O veneno da cobra pode matar o corpo, mas o veneno dos lábios mata também a alma. O veneno da cobra foi dado a ela por Deus, o veneno dos lábios é instilado no homem por Satanás. O veneno da cobra pode ser transformado em remédio, o veneno dos lábios só trabalha para a destruição.

Em quarto lugar, *a boca é uma fonte de águas sujas*. "A boca, eles a têm cheia de maldição e de amargura" (3.14). Paulo conclui: o pecado fez da boca humana uma fonte maldita, de onde jorra, em catadupas, ondas volumosas de maldição e amargura. Dessa boca não saem louvores a Deus nem frases para a edificação, mas palavras torpes, imorais, carregadas de maldade e mentira. Em vez de ser uma fonte da qual brotam águas doces para matar a sede dos sedentos, é uma fonte poluída da qual escorre o fluxo nojento daquilo que é repugnante.

A boca é a radiografia do coração. Ela fala aquilo que transborda do coração. O mal não está fora do homem, mas dentro dele. O mal não está apenas nas estruturas sociais, mas no interior do homem. A boca apenas vomita as sujidades que sobem do coração.

A depravação total refletida na relação do homem com seu próximo (3.15-17)

A depravação total atingiu não apenas a relação do homem com Deus e consigo mesmo, mas também com o seu próximo. Paulo destaca três áreas:

Em primeiro lugar, *a falta de respeito pela vida humana*. "São os seus pés velozes para derramar sangue" (3.15). O homem sem Deus é pior que uma fera selvagem. O pecado o bestializou e o embruteceu. Ele perdeu o amor natural e tornou-se um monstro celerado. Tem pressa em derramar sangue. Mata aquele a quem devia proteger. Ele elimina, com requinte de crueldade, aquele a quem devia amar.

Nossa sociedade está aturdida com o avanço desenfreado da violência. Há guerras entre as nações. Há guerras tribais, ideológicas, étnicas e religiosas. Há guerras nas famílias, nos partidos políticos e até nas igrejas. Nossas cidades estão-se transformando em campos de sangue, em arenas de morte. A vida humana está sendo banalizada. Os traficantes embrutecidos aliciam jovens incautos e depois os matam com crueldade. Os ricos avarentos oprimem os pobres e tomam com violência seus bens para viverem no fausto. Os juízes iníquos e corruptos vendem sentenças por dinheiro e condenam o inocente à morte, regidos pela ganância criminosa. A sociedade humana sem Deus está encurralada por suas próprias desventuras.

Em segundo lugar, *a falta de respeito pelos valores humanos*. "Nos seus caminhos, há destruição e miséria" (3.16). Por onde o homem passa, ele macula o chão onde pisa e contamina o lugar onde põe as mãos. O mal não está apenas nas estruturas, mas dentro do homem. Ele não respeita a vida, a família, os bens alheios nem os princípios que regem a sociedade. Esse homem corrompido anda na contramão da licitude e da moral. Insurge-se contra tudo o que é certo e digno. No seu caminho há destruição e miséria. Ele é como um terremoto que passa e a tudo devasta.

William Greathouse diz que esse homem age sem consideração para com o próximo, sem medo de comprometer seu bem-estar ou até mesmo sua vida. Ele oprime seu irmão e enche sua vida de infelicidade, de modo que o caminho marcado por tal procedimento é regado pelas lágrimas dos outros.[350]

Em terceiro lugar, *a falta de respeito pelos relacionamentos humanos*. "Desconheceram o caminho da paz" (3.17). Em seu estado de rebeldia contra Deus, o homem destruiu a si mesmo e avançou como uma fera selvagem contra seu próximo, semeando o ódio, a inimizade e a desavença. Sua língua espalha veneno, suas mãos jorram violência, seus pés se apressam para o mal. Esse homem em rebelião contra Deus ergue muros onde deveria construir pontes, cava abismos onde deveria construir passagem, fere com punhos cerrados a quem deveria acariciar, promove inimizade com quem deveria nutrir afeição, envereda-se pelos atalhos da guerra em vez de trilhar o caminho da paz.

A depravação total refletida no julgamento do réu (3.18-20)

Paulo conclui sua tese levando judeus e gentios à barra do tribunal de Deus. Ele arma o cenário de um tribunal no qual o homem pecador será julgado. Nesse tribunal o réu é acusado e sua culpa é tão evidente que nada pode dizer em sua defesa. Calado e culpado ele toma conhecimento de que não pode ser justificado diante de Deus pelos seus esforços, uma vez que seu pecado o domina.

Três verdades são aqui destacadas pelo apóstolo:

Em primeiro lugar, *a causa da condenação do réu.* "Não há temor de Deus diante de seus olhos" (3.18). O temor de Deus é um freio que inibe o homem de se entregar ao pecado. O temor de Deus é um antídoto contra o mal. O temor de Deus é o princípio da sabedoria. Quando o homem perde o temor de Deus, rende-se a toda sorte de corrupção.

John Murray tem razão ao dizer: "No ensino das Escrituras, o temor de Deus é o âmago da piedade, e a sua ausência é o cúmulo da impiedade".[351] É a falta do temor de Deus que iludirá o homem no pecado, afastando-o do arrependimento. É a falta do temor de Deus agora que levará o homem a temer e tremer diante de Deus no dia do juízo, quando ouvir do reto Juiz a sua inexorável sentença: "Apartai-vos de mim, malditos, para o fogo eterno, preparado para o diabo e seus anjos" (Mt 25.41).

Em segundo lugar, *a base da condenação do réu.* "Ora, sabemos que tudo o que a lei diz, aos que vivem na lei o diz para que se cale toda boca, e todo o mundo seja culpável perante Deus" (3.19). Segundo F. F. Bruce, a "lei" aqui deve referir-se às Escrituras hebraicas em geral.[352] Os judeus que se vangloriavam na lei estavam condenados pela lei, uma vez que essa lei exigia o que eles não praticavam. Os gentios que pecam sem lei também sem lei perecem, uma vez que não vivem de acordo com a luz recebida, a lei moral implantada em seu interior e a revelação natural a seu redor. A base da condenação do réu é a absoluta justiça de Deus, uma vez que sua lei foi violada e sua justiça não foi satisfeita. Assim, todos os homens, em todo o mundo, estão debaixo do pecado e são tidos como culpados no tribunal de Deus. Fritz Rienecker corretamente diz que o contexto todo faz referência a um julgamento e veredicto judicial.[353]

Analisando essa cena do julgamento, Adolf Pohl sustenta que a culpabilidade pressupõe o desmantelamento da defesa. Até esse momento, a boca dos réus citados se movia incessantemente. Seu objetivo era transformar a sala do júri numa sala de audiências. Nesse momento Deus toma a palavra na forma da lei, e todas as bocas são tapadas.[354]

Na mesma linha de raciocínio, William Hendriksen afirma que a figura usada por Paulo é dramática, inesquecível e amedrontadora. Todo mundo está em pé diante de Deus, o Juiz. Os registros são lidos e, à medida que são lidos, a cada um dos acusados é dada a oportunidade de responder às acusações feitas contra eles. Entretanto, à medida que sua culpa vai sendo exposta, eles não têm o que responder. Sua boca é silenciada.[355] O réu ouvirá sua sentença mudo, sem nenhuma palavra em sua própria defesa. Sua causa é indefensável, sua culpa é notória e sua condenação é justa.

Cranfield conclui esse ponto com vívida eloquência ao registrar: "A referência à boca fechada evoca a imagem do réu no tribunal, o qual, quando lhe é dada oportunidade de falar na própria defesa, permanece calado, esmagado pelo peso da prova contra ele".[356]

Em terceiro lugar, *a impossibilidade da absolvição do réu* (3.20). Paulo conclui sua tese acerca da culpabilidade do homem e encerra seu argumento mostrando a total impossibilidade de o homem sair absolvido do tribunal de Deus, fiado em seus méritos ou estribado em suas obras. Assim escreve o apóstolo: "Visto que ninguém será justificado diante dele por obras da lei, em razão de que pela lei vem o pleno conhecimento do pecado".

Duas coisas merecem destaque neste versículo:

a. *A finalidade da lei* (3.20). Paulo diz que pela lei vem o pleno conhecimento do pecado. W. Burrows diz que a lei revela a inescapável realidade do pecado, a natureza maligna do pecado, a força mortal do pecado e a culpa irremediável do pecado.[357] Adolf Pohl tem toda razão de enfatizar que a lei de maneira alguma torna alguém pecador, mas ela revela o pecador como tal.[358]

A lei possibilita não a salvação, mas a ira (4.15). A lei não foi dada com o propósito de justificar o homem, mas com o fito de provar sua culpa. John Stott está com a razão quando diz que o motivo pelo qual a lei não pode justificar os pecadores é porque sua função é revelar e condenar seus pecados. E a razão pela qual a lei nos condena é que nós a quebramos.[359] Na mesma linha de pensamento, Lutero escreve:

> O principal motivo da lei é fazer que os homens sejam não melhores, mas piores; quer dizer, ela lhes mostra o seu pecado, para que a partir desse conhecimento eles possam ser humilhados, aterrorizados, esmagados e quebrantados, e, dessa forma, sejam levados a sair em busca da graça e chegar assim àquela Semente abençoada [Cristo].[360]

A lei apenas faz o diagnóstico, mas não é o remédio. A lei é como um espelho: aponta nossa sujeira, mas não a remove. É como um prumo: identifica a sinuosidade de uma parede, mas não a endireita. É como um farol: mostra o obstáculo do caminho, mas não o remove. É como um raio-X:, revela o tumor, mas não o remove. É como um termômetro: diz quando uma pessoa está com febre, mas não a cura. A lei é boa quando usada para produzir convicção de pecado, mas é impotente para salvar do pecado. Como Lutero destaca: sua função não é justificar, mas aterrorizar.[361] Somente após sermos condenados pela lei, estaremos prontos para ouvir o magnífico "mas agora" do versículo 21, com o qual Paulo passa a explicar como Deus interveio, por intermédio de Cristo e sua cruz, para a nossa salvação.[362]

b. *A inabilidade da lei* (3.20). Paulo diz que ninguém será justificado diante de Deus por obras da lei. Tanto a lei cerimonial quanto a lei moral não pode justificar o homem diante de Deus, não porque sejam imperfeitas, mas porque o homem é imperfeito. A lei é boa, santa, justa e espiritual, mas o homem é pecador. Ele não consegue viver à altura de suas exigências.

A lei exige que o homem ame a Deus de todo o seu coração, alma, mente e força e a seu próximo como a si mesmo (Mt 22.37-40), mas o homem é incapaz de atingir esse padrão. O homem é culpado dos pecados de comissão e omissão, dos pecados públicos e secretos. Está condenado por Deus não só por causa do que diz e faz, mas por causa do que é, ou seja, por causa de seu estado pecaminoso. Consequentemente, só é possível uma conclusão. O homem está condenado, condenado, condenado. Sua condição é aquela de total desesperança e desespero.[363]

Geoffrey Wilson é pertinente quando diz que a doutrina da graça pregada por Paulo se baseia firmemente em uma doutrina adequada do pecado, porque ele sabia que apenas a pessoa convencida de pecado tem interesse naquele que salva do pecado.[364]

O texto que consideramos é uma espécie de dobradiça na carta aos Romanos. Francis Schaeffer com razão conclui que chegamos, aqui, ao final da apresentação de Paulo da "primeira metade do evangelho". Ele levou a maior parte do capítulo 1, todo o capítulo 2 e grande parte do capítulo 3 para evidenciar que precisamos da salvação.[365] Daqui para a frente, Paulo abrirá um novo tema em sua carta, mostrando como podemos ser salvos. Se Paulo tivesse parado sua carta aqui, o desespero tomaria conta da humanidade. Então, não haveria saída e seríamos condenados ao desespero dos existencialistas que não veem esperança para o homem. No entanto, graças a Deus, a porta da esperança nos é apresentada. O caminho de retorno a Deus é apontado e a mensagem da salvação é anunciada!

NOTAS DO CAPÍTULO 7

[326] ERDMAN, Charles R. *Comentários de Romanos*, p. 50.

[327] WILSON, Geoffrey B. *Romanos*, p. 40.

[328] BRUCE, F. F. *Romanos: introdução e comentário*, p. 81.

[329] SCHAEFFER, Francis A. *A obra consumada de Cristo*, p. 70.

[330] STOTT, John. *Romanos*, p. 112.

[331] BARCLAY, William. *Romanos*, p. 67.

[332] Eclesiastes 7.20; Salmos 14.1-3; 5.9; 140.3; 10.7; Isaías 59.7; Salmos 36.1.

[333] HENDRIKSEN, William. *Romanos*, p. 161.

[334] MURRAY, John. *Romanos*, p. 130.

[335] WIERSBE, Warren W. *Comentário bíblico expositivo*, p. 678.

[336] STERN, David H. *Comentário judaico do Novo Testamento*. São Paulo: Atos, 2008, p. 376.

[337] HENDRIKSEN, William. *Romanos*, p. 162.

[338] LEENHARDT, Franz. J. *Epístola aos Romanos*, p. 97.

[339] CALVINO, João. *Epístola a los Romanos*, p. 86.

[340] WIERSBE, Warren W. *Comentário bíblico expositivo*, p. 678.

[341] STOTT, John. *Romanos*, p. 113, 114.

[342] BURROWS, W. Romans, p. 91.

[343] MURRAY, John. *Romanos*, p. 131.

[344] STOTT, John. *Romanos*, p. 114.

[345] MacDONALD, William. *Believer's Bible commentary*, p. 1.686.

[346] STOTT, John. *Romanos*, p. 114.

[347] PACKER, J. I. *Concise theology.* Grand Rapids: Tyndale House and InterVarsity Press, 1993, p. 83.

[348] CALVINO, João. *Epístola a los Romanos*, p. 87.

[349] HENDRIKSEN, William. *Romanos*, p. 163.

[350] GREATHOUSE, William. *A epístola aos Romanos,* p. 63.

[351] MURRAY, John. *Romanos*, p. 132.

[352] BRUCE, F. F. *Romanos: introdução e comentário*, p. 81.

[353] RIENECKER, Fritz; ROGERS, Cleon. *Chave linguística do Novo Testamento grego*, p. 261.

[354] POHL, Adolf. *Carta aos Romanos*, p. 67.

[355] HENDRIKSEN, William. *Romanos*, p. 166.

[356] CRANFIELD, C. E. B. *Comentário de Romanos*, p. 76.

[357] BURROWS, W. *Romanos,* p. 94, 95.

[358] POHL, Adolf. *Carta aos Romanos*, p. 67.

[359] STOTT, John. *Romanos*, p. 118.

[360] LUTERO, Martinho. *Commentary on Saint Paul's Epistle to the Galatians*. Londres: James Clarke, 1953, p. 316.

[361] MacDONALD, William. *Believer's Bible Commentary*, p. 1.687.

[362] STOTT, John. *Romanos*, p. 119.

[363] HENDRIKSEN, William. *Romanos*, p. 167.

[364] WILSON, Geoffrey B. *Romanos*, p. 43.

[365] SCHAEFFER, Francis A. *A obra consumada de Cristo*, p. 73.

Capítulo 8

A justificação, ato exclusivo de Deus
(Rm 3.21-31)

O TEXTO EM APREÇO é o coração da epístola, o núcleo da carta. Paulo registrou nesta porção a própria essência do evangelho que desejava pregar em Roma, a síntese mesma e a substância real das boas-novas que a epístola expõe.[366] A doutrina apresentada aqui pelo apóstolo Paulo pode ser considerada a acrópole da fé cristã.[367]

William MacDonald diz que chegamos agora ao coração da carta aos Romanos, quando Paulo responde à pergunta: "De acordo com o evangelho, como o Deus santo pode justificar os pecadores?" Já que a justiça de Deus exige a morte do pecador e o seu amor deseja ofertar-lhe a felicidade eterna, como Deus resolveu esse dilema, salvando os pecadores sem deixar de ser justo?[368] A resposta a essa intrigante pergunta é o conteúdo desta exposição.

Romanos 3.21 apresenta a mais gloriosa adversativa das Escrituras. Depois de provar a tese de que todos os seres humanos, de todas as raças, de todas as culturas, de todos os credos e de todos os estratos sociais, tanto gentios como judeus, são culpados diante de Deus; depois de mostrar que os efeitos da queda não trouxeram apenas alguns arranhões, mas lançaram todos os homens, indistintamente, num estado de depravação total; depois de colocar todos os homens sob a maldição e a condenação da lei, o apóstolo abre os portais da graça e aponta o caminho da salvação em Cristo, revelando que a salvação é uma obra exclusiva de Deus por meio de Cristo. Depois da longa e escura noite, raiou o sol, amanheceu um novo dia e o mundo foi inundado de luz.[369] William Hendriksen diz que Deus, então, arrancou o homem do maior mal para dar-lhe o maior bem.[370]

Tendo provado a sua primeira tese, a culpa da raça humana, o veterano apóstolo agora defenderá outra tese: a salvação é alcançada não por mérito humano, mediante as obras da lei, mas recebida pela graça, por meio de Cristo.

O texto em tela aborda a gloriosa doutrina da justificação como ato exclusivo de Deus. No desenvolvimento deste assunto, examinaremos cinco pontos importantes.

A natureza da justificação (3.21-24)

A justificação é um ato divino, e não uma obra humana. Acontece no céu, e não na terra. É um ato, e não um processo. É feita fora de nós, no tribunal de Deus, e não dentro de nós, em nosso coração.

A justificação não é novidade, mas doutrina profundamente arraigada no Antigo Testamento. Não é contrária a lei, mas testemunhada pela lei (3.21). Provém da graça, e não do mérito (3.24). É recebida pela fé, e não por meio das obras (3.28).

O reformador João Calvino diz que não existe nas Escrituras passagem mais excelente para expressar a grande eficácia e a virtude admirável da justiça de Deus que esta que estamos considerando.[371] A justificação não é uma verdade secundária e lateral da fé cristã, mas a própria essência do cristianismo.

Leon Morris exalta tanto a verdade aqui anunciada, que chega a dizer que este é possivelmente o parágrafo mais importante jamais escrito.[372] Concordo com Lutero quando ele diz: "Se este artigo permanece em sua pureza, também a cristandade se mantém pura e em boa harmonia, e livre de qualquer seita; se, todavia, não se mantiver pura, não será então possível evitar alguns erros ou sectarismos.[373]

Na mesma linha de pensamento, Agostinho de Hipona escreve: "Este artigo é a cidadela e o principal baluarte de toda a doutrina da religião cristã; se esta doutrina permanecer intacta, todas as idolatrias, superstições e corrupções que houver, em todas as demais doutrinas, por si mesmas, se destruirão".[374] Com razão é a justificação pela fé considerada o artigo pelo qual se mantém ou cai a igreja.[375]

Algumas verdades devem ser aqui destacadas:

Em primeiro lugar, *a justificação é a manifestação da justiça divina* (3.21). Paulo disse que a justiça de Deus se revela no evangelho (1.17) e a ira de Deus se revela contra toda impiedade e perversão dos homens (1.18). Do céu vem a ira de Deus sobre toda a impiedade e injustiça humana; do céu vem a justiça de Deus sobre todos aqueles que creem.[376] Agora, o apóstolo desenvolverá essa gloriosa doutrina (3.21).

Deus é justo e não pode tolerar o mal. O pecado é treva, e Deus é luz. O pecado é sujo, e Deus é santo. O pecado é maligno, e Deus é benigno. O pecado separa o homem de Deus. Por si mesmo, o homem não pode aproximar-se do Deus santo nem cumprir as exigências da sua lei. Por seus esforços, o homem não consegue satisfazer as demandas da justiça divina. Assim, esse homem pecador está sem esperança e condenado. A justiça de Deus só pode vir mediante a fé em Cristo para todos e sobre todos os que creem (3.22); não há distinção, pois todos pecaram e destituídos estão da glória de Deus (3.23). Os moralistas não estão em vantagem se comparados aos devassos, nem os judeus têm vantagem alguma sobre os gentios.

Cranfield diz que o "todos" de Romanos 3.23 continua a ênfase sobre a universalidade do pecado observada em Romanos 3.9-12, 20,22. A passagem de Romanos 3.23 resume o argumento de Romanos 1.18–3.20.[377] Não faz diferença se uma pessoa é rica ou pobre, jovem ou velha, homem ou mulher, culta ou inculta, judia ou gentia. Todos pecaram e carecem da glória de Deus.[378] Citando H. Moule, John Stott escreve: "A prostituta, o mentiroso e o assassino estão destituídos da glória de Deus; mas você também está. Pode ser que eles estejam no fundo de uma mina e você no cume da montanha; no entanto, você está tão impossibilitado quanto eles de encostar as mãos nas estrelas".[379]

Deus, porém, em vez de sentenciar o pecador ao castigo eterno, providenciou-lhe um meio de salvação em Cristo. Como nosso substituto, Cristo tomou nosso lugar, sofreu por nós o duro golpe da lei, bebeu sozinho o cálice amargo da ira de Deus e morreu morte vicária em nosso favor. A lei foi cumprida, a justiça foi satisfeita e nós fomos justificados. Essa é a manifestação da justiça divina!

Em segundo lugar, *a justificação é um ato legal, e não um processo existencial.* A justificação não é um processo, mas um ato declaratório de Deus. A justificação é um ato legal, forense e judicial que acontece no tribunal de Deus, e não em nosso coração. É algo fora de nós, e não dentro de nós. É algo que Deus faz por nós, e não em nós. A justificação acontece de uma vez para sempre e nunca precisa ser repetida. Não há repetição na mente divina do ato de justificação, como não há repetição da morte expiatória de Cristo, sobre a qual ele descansa.[380]

A justificação não possui graus; ela é plena, cabal e absoluta para todos os que creem. Não existe um indivíduo mais justificado que outro. O menor crente é tão justificado quanto o maior santo.

Em terceiro lugar, *a justificação é um ato declaratório, e não uma infusão da graça.* A justificação não consiste na infusão da graça, nem torna a pessoa justificada pessoalmente santa. Pois, se a "causa formal" da justificação é nossa bondade, então somos justificados por aquilo que somos. Todavia, a Bíblia é clara em afirmar que nenhum homem pode ser justificado por aquilo que é. O homem é condenado por aquilo que é e por aquilo que faz, mas é justificado por Deus mediante aquilo que Cristo fez por ele.

Os reformadores rejeitaram peremptoriamente o ensino católico romano acerca da justificação progressiva. A teologia católica romana confunde justificação com santificação. Segundo o ensino de Roma, a justificação não é instantânea e sim gradual, pois é uma infusão da graça, e não um ato declaratório de Deus. Os reformadores reafirmaram o ensino bíblico da justificação instantânea e completa.

William Shedd, eminente teólogo, esclarece: "A justificação de um pecador é diferente da justiça pessoal. A primeira é imerecida; a última é meritória. A primeira é sem boas obras; a última é por causa das boas obras; a primeira é perdão de pecado e aceitação como justo quando ele não o é; a última, ele é pronunciado justo, porque realmente o é".[381]

A justificação é a ação de declarar judicialmente que a situação de determinada pessoa está em harmonia com as demandas da lei; é o ser absolvido, posição exatamente oposta à da condenação. O teólogo Berkhof corrobora essa ideia dizendo: "Justificação é um ato judicial de Deus no qual ele declara, sobre a base da justiça de Jesus Cristo, que todas as ordens da lei estão satisfeitas com respeito ao pecador".[382]

F. F. Bruce destaca oportunamente o fato de que Deus declara justo o homem no início do percurso, não no fim. Se o declara justo no início do percurso, não pode ser com base nas obras ainda não praticadas por ele.[383]

John Stott confirma essa posição:

> Justificação é um termo legal ou jurídico, extraído da linguagem forense. O contrário de justificação é condenação. Os dois são pronunciamentos de um juiz. Dentro do contexto cristão eles são os veredictos escatológicos alternativos que Deus, como juiz, poderá anunciar no dia do juízo. Portanto, quando Deus justifica os pecadores hoje, está antecipando o seu próprio julgamento final, trazendo até o presente o que de fato faz parte dos "últimos dias".[384]

Quando Deus justifica um pecador, ele simplesmente declara que sua culpa foi expiada, a justiça foi satisfeita e ele possui a justiça que a justiça divina exige.

Em quarto lugar, *a justificação não é mero perdão, mas remoção de toda culpa e condenação*. A justificação não é apenas o cancelamento da dívida, ou seja, ela vai além do mero perdão. Perdoar é absolver alguém de uma penalidade ou dívida; tem uma conotação negativa. Justificar é reputar e declarar que alguém é justo; tem uma conotação positiva. O perdão é a absolvição do castigo; a justificação é a declaração de que não existe nenhuma base para a aplicação do castigo. A voz do perdão diz: pode ir, você está livre da pena que o seu pecado merece; a voz da justificação diz: pode vir, pois você é bem-vindo para desfrutar todo o meu amor e a minha presença.[385]

A justificação é maior que o perdão. Deus, sem mérito algum nosso, de pura graça, nos confere e imputa a perfeita satisfação, justiça e santidade de Cristo, como se nunca tivéssemos cometido pecado algum e houvéssemos rendido toda a obediência que Cristo rendeu por nós.

Quando um soberano perdoa um criminoso, isto não é um ato de justiça, pois não está fundamentado no cumprimento e na satisfação da lei. A justificação, porém, está sobre o fundamento de uma expiação. Na justificação a penalidade da lei não é suspensa, mas executada. Sendo justo, Deus não poderia apenas perdoar o pecador sem vindicar sua justiça. Ele não fez vistas grossas ao pecado; ao contrário, puniu o pecado em Cristo. Assim, somos isentos da lei não por ab-rogação, mas por execução. Consequentemente, a justificação envolve não só o perdão de todos os pecados presentes, passados e futuros, mas também restauração a favor, que implica a remoção de toda a culpa e de todo o castigo.

Segundo John Stott, ao escrever Romanos 3.24-26 Paulo ensina três verdades básicas sobre a justificação: sua fonte, da qual ela se origina; sua base, na qual ela se sustenta; o seu meio, pelo qual ela é recebida.[386] Consideraremos esses pontos a seguir.

O autor da justificação (3.24)

A fonte de nossa justificação é Deus e a sua graça. A justificação é obra divina, e não conquista humana; é graça de Deus, e não obra do homem. Essa verdade bendita enseja-nos três conclusões:

Em primeiro lugar, *Deus é a fonte da nossa justificação.* A salvação é obra de Deus do começo ao fim. Trata-se de um plano eterno, perfeito e infalível de Deus Pai. Deus planejou nossa salvação antes de lançar os fundamentos da terra. Não foi a cruz que tornou o coração de Deus favorável a nós; foi o coração terno de Deus que providenciou a cruz. O sacrifício de Cristo no calvário não foi a causa da graça, mas o resultado.

John Stott diz corretamente que não foi Jesus Cristo quem tomou a iniciativa, no sentido de fazer algo que o Pai relutava ou não estava disposto a fazer. Não há dúvida de que Cristo veio por sua própria vontade e se entregou gratuitamente. Mesmo assim, ele o fez em submissão à iniciativa do Pai.[387]

Em segundo lugar, *a graça que nos justifica não é barata.* Dietrich Bonhoeffer falou acerca da graça barata que justifica o pecado e não o pecador.[388] A graça que justifica o pecador não é barata; ela custou tudo para Deus. A salvação é gratuita para nós, mas custou muito caro para Deus, custou a vida do seu Filho. O preço pago na cruz não foi ouro ou prata, mas o sangue de Cristo (At 20.28; 1Pe 1.18,19).

Em terceiro lugar, *a graça que nos justifica não pode ser merecida nem conquistada.* Paulo usa uma espécie de redundância ao afirmar que "somos justificados gratuitamente por sua graça" (3.24). Não obtemos essa graça por mérito. Não compramos essa graça com dinheiro. Nós a recebemos pela fé. Juan Schaal ressalta corretamente que a graça não é meramente um favor imerecido, mas um favor imerecido a homens miseráveis, ingratos e culpados. A graça destina-se sempre àqueles que estão legalmente condenados e culpados perante a lei.[389] A graça é o amor de Deus direcionado ao culpado.[390]

O fundamento da justificação (3.22-26)

Se a fonte da justificação é Deus e sua graça, o fundamento da justificação é Cristo e sua cruz. Como é que esse Deus justo pode declarar justo o injusto, sem comprometer a sua própria justiça nem condescender com a injustiça do injusto? Esta é a pergunta. A resposta de Deus é a cruz.[391]

Seria injusto o Deus justo justificar o injusto. Isso seria contra sua natureza. Sem a cruz a justificação do injusto seria injusta, imoral e impossível. A única razão pela qual Deus "justifica o ímpio" (4.5) é que "Cristo morreu pelos ímpios" (5.6). Só porque ele derramou o seu sangue numa morte sacrifical por nós, pecadores, é que Deus pode justificar justamente o injusto.[392] Quatro grandes figuras são aqui destacadas:

Em primeiro lugar, *a linguagem do tribunal – a justificação forense* (3.24). Em virtude da expiação feita por Cristo na cruz em nosso lugar e em nosso favor, somos declarados justos diante do tribunal de Deus. Não pesa mais nenhuma condenação sobre nós. Esse é um ato judicial, forense e legal. Estamos quites com a lei divina.

Não podemos confundir justificação com santificação. Justificação é um ato, santificação é um processo. William

Hendriksen diz corretamente que justificação é uma questão de imputação. A culpa do pecador é imputada a Cristo e a justiça de Cristo é imputada ao pecador. Enquanto justificação é uma questão de imputação, santificação é uma questão de transformação. A justificação é um veredicto dado uma vez por todas. A santificação é um processo que ocorre ao longo de toda a vida.[393]

Em segundo lugar, *a linguagem do mercado de escravos — a redenção* (3.24). A palavra grega *apolytrosis*, "redenção", é um termo comercial emprestado dos mercados, da mesma forma que "justificação" é um termo legal emprestado dos tribunais.[394] Segundo F. F. Bruce, redenção (*apolytrosis*) é o ato de comprar um escravo cativo a fim de libertá-lo.[395]

A libertação de Israel, tanto da escravidão do Egito como do cativeiro babilônico, é uma ilustração vívida dessa redenção que temos em Cristo. Nessa mesma linha de pensamento, John Murray diz que a linguagem da redenção é a linguagem de aquisição e mais especialmente de resgate. E resgate é aquisição de um livramento mediante o pagamento de um valor. Assim, a obra que Cristo veio realizar no mundo é uma obra de resgate, e a doação de sua vida foi o preço do resgate.[396]

A cruz foi a maior missão de resgate do mundo. Cristo nos resgatou da casa do valente, do império das trevas e da potestade de Satanás. Ele arrebentou o nosso cativeiro. Tirou-nos da escravidão com mão forte e poderosa. Éramos escravos da carne, do mundo e do diabo, e ele nos tornou livres. Estávamos mortos em nossos delitos e pecados, e ele nos deu vida. Estávamos perdidos e fomos achados. Cristo verdadeiramente nos tornou livres.

É importante afirmar que o preço desse resgate não foi pago a Satanás, como equivocadamente ensinam alguns estudiosos. Esse preço foi pago a Deus. Deus providenciou o sacrifício e recebeu a oferta. Pelo sangue de Cristo, Deus propiciou a si mesmo. A cruz foi a justificação de Deus.[397]

Em terceiro lugar, *a linguagem do templo – a propiciação* (3.25). O substantivo *hilasterion* significa literalmente "o assento da misericórdia" ou propiciatório, a tampa dourada da arca da aliança, que ficava atrás do véu no santo dos santos.[398] Na Septuaginta, o objeto do verbo *hilasterion* não é Deus, mas o pecado. Portanto, o seu significado não seria desviar a ira de Deus, mas sim "expiar" o pecado.

No entanto, a palavra grega *hilasterion*, "propiciação", significa também, e sobretudo, o ato de aplacar a ira divina ou de tornar Deus propício.[399] John Murray tem razão quando diz que propiciação pressupõe a ira e o desprazer de Deus, e o propósito da propiciação é a remoção desse desprazer. Em termos simples, a doutrina da propiciação significa que Cristo propiciou a ira de Deus.[400]

F. F. Bruce destaca que foi Deus, e não o homem pecador, quem providenciou este *hilasterion*.[401] John Murray é meridianamente claro ao explicar esse ponto:

> A propiciação não é uma conversão da ira de Deus em amor. A propiciação da ira divina, efetuada na obra expiatória de Cristo, é a provisão do eterno e imutável amor de Deus, para que, por meio da propiciação da sua própria ira, o amor pudesse realizar seus propósitos de uma maneira que fosse consoante com e para a glória dos ditames da sua santidade. Uma coisa é dizer que o Deus irado se fez amoroso, o que é inteiramente errôneo. Outra coisa é dizer que o Deus irado é amoroso, o que é profundamente verdadeiro. Porém, é igualmente verdadeiro que a ira, pela qual ele se fez irado, é propiciada por intermédio da cruz. Essa propiciação é o fruto do amor divino que a providenciou.[402]

Penso que as duas interpretações não se excluem. A propiciação tem uma referência voltada a Deus: por meio da morte de Cristo, a ira de Deus é superada e a sua justiça é demonstrada. A expiação tem também uma referência voltada ao homem: o sacrifício de Cristo remove a culpa do pecado do homem.[403]

A doutrina da propiciação tem sido injustamente associada a conceitos pagãos e animistas, como se Deus fosse uma divindade iracunda e caprichosa que precisasse ser agradada com oferendas. Adolf Pohl esclarece que nos templos pagãos os sacrifícios eram instrumentos na mão do ser humano, a fim de exercer influência sobre uma divindade impiedosa. A autopunição tinha o objetivo de comovê-la e mudar sua opinião. A propiciação divina, de forma oposta, é providenciada pelo próprio Deus. É Deus quem faz a expiação. É Deus quem providencia o sacrifício. Foi Deus quem entregou seu próprio Filho para propiciar a si mesmo e nos redimir.[404]

John Stott explica que a propiciação é distinta dessa visão pagã por três razões distintas:[405]

a. *Por causa de sua necessidade.* Os deuses pagãos precisam ser propiciados porque são caprichosos, mal-humorados e sujeitos a acessos de ira. A ira de Deus, porém, é santa e está voltada contra o mal. A ira de Deus não significa descontrole emocional, mas santa repulsa contra o pecado.

b. *Por causa do seu autor.* Na religião pagã é o homem quem propicia os deuses e tenta aplacar sua ira. No cristianismo, contudo, não podemos afastar de nós a ira divina. Então, o próprio Deus envia o seu Filho para morrer em nosso lugar e ser a propiciação pelos nossos pecados. Francis Schaeffer diz que a morte de Cristo na cruz dá cobertura aos nossos pecados, como o menininho que é coberto pelo capote do seu pai.[406]

c. *Por causa de sua natureza.* Na religião pagã o homem tenta agradar os deuses iracundos com suas oferendas e sacrifícios, mas no cristianismo Deus mesmo deu o próprio Filho para morrer em nosso lugar (5.8; 8.32).

A cruz é a base não apenas da nossa justificação, mas também da justificação de Deus. Sendo santo e justo, Deus não pode tolerar o mal. O pecado é maligno e conspira contra ele. A natureza de Deus exige a punição do pecado. A única maneira de Deus nos justificar seria propiciando a si mesmo, aplacando sua ira por meio de um sacrifício perfeito. O sangue derramado de Cristo cobriu os nossos pecados e aplacou a justa ira de Deus.

Deus permanece justo ao justificar os pecadores, pois sua justiça foi satisfeita e sua lei foi cumprida mediante o sacrifício de Cristo na cruz. Esse auspicioso acontecimento não foi um acidente, mas uma agenda deliberada de Deus Pai (At 2.23). A cruz foi um grande ato público de Deus para manifestar sua justiça.

R. C. Sproul coloca essa verdade de maneira esplêndida:

> A cruz foi ao mesmo tempo o mais horrível e o mais lindo exemplo da ira de Deus. Foi o ato mais justo e mais gracioso da História. Deus teria sido mais do que injusto, teria sido diabólico ao efetuar aquele castigo se o próprio Jesus não houvesse primeiro, voluntariamente, tomado sobre si os pecados do mundo. Cristo se ofereceu voluntariamente para ser o Cordeiro de Deus, carregando com o nosso pecado, tornando-se, assim, o ser mais vil e grotesco deste planeta. Com o fardo de pecado que carregou, tornou-se repugnante para o Pai. Deus derramou sua ira nesse ser repulsivo. Ele o fez maldito por causa do pecado que carregou. Aqui a justiça de Deus foi perfeitamente manifesta. Contudo, éramos nós que merecíamos esse castigo. Jesus tomou sobre si a punição que era destinada a nós. Esse aspecto da cruz "para nós" é o que demonstra a sublimidade da sua graça. Ao

mesmo tempo justiça e graça, ira e misericórdia. É tão espantoso que temos dificuldade para compreender.[407]

Em quarto lugar, *a linguagem da cruz – a demonstração pública* (3.25b, 26). A palavra grega *endeixis,* "demonstração", fala da revelação pública da cruz, anunciando a redenção do homem, a propiciação da ira de Deus e a vindicação da justiça divina. Tal demonstração, diz John Murray, tinha como alvo "ele mesmo ser justo e o justificador daquele que tem fé em Jesus" (3.26).[408]

Deus pacientemente ignorou os pecados da humanidade por séculos e séculos, para punir esses pecados publicamente na cruz do seu Filho.[409] Essa paciência, entretanto, era apenas a suspensão, e não a revogação da punição que era devida; o vencimento da dívida foi adiado, mas as acusações não foram canceladas.[410] John Murray esclarece esse ponto:

> Nessas gerações passadas, Deus não visitava os homens com uma ira proporcional aos pecados que eles cometiam. Neste sentido, os pecados deles foram deixados de lado ou esquecidos. Esse deixar de lado, entretanto, não pode ser equiparado à remissão de pecados. Suspensão de penalidade não equivale perdão. Agora, em Cristo e em sua propiciação, Deus demonstrou publicamente que, a fim de serem revogados a sua ira e o seu juízo punitivo, era necessário providenciar a propiciação.[411]

Martyn Lloyd-Jones diz corretamente que, sob o velho pacto da Antiga Dispensação, não havia provisão para tratar com pecados num sentido radical. Era simplesmente um meio, por assim dizer, de passar por eles, cobrindo-os durante aquele tempo. Aquelas antigas ofertas e sacrifícios propiciavam uma purificação da carne, concediam uma pureza cerimonial, habilitavam o povo a continuar orando a Deus. Contudo, não havia sob o Antigo Testamento um sacrifício que pudesse realmente remover o pecado. O máximo era apontar para o sacrifício que aconteceria na cruz, o sacrifício que poderia purificar a consciência de obras mortas e reconciliar verdadeiramente o homem com Deus.[412]

A redenção realizada por Cristo tem eficácia tanto retrospectiva como prospectiva.[413] Quando o Filho de Deus sofreu e morreu, expiou os pecados de todos os que o aceitaram ou iriam aceitá-lo por meio de uma fé viva, ou seja, de todos os crentes de ambas as dispensações. Os méritos da cruz estendem-se tanto para trás como para adiante.[414] Os crentes que viveram antes de Cristo não foram perdoados por causa dos sacrifícios que ofereceram. Foram perdoados porque olhavam para Cristo. Foi a fé em Cristo que os salvou, exatamente como é a fé em Cristo que nos salva agora.[415]

Cranfield diz corretamente que Deus pôde, de fato, segurar sua mão e tolerar os pecados, sem comprometer a sua justiça, porque o seu propósito sempre foi ocupar-se com eles uma vez por todas, decisiva e definitivamente, e de modo inteiramente adequado, mediante a cruz.[416] No monte Calvário, ele deu uma explicação pública do que fez através dos séculos. Os pecados do passado, do presente e do futuro foram tratados de uma vez para sempre na cruz.

A cruz é a grande trombeta de Deus anunciando ao mundo que Deus odeia o pecado, mas ama incompreensivelmente o pecador. Na cruz a justiça e o amor de Deus se beijaram. Na cruz Deus redimiu o seu povo, aplacou a sua ira e demonstrou publicamente a sua justiça.

Na cruz o Filho de Deus sofreu o golpe da lei que deveria cair sobre nós. O cálice da ira que deveríamos beber, Cristo sorveu-o todo sozinho. A morte que deveríamos receber como justa sentença dos nossos pecados, Cristo a sofreu por nós na cruz. A cruz foi o palco da manifestação tanto da ira de Deus contra o pecado como do seu amor imensurável pelo pecador.

O instrumento da justificação (3.22,25,26,28)

A fonte da justificação é Deus e sua graça; o fundamento da justificação é Cristo e sua cruz; mas o meio e o instrumento da justificação é a fé (3.22,25,26,28). Somos justificados não por causa da fé, mas por meio da fé. A fé não é a base da justificação, mas seu instrumento. Somos justificados pela obra de Cristo na cruz, mas recebemos os benefícios dessa obra por meio da fé.

A fé não é um salto no escuro como ensinava Kierkegaard. Não existe fé cega. Fé não é algo ilógico e irracional. A fé está firmada na rocha da verdade. Seu objeto é o próprio Deus.

Não há nenhum elemento meritório na fé. A única função da fé é receber o que a graça oferece.[417] Franz Leenhardt compara a fé como a mão vazia do mendigo que se estende para receber a oferta. Mendigar, porém, não constitui uma obra, nem um mérito, nem um direito.[418] John Murray elucida que a fé renuncia a si mesma; as obras congratulam-se a si mesmas. A fé olha para o que Deus faz; as obras têm a ver com o que nós somos.[419]

Concordo com John Stott no sentido de que o valor da fé não reside nela mesma, mas inteira e exclusivamente em seu objeto, a saber, Jesus Cristo, e este crucificado. Dizer que a "justificação é pela fé" é outra maneira de dizer que a "justificação é somente por Cristo". Assim, Deus justifica aquele que crê – não por causa do valor de sua crença, mas por causa do valor daquele [Cristo] em quem ele creu.[420] Geoffrey Wilson destaca que a propiciação acontece pela fé da parte do salvo e pelo sangue da parte do Salvador.[421]

As objeções à justificação (3.27-31)

Após discorrer sobre a fonte, o fundamento e o instrumento da justificação, Paulo volta ao método da diatribe, para tratar das possíveis objeções a essa doutrina. Ele mesmo levanta as objeções e as refuta. Três objeções são aqui listadas:

Em primeiro lugar, *onde está o motivo de vanglória?* (3.27,28). Os judeus se vangloriavam na lei e na circuncisão. Julgavam-se melhores que os outros homens. Aplaudiam a si mesmos e presunçosamente se orgulhavam de sua justiça pessoal. No entanto, uma vez que a justificação é obra de Deus, e não do homem; e uma vez que ela é recebida pela fé, e não pelo mérito das obras, cessa qualquer possibilidade de vanglória pessoal. Não existe provisão para o orgulho na salvação pela graça. Não há nenhum crédito ou mérito em nos lançarmos à misericórdia de Deus em Cristo.

Geoffrey Wilson tem razão quando diz que os judeus não possuem nenhuma superioridade sobre os gentios. A salvação nem é garantida pela circuncisão nem é impossibilitada pela incircuncisão, porque qualquer um que Deus justifica é justificado pela fé.[422]

Em segundo lugar, *onde está a exclusividade dos judeus?* (3.29,30). Os judeus tinham consciência da sua relação especial com Deus (3.2; 9.4,5). O que os judeus haviam esquecido é que seus privilégios não visavam a exclusão dos gentios. A doutrina da justificação pela fé exclui não apenas qualquer possibilidade de vanglória, mas também qualquer forma de elitismo e discriminação.[423] Deus não é uma divindade tribal ou monopólio de um povo. Ele é o Deus único, vivo e verdadeiro, que estabeleceu um único meio de salvação, a fé em Cristo, e isto tanto para os judeus como para os gentios.

William Greathouse acertadamente diz que Paulo põe o machado da verdade sobre a tola pretensão da exclusividade dos judeus, mostrando que não há diferença: 1) no fato da culpa – "Todos pecaram" no passado, "e destituídos estão da glória de Deus" no presente (3.23); 2) na provisão da redenção (3.24); 3) na condição da salvação (3.25,26).[424]

Em terceiro lugar, *onde está a contradição entre a lei e a fé* (3.31). A lei e a fé não são antagônicas. Não estão em oposição uma à outra. A fé não anula a lei, nem a lei dispensa a fé. A lei cumpriu o seu propósito preparando o caminho para a fé. A função da lei é expor e condenar o pecado e trancar o pecador no calabouço da culpa até que Cristo venha libertá-lo através da fé. Assim, a fé justifica aqueles a quem a lei condena.[425] Pela fé nós alcançamos uma justiça perfeita, a justiça de Cristo a nós imputada (2Co 5.21).

John Stott expõe as três implicações da doutrina da justificação pela fé. Primeiro, ela humilha os pecadores e exclui a vanglória. Segundo, ela une os crentes e exclui a discriminação. Terceiro, ela confirma a lei e exclui o antinomismo. Nada de vanglória, nada de discriminação, nada de antinomismo.[426]

Warren Wiersbe sintetiza a passagem que consideramos em sete pontos:[427]

a. *A justificação é sem lei* (3.21). A justificação se dá quando o homem crê. A lei dava testemunho dessa justificação do evangelho, apesar de ela própria não ter poder para justificar.

b. *A justificação é mediante a fé em Cristo* (3.22a). O valor da fé consiste no valor do seu objeto. A justiça do evangelho é uma dádiva concedida por meio da fé.

c. *A justificação é para todos, gentios e judeus* (3.22b, 23). A lei foi dada aos judeus, e não aos gentios, mas a salvação é concedida tanto a judeus como a gentios, uma vez que todos pecaram.

d. *A justificação é pela graça* (3.24). Em sua misericórdia, Deus não nos dá o que merecemos e, em sua graça, ele nos dá o que não merecemos. Não há mérito em nós; há toda graça em Deus.

e. *A justificação nos foi dada a um alto preço* (3.24b, 25). A salvação é gratuita, mas não barata. Para Deus, ela custou muito caro, o sangue do seu Filho.

f. *A justificação foi feita em perfeita justiça* (3.25a, 26). Tendo em vista que Deus satisfez sua justiça e a sua lei foi plenamente cumprida, Deus pôde justificar o pecador sem deixar de ser justo.

g. *A justificação foi consumada para confirmar a lei* (3.27-31). A doutrina da justificação pela fé não é contrária à lei, mas à consumação da lei. A lei não nos justifica. Sua função é nos tomar pela mão e nos levar a Cristo, o Redentor.

Notas do capítulo **8**

366 Erdman, Charles R. *Comentários de Romanos*, p. 54.

367 Lloyd-Jones, D. Martyn. *A cruz, a justificação de Deus*. São Paulo: PES, 1980, p. 1.

368 MacDonald, William. *Believer's Bible commentary*, p. 1.687.

369 Stott, John. *Romanos*, p. 122.

370 Hendriksen, William. *Romanos*, p. 168.

371 Calvino, João. *Epístola a los Romanos*, p. 97.

372 Morris, Leon. *The Epistle to the Romans*. Grand Rapids: Eerdmans and InterVarsity Press, 1988, p. 173.

373 Mueller, J. T. *Dogmática cristã*. Vol. II. Porto Alegre: Casa Publicadora Concórdia, 1964, p. 53.

374 Mueller, J. T. *Dogmática cristã*, p. 54.

375 Erdman, Charles R. *Comentários de Romanos*, p. 56.

376 Greathouse, William. *A epístola aos Romanos*, p. 67.

377 Cranfield, C. E. B. *Comentário de Romanos*, p. 79.

378 Hendriksen, William. *Romanos*, p. 169, 170.

379 Stott, John. *Romanos*, p. 124.

380 Shedd, William. *Dogmatic theology*. Vol. II. Nashville: Thomas Nelson Publishers, 1980, p. 545.

381 Shedd, William. *Dogmatic theology*, p. 539.

382 Berkhof, L. *Teologia sistemática*. Grand Rapids: Tell, 1976, p. 615.

383 Bruce, F. F. *Romanos: introdução e comentário*, p. 84.

384 Stott, John. *Romanos*, p. 124.

385 Stott, John. *Romanos*, p. 124, 125.

386 Stott, John. *Romanos*, p. 126.

387 Stott, John. *Romanos*, p. 127.

388 Bonhoeffer, Dietrich. *Discipulado*. São Leopoldo: Sinodal, 2002, p. 9.

389 Schaal, Juan H. *El camino real de Romanos*, p. 55.

390 Hendriksen, William. *Romanos*, p. 174.

391 Stott, John. *Romanos*, p. 127.

392 Stott, John. *Romanos*, p. 128.

393 Hendriksen, William. *Romanos*, p. 173.

394 Stott, John. *Romanos*, p. 128.

395 Bruce, F. F. *Romanos: introdução e comentário*, p. 85.

396 Murray, John. *Redenção consumada e aplicada*. São Paulo: Cultura Cristã, 1993, p. 47.

397 Lloyd-Jones, D. Martyn. *A cruz, a justificação de Deus*, p. 14.

[398] GREATHOUSE, William. *A epístola aos Romanos,* p. 68.

[399] STOTT, John. *Romanos,* p. 129.

[400] MURRAY, John. *Redenção consumada e aplicada,,* p. 35.

[401] BRUCE, F. F. *Romanos: introdução e comentário,* p. 86, 87.

[402] MURRAY, John. *Redenção consumada e aplicada,* p. 36.

[403] GREATHOUSE, William. *A epístola aos Romanos,* p. 69.

[404] POHL, Adolf. *Carta aos Romanos,* p. 73.

[405] STOTT, John. *Romanos,* p. 131.

[406] SCHAEFFER, Francis A. *A obra consumada de Cristo,* p. 82.

[407] SPROUL, R. C. *A santidade de Deus.* São Paulo: Cultura Cristã, 1997, p. 132.

[408] MURRAY, John. *Romanos,* p. 146.

[409] RIENECKER, Fritz; ROGERS, Cleon. *Chave linguística do Novo Testamento grego,* p. 262.

[410] WILSON, Geoffrey B. *Romanos,* p. 48.

[411] MURRAY, John. *Romanos,* p. 146.

[412] LLOYD-JONES, D. Martyn. *A cruz, a justificação de Deus,* p. 9.

[413] BRUCE, F. F. *Romanos: introdução e comentário,* p. 88.

[414] HENDRIKSEN, William. *Romanos,* p. 178.

[415] LLOYD-JONES, D. Martyn. *A cruz, a justificação de Deus,* p. 9, 10.

[416] CRANFIELD, C. E. B. *Comentários de Romanos,* p. 82.

[417] STOTT, John. *Romanos,* p. 135.

[418] LEENHARDT, Franz. J. *Epístola aos Romanos,* p. 100.

[419] MURRAY, John. *Romanos,* p. 150.

[420] STOTT, John. *Romanos,* p. 134.

[421] WILSON, Geoffrey B. *Romanos,* p. 47.

[422] WILSON, Geoffrey B. *Romanos,* p. 50.

[423] STOTT, John. *Romanos,* p. 137.

[424] GREATHOUSE, William. *A epístola aos Romanos,* p. 71.

[425] STOTT, John. *Romanos,* p. 138, 239.

[426] STOTT, John. *Romanos,* p. 139.

[427] WIERSBE, Warren W. *Comentário bíblico expositivo,* p. 680-682.

Capítulo 9

A justificação pela fé exemplificada
(Rm 4.1-25)

O APÓSTOLO PAULO trabalhou na elaboração de duas teses até agora. A primeira é que todos os homens são pecadores culpados diante de Deus (1.18–3.20), e a segunda é que a justificação é obra exclusiva de Deus, por meio da morte expiatória de Cristo, recebida exclusivamente pela fé (3.21-31).

A grande questão a que Paulo precisa responder agora é se essa mensagem evangélica tinha sustentação no ensino do Antigo Testamento. Os rabinos ensinavam que Abraão, o pai da nação judaica, havia alcançado a salvação por sua obediência à lei, mesmo antes de ela ter sido dada. Supunham que nada de maligno tinha poder sobre ele.

Acreditavam que Abraão viveu como "o mais íntegro entre os íntegros", na obediência perfeita. Como recompensa, Deus o escolheu e [o justificou].[428]

Paulo desfaz esse falacioso argumento, provando que a salvação é pela graça, e não pelo mérito, desde a antiga dispensação. Para deixar seu argumento irresistivelmente claro, o veterano apóstolo busca um exemplo de justificação pela fé no Antigo Testamento a fim de provar que a salvação sempre foi alcançada do mesmo modo.

O apóstolo evoca a figura de Abraão, o mais ilustre dos patriarcas, e Davi, o mais ilustre dos reis de Israel, como exemplos daqueles que haviam sido justificados pela fé, e não pelas obras.

O propósito de Paulo em Romanos 4 é ampliar ainda mais a gloriosa doutrina da justificação pela fé, provando insofismavelmente que ela não é nenhuma novidade; ao contrário, é uma doutrina profundamente arraigada no Antigo Testamento.

Alguns estudiosos contemporâneos argumentam que Tiago contradiz Paulo e referenda a justificação pelas obras, e não pela fé (Tg 2.21-26). Na verdade não há contradição entre Tiago e Paulo. Paulo olha para a causa da salvação e diz que somos salvos pela fé independentemente das obras; Tiago olha para o resultado da salvação e diz que os salvos provam a sua fé pelas obras. A autenticidade da fé justificadora encontra-se nas boas obras, que são fruto dessa fé. O crente mostra a fé pelas obras (Tg 2.18), já que a fé sem obras é morta (Tg 2.17,26).

Os exemplos de Abraão e Davi mostram que a justificação pela fé é o único meio pelo qual Deus garante a salvação, tanto no Antigo como no Novo Testamento, tanto para os judeus como para os gentios. É, portanto, um erro assumir que no Antigo Testamento as pessoas eram salvas pelas obras, e no Novo Testamento, pela fé, ou que hoje a missão cristã deve limitar-se aos gentios, com base no pressuposto de que os judeus têm a sua forma distinta de salvação.[429]

Por que Paulo escolheu Abraão como exemplo da justificação pela fé no Antigo Testamento? Primeiro, porque foi o ancestral, o pai da nação de Israel; segundo, porque os rabinos ensinavam que Abraão havia sido justificado por suas obras de justiça. Os rabinos citavam Gênesis 22.15-18 e 26.2-5 para provar que Deus havia abençoado Abraão por causa da sua obediência. Os rabinos, contudo, não percebiam que esses versículos se referiam à vida de obediência de Abraão depois de sua justificação (Gn 15.6).

Recorrer a Abraão é algo notável, segundo John Murray, pois o caso do patriarca era o centro e o baluarte de todo o ponto de vista judaico.[430]

Adolf Pohl deixa esse ponto ainda mais claro:

> Recorrendo a Abraão, Paulo não escolhe um exemplo aleatório. Sob esse aspecto, Romanos 4 se distingue de Hebreus 11.8-19. Lá o patriarca aparece numa "nuvem de testemunhas" (Hb 12.1), como um exemplo entre muitos. Aqui, no entanto, ele está diante de nós com sua função impossível de repetir, como figura originária. Representa o ponto em que, dentro da história de maldição da humanidade, irrompeu uma história de bênção, sendo construído para isso um povo eleito. Sua vida constitui a planta baixa que fornece as medidas para toda a construção. Ele é a raiz que sustenta a árvore (11.18). Todos os demais serão abençoados não somente *como* ele, mas *nele* e *com ele* (Gl 3.8,9).[431]

O texto em apreço traz cinco benditas verdades acerca da justificação de Abraão, o pai de todos os crentes.

Abraão foi justificado pela fé, não pelas obras (4.1-8)

A justificação não é uma conquista humana, mas uma dádiva divina; não resulta do mérito, é obra da graça. A justificação não é o que recebemos por mérito próprio, mas o que recebemos pelos méritos de Cristo. A salvação não é um troféu que ostentamos como prêmio do nosso mérito, mas um dom que recebemos apesar do nosso demérito.

Quatro verdades devem ser aqui destacadas:

Em primeiro lugar, *a justificação pelas obras coloca a glória da salvação no homem e não em Deus* (4.1,2). A pretensa e tola ideia da justificação pelas obras exalta o homem e dá a ele o direito de se gloriar por causa da sua própria salvação. Essa vã pretensão faz do homem o autor de sua própria salvação. Se Abraão tivesse sido justificado pela obediência às obras da lei, teria tido motivo de gloriar-se, mas não diante de Deus. Nenhum pecador pode ostentar seus troféus diante do tribunal de Deus. Nenhum pecador pode achegar-se às portas do juízo com arrogância. Aqueles que aplaudem a si mesmos e se jactam de seus pretensos méritos jamais serão justificados. A vanglória diante de Deus é a mais consumada loucura, a mais repudiada tolice.

Em segundo lugar, *a justificação pelas obras entra em total contradição com o ensino geral das Escrituras* (4.3). Paulo usa um argumento irresistível para provar que Abraão não foi justificado pelas obras, ao citar a própria Bíblia. "Pois que diz a Escritura? Abraão creu em Deus, e isso lhe foi imputado para justiça" (4.3). Ao argumentar acerca da justificação pela fé do patriarca Abraão, Paulo não estribou sua tese em documentos eclesiásticos nem na opinião dos teólogos mais eruditos, mas ancorou seu argumento na infalibilidade das Escrituras.

John Stott tem razão quando diz que, para Paulo, as Escrituras não são uma coletânea de livros, mas um corpo unificado de escritos inspirados. O apóstolo não faz distinção entre o que as Escrituras dizem e o que Deus diz por meio delas. Assim, quando lemos as Escrituras, ouvimos a própria voz de Deus. As Escrituras são, portanto, a autoridade máxima e final acerca da verdade de Deus. Em toda controvérsia as Escrituras têm de ser reconhecidas como o tribunal supremo a quem se deve apelar.[432]

Em terceiro lugar, *a justificação pelas obras situa a base da salvação no merecimento humano, e não na graça de Deus* (4.3-5). Abraão creu em Deus e isso lhe imputado para justiça (Gn 15.6). A palavra "imputar" é tanto um termo comercial quanto jurídico. Imputar é creditar ou computar. Warren Wiersbe diz que esse mesmo verbo é usado neste capítulo e traduzido como "considerar" (4.4), "imputar" (4.8,9,11,22,24), "atribuir" (4.6,10) e "levar em conta" (4.23).[433]

Há duas diferentes maneiras de creditar dinheiro em nossa conta: como salário (que ganhamos por ter trabalhado) ou como presente (que é de graça, ou seja, ganhamos sem ter trabalhado).[434] Se a justificação fosse pelas obras, a salvação seria o salário merecido de nosso trabalho. Um contrato de trabalho implica que o salário é devido; generosidade alguma intervém; o salário pago corresponde ao trabalho realizado; é uma troca entre partes contratantes agindo em pé de igualdade. Abraão, porém, não havia concorrido com nenhuma obra meritória diante de Deus. A fé não é uma obra, e a justificação não reconhece o mérito do homem para coroar-lhe a ação.[435] A Palavra de Deus declara de forma peremptória que a salvação não é pelas obras, mas pela graça, para que ninguém se glorie (Ef 2.8,9).

Não somos justificados porque somos piedosos; somos justificados apesar de sermos ímpios. A justificação não é um ato de recompensa do mérito, mas uma decisão livre da graça divina. John Murray salienta o fato de que a antítese usada por Paulo não é simplesmente entre o trabalhador e a pessoa que não trabalha, e sim entre o trabalhador e a pessoa que não trabalha, mas crê. Não se trata apenas de crer, mas de crer com uma qualidade e direção específica – crer "naquele que justifica o ímpio".[436]

John Stott assim explica essa verdade:

> No contexto dos negócios, o salário de quem trabalha é creditado em sua conta como um direito, uma dívida, uma obrigação, pois trabalhou para isso. No contexto da justificação, entretanto, para quem não trabalhou, e, portanto, não tem o mínimo direito a pagamento, mas que em vez disso depositou a sua confiança em Deus que justifica o ímpio, isto é, a justiça lhe é concedida livremente, como uma dádiva gratuita e imerecida, pela fé.[437]

Em quarto lugar, *a justificação pelas obras traz condenação ao pecado e não bem-aventurança* (4.6-8). Paulo muda de Abraão para Davi, e consequentemente de Gênesis 15.6 para o Salmo 32.1,2. Davi adulterou com Bate-Seba, mandou matar seu marido e escondeu seu pecado (2Sm 11.1-27). Se fosse julgado por suas obras, seria condenado; se fosse tratado segundo seus méritos, receberia a morte, e não o perdão. Porém, em vez de condená-lo, Deus o perdoa. Em vez de atribuir-lhe culpa, atribui-lhe justiça; em vez de expor seu pecado, cobre-o; em vez de deixá-lo viver esmagado pela culpa, oferece-lhe gratuitamente a bem-aventurança do perdão e da justificação.

Concordo com John Murray quando ele diz que o que se contempla nesta declaração de Davi não são as boas obras, e sim o contrário, seus pecados e iniquidades. E a pessoa bem-aventurada não é aquela que tem as boas obras lançadas em sua conta, mas, ao contrário, aquela cujos pecados não são lançados em sua conta.[438] Só depois que somos justificados é que Deus mantém um registro de nossas obras para nos recompensar, mas apaga o registro de nossos pecados.[439]

Franz Leenhardt diz que, da mesma forma que o ímpio (Abraão no presente caso) é justificado sem ter apresentado boa obra alguma, assim se declara perdoado e bem-aventurado aquele que nada apresentou a Deus senão os próprios pecados. A justificação do primeiro (Abraão) e a bem-aventurança do segundo (Davi) não têm da parte deles nenhuma cooperação. Um creu na palavra da promessa; o outro na palavra da absolvição. Crer, em ambos os casos, é o ato desses homens.[440]

Paulo enfatiza que Deus nos credita fé como justiça (4.3,5,9,22), credita-nos justiça independentemente de obras (4.6,11,13,24) e recusa-se a creditar nossos pecados contra nós; em vez disso, Deus os perdoa e os cobre. Assim, justificação implica crédito duplo. Por um lado, Deus não leva em conta nossos pecados contra nós. Por outro lado, Deus deposita em nossa conta um crédito de justiça, como uma dádiva da graça, pela fé, completamente independente de nossas obras.[441]

Citando Lutero, William Greathouse escreve: "Deus não deseja salvar-nos pela nossa justiça, mas sim por uma justiça exterior que não se origina em nós, mas que vem até nós de um lugar que está além de nós mesmos, que não nasce na nossa terra, mas vem do céu. Trata-se de uma justiça completamente exterior e estrangeira a nós".[442]

189

Charles Hodge esclarece esse ponto afirmando que imputar pecado é lançar o pecado na conta de alguém e tratá-lo em conformidade, enquanto imputar justiça é lançar justiça na conta de alguém e daí tratá-lo como justo. Desta forma, Deus não imputa pecado aos pecadores, embora eles tenham pecado, e lhes imputa justiça, embora eles não sejam justos.[443]

Abraão foi justificado pela fé, não pela circuncisão (4.9-12)

De acordo com a doutrina rabínica, Deus perdoa somente um indivíduo circuncidado no juízo final, de maneira que os leitores de Paulo podiam ter dificuldades extremas com esse texto. Por isso, ele inicia uma nova rodada de explicações.[444] Três verdades devem ser aqui destacadas na elucidação deste ponto:

Em primeiro lugar, *a circuncisão não é causa, mas consequência da justificação* (4.9). Os rabinos argumentavam que Abraão primeiro foi circuncidado para depois alcançar a justiça, mas Paulo prova pelas Escrituras que Abraão foi justificado antes de ser circuncidado (Gn 15.6; 17.9-11). Consequentemente, a justificação não está baseada na circuncisão. A circuncisão não foi a causa da sua justificação, mas sua consequência. Abraão não foi circuncidado para ser salvo, mas porque era salvo. Do mesmo modo, uma pessoa não é salva pelo batismo nem pela participação na Ceia do Senhor. Somos batizados e participamos da Ceia do Senhor não para sermos salvos, mas porque fomos salvos. Os sacramentos não são a causa da salvação, mas sua consequência. São apenas símbolos da salvação; não podem produzir a salvação.

O argumento de Paulo é que aquele que foi apenas circuncidado não pode ser equiparado a Abraão. Ainda não recebeu a mesma bênção que ele. Não basta ter Abraão somente como "pai segundo a carne" (4.1). O contingente natural do povo não coincide com o povo da bênção. Paulo já o indicou em Romanos 2.28,29 e o exporá novamente em Romanos 9.6-13. Decisiva é a fé de Abraão, não sua circuncisão.[445]

Em segundo lugar, *a circuncisão não limita a justificação* (4.10). Se Abraão foi justificado estando ainda incircunciso, logo a justificação não depende da circuncisão. Assim, os gentios incircuncisos podem ser justificados tanto quanto os judeus circuncisos. Abraão é o pai de todos os crentes, independentemente de serem ou não circuncidados. John Murray com razão diz que a circuncisão não é um obstáculo nem um fator determinante. A circuncisão não é um fator que contribui para nos tornarmos filhos de Abraão. Todos os que são da fé e só estes é que "são filhos de Abraão" (Gl 3.7).[446]

Em terceiro lugar, *a circuncisão não é a base, mas o selo da justificação* (4.11,12). A circuncisão não é de todo irrelevante. Embora não seja a base da justificação, é seu sinal e selo, a confirmação de uma justiça já outorgada. A circuncisão não era apenas um sinal para identificar o povo de Deus, mas também um selo para autenticá-lo como povo justificado de Deus.[447] Um selo ou autenticação pressupõe a existência da coisa selada, embora o selo nada acrescente a seu conteúdo. Um símbolo aponta para a existência da coisa simbolizada, ao passo que um selo autentica, confirma e garante a genuinidade daquilo que é selado. O selo envolve mais que o símbolo; o selo adiciona a ideia de autenticidade.[448]

Ao exigir a circuncisão como condição para a salvação, porém, os judeus confundiram o sinal com a realidade

(At 15.1). O simbolizado é maior que o símbolo. A circuncisão é um sinal e um selo da justificação, mas não é a justificação.

William Hendriksen diz que em si e por si mesmos esses sinais – na antiga dispensação, os sangrentos da circuncisão e Páscoa; na nova, os não-sangrentos do batismo e da Ceia do Senhor – não efetuam justificação. Entretanto, significam e a selam. Da mesma forma, o arco-íris não salva a humanidade de um dilúvio, mas significa e sela a promessa de Deus que jamais afogará novamente a raça humana num dilúvio. O anel nupcial não traz bênção aos casados, mas proclama o compromisso de fidelidade dos cônjuges.[449]

O símbolo é importante, mas não pode ser superestimado. Tem seu valor como símbolo, mas não como substituto da coisa simbolizada. Charles Hodge deixa esse ponto claro: "O que funciona bem como um sinal é um miserável substituto para a coisa significada".[450]

Abraão foi justificado pela fé, não pela lei (4.13-17a)

John Stott diz que Paulo usa três argumentos para provar que Abraão não foi justificado pela lei e, sim, pela fé. Consideraremos agora esses argumentos.

Em primeiro lugar, *o argumento da História* (4.13). Abraão não poderia ter sido justificado pela lei, porque esta só foi dada 430 anos depois do patriarca (Gl 3.17). Logo, Abraão não poderia ter sido justificado por uma lei que não conhecia nem havia sido dada ao povo ainda. O lapso de tempo entre Abraão e a dádiva da lei constitui-se um argumento irresistível contra a pretensão dos judeus que pregavam a justificação pela observância da lei.

Em segundo lugar, *o argumento da linguagem* (4.13-16). Paulo usa neste parágrafo várias expressões como "lei", "promessa", "fé", "ira", "transgressão" e "graça". A lei e a promessa não podem funcionar simultaneamente. Se a herança depende da lei, já não depende da promessa de Deus (Gl 3.18). Lei e promessa pertencem a categorias diferentes; são incompatíveis. A lei exige obediência; a promessa requer fé (Gl 3.12). O que Deus disse a Abraão não foi: "Obedeça a esta lei e eu o abençoarei", mas "Eu o abençoarei; creia em minha promessa".[451]

A lei e a promessa não podem andar de mãos dadas, porque a lei suscita a ira (4.15). Assim, as palavras "lei", "transgressão" e "ira" pertencem à mesma categoria de linguagem. A lei transforma pecado em transgressão, e a transgressão prova a ira de Deus. Entretanto, "onde não há lei, também não há desobediência da lei e, portanto, não há ira". Se lei, transgressão e ira formam a primeira trilogia; fé, graça e promessa formam a segunda trilogia.

John Stott sintetiza esse ponto de forma brilhante: "A lei de Deus faz exigências que nós transgredimos, e assim nós incorremos em ira (4.15); a graça de Deus faz promessas nas quais nós confiamos, e assim nós recebemos bênção (4.14,16)".[452] Na língua grega há duas palavras que significam "promessa". Uma é *hyposquesis,* que significa uma promessa sujeita a condições. A outra é *epaggelia,* que significa uma promessa feita pela bondade do coração de alguém, e em forma incondicional. Esta é a palavra usada aqui pelo apóstolo para referir-se à promessa de Deus. A promessa de Deus não depende do nosso mérito, mas da graça de Deus.[453]

Em terceiro lugar, *o argumento da teologia* (4.16,17a). Além dos argumentos provenientes da História e da linguagem, Paulo desenvolve agora um argumento tirado da teologia. A salvação não se destina apenas aos judeus da circuncisão, mas também aos gentios da incircuncisão. Abraão não é apenas o pai dos judeus circuncisos, mas também dos crentes gentios incircuncisos. Segundo Stott, "somente o evangelho da graça e da fé pode unir, abrindo a porta para os gentios e igualando todo mundo aos pés da cruz de Cristo (3.29)".[454]

Abraão foi justificado pela fé em Deus, não pela fé na fé (4.17b-22)

Paulo argumentou até aqui que a fé veio antes das obras, da circuncisão e da lei. Agora, ele mostrará que essa fé não é mero assentimento intelectual nem sentimento vago, mas confiança robusta no Deus criador, no Deus da ressurreição. A tese de Paulo aqui não é simplesmente a fé, mas o objeto da fé. A fé só faz sentido porque Deus, como seu objeto, é digno de confiança. A natureza da fé é crer em Deus apenas com base em sua Palavra. O bom senso pode até dizer: Não acontecerá; a razão pode dizer: Não pode ser; mas a fé diz: Pode ser e será, porque me foi prometido.[455]

Abraão creu em Deus, antes que na promessa; apegava-se a quem fizera a promessa, mais que àquilo que havia sido prometido; Deus lhe importava acima de tudo. Sua fé não foi nem um cálculo das probabilidades de execução nem uma apreciação das vantagens a fruir. Abraão atentou somente para aquele que falara.[456] Desta forma, o apóstolo aborda aqui o objeto da fé, o Deus que comunica vida aos mortos e o caráter da fé, pois Abraão creu contra a esperança.[457]

Concordo com John Stott quando ele diz que a fé de Abraão estava ancorada em dois atributos divinos: seu poder e sua fidelidade.[458]

Em primeiro lugar, *a fé precisa estar estribada no poder de Deus* (4.17b-19). O Deus em quem Abraão crê é o Deus que vivifica os mortos (o Deus da ressurreição) e o Deus que chama à existência as coisas que não existem (o Deus da criação). Do nada ele tudo criou; da morte ele trouxe a vida.

John Stott diz que o nada e a morte não são problemas para Deus. Ao contrário, foi a partir do nada que ele criou o universo e foi da morte que ele ressuscitou a Jesus. A criação e a ressurreição foram e continuam sendo as duas mais significativas manifestações do poder de Deus.[459] Quando Deus revitalizou o corpo de Abraão para gerar e o corpo de Sara para conceber, isso foi uma espécie de ressurreição. Quando dessa dupla morte Deus trouxe Isaque à existência, isso foi uma espécie de criação. Esse é o tipo de Deus em quem Abraão creu.

Assim como Deus concedeu ao casal biologicamente "morto" Isaque, o filho da promessa, também, mais tarde, sob o mesmo enfoque, trouxe Isaque da morte, em Moriá (Hb 11.19). Em ambos os acontecimentos, Abraão confiou no poder de Deus para ressuscitar os mortos. Segundo Warren Wiersbe, foi quando Abraão reconheceu que estava "morto" que o poder de Deus operou em seu corpo.[460]

Em segundo lugar, *a fé precisa estar estribada na fidelidade de Deus* (4.20-22). Abraão creu que o Deus que ressuscita os mortos e traz à existência as coisas que não existem não pode faltar com sua promessa. Desta maneira, o poder e a fidelidade de Deus são as duas colunas que sustentam o edifício da fé. Por trás da promessa divina está seu caráter fiel. A fé ri das impossibilidades, pois olha para o Deus fiel que cumpre suas promessas. A credibilidade de Deus é o alicerce da fé. O crente não fecha os olhos à realidade que lhe contradiz a esperança; ele supera a contradição ao agarrar-se à promessa.[461]

Adolf Pohl de forma brilhante declara que não é o ser humano que lança com toda a força uma corda para o céu, até que a engate firme, mas é Deus quem vem num ato de graça até o ser humano e "tece os laços" do namoro. Instado, atingido e abraçado o ser humano por Deus, surge a fé humana. A fé deixa Deus ser Deus. Para a fé, Deus é Deus inteiro, sem nenhum conflito entre o que diz e o que pode realizar.[462] John Murray corretamente afirma que a grandiosidade da fé consiste no fato de que ela atribui toda a glória a Deus e descansa em seu poder e sua fidelidade.[463]

A fé expressa pelo pai dos crentes consiste em purificar-se das pretensões próprias para render-se ao Deus dos vivos e dos mortos, o criador e o redentor. A obra consiste em renunciar a fazer uma obra. A fé como obra do crente é o abandono do crente à obra de Deus. Abraão é efetivamente justo; não, porém, em razão do que ele é ou do que ele faz; bem ao contrário, é ele justo em razão do que não é e do que não faz, porquanto deposita sua confiança em Deus.[464]

Abraão foi justificado pela fé, não isoladamente, mas como exemplo de todos os que creem (4.23-25)

Paulo conclui este capítulo aplicando a nós, seus leitores, lições relativas à fé que Abraão tinha. O verdadeiro grupo--alvo daquilo que está escrito sobre o patriarca Abraão é a comunidade cristã. O Antigo Testamento é literatura de promessa. Olhando para a justiça de Abraão mediante a fé, a igreja compreende o chão em que ela própria foi plantada e do qual ela vive. A consciência dessa profundidade histórico-salvífica a torna forte e firme contra as crises.[465]

Paulo conecta o passado com o presente. Une o texto antigo aos ouvintes contemporâneos. Constrói uma ponte entre a mensagem e os ouvintes. A Bíblia não é apenas um livro de história, que narra acontecimentos remotos. Foi escrita para o nosso ensino (15.4). O passado lança luz no presente. O passado é o pedagogo do presente. Examinar como Deus justificou a Abraão no passado é conhecer como Deus nos justifica hoje. O registro bíblico da justificação de Abraão está nas Escrituras por nossa causa (4.23,24). O modo pelo qual Deus justificou Abraão é o mesmo pelo qual Deus nos justifica. Abraão é "nosso pai", pai de todos nós, crentes de todos os tempos; sua fé é a nossa; o que dele se diz é válido ao nosso respeito. Abraão creu no Deus que faz viver os mortos e que do nada faz despontar a existência. Tal é também o Deus da nossa fé, pois ele ressuscitou o nosso Senhor Jesus dentre os mortos.

Destacamos aqui duas verdades importantes sobre a doutrina da justificação.

Em primeiro lugar, *tanto na antiga como na nova dispensação a justificação é pela fé* (4.23,24). Os que viveram antes de Cristo foram justificados pela fé da mesma maneira que somos justificados hoje pela fé. Deus é o mesmo, e o método da salvação em ambas as dispensações também é o mesmo. Abraão foi justificado pela fé, assim como nós o somos hoje. Há total consistência entre o Antigo e o Novo Testamento na maneira de Deus salvar o pecador.

Concordo com Juan Schaal quando ele diz que a diferença entre a fé que Abraão tinha e a nossa é que nossa fé descansa no fato cumprido de que Deus enviou seu Filho, o entregou pelos nossos pecados à morte de cruz e o ressuscitou, enquanto a fé de Abraão descansava numa profecia e em uma promessa de que Deus levantaria seu Filho, mediante o levantamento do filho de Abraão, como um em quem as nações seriam benditas.[466]

Em segundo lugar, *tanto na antiga como na nova dispensação a justificação tem como base a morte e a ressurreição de*

Cristo (4.25). Porque nossos pecados foram lançados sobre Cristo, ele morreu; para garantir a eficácia de sua obra vicária, ele ressuscitou. Tanto a morte como a ressurreição de Cristo são obras de Deus Pai. Ele o entregou e o ressuscitou.

Geoffrey Wilson diz que a morte e a ressurreição de Cristo são inseparáveis porque formam um único ato redentor; uma não tem sentido sem a outra, de modo que sempre que uma é mencionada a outra está implícita.[467]

A ressurreição de Cristo é a garantia de que Deus aceitou o sacrifício de seu Filho, em nosso lugar, em nosso favor. Cranfield destaca que, se a morte expiatória de Cristo não fosse acompanhada pela sua ressurreição, não teria sido a ação poderosa de Deus a favor de nossa justificação. Cristo morreu por causa de nossas transgressões e ressuscitou a fim de efetuar nossa justificação.[468] Nessa mesma linha de pensamento, William Greathouse diz que a morte e a ressurreição são dois aspectos de um único evento divino. Sem ressurreição, a morte de Jesus não é útil para a nossa justificação, uma vez que "se Cristo não ressuscitou, é vã a vossa fé" (1Co 15.17).[469]

NOTAS DO CAPÍTULO 9

428   POHL, Adolf. *Carta aos Romanos*, p. 79.
429   STOTT, John. *Romanos*, p. 140, 141.
430   MURRAY, John. *Romanos*, p. 154.
431   POHL, Adolf. *Carta aos Romanos*, p. 79.
432   STOTT, John. *Romanos*, p. 143, 144.
433   WIERSBE, Warren W. *Comentário bíblico expositivo*, p. 682.
434   STOTT, John. *Romanos*, p. 144.
435   LEENHARDT, Franz. J. *Epístola aos Romanos*, p. 118.
436   MURRAY, John. *Romanos*, p. 159, 160.
437   STOTT, John. *Romanos*, p. 144, 145.
438   MURRAY, John. *Romanos*, p. 161.
439   WIERSBE, Warren W. *Comentário bíblico expositivo*, p. 683.
440   LEENHARDT, Franz. J. *Epístola aos Romanos*, p. 119.
441   STOTT, John. *Romanos*, p. 146.
442   GREATHOUSE, William. *A epístola aos Romanos,* p. 74.
443   HODGE, Charles. *A commentary on Romans.* Grand Rapids: Banner of Truth Trust, 1972, p. 115, 107.
444   POHL, Adolf. *Carta aos Romanos*, p. 82.
445   POHL, Adolf. *Carta aos Romanos*, p. 83.
446   MURRAY, John. *Romanos*, p. 166.
447   STOTT, John. *Romanos*, p. 149.
448   MURRAY, John. *Romanos*, p. 164.
449   HENDRIKSEN, William. *Romanos*, p. 199, 200.
450   HODGE, Charles. *A commentary on Romans*, p. 125.
451   STOTT, John. *Romanos*, p. 151.
452   STOTT, John. *Romanos*, p. 152.
453   BARCLAY, William. *Romanos*, p. 80.
454   STOTT, John. *Romanos*, p. 152.
455   WILSON, Geoffrey B. *Romanos*, p. 59.
456   LEENHARDT, Franz. J. *Epístola aos Romanos*, p. 127.
457   HENDRIKSEN, William. *Romanos*, p. 210.
458   STOTT, John. *Romanos*, p. 154, 155.
459   STOTT, John. *Romanos*, p. 154.
460   WIERSBE, Warren W. *Comentário bíblico expositivo*, p. 684.
461   LEENHARDT, Franz. J. *Epístola aos Romanos*, p. 126.
462   POHL, Adolf. *Carta aos Romanos*, p. 87.
463   MURRAY, John. *Romanos*, p. 178.
464   LEENHARDT, Franz. J. *Epístola aos Romanos*, p. 127, 128.

[465] Pohl, Adolf. *Carta aos Romanos*, p. 88.

[466] Schaal, Juan. *El camino real de Romanos*, p. 63.

[467] Wilson, Geoffrey B. *Romanos*, p. 61.

[468] Cranfield, C. E. B. *Comentário de Romanos*, p. 101.

[469] Greathouse, William. *A epístola aos Romanos,* p. 78.

Capítulo 10

Os benditos frutos da justificação
(Rm 5.1-11)

ATÉ AQUI VIMOS duas teses provadas pelo apóstolo Paulo: a necessidade da justificação (1.18–3.20) e o meio da justificação (3.21–4.25). Agora, Paulo passa a falar sobre os frutos da justificação, ou seja, suas benditas consequências (5.1-11).

Paulo já deixou claro que a justificação é um ato exclusivo de Deus (3.21-31). Também argumentou que a justificação pela fé não é uma novidade, mas uma verdade já presente na antiga dispensação e demonstrada na vida de Abraão, o progenitor da nação israelita e pai de todos os que creem, tanto judeus como gentios. Agora, Paulo mostrará os benefícios que emanam da justificação quanto ao passado, presente e futuro. Todos os que têm esta nova vida em Cristo estão livres da ira (capítulo 5), livres do pecado (capítulo 6), livres da lei (capítulo 7) e livres da morte (capítulo 8).[470]

No texto em apreço, Paulo conclui sua doutrina de justificação, analisando esta verdade no seu contexto escatológico. A justificação não significa somente perdão e absolvição da culpa do pecado; também traz dentro de si a esperança da glória de Deus (5.2) e a promessa da salvação final (5.9,10). Aqui temos mais que os frutos atuais da justificação; nossa atenção é dirigida para seu resultado final. A ênfase desta passagem é a glória futura e a salvação final daqueles que continuam em paz com Deus por nosso Senhor Jesus Cristo.[471]

Antes de abordar as gloriosas bênçãos da justificação, Paulo destaca três verdades acerca da realidade da justificação.

Em primeiro lugar, *a justificação é um ato declaratório de Deus* (5.1). A justificação não é um processo, mas um ato legal, forense e judicial de Deus no qual ele declara, sobre a base da justiça de Cristo, que todas as demandas da lei estão satisfeitas com respeito ao pecador. Portanto, a justificação não é algo que Deus faz em nós, mas por nós. Não acontece dentro de nós, mas fora de nós. A justificação é um ato e acontece uma única vez. Não há graus na justificação. Ela é instantânea, completa e final. O homem é justificado por completo, ou não é justificado. O crente mais fraco está tão justificado quanto o santo mais piedoso. Pela justificação somos remidos da pena do pecado, perdoados, e recebemos o favor de Deus. Pela justificação, todos os nossos pecados presentes, passados e futuros já foram perdoados.

Em segundo lugar, *a justificação é recebida pela fé* (5.1) Não somos justificados com base na fé, mas em virtude do sacrifício perfeito de Cristo. A fé é o instrumento de apropriação dos benefícios da cruz. A fé é a mão estendida de um mendigo a tomar posse do presente de um Rei. A fé é a causa instrumental, e não a causa meritória da justificação. A fé não expia a culpa nem remove o castigo. É apenas o instrumento de apropriação dos benefícios da redenção.

Em terceiro lugar, *a justificação é por intermédio de Cristo* (5.1). A base da justificação é o sacrifício de Cristo na cruz. Não somos justificados com base na obra que fazemos para Deus, mas na obra que Cristo fez por nós na cruz. Não somos justificados pelo mérito humano, mas pelos méritos de Cristo. A morte expiatória de Cristo é a causa fundamental da justificação, enquanto a fé é a sua causa instrumental.

Tendo lançado as bases da doutrina, analisaremos agora as bênçãos da doutrina da justificação pela fé. Paulo menciona sete frutos dessa bendita verdade.

A paz com Deus (5.1)

A paz com Deus é uma bênção ligada ao passado. Trata-se de algo que já aconteceu. Não é a paz de Deus (Fp 4.7), mas a paz com Deus (5.1). Não é um sentimento, mas um relacionamento. É a paz da reconciliação com Deus. Por intermédio do sacrifício de Cristo, a barreira que nos separava de Deus foi destruída. Não somos mais filhos da sua ira, mas filhos do seu amor. O pecado consumou uma ruptura, mas Jesus Cristo veio para restabelecer a comunicação suspensa.[472]

Geoffrey Wilson está certo ao dizer que essa paz com Deus significa que a ira de Deus não mais nos ameaça, porque somos aceitos em Cristo (5.9). Essa paz não é uma mudança em nossos sentimentos, mas uma modificação no relacionamento de Deus conosco.[473] Na mesma linha de pensamento, Cranfield destaca que essa paz com Deus não designa sentimentos subjetivos de paz, mas o estado objetivo de estar em paz em vez de estar em inimizade.[474] John Murray enfatiza que não se trata apenas de serenidade e tranquilidade de nossa mente e coração, mas de um estado de paz que flui da reconciliação (5.10,11).[475]

Charles Erdman ainda lança luz sobre nosso entendimento acerca do verdadeiro significado do que é paz com Deus:

> Quando Paulo aqui fala de "paz com Deus", sua asserção não é equivalente a "paz da parte de Deus" ou a "paz de Deus". Esta pode denotar a paz que Deus mesmo usufrui ou a paz que ele inspira no coração de seus filhos. Mas "paz com Deus" denota relacionamento para com ele. Expressa perdão e aceitação e se contrasta com inimizade ou ira. Assinala a posição daqueles que outrora estavam debaixo de condenação, mas agora estão a gozar da plena medida do divino perdão e do divino favor.[476]

Todas as religiões se esforçam para reconciliar o homem com Deus. Essa paz, contudo, não é fruto do esforço que o homem faz, mas do sacrifício que Cristo fez. Pela morte de Cristo fomos reconciliados com Deus. Não somos mais réus nem inimigos de Deus. Agora temos paz com Deus.

O acesso à graça (5.2)

Se a paz com Deus é uma bênção passada, consumada no ato de nossa justificação, o acesso à graça da justificação é um privilégio presente e contínuo. Trata-se de uma condição permanente e inabalável, que se origina de uma ação realizada no passado.[477] Warren Wiersbe acentua que os judeus eram separados da presença de Deus pelo véu do templo, e os gentios eram isolados pelo muro externo do templo. No entanto, quando Jesus morreu, rasgou o véu (Lc 23.45) e destruiu o muro (Ef 2.14). Em Cristo, judeus e gentios que creem têm acesso a Deus.[478]

William Barclay diz que a palavra grega *prosagoge*, "acesso", tem um tríplice significado:[479]

Em primeiro lugar, *significa a introdução de alguém à presença da realeza*. Por meio de Cristo temos acesso a esta graça na qual estamos firmes. Somos aceitos, somos apresentados como filhos, como herdeiros, como cidadãos do céu. A ideia sugerida pela palavra é a permissão de entrada na presença de um rei mediante o favor de outrem.[480] Jesus nos introduz na presença de Deus. Abre-nos as portas à presença do Rei dos reis; e, quando essas portas se abrem, o que encontramos é a graça, a imerecida bondade de Deus, e não condenação ou juízo.[481] O palácio em que somos admitidos é o céu. O portão de entrada é Cristo. O único passaporte é a fé. Não importa sua aparência, o filho do rei tem acesso constante à presença do Pai para ter a ajuda de que precisa.

Em segundo lugar, *significa aproximação do adorador a Deus*. Jesus nos abre a porta à presença do Rei dos reis e quando essas portas se abrem o que encontramos é graça, não condenação, nem juízo, nem vingança, mas pura misericórdia, o glorioso favor de Deus. A palavra grega *prosagoge* traz também a ideia de uma pessoa sendo introduzida no santuário de Deus a fim de adorar. Assim, o crente justificado desfruta uma bênção muito mais grandiosa que uma simples aproximação periódica de Deus, ou uma audiência ocasional com o rei. Temos o privilégio de viver no templo e no palácio.[482]

Em terceiro lugar, *significa a chegada ao porto seguro*. Por mais que busquemos depender de nossos esforços, somos varridos pela tempestade, como marinheiros impotentes a enfrentar um mar revolto que os ameaça destruir totalmente. Agora, porém, ouvimos a Palavra de Cristo e alcançamos o porto da graça. Por meio de Cristo, entramos na presença de Deus e encontramos segurança.[483] Nossa relação com Deus, possibilitada pela justificação, não é esporádica, mas contínua; não é precária, mas segura.[484]

A expectativa da glória (5.2)

Se a paz tem a ver com o passado, e o acesso à graça se relaciona ao presente, a expectativa da glória está atrelada ao futuro. Quem foi justificado não teme o futuro. A morte já não mais o apavora. O porvir é seu anseio e a glória, sua expectativa mais excelsa. A palavra traduzida por "gloriamos" significa um regozijo exultante, uma alegria triunfante, uma firme confiança em Deus, inspirada pela certeza de que "temos paz com Deus".[485]

Compartilhar desse celeste esplendor, contemplar o Rei em sua formosura e ser como ele quando o virmos em sua majestade e glória, tudo isso é a inspiradora esperança daqueles que foram justificados pela fé.[486] John Stott diz que a esperança cristã não é algo incerto como nossas esperanças comuns do dia-a-dia, mas uma expectativa jubilosa e confiante que se baseia nas promessas de Deus. O objeto de nossa esperança é a glória de Deus (5.2), ou seja, seu radiante esplendor, que um dia se manifestará em toda a sua plenitude. Então, a cortina se erguerá e a glória de Deus será inteiramente desvendada. Nesse dia, veremos o Senhor da glória face a face, receberemos um corpo de glória e a própria criação que agora geme será redimida do seu cativeiro.[487]

Miguel Gonçalves Torres, ministro presbiteriano, sempre dizia a seus amigos que não basta viver bem, é preciso morrer bem. Na hora de sua morte, disse à esposa: "Querida, pensei que quando eu fosse morrer, iria para o céu. Mas foi o céu que veio me buscar". O apóstolo Paulo, mesmo no ocaso da vida, numa masmorra romana, na antessala do martírio, declarou com entusiasmo: "A hora da minha partida é chegada... agora o reto juiz me dará a coroa da justiça..." (2Tm 4.6-8). Um pastor, ao visitar um piedoso membro da igreja no leito de morte, perguntou-lhe: "O irmão está preparado para morrer?" Com o rosto resplandecendo de gozo, o crente respondeu: "Não, pastor, estou preparado para viver. Estou indo para Deus".

Sintetizando esses três primeiros pontos, afirmamos que os frutos da justificação são paz, graça e glória. Temos paz com Deus, estamos firmes na graça e esperamos a glória. A paz com Deus refere-se ao efeito imediato da justificação, o acesso à graça diz respeito ao efeito contínuo da justificação, e a esperança da glória se relaciona ao efeito final da justificação. A palavra *paz* nos convida a olhar para trás, para a inimizade que acabou. A palavra *graça* nos faz olhar para o nosso Pai, sob cujo favor agora permanecemos. Com a palavra *glória,* olhamos adiante, para o nosso objetivo final, até o momento em que veremos e refletiremos a glória de Deus, a glória que é o objeto de nossa esperança e expectativa.[488]

A alegria no sofrimento (5.3-5a)

A justificação não apenas nos prepara para o céu, mas também nos equipa para vivermos vitoriosamente aqui na terra. Paulo não está tratando de algo apenas para o porvir, mas de algo que nos capacita a viver vitoriosamente em meio às tensões da vida. Nas palavras de John Stott, há paz, graça e glória, sim! Porém, há também sofrimento![489]

Aquele que foi justificado demonstra gloriosa alegria não apenas na esperança da glória, mas também no sofrimento. A força do verbo grego *kaucometha* indica que nos alegramos com grande e intenso júbilo. Tanto as tribulações presentes como a glória vindoura são objetos de júbilo do cristão. Em outras palavras, regozijamo-nos não somente no alvo, a glória, como também nos meios que conduzem a ela, isto é, nos sofrimentos. Nestas duas coisas encontramos alegria.[490] Nessa pedagogia divina, quatro estágios devem ser observados.

Em primeiro lugar, *nós nos gloriamos nas próprias tribulações* (5.3). Não somos masoquistas, como aqueles a quem agrada a dor; tampouco estoicos impassíveis e sofridos.[491] Não nos gloriamos no sofrimento ou por causa do sofrimento, mas por seus frutos, por seus resultados. Nossa esperança da glória não pode ser obumbrada ante as angústias e provações que agora nos cercam. O cristão não olha para a vida com uma visão romântica, pessimista ou irreal. Não nega a existência da dor e do sofrimento. Não murmura nem se insurge contra Deus por causa do sofrimento. Sabe que o sofrimento é proposital e pedagógico. As tribulações devem ser vistas à luz de suas consequências eternas (1Pe 4.12,13).

O cristão não crê em acaso, coincidência, sorte, azar ou determinismo. Não tem medo de sexta-feira 13 nem de passar debaixo de escada. Sabe que nem um fio de cabelo da sua cabeça pode ser tocado sem que Deus saiba, permita e tenha um propósito. Concordo com Geoffrey Wilson quando ele diz que "não existe atalho para a glória; a cruz sempre precede a coroa (Fp 1.29,30).[492]

Este gloriar-se na tribulação é um fruto da fé. Não é o efeito natural da tribulação, que, como vemos, leva grande parte da humanidade a murmurar contra Deus, e até mesmo a amaldiçoá-lo. É apenas o conhecimento de que essas tribulações são conformes a determinação de seu Pai celeste, que capacita o cristão a regozijar-se nelas, pois em si mesmas elas são más, aflitivas, e não causa de júbilo (Hb 12.6; Ap 3.19).[493]

A palavra "tribulação", no grego *thlipsis,* significa "pressão".[494] John Stott diz que essa palavra se refere especificamente a oposição e perseguição por parte de um mundo hostil.[495] No sentido preciso, não se trata aqui de enfermidade, dor, tristeza ou aflição, mas da pressão de um mundo posto no maligno.[496] A vida cristã é o enfrentamento de muitas pressões: do diabo, do mundo, de nossas fraquezas. Jesus deixou claro que no mundo teremos aflições (Jo 16.33) e o apóstolo Paulo diz: "[...] através de muitas tribulações, nos importa entrar no reino de Deus" (At 14.22).

A palavra "tribulação" vem do latim *tribulum,* o lugar onde se descascava o trigo, separando o grão da palha. O *tribulum* era um pedaço pesado de madeira com cravos de metal usado para debulhar cereais. Ao ser arrastado sobre os cereais, o *tribulum* separava o grão da palha. Quando passamos por tribulações e dependemos da graça de Deus, as dificuldades nos purificam e nos ajudam a eliminar a palha.[497] As tribulações na vida do salvo não vêm para destruí-lo, mas para purificá-lo. Elas não agem contra ele, mas a seu favor. As tribulações não operam por si mesmas, à revelia, na vida dos salvos, mas são trabalhadas pelo próprio Deus, para o nosso bem. Por meio das tribulações, Deus esculpe em nós a beleza de Cristo.

Em segundo lugar, *sabemos que a tribulação produz perseverança* (5.3). A tribulação é pedagógica. Ela gera paciência triunfadora. Não poderíamos exercer a paciência sem o sofrimento, porque sem este não haveria necessidade de paciência. A paciência nasce do sofrimento.[498] A palavra grega *hupomone* significa "paciência triunfadora". Trata--se de uma paciência vitoriosa, que não se entrega nem é passiva, mas triunfa alegremente diante das intempéries da vida. *Hupomone* é paciência diante das circunstâncias adversas. É o espírito que enfrenta as coisas e as supera. Não é o espírito que resiste passivamente, mas o que vence e conquista ativamente as provas e tribulações da vida.[499] Isso significa saber que Deus está no controle, forjando em nós o caráter de Cristo no cadinho das provas.

As grandes lições da vida, nós as aprendemos no vale da dor. O sofrimento é não apenas o caminho da glória, mas também o caminho da maturidade. O rei Davi afirmou: "Foi-me bom ter passado pela aflição, para que aprendesse os teus decretos" (Sl 119.71). O patriarca Jó disse que antes do sofrimento conhecia a Deus só de ouvir falar, mas por meio do sofrimento seus olhos puderam contemplar o Senhor (Jó 42.5).

Em terceiro lugar, *sabemos que perseverança produz experiência* (5.4). A palavra grega *dokime,* traduzida por "experiência", significa literalmente algo provado e aprovado. Essa palavra era usada para descrever o metal submetido ao fogo do cadinho com o propósito de remover-lhe as impurezas e torná-lo um metal provado, legítimo e puro.[500] William Hendriksen diz que, assim como o fogo purificador do ourives livra o ouro e a prata das impurezas que no estado natural a ele aderem, também a paciente resignação ou perseverança dos filhos de Deus os purifica.[501]

A palavra *dokime,* portanto, significa caráter provado e aprovado como resultado de um teste de julgamento. Um bom exemplo disso é a experiência vivida por Davi.

Ele não quis a armadura de Saul porque nunca a havia provado, não a havia submetido à prova. O que Paulo nos está ensinando é que não devemos ter uma fé de segunda mão. Devemos conhecer a Deus não apenas de ouvir falar. Devemos conhecê-lo pessoalmente, profundamente, experimentalmente.

Em quarto lugar, *sabemos que a experiência produz esperança* (5.5a). Esta não é uma esperança vaga nem vazia. É uma esperança segura, que não nos decepciona nem nos deixa envergonhados. Mas como saber que essa esperança não é uma fantasia nem uma ficção? A resposta de Paulo é meridianamente clara: porque o amor de Deus é derramado em nosso coração pelo Espírito Santo que nos foi outorgado. O apóstolo Paulo diz que o fundamento sólido sobre o qual descansa nossa esperança de glória é o amor de Deus. Há uma efusão do amor de Deus em nosso coração. Nesse momento o céu desce à terra e somos inundados pelas profusas torrentes do amor divino. A justificação não é apenas um ato jurídico de Deus feito no céu; tem também reflexos concretos e reais na terra. O resultado da justificação é uma bendita experiência de transbordamento do amor de Deus em nosso coração.

O derramamento do amor de Deus (5.5-8)

Assim como o Espírito Santo foi derramado sobre a igreja no Pentecostes, o amor de Deus é derramado no coração daqueles que são justificados. A palavra "derramar" traz a ideia tanto de abundância como de difusão, tanto de refrigério como de encorajamento.[502] A justificação é um ato objetivo, mas seu fruto é uma experiência subjetiva.

Não é destituído de significado o fato de que neste versículo tanto o amor de Deus quanto o Espírito Santo sejam mencionados pela primeira vez nesta epístola, pois apenas o Espírito pode comunicar-nos o sentimento do amor de Deus. Mesmo que os pecadores ouçam dez mil vezes falar do amor de Deus na dádiva do seu Filho, eles nunca são realmente afetados por isso, até que o Espírito Santo entre em seu coração, e o amor de Deus seja produzido pela verdade através do Espírito.[503]

Vale a pena destacar a mudança do tempo verbal em Romanos 5.5: o Espírito Santo nos foi dado (no grego, *dothentos,* em referência a um fato passado); porém, o amor de Deus é derramado em nosso coração (no grego, *ekkecutai,* descrevendo um fato passado com consequências permanentes).[504] Assim, recebemos o Espírito de uma vez para sempre, mas somos inundados com o amor de Deus constantemente.

Três fatos devem ser destacados com respeito ao amor de Deus:

Em primeiro lugar, *o amor de Deus é copioso* (5.5). O amor de Deus revelado a nós é algo profuso, caudaloso e abundante. Não nos é dado por medida, mas copiosamente derramado em nós. Sob a vívida metáfora de uma chuvarada que cai sobre uma terra seca, o que o Espírito Santo faz é proporcionar-nos a consciência profunda e revigorante de que Deus nos ama.[505] Esse sublime amor de Deus por nós, pecadores, não foi despertado pela cruz de Cristo; ao contrário, foi o amor de Deus por nós que produziu a cruz. A cruz não é a causa do amor de Deus, mas seu resultado. Esse amor não é retido em Deus, mas derramado sobre nós. Paulo menciona aqui uma espécie de inundação do amor de Deus. Somos banhados pelo próprio ser de Deus, uma vez que Deus é amor.

Em segundo lugar, *o amor de Deus é imerecido* (5.6,8,10). A causa do amor de Deus não está no objeto amado, mas nele mesmo. Cristo não morreu por alguém que merecia o amor de Deus. Ao contrário, Paulo diz que éramos fracos (5.6), ímpios (5.6), pecadores (5.8) e inimigos (5.10). Numa linguagem crescente, o apóstolo elenca quatro predicados sombrios da deplorável condição humana. Embora fôssemos merecedores do juízo divino, ele graciosamente derramou em nosso coração seu imenso amor. Deus não poderia achar nos fracos, ímpios, pecadores e inimigos algo que atraísse seu amor. O caráter incomum e singular do amor de Deus se revela no fato de que ele foi exercido a favor daqueles cuja condição natural era absolutamente repugnante diante da sua santidade. Deus amou infinitamente os objetos da sua ira.

Geoffrey Wilson tem razão quando afirma que um homem realmente pode estar preparado a fazer o maior dos sacrifícios por alguém que ele julga ser digno disso, mas Deus entregou seu Filho para a morte na cruz por aqueles que ele sabia serem completamente vis e indignos.[506] Franz Leenhardt complementa dizendo que o amor não se justifica mercê do valor do objeto amado. Deus ama sem justificativa para amar.[507]

Em terceiro lugar, *o amor de Deus é provado* (5.6-8). A manifestação do amor de Deus se dá por meio de um evento histórico – a cruz. A prova mais eloquente do amor de Deus é a cruz de Cristo. William Greathouse destaca que em nenhum lugar existe uma revelação de amor como a que encontramos na cruz. Pela cruz temos uma abertura ao coração de Deus e vemos que se trata de um amor que se dá e se sacrifica.[508] Cristo morreu no momento determinado por Deus e de acordo com seu eterno propósito (Jo 8.20; 12.27; 17.1; Gl 4.4; Hb 9.26).[509] Segundo Adolf Pohl, não aconteceu na cruz um heroísmo na potência máxima, mas humilhação extrema, um contrassenso escandaloso (Fp 2.8). Irrompeu o amor jamais decifrável por nós pecadores.[510]

Paulo já havia provado que, na cruz, Deus revelou sua plena justiça (3.25,26); agora, ele afirma que, na cruz, Deus revelou seu abundante amor (5.8). O amor de Deus não é apenas um sentimento, é uma ação. O amor não consiste apenas em palavras; é uma dádiva. O amor não é uma dádiva qualquer, mas uma dádiva de si mesmo. Deus deu seu Filho. Ele deu tudo, deu a si mesmo. Deus não amou aqueles que nutriam amor por ele, mas aqueles que lhe viraram as costas. Deus amou aqueles que eram inimigos.

De acordo com John Stott, a intensidade do amor é medida, em parte, pelo preço que custou a dádiva ao seu doador, e, em parte, por quanto o beneficiário é digno ou não dessa doação. Quanto mais custa o presente ao doador, e quanto menos o receptor o merece, tanto maior demonstra ser esse mesmo amor. Medido por esses padrões, o amor de Deus é singular, pois, ao enviar seu Filho para morrer pelos pecadores, ele estava dando tudo, até a si mesmo, àqueles que dele nada mereciam, exceto juízo.[511]

Cranfield segue a mesma trilha de pensamento ao declarar que a morte de Cristo evidencia não apenas o amor de Deus por nós, mas também a natureza desse amor. Trata--se de um amor completamente imerecido. Sua origem de modo algum está no objeto amado, mas inteiramente em Deus.[512]

A certeza da glorificação (5.9,10)

Paulo passa da prova do amor de Deus a nós para as consequências da morte de Cristo por nós. Com uma lógica irresistível, Paulo vai do maior para o menor, dizendo que, se já fomos justificados pelo sangue de Cristo, com certeza seremos salvos da ira no dia do juízo. Se Cristo já verteu o seu sangue por nós, fazendo o trabalho mais difícil, não deveríamos hesitar em crer em nossa completa absolvição no dia do juízo. Como o próprio Paulo declarou mais tarde: "Aquele que não poupou a seu próprio Filho, antes, por todos nós o entregou, porventura, não nos dará graciosamente com ele todas as coisas?" (8.32).

Leenhardt tem razão quando diz: "A justificação não é apenas uma sentença passada por um juiz; mas também o perdão concedido por um pai. Ao aspecto jurídico e formal das relações entre Deus e o pecador se aduz o aspecto moral e ontológico" da relação entre um pai e um filho.[513]

Duas preciosas verdades devem ser aqui observadas:

Em primeiro lugar, *a justificação deságua na glorificação* (5.9). Aqueles cujas transgressões foram imputadas a Cristo e, ao mesmo tempo, receberam em sua conta toda a sua perfeita justiça estão seguros da glorificação. Aos que Deus justifica, a esses ele também glorifica (8.30). É impossível perecer aqueles por quem Cristo verteu o seu sangue. Charles Erdman pergunta: "Se Deus fez tanto a favor dos inimigos, que não fará ele a favor dos amigos?"[514] Concordo com William Greathouse quando ele diz que "salvos da ira" se refere à libertação final no juízo final; essa salvação é garantida pelo fato de a justificação ser uma antecipação do veredicto favorável daquele dia.[515] Desta forma, Paulo passa da justificação à glorificação, ou seja, do que Deus tem feito por nós ao que ele ainda fará por nós na consumação.[516]

Em segundo lugar, *a reconciliação implica uma relação de estreita e permanente comunhão com Deus* (5.10). Fomos reconciliados com Deus pelo sangue de Cristo, mas desfrutamos sua intimidade por meio da sua vida ressurreta. Cristo não apenas morreu por nós, mas vive para nós. Não apenas verteu seu sangue por nós, mas intercede continuamente por nós. Não apenas foi nosso substituto na cruz, mas é nosso intercessor junto ao trono da graça. Seu ministério em nosso favor não foi apenas terreno, mas também celestial. Francis Schaeffer exclama: "Se, quando éramos inimigos, Jesus morreu por nós, o que fará este Cristo vivo por nós agora!"[517]

A alegria em Deus (5.11)

Paulo já havia falado que devemos nos gloriar na esperança da glória de Deus (5.2) e em nossas tribulações (5.3). Agora, porém, Paulo diz que devemos nos gloriar também em Deus (5.11). O céu deve encher-nos de entusiasmo. A expectativa da glória deve encher o nosso peito de doçura. A compreensão de que Deus tem um propósito em nossas tribulações é uma verdade consoladora que deve nos levar à mais sublime exultação. No entanto, de todas as alegrias, seja no tempo ou na eternidade, nenhuma excede à nossa alegria em Deus. Ele é o nosso maior prazer. É o supremo deleite da nossa alma. Só nele há plenitude de alegria e só em sua presença há delícias perpetuamente (Sl 16.11). Unimos nossa voz às palavras do salmista: "Deus... é a minha grande alegria" (Sl 43.4). John Stott esclarece que gloriar-nos em Deus é não apenas regozijar-nos em nossos privilégios, mas em suas misericórdias, não no fato de que ele nos pertence, mas no fato de que nós lhe pertencemos.[518]

É importante ressaltar ainda que devemos nos gloriar em Deus, e não apenas nas dádivas de Deus. O abençoador é melhor que a bênção; o doador é melhor que a dádiva.

Mesmo que os bens nos faltem nesta vida, podemos alegrar-nos no Senhor e exultar no Deus da nossa salvação (Hc 3.17,18).

Concluo este capítulo citando o reformador João Calvino: "O apóstolo ascende ao mais alto grau de tudo aquilo em que se gloriam os fiéis; porque quando nos gloriamos de que Deus é nosso, todos os bens que se podem imaginar ou desejar estão incluídos nele e têm nele a sua origem".[519]

NOTAS DO CAPÍTULO **10**

[470] WILSON, Geoffrey B. *Romanos*, p. 62.

[471] GREATHOUSE, William. *A epístola aos Romanos,* p. 78.

[472] LEENHARDT, Franz. J. *Epístola aos Romanos*, p. 135.

[473] WILSON, Geoffrey B. *Romanos*, p. 63.

[474] CRANFIELD, C. E. B. *Comentário de Romanos*, p. 106.

[475] MURRAY, John. *Romanos*, p. 185.

[476] ERDMAN, Charles R. *Comentários de Romanos*, p. 65.

[477] MURRAY, John. *Romanos*, p. 186.

[478] WIERSBE, Warren W. *Comentário bíblico expositivo*, p. 686.

[479] BARCLAY, William. *Romanos*, p. 84, 85.

[480] WIERSBE, Warren W. *Comentário bíblico expositivo*, p. 686; WILSON, Geoffrey B. *Romanos*, p. 63.

481 Barclay, William. *Romanos*, p. 85.

482 Stott, John. *Romanos*, p. 161.

483 Barclay, William. *Romanos*, p. 85.

484 Stott, John. *Romanos*, p. 162.

485 Rienecker, Fritz; Rogers, Cleon. *Chave linguística do Novo Testamento Grego*, p. 264; Wilson, Geoffrey B. *Romanos*, p. 63.

486 Erdman, Charles R. *Comentários de Romanos*, p. 66.

487 Stott, John. *Romanos*, p. 162.

488 Stott, John. *A mensagem de Romanos 5-8*. São Paulo: ABU, 1988, p. 4,5.

489 Stott, John. *A mensagem de Romanos 5-8*, p. 5.

490 Stott, John. *A mensagem de Romanos 5-8*, p. 6, 7.

491 Stott, John. *A mensagem de Romanos 5-8*, p. 6.

492 Wilson, Geoffrey B. *Romanos*, p. 64.

493 Wilson, Geoffrey B. *Romanos*, p. 64.

494 Barclay, William. *Romanos*, p. 85.

495 Stott, John. *Romanos*, p. 163.

496 Stott, John. *A mensagem de Romanos 5-8*, p. 5.

497 Wiersbe, Warren W. *Comentário bíblico expositivo*, p. 687.

498 Stott, John. *A mensagem de Romanos 5-8*, p. 6, 7.

499 Barclay, William. *Romanos*, p. 85, 86.

500 Barclay, William. *Romanos*, p. 86.

501 Hendriksen, William. *Romanos*, p. 225.

502 Rienecker, Fritz; Rogers, Cleon. *Chave linguística do Novo Testamento Grego*, p. 264.

503 Wilson, Geoffrey B. *Romanos*, p. 65.

504 Stott, John. *A mensagem de Romanos 5-8*, p. 9.

505 Stott, John. *Romanos*, p. 165.

506 Wilson, Geoffrey B. *Romanos*, p. 66.

507 Leenhardt, Franz. J. *Epístola aos Romanos*, p. 139.

508 Greathouse, William. *A epístola aos Romanos*, p. 81.

509 Wilson, Geoffrey B. *Romanos*, p. 66.

510 Pohl, Adolf. *Carta aos Romanos*, p. 93.

511 Stott, John. *Romanos*, p. 167.

512 Cranfield, C. E. B. *Comentário de Romanos*, p. 111.

513 Leenhardt, Franz. J. *Epístola aos Romanos*, p. 140.

514 Erdman, Charles R. *Comentários de Romanos*, p. 67.

515 Greathouse, William. *A epístola aos Romanos*, p. 82.

516 Stott, John. *A mensagem de Romanos 5-8*, p. 13.

517 Schaeffer, Francis A. *A obra consumada de Cristo*, p. 142.

518 Stott, John. *Romanos*, p. 172.

519 Calvino, João. *Epístola a los Romanos*, p. 140, 141.

Capítulo 11

Dois homens, dois destinos
(Rm 5.12-21)

O TEXTO QUE ABORDAREMOS agora é um dos mais difíceis e ao mesmo tempo um dos mais importantes da epístola. Charles Erdman concorda que a analogia que Paulo traça entre Adão e Cristo é uma das mais difíceis e complexas passagens da epístola. Alguns leitores a têm na conta de um parêntese ou hiato no argumento. Outros, porém, provavelmente com acerto maior, consideram-na o clímax da discussão da doutrina da justificação pela fé e introdução ao exame da doutrina da santificação.[520]

John Stott diz que todos os que estudaram Romanos 5.12-21 chegaram à conclusão de que esta passagem é

extremamente condensada. Alguns confundem conden-
sação com confusão. Paulo usou aqui uma precisão quase
matemática. A passagem poderia ser comparada a uma perfeita obra de entalhe ou a uma composição musical cuidadosamente elaborada.[521]

William Barclay diz que não há nenhuma passagem no
Novo Testamento que tenha exercido tanta influência sobre
a teologia como esta; e não há passagem que seja mais difícil
de entender para a mente moderna.[522] William Greathouse
chega a afirmar que esse debate sobre Adão e Cristo é o
grande divisor de águas da epístola.[523] Na verdade, Paulo está
concluindo a sua exposição sobre a doutrina da justificação
e preparando seus leitores para entrar na bendita doutrina
da santificação.

Antes de analisar o texto em tela, precisamos à guisa de
introdução levantar algumas questões vitais que estão no
centro das discussões contemporâneas. O texto em apreço
contém não apenas doutrina, mas também história. Não
podemos reafirmar a doutrina negando sua historicidade.
Uma coisa está ligada à outra. Vejamos quais são essas
perguntas:

Em primeiro lugar, *Adão é uma personagem histórica ou
mitológica?* Observamos hoje forte tendência de as pessoas
encararem os três primeiros capítulos de Gênesis como
um mito qualquer, ou algum tipo de parábola, ideia ou
alegoria.[524] John Stott diz que está na moda qualificar o relato
de Adão e Eva como mito, e não como realidade, porém as
mesmas Escrituras nos impedem de pensar assim.[525]

Nenhum texto da Bíblia *incomoda* mais os teólogos liberais e os arautos do evolucionismo que Gênesis 1—3.
O relato da criação e a criação do homem à imagem e semelhança de Deus entra em desacordo com as pretensões

do evolucionismo. Com o propósito de fazer uma aliança entre o cristianismo e o evolucionismo darwiniano, alguns estudiosos contemporâneos abraçaram o evolucionismo teísta, alegando que Deus é o autor da criação, mas o processo adotado para essa criação é a evolução. Assim, o relato de Gênesis 1—3 é mitológico, e não histórico. Consequentemente, Adão não foi uma personagem real, mas apenas um emblema.

Precisamos deixar claro que essa posição avilta não apenas a doutrina da criação, mas também nega a doutrina do pecado original, a queda dos nossos primeiros pais e a autoridade das Escrituras. Francis Schaeffer tem razão ao dizer que toda vez que alguém nega a historicidade de Adão está jogando fora a autoridade de Paulo.[526] Se Gênesis 1—3 não é um relato literal, então Moisés, Jesus e Paulo se equivocaram ao mencionar Adão como personagem histórica. Se Adão é um mito, a Palavra de Deus perde sua credibilidade, pois o descreve como uma personagem histórica.

Geoffrey Wilson destaca que, para ser válida, a argumentação do apóstolo Paulo em Romanos 5 depende de forma absoluta do fato de que, assim como Jesus foi uma pessoa histórica, também Adão foi uma pessoa histórica. Não pode haver paralelo correto entre um Adão mitológico e um Cristo histórico. Adão é tão necessário ao sistema teológico cristão quanto Jesus Cristo. De fato, as Escrituras chamam Cristo de "o segundo Adão" ou "o último Adão".[527] Tanto Adão como Cristo nos são apresentados como cabeças de uma raça. Nas palavras de F. F. Bruce, sem dúvida Adão era para Paulo um indivíduo histórico, o primeiro homem. Era mais ainda: era o que o seu nome significa em hebraico – "humanidade". A humanidade inteira é vista como tendo originalmente pecado em Adão.[528]

Em segundo lugar, *a queda de Adão atingiu apenas a ele ou a toda a raça humana?* Esta é a primeira vez em Romanos que Paulo se refere à entrada do pecado no mundo em decorrência da queda de Adão. A razão pela qual todos os homens, gentios ou judeus, são pecadores é que o pecado entrou no mundo por meio de Adão.

No quinto século, Pelágio negou o caráter universal da queda e defendeu a tese de que somos tão livres hoje quanto Adão o era antes da queda. O pecado de Adão foi apenas individual, sem consequência para a raça humana. Pelágio ensinava que todos os homens imitam o pecado de Adão e, portanto, morrem em consequência do seu próprio pecado. A Palavra de Deus, porém, diz que Adão era o cabeça federal da raça. Nós estávamos nele quando ele caiu. Com sua queda, caiu toda a raça humana. Seu pecado nos foi imputado. Como filhos de Adão, todos os seres humanos nascem em pecado. Adão se posicionou na porta de entrada da história e por meio dele o pecado entrou no mundo. Agora todos estão em estado de depravação total. Adolf Pohl diz que todas as pessoas depois de Adão carregam a sua imagem.[529]

Verdade incontestável é a solidariedade da raça humana, seja em Adão ou em Cristo. Há dois homens – Adão e Jesus Cristo – e todos os outros estão dependurados nos cinturões desses dois.[530] William Greathouse diz que todas as pessoas estão em Adão (por nascimento) ou em Cristo (pelo novo nascimento e pela fé). Paulo não pensa na humanidade como uma reunião de indivíduos ao acaso, mas como uma unidade orgânica, um único corpo sob uma única cabeça. Essa cabeça será Cristo ou Adão.[531]

São bem conhecidas as palavras de John Donne, citadas por F. F. Bruce: "Nenhum homem é uma ilha, completa em si mesma; todo homem é um pedaço do continente, uma parte do todo. Se um bloco de terra é arrastado pelas águas, o território fica diminuído, seja a Europa, ou um promontório ou a fazenda dos teus amigos. A morte de cada ser humano *me* diminui, porque estou envolvido na humanidade. Portanto, nunca mande perguntar por quem os sinos dobram: eles dobram por ti".[532] Geoffrey Wilson sintetiza esse ponto com exatidão, quando afirma: "Negar a solidariedade no pecado implica a negação da solidariedade na graça".[533]

Concluímos esse ponto concordando com a afirmação de William Greathouse: "Uma teologia completa do pecado deve girar em torno tanto da solidariedade racial quanto da responsabilidade pessoal".[534]

Em terceiro lugar, *Adão é tipo ou antítipo de Cristo?* Adão é tanto tipo como antítipo de Cristo. É tipo de Cristo porque é o representante da raça quanto à sua queda. Todos nós estávamos em Adão quando ele pecou. Seu pecado foi o pecado de toda a raça. Todos nós herdamos o pecado original de Adão. Somos concebidos em pecado. De igual forma, Cristo é o representante de uma nova raça. Se por uma única transgressão de Adão nos tornamos todos pecadores, por um único ato de justiça de Cristo todos os que creem se tornam justos. É exatamente porque o ato de desobediência de Adão é imputado a outros – os quais nem pessoal nem voluntariamente estavam envolvidos diretamente naquela atividade – que ele é descrito como um tipo de Cristo (5.14). Pois, da mesma forma que o pecado de Adão foi a base de nossa condenação, a justiça de Cristo é a base de nossa justificação. Um pecado de Adão foi suficiente para levar a raça à ruína, mas a obediência de Cristo conferiu justiça a seu povo.[535]

Na mesma linha de pensamento, William Hendriksen escreve: "Como é possível haver alguma semelhança entre Adão e Cristo? É que Adão comunicou aos que eram seus aquilo que lhe pertencia, assim também Cristo outorgou a seus amados aquilo que é seu. É nesse aspecto que Adão prefigura Cristo. Quanto ao restante, contudo, o paralelo é um contraste".[536]

Adão é, sobretudo, antítipo de Cristo. Nele caímos e morremos; em Cristo nos levantamos e vivemos. Por meio do seu pecado entrou a morte no mundo; por meio da obediência de Cristo recebemos vida eterna. Adão é o cabeça federal da velha humanidade; Cristo é o representante da nova humanidade. Pelo pecado de Adão os homens são condenados; pela justiça de Cristo os homens são justificados.

Estamos em Adão ou em Cristo. Não há ponto neutro. Só há dois grupos: os que estão perdidos em Adão e os que estão salvos em Cristo. É importante observar a repetição do artigo *um,* usado dez vezes em Romanos 5.12-21. A ideia central é nossa identificação com Adão e com Cristo.[537]

A queda da raça humana em Adão

Duas verdades são destacadas pelo apóstolo Paulo no texto em apreço:

Em primeiro lugar, *a realidade da queda de Adão* (5.12). A queda de Adão foi o maior desastre da História. Dessa queda decorrem todos os desastres subsequentes. Três fatos merecem atenção:

a. *O pecado entrou no mundo por um homem* (5.12). Embora o pecado já tivesse ocorrido no mundo angelical com a queda de Lúcifer, na história humana o pecado foi introduzido pela queda de Adão. O pecado é uma conspiração contra Deus. É a transgressão da sua lei, um ato de rebeldia e desobediência a Deus. Sendo livre, Adão escolheu desobedecer. Tendo livre-arbítrio, tornou-se escravo do pecado e por meio do seu pecado precipitou toda a raça no estado de rebelião contra Deus. Pecado aqui não é um mero ato, mas um poder vivo, hostil, mortal. É o pecado na sua plenitude – um princípio de revolta que resulta em "muitas ofensas" (5.16). Este é o pecado que entrou no mundo no Éden.[538]

Não apenas herdamos o pecado de Adão, mas somos como ele. Agora, cada qual é seu próprio Adão.[539] O pecado tem sua origem em Adão, porque estamos em Adão de modo especial, não apenas porque ele é a raiz que nos gerou, mas também porque é nosso representante e cabeça.[540] Todos os homens pecaram em Adão, estando nos lombos do seu primeiro pai, o cabeça e o representante da raça.

Pelo menos em cinco ocasiões, nos versículos 15-19, a verdade de que, pelo pecado de um único homem, todos nós pecamos é repetida: "Pela ofensa de um só, morreram muitos" (5.15); "O julgamento derivou de uma só ofensa, para a condenação" (5.16); "Pela ofensa de um e por meio de um só, reinou a morte" (5.17); "Por uma só ofensa, veio o juízo sobre todos os homens para condenação" (5.18) e "Pela desobediência de um só homem, muitos se tornaram pecadores" (5.19).

b. *A morte entrou no mundo pelo pecado* (5.12). A morte é como o outro lado do pecado. Onde vive o pecado, a morte vive no pecado. Onde o pecado reina, ele reina pela morte (5.21). Quando o pecado ordena, a sua moeda corrente de pagamento é a morte (6.23). O pecado é uma existência desolada, sem vida, desconectada. O pecado e a morte são correlatos. Viver no pecado é viver na morte. O ato do pecado abrange toda a morte que flui dele, e nada flui dele exceto a morte.[541]

O pecado é a mãe da morte. A morte é filha do pecado e ao mesmo tempo seu juízo contra ele. A carranca da morte não seria conhecida na história humana não tivesse entrado no mundo o espectro do pecado. William Hendriksen diz que a solidariedade na culpa implica solidariedade na morte, tanto aqui como em 1Coríntios 15.22. Pecado e morte não podem separar-se (Gn 2.17; 3.17-19; Rm 1.32; 1Co 15.22). Em Adão, todos pecaram; em Adão todos morreram.[542] Segundo John Stott, a pena de morte cai hoje sobre todos os homens não apenas porque todos pecaram como Adão, mas porque todos pecaram *em* Adão.[543]

Que tipo de morte entrou no mundo pelo pecado? A morte física, espiritual e eterna. A morte física é a separação entre a alma e o corpo (2Co 5.8); a morte espiritual é a separação entre o ser e Deus, devido a um ato de desobediência (7.9); a morte eterna ou a "segunda morte" é a separação irremediável e eterna entre o homem e Deus. Trata-se da ida da alma e do corpo para o inferno (Mt 10.28). Essas três modalidades de morte são consequência do pecado. O pecado é, portanto, o maior de todos os males. O pecado é pior que a pobreza, que o sofrimento, que a doença e até mesmo pior que a morte. Todos esses males não podem afastar o homem de Deus, mas o pecado o afasta de Deus no tempo e na eternidade. O pecado é de fato maligníssimo.

c. *A morte sobreveio a todos os homens* (5.12). Porque todos pecaram em Adão e porque o salário do pecado é a morte, a morte passou a todos os homens, uma vez que todos pecaram. Ela atinge a todos sem distinção e sem exceção. Repousa seus dedos gélidos sobre ricos e pobres, reis e vassalos, servos e chefes, doutores e analfabetos, pequenos e grandes, velhos e crianças, religiosos e ateus. Não podemos nos esconder da morte. Ela será o último inimigo a ser vencido.

Em segundo lugar, *as consequências da queda de Adão*. A transgressão de Adão trouxe pecado, morte e condenação à raça humana. Destacaremos aqui quatro pontos importantes:

a. *O pecado de Adão impôs o reinado de morte antes da lei* (5.13,14). Paulo já havia feito uma distinção entre o pecado sem lei e o pecado sob a lei (2.12). Aqueles que viveram antes da outorga da lei no Sinai, mesmo não pecando contra proibições específicas, pecaram contra a lei da consciência (2.14,15) e contra a revelação natural (1.20,21). Eles não transgrediram mandamentos objetivos como Adão transgrediu no Éden, comendo do fruto que Deus lhe ordenara não comer, mas pecaram deixando de agir de acordo com a luz recebida. Assim, tinham a culpa, e o resultado foi o reinado cruel da morte nesse tempo. John Stott diz que durante o período entre Adão e Moisés o povo pecou, porém seus pecados não lhe foram levados em conta porque "o pecado não é levado em conta quando não há lei" (5.13). No entanto, ainda que não houvesse lei, as pessoas morriam, porque estavam incluídas em Adão, cabeça da raça humana.[544] John Murray conclui esse ponto dizendo: "Quando todos os fatos da época pré-mosaica são levados em consideração, a única explicação para o domínio universal da morte é a solidariedade de todos os homens no pecado de Adão".[545]

b. *O pecado de Adão lançou todos os homens no abismo do pecado* (5.19). Os efeitos da queda são universais. Porque estávamos nos lombos de Adão quando ele pecou, tornamo--nos pecadores nele e com ele. A partir da queda, todos os homens nascem caídos, contaminados e corrompidos pelo pecado. Com a queda de Adão o homem perdeu o livre-arbítrio. Ele não pode mais fazer o bem. Toda a inclinação do seu coração é para o mal. O homem tornou-se inimigo de Deus, rendido ao pecado.

c. *O pecado de Adão subjugou todos os homens no reinado da morte* (5.13,14,15,17). No território do pecado, a morte passou a reinar como rainha. A morte é tanto a recompensa do pecado como o juízo de Deus sobre ele. Deus já havia dito a Adão que não comesse do fruto proibido, pois se o fizesse certamente morreria. A morte é a justa retribuição divina a essa transgressão deliberada de Adão. John Murray destaca a realidade do reinado da morte. Reinou a morte; não se diz que os súditos da morte reinaram na morte. A morte exerce seu domínio sobre eles. Entretanto, Paulo afirma que os súditos da vida "reinam em vida". Estes são apresentados como quem exerce domínio na vida. A razão pela qual eles reinam em vida é que recebem a abundância da graça e o dom da justiça.[546]

d. *O pecado de Adão sentenciou todos os homens como culpados e condenados no juízo* (5.16,18). O pecado não é algo neutro ou inofensivo. É maligníssimo. É um atentado e uma conspiração contra Deus e seu projeto. O pecado atrai a ira de Deus. Por isso os que vivem no pecado não podem agradar a Deus; antes, permanecem sob sua santa ira. Estão sob sentença de condenação.

A redenção da raça humana em Cristo

Cristo é o segundo Adão. O primeiro Adão caiu num jardim; o segundo Adão triunfou num deserto. O primeiro Adão é da terra; o segundo Adão é do céu. O primeiro Adão introduziu no mundo o pecado e por ele a morte; o segundo Adão trouxe ao mundo a justiça e a imortalidade.

O primeiro Adão foi expulso do paraíso; o segundo Adão nos levará de volta ao paraíso.

Se o primeiro Adão era figura do segundo Adão (5.14), precisamos ressaltar que a obra do segundo Adão foi maior que a tragédia provocada pelo primeiro Adão. A expressão *muito mais*, repetida duas vezes (5.15,17), indica que, em Jesus Cristo, ganhamos muito mais do que tudo o que perdemos em Adão.[547] A graça do segundo Adão é maior que o pecado do segundo Adão. Onde abundou o pecado, superabundou a graça (5.20). Nossa união com Adão significou para nós o reinado do pecado (5.12-14,21) e o reinado da morte (5.14,21), mas nossa união com Cristo significa o reinado da graça (5.15-21) e nosso reinado em vida por meio de Cristo (5.17).[548]

Precisamos acautelar-nos para não chegar a conclusões apressadas e contraditórias na interpretação de Romanos 5.15-19. Uma leitura desatenta pode induzir-nos a pensar que Paulo está ensinando a universalidade da salvação, como universal é o pecado. Essa conclusão, porém, está em total desacordo com o ensino geral da carta (1.16,17; 2.11,12; 3.21–4.25).

Concordo com Adolf Pohl quando ele diz que não nos cabe apagar aqueles capítulos por intermédio deste novo trecho, ou seja, não devemos destruir as Escrituras com as Escrituras, e sim explicar as Escrituras com as Escrituras.[549] Juan Schaal diz, que longe de Paulo pregar uma salvação universal contrária às Escrituras, ele ensina a unidade da raça humana em Adão e da nova raça em Cristo, que é unida mediante sua obra redentora. Assim como Adão é o cabeça federal da raça humana, Cristo é o cabeça da raça espiritual, que significa seu corpo, a igreja. Desta forma, o ponto principal desta passagem é que somos levados a este estado de justificação e vida pela justiça de um homem, Cristo Jesus, assim como fomos levados à perdição pelo pecado de um homem, Adão. Somos condenados em Adão, somos justificados em Cristo.[550]

Há cinco contrastes entre Adão e Cristo nos versículos 15-21. Primeiro, o contraste entre a transgressão de Adão e o dom gratuito de Cristo (5.15). Segundo, o contraste entre as consequências do pecado de Adão e as consequências da obediência de Cristo (5.16). Terceiro, o contraste entre os dois reinos (5.17). Quarto, o contraste entre o "ato único" de Adão e o de Cristo (5.18,19). Quinto, o contraste entre a lei e a graça (5.20,21).

A semelhança entre Cristo e Adão baseia-se no desenrolar dos acontecimentos: nos dois casos, muita gente foi atingida pelo ato de apenas um homem. Esta é a única semelhança entre eles. As diferenças entre a decisão de Adão e a decisão de Cristo são três: a motivação, os efeitos e os resultados. A razão pela qual Adão pecou difere da motivação da morte de Cristo; do mesmo modo, o resultado do pecado de Adão difere do resultado da morte de Cristo. A natureza do ato de Adão não é a mesma natureza do ato de Cristo.[551] Em relação ao contraste entre o primeiro e o segundo Adão, destacaremos esses três aspectos:

Em primeiro lugar, *Cristo foi diferente de Adão quanto à motivação da sua obra* (5.15). Adão pecou e levou a raça a pecar por causa do seu egoísmo. Ele queria fazer sua vontade em detrimento da vontade de Deus; o segundo Adão, embora fosse Deus, esvaziou-se, humilhou-se e, mesmo suando sangue, prontificou-se a fazer não sua vontade, mas a vontade do Pai.

Na mesma linha de pensamento, John Stott diz que a transgressão ou ofensa foi um ato de pecado (a palavra *paraptoma* significa queda ou desvio do caminho). Adão conhecia muito bem o caminho porque Deus o havia indicado, mas ao desviar extraviou-se. Entretanto, a palavra grega para dom, *charisma,* indica um ato de graça. Adão agiu motivado por seu egoísmo; quis afirmar sua própria vontade e preferiu seu próprio caminho. Cristo, ao contrário, agiu motivado pela consciência de renúncia para colocar a nosso alcance sua graça, que não merecíamos.[552]

Em segundo lugar, *Cristo foi diferente de Adão quanto aos efeitos imediatos da sua obra* (5.16). Bastou a transgressão de Adão para precipitar toda a raça no abismo da queda e da condenação. O pecado do primeiro Adão trouxe julgamento sobre toda a raça. Nele caímos e nele fomos julgados. No entanto, a graça é dada dos pecados de todos. Quando Cristo, como nosso representante e fiador, foi à cruz, todas as nossas transgressões foram lançadas sobre ele. Ele carregou no seu corpo sobre o madeiro todos os nossos pecados. Na verdade, ele foi feito pecado por nós. Foi ferido de Deus, moído e traspassado por nossas iniquidades para nos dar a justificação. John Stott diz que o pecado de Adão trouxe condenação (*katakrima*); a obra de Cristo traz justificação (*dikaioma*). Trata-se de uma oposição absoluta entre a condenação e a justificação, entre a morte e a vida.[553]

A força da graça em ação superou a força da sentença de condenação. Acender com um fósforo uma floresta toda na estiagem do verão é facílimo em comparação à tarefa árdua de apagar o incêndio alastrado. No bem, Jesus teve de realizar incomparavelmente mais que Adão realizou no mal.[554]

Em terceiro lugar, *Cristo foi diferente de Adão quanto aos resultados finais da sua obra* (5.17-19). Cranfield diz que a finalidade dos versículos 15-17 é inculcar a ampla dessemelhança entre Cristo e Adão, antes de ser feita a comparação formal entre eles no versículo 18.[555] Destacaremos aqui três pontos:

a. *O reinado da morte* versus *reinado da vida* (5.17). O pecado de Adão introduziu o reinado da morte; mas o dom da justiça, fruto da morte vicária de Cristo, trouxe o reinado da vida. O pecado de Adão gerou morte; a morte de Cristo gerou vida. Os resultados são diferentes e opostos. Nesse sentido Adão não é tipo de Cristo, mas antítipo.

O apóstolo realça que no caso dos crentes o reinado da morte não é meramente substituído pelo reinado da vida, mas por um reinado tão indizivelmente glorioso que aqueles que dele participam serão eles mesmos reis e rainhas.[556] John Stott, na mesma linha de pensamento, diz que antes a morte era o nosso rei e nós éramos escravos, totalmente sujeitos a sua tirania. O que Cristo fez por nós não foi só trocar o reino da morte por um reino muito mais suave, o reino da vida, deixando-nos ainda na condição de súditos. Ao contrário, ele nos liberta tão radicalmente do domínio da morte que nos capacita a trocar de lugar com ela e passar a dominá-la, ou seja, reinar em vida. Nós nos tornamos reis, participantes do reinado de Cristo, tendo agora debaixo de nossos pés a própria morte, que um dia será destruída.[557]

b. *A condenação* versus *a justificação* (5.18). A ofensa de Adão trouxe juízo a todos os homens para a condenação, mas pelo ato de justiça de Cristo veio a graça sobre todos os homens, para a justificação que dá vida. A ofensa de Adão produziu juízo, mas o ato de justiça de Cristo, ou seja, sua morte vicária, produziu justificação. Cristo recebeu em si mesmo o juízo que deveria cair sobre nós. Ele sorveu o cálice amargo da ira que deveria ter sido derramado sobre nós. Ele morreu por nós. Um conhecido cântico *negro spiritual* diz: "Onde estavas tu quando meu Senhor morreu?" A única resposta possível é que nós estávamos lá – e não como meros espectadores, mas como participantes culpados.[558]

c. *Homens pecadores* versus *homens justos* (5.19). A desobediência de Adão tornou pecadores todos os homens, mas a obediência de Cristo tornou justos os crentes. É indubitável que foi na cruz de Cristo e no verter do seu sangue que essa obediência atingiu o ápice, mas essa obediência compreende a totalidade da vontade do Pai consumada por Cristo.[559]

Porque estávamos em Adão, somos todos pecadores; porque estamos em Cristo, somos declarados justos e introduzidos numa relação de justiça. Ó doce permuta, ó inescrutável criação, ó benefícios não procurados, que o pecado de muitos seja posto fora do alcance da vista e lançado sobre um Homem Justo, e a justiça de um justifique muitos pecadores.[560]

O triunfo da graça sobre o pecado (5.20,21)

O apóstolo Paulo destaca três verdades preciosas sobre o triunfo da graça sobre o pecado:

Em primeiro lugar, *a graça é maior que o pecado* (5.20). Assim como o segundo Adão é maior do que o primeiro, assim como a obra de Cristo é maior do que o pecado de Adão, também a graça é maior do que o pecado. A redenção levou o homem não apenas ao seu estado original, mas a horizontes mais sublimes. Não somente restituiu o que ele havia perdido, mas o colocou numa posição superior aos anjos, tornando-o membro da família de Deus.

Onde abundou o pecado, superabundou a graça. Embora a lei tenha avultado o pecado, ela não fez o homem mais pecador. Simplesmente o tornou mais consciente do seu pecado, mais capaz de perceber sua culpa e mais necessitado da graça. Francis Schaeffer reforça essa ideia: "A lei não torna as pessoas pecadoras, mas simplesmente torna mais explícito o fato de que elas são pecadoras".[561] Concordo com Warren Wiersbe quando ele diz: "Deus deu a lei por intermédio de Moisés não para substituir sua graça, mas para revelar a necessidade do ser humano de receber essa graça. A lei é temporária, mas a graça é eterna".[562] A lei é precursora da graça. Sua função não é nos livrar do pecado, mas nos tomar pela mão como aio e nos levar a Cristo, o Salvador.

Em segundo lugar, *a graça desbarata o reinado do pecado* (5.21a). Cranfield corretamente afirma que o triunfo da graça descrito no versículo 20b não era o fim da questão. Sua meta era a expropriação do pecado usurpador e a substituição do seu reino pelo reino da graça.[563] O reinado da graça pela justiça destrona o reinado do pecado pela morte. Esses dois reinos não podem coexistir. São excludentes. O reinado da graça trouxe salvação do pecado, e não no pecado. Pelo reinado da graça somos salvos da culpa do pecado na justificação, do poder do pecado na santificação e da presença do pecado na glorificação.

Concordo com Geoffrey Wilson quando ele diz que a graça não libertou, nem podia libertar, cativos realmente culpados sem pagar o resgate. Ela não passou por cima da justiça, nem ignorou as suas exigências. Ela reina por provisão de um Salvador que sofreu no lugar dos culpados. Pela morte de Jesus Cristo, plena compensação foi apresentada à lei e à justiça de Deus.[564]

Em terceiro lugar, *a graça não apenas anula a sentença de morte, mas dá ao homem a vida eterna* (5.21b). O reinado do pecado produz morte, mas o reinado da graça oferece vida eterna mediante Jesus Cristo, nosso Senhor. A graça abre os portais da vida eterna para os pecadores. O Senhor Jesus recebe os que estavam condenados e mortos no palácio da graça e concede a eles o dom da vida eterna. A linha final, proferida em alto e bom som, "por Jesus Cristo, nosso Senhor", já ocorreu no começo (5.1), no meio (5.11) e retorna neste final (5.21). Ela proporciona coesão ao capítulo todo.[565]

NOTAS DO CAPÍTULO 11

[520] ERDMAN, Charles R. *Comentários de Romanos*, p. 68, 69.

[521] STOTT, John. *Romanos*, p. 173.

[522] BARCLAY, William. *Romanos*, p. 90.

[523] GREATHOUSE, William. *A epístola aos Romanos*, p. 89.

[524] SCHAEFFER, Francis A. *A obra consumada de Cristo*, p. 147.

[525] STOTT, John. *A mensagem de Romanos 5-8*, p. 16.

[526] SCHAEFFER, Francis A. *A obra consumada de Cristo*, p. 145.

[527] WILSON, Geoffrey B. *Romanos*, p. 70.

[528] BRUCE, F. F. *Romanos: introdução e comentário*, p. 103.

[529] POHL, Adolf. *Carta aos Romanos*, p. 96.

[530] BRUCE, F. F. *Romanos: introdução e comentário*, p. 103.

[531] GREATHOUSE, William. *A epístola aos Romanos*, p. 83.

[532] Bruce, F. F. *Romanos: introdução e comentário*, p. 103.

[533] Wilson, Geoffrey B. *Romanos*, p. 70.

[534] Greathouse, William. *A epístola aos Romanos,* p. 86.

[535] Wilson, Geoffrey B. *Romanos*, p. 72.

[536] Hendriksen, William. *Romanos*, p. 238.

[537] Wiersbe, Warren W. *Comentário bíblico expositivo*, p. 688.

[538] Greathouse, William. *A epístola aos Romanos,* p. 84.

[539] Pohl, Adolf. *Carta aos Romanos*, p. 97.

[540] Wilson, Geoffrey B. *Romanos*, p. 71.

[541] Greathouse, William. *A epístola aos Romanos,* p. 84.

[542] Hendriksen, William. *Romanos*, p. 235, 236.

[543] Stott, John. *A mensagem de Romanos 5-8*, p. 17.

[544] Stott, John. *A mensagem de Romanos 5-8*, p. 18.

[545] Murray, John. *Romanos*, p. 217.

[546] Murray, John. *Romanos*, p. 224.

[547] Wiersbe, Warren W. *Comentário bíblico expositivo*, p. 688.

[548] Lee, Robert. *Outline studies in Romans.* Grand Rapids: Kregel Publications, 1987, p. 37.

[549] Pohl, Adolf. *Carta aos Romanos*, p. 96.

[550] Schaal, Juan. *El camino real de Romanos*, p. 71.

[551] Stott, John. *A mensagem de Romanos 5-8*, p. 18.

[552] Stott, John. *A mensagem de Romanos 5-8*, p. 18, 19.

[553] Stott, John. *A mensagem de Romanos 5-8*, p. 19.

[554] Pohl, Adolf. *Carta aos Romanos*, p. 99.

[555] Cranfield, C. E. B. *Comentário de Romanos*, p. 119.

[556] Hendriksen, William. *Romanos*, p. 240.

[557] Stott, John. *Romanos*, p. 182.

[558] Stott, John. *Romanos*, p. 179.

[559] Murray, John. *Romanos*, p. 232.

[560] Bruce, F. F. *Romanos: introdução e comentário*, p. 108.

[561] Schaeffer, Francis A. *A obra consumada de Cristo*, p. 154.

[562] Wiersbe, Warren W. *Comentário bíblico expositivo*, p. 690.

[563] Cranfield, C. E. B. *Comentário de Romanos*, p. 125.

[564] Wilson, Geoffrey B. *Romanos*, p. 77.

[565] Pohl, Adolf. *Carta aos Romanos*, p. 101.

Capítulo 12

O reinado da graça
(Rm 6.1-23)

O APÓSTOLO PAULO acabou de apresentar a doutrina da identificação com Cristo. Em Adão toda a raça caiu em pecado e miséria. Em Cristo, o segundo Adão, porém, fomos libertados do pecado e da morte. Os que estão em Cristo, sob o reinado da graça, foram libertados da tirania do pecado, pois onde abundou o pecado, superabundou a graça (5.20). Somos livres em Cristo. Podemos desfraldar as bandeiras da nossa liberdade!

A abolição da escravatura nos Estados Unidos da América custou alto à nação. Foi necessária uma guerra civil. Abraão Lincoln, 16º presidente, foi assassinado. A 13ª emenda da Constituição que validava a escravidão foi legalmente abolida em 18 de dezembro de 1865. No entanto, a vasta maioria dos escravos do Sul que haviam sido legalmente libertados continuou vivendo como escravos. Um escravo do Estado do Alabama disse: "Nada sei sobre Abraão Lincoln e sobre nossa libertação". Isso é trágico: uma guerra foi travada, um presidente foi assassinado, uma emenda à Constituição passa a ser lei, homens, mulheres e crianças antes escravos foram legalmente alforriados, todavia muitos continuaram vivendo como escravos por causa da ignorância. Há hoje muitos crentes vivendo como escravos. Embora Cristo, o emancipador de escravos, tenha morrido e ressuscitado para a nossa libertação, muitos crentes ainda vivem como cativos, sem desfrutar plena liberdade.

Muitos crentes são ignorantes, não conhecem o que Cristo fez por eles; outros são acomodados, acostumaram a viver como escravos; outros ainda são fracos, vivem com medo do feitor de escravos e deixam de desfrutar sua liberdade.

Em Romanos 6.1-23, Paulo nos mostra que a doutrina da justificação desemboca na santificação. Pela justificação fomos libertados da culpa do pecado, mas na santificação devemos ser salvos do poder do pecado. Vencemos o pecado não sob o regime da lei, mas sob o reinado da graça. A santificação, não menos que a justificação, resulta da eficácia da morte de Cristo e da virtude de sua ressurreição.[566]

A doutrina do reinado da graça, entretanto, levou os libertinos a distorcer o ensino de Paulo. Eles ensinavam que a prática do pecado abre largas avenidas para uma ação mais robusta da graça (6.1). Assim, esses mestres do engano ensinavam que devemos pecar a valer para que a graça seja mais abundante. Paulo reage com firmeza a essa perversão da verdade, dizendo que o reinado da graça nos leva a morrer para o pecado, em vez de nos incentivar a viver nele e para ele. A graça nos livrou não apenas da culpa do pecado, mas também do seu poder. John Stott diz corretamente que o Deus da graça não apenas perdoa pecados, mas também nos liberta de pecar. Pois a graça, além de justificar, também santifica.[567] William Barclay tem toda razão ao destacar que é terrível fazer da misericórdia de Deus uma desculpa para pecar. Seria uma atitude vil um filho considerar-se livre para pecar apenas por saber que seu o pai o perdoaria.[568]

Romanos 6.1-23 é uma resposta àqueles que procuram transformar a graça de Deus em libertinagem. Paulo usa dois argumentos eloquentes para desbaratar as vãs pretensões dos hereges: o primeiro é nossa união com Cristo por meio do batismo (6.1-14), e o segundo, nossa servidão a Deus pela conversão (6.15-23). Há profunda conexão entre esses dois argumentos. Em ambos, Paulo mostra as implicações do reinado da graça.

John Stott vê cinco pontos comuns nesses dois argumentos: primeiro, em ambos vemos a supremacia da graça (5.20,21; 6.15); segundo, em ambos vemos a mesma relação entre o pecado e a graça (6.1,15); terceiro, em ambos Paulo reage à questão com a mesma indignação (6.2,15); quarto, em ambos a ignorância é apontada como base do antinomismo (6.3,16); quinto, em ambos Paulo fala da descontinuidade radical entre a velha e a nova vida (6.2,16).

Consideraremos a seguir esses dois argumentos de Paulo.

Devemos viver em santidade porque estamos unidos a Cristo pelo batismo (6.1-14)

A pergunta que se inicia o capítulo 6 procede da ênfase dada no final do capítulo 5. Se a graça é superabundante onde o pecado é abundante, se a multiplicação das transgressões serve para demonstrar o esplendor da graça, então não deveríamos pecar mais para que Deus seja ainda mais glorificado na magnificência da sua graça? Esta pergunta retratava tanto a distorção antinomiana como a objeção dos legalistas à doutrina da justificação pela graça, por meio da fé, independentemente das obras.

A inferência licenciosa é imediata e energicamente rejeitada por Paulo (6.2). O apóstolo responde neste capítulo tanto à distorção dos antinomianos quanto à objeção dos legalistas.[569] Três verbos regem esta primeira parte da argumentação de Paulo: saber (6.6), considerar (6.11) e oferecer (6.13).

Em primeiro lugar, *devemos saber* (6.1-10). A fé cristã está fundamentada sobre o entendimento. Crer é também pensar. A ignorância da verdade não glorifica a Deus nem nos possibilita crescimento na graça. O segredo de uma vida santificada está na mente. Consiste em *saber* (6.6) e *considerar* (6.11). O que devemos saber?

a. *Nós morremos para o pecado* (6.2). Se morremos para o pecado, como podemos continuar vivendo nele? A morte e a vida não podem coexistir; não podemos estar mortos e vivos ao mesmo tempo, com relação a coisa alguma.[570]

A graça nos salvou do pecado, e não no pecado. O pecado é inadmissível no cristão. Os antinomianos argumentam que o crente pode persistir no pecado, mas Paulo afirma que o crente morreu para o pecado. Não podemos viver no pecado se estamos mortos para ele. Assim como nós morremos pelo pecado em Adão, morremos para o pecado em Cristo.

Concordo com John Stott no sentido de que Paulo declara aqui não a impossibilidade literal da prática do pecado por parte dos crentes, mas a incongruência moral envolvida.[571] Citando Charles Hodge, Juan Schaal diz que tal é a natureza da união do crente com Cristo, que seu viver no pecado não é só uma inconsistência, mas também uma contradição de termos, tanto quanto falar de um homem morto que vive ou de um homem bom que é mau. A união com Cristo, sendo a única fonte de santidade, não pode ser a fonte do pecado.[572]

Adolf Pohl tem razão quando diz que, no exato momento em que a morte acontece, cai por terra qualquer reivindicação diante do falecido. Ninguém pode exigir nada dele. Autoridade financeira, credor ou executor penal podem buscar algo somente dos vivos. Os mortos escapam a todo sistema de compromissos. Morrer muda radicalmente a posição legal. Morrer é libertação. "Morremos para o pecado!", este é um grito de liberdade.[573]

Quero exemplificar esse conceito. Uma mulher no sul dos Estados Unidos da América casou-se com um grande fazendeiro. Ela o amava e o servia com devoção. Quando seu marido morreu, ela mandou embalsamá-lo e colocou-o sentado numa redoma de vidro na entrada da casa. Todos os dias quando voltava para casa, saudava-o: "Olá, John, como vai?" Depois de vários anos, resolveu fazer uma viagem à Europa. Por lá conheceu um homem amável e casou-se com ele. Ao retornarem à América, seu novo marido tomou um grande susto ao entrar no quintal da casa. Carregando a noiva nos braços, chegou à porta e deu de cara com o John. "Quem é este?" A mulher respondeu: "É John. Foi meu primeiro marido, mas é história; ele está morto". O novo marido abriu uma cova e sepultou o ex--marido de sua mulher. Foi exatamente o que Cristo fez. Muitos crentes, porém, colocam o velho homem numa redoma de vidro e o cumprimentam todos os dias, como se ele estivesse vivo. Você é livre! Cristo já emancipou você.

b. *Fomos batizados na morte de Cristo* (6.3). Se o batismo significa a união com Cristo em sua morte, então os crentes morreram, com Cristo quando ele morreu. Conforme William Greathouse a morte na qual fomos batizados é a morte dele, e a nossa morte está ao mesmo tempo incluída na dele.[574] Fomos introduzidos numa relação mística com o novo Adão. Estamos em Cristo, ligados a ele. Ele é o nosso representante e cabeça. Fomos batizados em Cristo Jesus na sua morte.

Quando ele morreu, morremos com ele. Quando ele foi sepultado, fomos sepultados com ele. Assim como estávamos nos lombos de Adão quando ele pecou, estávamos em Cristo quando ele morreu. Sua morte foi a nossa morte. John Stott afirma que fomos unidos a Cristo interiormente pela fé e exteriormente pelo batismo.[575] Paulo, portanto, não se refere aqui à forma do batismo, mas a seu significado, nossa identificação com Cristo em sua morte. O nosso batismo foi uma espécie de funeral. Nessa mesma linha de pensamento, Charles Erdman diz que não é o modo de batismo o elemento importante nesta referência. Paulo enfatiza não o rito ou a cerimônia, mas a proclamação e a fé que acompanham o batismo.[576] De acordo com John Stott, o argumento essencial de Paulo é que ser cristão implica uma identificação vital com Jesus Cristo e essa união é representada por nosso batismo, como se fosse um drama simbólico.[577]

c. *Ressuscitamos com Cristo* (6.4,5). Nossa união com Cristo não é apenas em sua morte, mas também em sua ressurreição. Assim como ele ressuscitou, também ressuscitamos nele para vivermos em novidade de vida. O poder da ressurreição está em nós para vivermos uma vida de poder. O reinado da morte pelo pecado não tem poder mais sobre nós, uma vez que morremos e ressuscitamos com Cristo. A morte e a ressurreição de Cristo não são apenas fatos históricos e doutrinas significativas, mas também experiências pessoais, já que através da fé-batismo nós mesmos viemos a participar deles.[578]

d. *Fomos crucificados com Cristo* (6.6,7). Paulo volta a enfatizar que o crente precisa ser regido pelo conhecimento. Devemos saber que fomos crucificados com Cristo. Alguns pontos aqui precisam ser esclarecidos:

- *Quem é o velho homem que foi crucificado com Cristo?* Certamente é a totalidade de quem éramos antes da nossa conversão. Não se trata apenas da nossa velha natureza, pois esta ainda está presente em nós, mesmo depois da conversão. Não se trata da velha natureza não regenerada, mas da vida anterior não regenerada. Não é meu "eu interior", mas meu "eu anterior". John Murray corretamente diz que "o nosso velho homem" é o homem não regenerado, em sua inteireza, em contraste com o novo homem, regenerado em sua inteireza.[579] William Hendriksen acrescenta que o velho homem é a pessoa como éramos outrora, nossa natureza humana considerada à parte da graça.[580]

Romanos 6.6 não tem o mesmo sentido de Gálatas 5.24. O nosso velho homem já foi crucificado com Cristo. Isso é um fato consumado, e o agente da ação é o próprio Deus. No entanto, crucificar a carne com suas paixões refere-se a algo que deve ser feito sempre, e o agente da ação somos nós mesmos. John Stott diz que a primeira morte é legal, um morrer à penalidade do pecado; a segunda é uma morte moral, um morrer ao poder do pecado. A primeira faz parte do passado, é única e não pode ser repetida; a segunda pertence ao presente e se repete continuamente. Morri para o pecado (em Cristo) uma vez, definitivamente; morro para o eu (como Cristo) diariamente.[581]

- *O que significa o corpo do pecado que deve ser destruído?* Certamente Paulo não está se referindo ao corpo humano, pois este não é em si mesmo pecaminoso, como pensavam os gnósticos. Trata-se da natureza pecaminosa que se expressa por meio do corpo (6.12), ou seja, o corpo condicionado e governado pelo pecado.[582] Trata-se do nosso velho eu, isto é, nossa natureza adâmica. O corpo do pecado é o corpo dominado pelo pecado, o corpo enquanto condicionado e controlado pelo pecado, já que o pecado usa o nosso corpo para os próprios propósitos malignos, pervertendo nossos instintos naturais e transformando a sonolência em preguiça, a fome em glutonaria, e o desejo sexual em luxúria.[583]

- *O que significa ser destruído?* O verbo grego *katargeo* não significa aqui eliminar ou erradicar, mas derrotar, incapacitar e destituir de poder.[584] Destruir aqui não é desaparecer (Hb 2.14), mas ser vencido. Não significa ser aniquilado, mas despojado de poder, subjugado e dominado. A natureza adâmica não é extirpada na conversão, mas recebemos poder para subjugá-la e dominá-la. Warren Wiersbe escreve a esse respeito: "O termo *destruído* não significa 'aniquilado', mas sim 'desativado, tornado ineficaz'. A mesma palavra grega é traduzida por 'desobrigada' em Romanos 7.2. Se o marido de uma mulher morre, ela se vê desobrigada dele quanto à lei e livre para se casar novamente".[585]

- *O que Paulo quis dizer quando afirmou que aquele que morreu justificado está do pecado?* O único jeito de ser justificado do pecado é receber sua paga, é cumprir a sentença. Um preso que cumpre sua sentença está quite com a lei. Se alguém pega trinta anos de cadeia e morre, fica livre da pena. A lei não age sobre quem já morreu. Para F. F. Bruce, a morte paga todos os débitos, de sorte que o homem que morreu com Cristo vê apagado seu registro na lousa, e está pronto para começar vida nova com Cristo, livre do vínculo do passado.[586] William Hendriksen tem razão quando diz que a morte quita todas as dívidas.[587] Quando nos identificamos com Cristo, morremos legalmente para o pecado. Não devemos mais nada à lei. Agora nem o pecado nem a lei têm mais direito legal sobre nós. Concordo com Geoffrey Wilson na seguinte afirmação: "Como a morte liberta o homem de todas as obrigações, assim ela nos liberta a nós que morremos com Cristo, da obrigação de nos sujeitarmos ao reino de nosso velho senhor, o pecado.[588]

Estar justificado do pecado pode dar-se apenas se alguém pagar o preço do pecado, seja o pecador, seja um substituto apontado por Deus para pagar a dívida. Não existe meio de escapar, a menos que alguém assuma a culpa. Um criminoso sentenciado e condenado à prisão precisa cumprir a pena para ficar livre. Uma vez cumprida a sentença, poderá deixar a prisão, justificado. Não precisa temer mais as autoridades, porque as demandas da lei foram cumpridas. O criminoso está justificado do seu pecado. O mesmo princípio é aplicado se a penalidade for a morte. A lei não pode punir quem já morreu. Um morto está quite com a lei. Pois bem, merecíamos morrer por nossos pecados. E morremos, se bem que não pessoalmente, mas na pessoa de Jesus Cristo, nosso substituto, que morreu em nosso lugar.[589] Consequentemente, se estamos mortos em Cristo, estamos justificados do pecado.

- *Viveremos com Cristo* (6.8-10). Já que estamos em Cristo e ele morreu e ressuscitou, então, nós que morremos com

Cristo, também viveremos com ele, e não só no porvir, mas aqui e agora. Sua morte é nossa morte, e sua ressurreição é nossa ressurreição. Sua vida é nossa vida. Assim como a morte não tem mais poder sobre o Cristo ressurreto, assim como Cristo morreu de uma só vez pelo pecado e para o pecado e fez um sacrifício suficiente e cabal não precisando mais repeti-lo, assim como Jesus agora vive para Deus, nós também morremos, ressuscitamos e vivemos para Deus como Cristo e em Cristo.

John Stott corretamente argumenta que Cristo morreu para o pecado quando sofreu o castigo do pecado. Ele morreu por nossos pecados, carregando-os em sua própria pessoa inocente e santa. Carregou nossos pecados e sua justa recompensa. A morte de Jesus foi o pagamento pelo pecado, pelo nosso pecado: ele cumpriu a sentença, pagou a pena e aceitou a consequência. Tudo isto Cristo fez de uma só vez e para sempre, e portanto o pecado já não tem direito algum sobre ele. Se é neste sentido que Cristo morreu para o pecado, nós também, unidos a Cristo, morremos para o pecado neste mesmo sentido. Isto é, morremos para o pecado porque em Cristo sofremos o castigo pelo pecado. E a consequência é que nossa velha vida terminou, e começamos uma nova vida.[590]

Em segundo lugar, *devemos considerar* (6.11). Conforme William Hendriksen, neste ponto a doutrina assume o aspecto de exortação.[591] O termo *considerar* é a tradução de uma palavra grega usada 41 vezes no Novo Testamento – 19 vezes só em Romanos. Significa "levar em conta, calcular, estimar". Devemos levar em conta aquilo que Deus diz em sua Palavra, pois isso vale para a nossa vida.[592]

O verbo grego "considerar" significa ainda fazer escrituração comercial. É aritmética, ou seja, algo exato, real, concreto. É verdade absoluta aqui e em todo o mundo. Deus ordena que façamos a escrituração, lançando na conta a morte do velho homem. Devemos tirar o atestado de óbito do velho homem. A consideração é uma questão de fé que resulta em ação. É como endossar um cheque; se cremos, de fato, que o cheque tem fundos, colocamos nossa assinatura no verso do cheque e sacamos o dinheiro. Considerar não é se apropriar de uma promessa, mas agir em função de um fato. Deus não ordena que morramos para o pecado. Ele diz que estamos mortos para o pecado e vivos para Deus e, em seguida, ordena que ajamos de acordo. O fato continuará sendo válido, mesmo que não obedeçamos.[593]

Já que estamos em Cristo e ele morreu, devemos considerar-nos também mortos para o pecado e vivos para Deus em Cristo Jesus. É como se a nossa biografia fosse escrita em dois volumes. O volume 1 conta a nossa história antes de Cristo; é a história do velho homem. O volume 1 encerrou-se com a morte legal do antigo eu; o volume 2 é a história do novo homem. Ele se abriu com a ressurreição. Não podemos viver mais no volume 1, como se nossa morte e ressurreição com Cristo nunca tivessem ocorrido.[594] O primeiro volume terminou em nossa morte com Cristo. Recebemos o que merecíamos na pessoa do nosso substituto, ou seja, a morte. O primeiro volume já está concluído e fechado. Vivemos agora no segundo volume. É incoerente o cristão viver agora no primeiro volume, pois "como viveremos no pecado, nós os que para ele morremos?" Destacamos, aqui, dois pontos:

a. *Devemos considerar-nos mortos para o pecado* (6.11a). O que isso significa? Não significa que estamos mortos no sentido de insensíveis ao pecado. Paulo não está aqui defendendo a impecabilidade do cristão nem pleiteando a tese da santidade total nesta vida. Uma das evidências da vida é a capacidade de corresponder aos estímulos. Não estamos mortos para o pecado como um gato morto está insensível ao toque.

A Palavra de Deus, a História e nossa experiência provam que não estamos mortos nesse sentido em relação ao pecado. Ainda lutamos contra o pecado, e ele ainda tenazmente nos assedia. John Stott destaca que as biografias que encontramos nas Escrituras, como no decorrer da História, aliadas à nossa experiência, mostram que isso não é verdade. Longe de estar morta, no sentido de inerte, nossa natureza caída está tão viva e ativa que somos seriamente exortados a não obedecer a seus desejos, e o Espírito Santo nos é concedido para que possamos subjugá-los e controlá-los.[595] Não morremos para o pecado no sentido de estarmos insensíveis a ele, como um morto está insensível aos cinco sentidos (6.12,13; 13.14). Nossas tentações vêm do interior, da carne, e não apenas de fora, do mundo e do diabo.

Em que sentido, então, devemos considerar-nos mortos? Nossa morte ao pecado é idêntica à de Cristo (6.10). É legal. É moral. Morremos para o pecado porque em Cristo sofremos o castigo pelo pecado, que é a morte. Morremos em Cristo. A morte de Cristo foi a nossa morte (2Co 5.14). Devemos considerar-nos mortos no sentido de que judicialmente estamos mortos em Cristo. Assim como pelo pecado de Adão morremos no pecado, pela morte de Cristo morremos para o pecado. Podemos agora, andar com a certidão de óbito no bolso, dizendo que o pecado não tem mais domínio sobre nós, no sentido de nos condenar, uma vez que já fomos justificados pela morte de Cristo. A penalidade que deveria cair sobre nossa cabeça caiu sobre Cristo. A condenação que nós deveríamos receber, Cristo recebeu em nosso lugar. O golpe da morte que nós deveríamos ter sofrido, Cristo sofreu por nós. A morte que nós deveríamos suportar, Cristo suportou por nós. A sua morte foi a nossa morte. Assim como Cristo morreu para o pecado, nós também morremos para ele. Porque estamos em Cristo, já sofremos nele a penalidade do pecado, que é a morte. Morremos nele e por intermédio dele. Ao nos unirmos com ele, sua morte tornou-se a nossa morte.[596]

b. *Devemos considerar-nos vivos para Deus* (6.11b). Fomos salvos por Cristo a fim de viver para Deus. Não podemos viver para o pecado nem agradar a nós mesmos. Viver para a glória de Deus é a razão da nossa vida. Devemos deleitar-nos nele. Devemos fechar de uma vez para sempre o volume 1 da nossa biografia e viver doravante apenas no volume 2.

Em terceiro lugar, *devemos oferecer* (6.12-14). O resultado de saber que estamos crucificados com Cristo (6.6) e considerar-nos mortos em Cristo (6.11) deve levar-nos a oferecer nosso corpo a Deus (6.12-14). O corpo do cristão não é apenas morada de Deus, mas também um instrumento nas mãos de Deus. Paulo dá três ordens claras, duas negativas e uma positiva:

a. *Não permita que o pecado domine seu corpo* (6.12). Onde Cristo é Senhor, o poder do pecado tornou-se ilegal (6.7). Deus lhe deu o "cartão vermelho".[597] Paulo não está admitindo que o pecado reina na vida do crente. Aliás, ele nega isso. A sequência é esta: o pecado não exerce o domínio; portanto, não permita que ele reine.[598] O pecado é intruso e embusteiro. Ele pode usar o nosso corpo como uma ponte por meio da qual nos consegue governar. Assim Paulo convoca a rebelar-nos contra o pecado.[599] Geoffrey Wilson diz que o pecado é retratado aqui como um soberano (que reina, v. 12) que exige o serviço militar de seus súditos (exigindo obediência, v. 12), cobra-lhes um imposto em armas (armas da iniquidade, v. 13) e lhes dá seu soldo de morte (o salário, v. 23).[600]

b. *Não ofereçam os membros do seu corpo ao pecado* (6.13a). Os órgãos do nosso corpo (olhos, ouvidos, mãos, pés) devem estar a serviço de Deus, e não do pecado. A vida cristã é mais que um credo, é mais que um sentimento. É ação. William Barclay diz que o sentimento religioso nunca pode ser um substituto do fazer religioso. O cristianismo não pode ser somente uma experiência de um lugar secreto; deve ser uma vida numa praça pública.[601]

c. *Ofereçam-se a Deus* (6.13b). Essa consagração a Deus deve ser um compromisso decisivo e deliberado. Paulo trata aqui de dois reinados: o reinado do pecado e o reinado da graça. No reinado do pecado, as pessoas são escravas, e não livres. Elas se afundam no atoleiro dos vícios e perversões e usam seu corpo para atender os ditames do pecado. No reinado da graça, elas são não apenas livres, mas também chegam a reinar. Uma vez que não estão debaixo do domínio do pecado, não devem oferecer o seu corpo para servi-lo nem os membros do seu corpo para fazer sua vontade. Nosso corpo foi comprado por Deus e deve estar a serviço da glória de Deus. Os membros do nosso corpo não devem ser janelas abertas para o pecado, mas instrumentos da realização da vontade de Deus. Não podemos dar uma parte da nossa vida a Deus e outra parte ao mundo. William Barclay tem razão em dizer: "Para Deus é tudo ou nada".[602] Destacamos aqui dois pontos:

- *O reinado da escravidão.* Quando o pecado reina, os homens se tornam capachos de sua implacável tirania. O reinado do pecado é um domínio de opressão. O pecado escraviza e mata. Os súditos do pecado vivem prisioneiros de suas paixões e oferecem os membros do seu corpo à iniquidade.

- *O reinado da liberdade.* Quando a graça reina, os homens se tornam livres. A graça destrona o pecado. Destrói o senhorio do pecado e capacita o crente a oferecer-se a si mesmo, e a tudo o que lhe pertence, em amorável serviço a Deus.[603] Em vez de viver sob a tirania do pecado, eles podem voluntariamente se consagrar a Deus e oferecer os membros do seu corpo para a prática da justiça. Estar debaixo da lei é aceitar a obrigação de guardá-la e assim incorrer em sua maldição e condenação (Gl 3.10). Estar debaixo da graça é reconhecer a nossa dependência da obra de Cristo para a salvação, e assim ser justificados ao invés de condenados.[604]

Devemos viver em santidade porque nos tornamos escravos de Deus pela conversão (6.15-23)

O reinado da graça está estribado em dois fundamentos: nossa união com Cristo pelo batismo e nossa servidão a Deus pela conversão. Paulo passa do primeiro argumento, nossa união com Cristo em sua morte, para o segundo argumento, nossa servidão em virtude da conversão. A ênfase no primeiro argumento encontra-se naquilo que foi feito por nós (fomos unidos a Cristo), enquanto a ênfase do último está naquilo que nós fazemos (oferecendo-nos a Deus a fim de obedecer-lhe).[605] Em ambos os argumentos Paulo começa com a mesma indagação de espanto: "Não sabeis?... " (6.2,16). John Stott sugere cinco pontos de destaque nessa exposição do apóstolo:[606]

Em primeiro lugar, *o princípio: a autorrendição conduz à escravidão* (6.16). A rendição desemboca em servidão.

O homem é sempre escravo: do pecado ou de Deus. A servidão do pecado torna o homem cativo das paixões; a servidão a Deus o torna livre. É conhecida a expressão de Agostinho: "Quanto mais escravo de Cristo sou, tanto mais livre me sinto". A escravidão de Deus é liberdade; a liberdade do pecado é escravidão. É impossível ser escravo de dois senhores ao mesmo tempo (Mt 6.24). Somos servos de Deus ou do pecado.

Em segundo lugar, *a aplicação: a conversão implica troca de escravidão* (6.17,18). Cristo nos arrancou do cativeiro do pecado. Éramos dominados. Estávamos debaixo de um jugo opressor. Vivíamos na masmorra da culpa, atormentados pelo látego do medo. Livres desse maldito cativeiro, fomos feitos servos da justiça. O servo da justiça é verdadeiramente livre. Pela conversão, saímos de um reino para outro, de um senhor para outro, de um estilo de vida para outro. Vivíamos no reino das trevas, agora estamos no reino da luz. Éramos escravos do diabo, agora somos servos de Cristo. Vivíamos entregues às paixões e iniquidades, agora nos dedicamos à prática da justiça.

O evangelho apostólico é aqui comparado a uma forma ou molde em que o metal derretido é derramado para tomar forma. Esse molde é a norma final que molda o pensamento e a conduta de todos os que são entregues a seu ensino. Poderíamos esperar que a doutrina fosse entregue aos ouvintes, em vez de os ouvintes serem entregues à doutrina. O cristão, porém, não é o senhor de uma tradição, como os rabinos, pois é criado pela Palavra de Deus e permanece em submissão a ela.[607]

Em terceiro lugar, *a analogia: os dois tipos de escravidão são progressivos* (6.19). Sob o reinado do pecado, o homem fazia provisão para agradá-lo; agora, sob o reinado da graça, deve usar no mínimo o mesmo empenho para viver em santidade. Não podemos ser menos consagrados a Deus que um ímpio é dedicado ao pecado. O mundo investe na promoção de suas causas. O pecador vira noites para satisfazer suas paixões. Dedica sua vida, seu tempo, seu dinheiro para agradar a seu senhor. Depois de convertidos, libertos e salvos, teríamos nós uma dedicação inferior quando se trata de agradar ao Senhor? Será que fomos mais dedicados ao diabo ontem do que somos a Jesus hoje?

Em quarto lugar, *o paradoxo: a escravidão é liberdade e a liberdade é escravidão* (6.20-22). Como dissemos anteriormente, a liberdade do pecado é escravidão; a escravidão de Deus é liberdade. A liberdade do pecado desemboca na morte; a escravidão a Deus promove vida. O homem que se julga livre para fazer tudo o que deseja é, na verdade, escravo do pecado. O homem que serve a Deus, embora possa praticar o pecado, opta por obedecer a Deus. O escravo do pecado não pode [fazer/agir]; o escravo da justiça pode não [fazer/agir]. Aquele que é viciado em bebida alcoólica não pode deixar de beber; foi dominado, é escravo; o convertido a Cristo pode beber, mas pode não beber. Ele não está debaixo do copo, mas sobre ele. Ele não é escravo, é livre. Ele não é dominado; tem domínio próprio.

Em quinto lugar, *a antítese suprema* (6.23). No reinado do pecado, os homens recebem seu soldo com juros e correção. Além de todo o tormento que o pecado produz, seu pagamento final é a morte. Salário é aquilo que merecemos por aquilo que fazemos. O pecador merece a morte; ela é seu justo salário. Adolf Pohl diz que não apenas havemos de morrer, nós merecemos morrer, pois o pecado está grávido da morte.[608]

Conforme William Barclay, Paulo usa aqui dois termos militares. A palavra *opsonia,* "salário", era a paga do soldado, algo que ele ganhava arriscando sua vida e com o suor do seu rosto. O salário era algo devido ao soldado e que dele não podia ser tirado. A palavra grega *charisma,* "dádiva", por sua vez, significa a retribuição totalmente livre e imerecida que algumas vezes o exército recebia.[609]

Geoffrey Wilson destaca três comentários importantes sobre salários. Primeiro, como o salário era pago para suprir os custos da vida, o pecado aqui é apresentado como um enganador que promete vida e paga com a morte. Segundo, porque os salários não são limitados a um único pagamento, a sombra da punição final já paira sobre a vida presente. Pois, da mesma forma que a vida eterna já é posse do crente, assim o pecado já oferece a seus escravos veneno mortal tirado do cálice da morte. Terceiro, como "salário" é um termo legal, podemos concluir que o homem só tem direitos em relação ao pecado, e esses direitos se tornam sua condenação. Assim, o homem ceifa na forma de corrupção aquilo que semeou na forma de pecado.[610]

F. F. Bruce diz que o pecado paga salários a seus servos – e o salário é a morte. Deus nos dá não salário, mas algo melhor e muito mais generoso: por sua graça, ele nos dá a vida eterna como livre dom – a vida eterna que nos pertence por nossa união com Cristo.[611]

No reinado da graça, os homens recebem não o que merecem, a morte, mas o favor imerecido de Deus, a vida eterna. A palavra grega *charisma* é usada para definir uma dádiva da graça de Deus. A vida eterna não é um prêmio que conquistamos; mas uma dádiva divina inteiramente gratuita e absolutamente imerecida. A vida eterna é gratuita; a morte é merecida.

Ao fim, então, temos duas vidas e dois destinos. Aqueles que seguem pela estrada da autogratificação terão como destino final a morte espiritual, física e eterna; mas os que são crucificados com Cristo, morrem com ele, são sepultados e ressuscitam com ele para uma nova vida, recebem um dom glorioso, a vida eterna.

Notas do capítulo 12

566 Murray, John. *Romanos*, p. 238.
567 Stott, John. *Romanos*, p. 197.
568 Barclay, William. *Romanos*, p. 98.
569 Murray, John. *Romanos*, p. 238.
570 Murray, John. *Romanos*, p. 239.
571 Stott, John. *Romanos*, p. 200.
572 Schaal, Juan. *El camino real de Romanos*, p. 77.
573 Pohl, Adolf. *Carta aos Romanos*, p. 103.
574 Greathouse, William. *A epístola aos Romanos,* p. 94.
575 Stott, John. *A mensagem de Romanos 5-8,* p. 28.
576 Erdman, Charles R. *Comentários de Romanos*, p. 75.
577 Stott, John. *Romanos*, p. 206.
578 Stott, John. *Romanos*, p. 206.
579 Murray, John. *Romanos*, p. 246.
580 Hendriksen, William. *Romanos*, p. 261.
581 Stott, John. *Romanos*, p. 209, 210.
582 Murray, John. *Romanos*, p. 247.
583 Stott, John. *Romanos*, p. 208.

[584] STOTT, John. *Romanos*, p. 209.
[585] WIERSBE, Warren W. *Comentário bíblico expositivo*, p. 693.
[586] BRUCE, F. F. *Romanos: introdução e comentário*, p. 113.
[587] HENDRIKSEN, William. *Romanos*, p. 262.
[588] WILSON, Geoffrey B. *Romanos*, p. 82.
[589] STOTT, John. *Romanos*, p. 210, 211.
[590] STOTT, John. *A mensagem de Romanos 5-8*, p. 35, 36.
[591] HENDRIKSEN, William. *Romanos*, p. 266.
[592] WIERSBE, Warren W. *Comentário bíblico expositivo*, p. 693.
[593] WIERSBE, Warren W. *Comentário bíblico expositivo*, p. 694.
[594] STOTT, John. *Romanos*, p. 213.
[595] STOTT, John. *Romanos*, p. 202.
[596] STOTT, John. *Romanos*, p. 203, 204.
[597] POHL, Adolf. *Carta aos Romanos*, p. 109.
[598] MURRAY, John. *Romanos*, p. 254.
[599] STOTT, John. *Romanos*, p. 215.
[600] WILSON, Geoffrey B. *Romanos*, p. 85.
[601] BARCLAY, William. *Romanos*, p. 99.
[602] BARCLAY, William. *Romanos*, p. 102.
[603] HENDRIKSEN, William. *Romanos*, p. 269.
[604] STOTT, John. *Romanos*, p. 216.
[605] STOTT, John. *Romanos*, p. 217.
[606] STOTT, John. *Romanos*, p. 217-222.
[607] WILSON, Geoffrey B. *Romanos*, p. 87, 88.
[608] POHL, Adolf. *Carta aos Romanos*, p. 114.
[609] BARCLAY, William. *Romanos*, p. 104, 105.
[610] WILSON, Geoffrey B. *Romanos*, p. 90, 91.
[611] BRUCE, F. F. *Romanos: introdução e comentário*, p. 114.

Capítulo 13

A libertação da lei
(Rm 7.1-25)

ROMANOS 7 É UM DOS TEXTOS mais complexos e difíceis desta carta, talvez um dos mais densos de todo o Novo Testamento. Há uma gama enorme de opiniões dos estudiosos acerca da sua real interpretação. Não há unanimidade entre os exegetas quanto a seu significado primário. Qual é a identidade desse homem desventurado que clama por libertação? Será um impenitente ou um crente? E, se for um crente, será um crente fraco ou um crente maduro?

Tendo provado que o crente morreu para o pecado (capítulo 6), Paulo agora explica a forma pela qual ele se torna morto para a lei (capítulo 7).[612] No texto em apreço, Paulo trata do propósito da lei de Deus. Qual é o lugar da lei na vida do cristão? Ela é a causa do pecado? É a causa da morte? Absolutamente não! "A lei é santa; e o mandamento, santo e justo, e bom" (7.12). A lei de Deus proíbe o pecado, prescreve a justiça e ainda protege contra a transgressão (Sl 119.165). Davi proclama: "A lei do SENHOR é perfeita e restaura a alma" (Sl 19.7). Concordo com F. F. Bruce quando ele diz: "O que está em foco é o conceito errado de que pela penosa conformidade com um código de leis é possível adquirir mérito diante de Deus.[613]

John Stott menciona três grupos que lidam com a lei de formas diferentes:[614]

Em primeiro lugar, *os legalistas*. Estes procuravam observar os preceitos da lei com o propósito de ser salvos (Lv 18.5). Uma vez que não conseguiam cumprir as exigências da lei, os legalistas acabavam ostentando uma religiosidade apenas de aparência. Viviam debaixo de um jugo pesado e queriam colocar essa mesma canga sobre os demais. Para Warren Wiersbe, a deficiência do legalismo é que ele vê os pecados, mas não o pecado (a raiz do problema). O legalismo nos julga de acordo com elementos exteriores, e não com os interiores. Mede a espiritualidade de acordo com o que se deve ou não fazer. O legalista torna-se um fariseu, cujas ações exteriores são aceitáveis, mas cujas atitudes interiores são desprezíveis.[615]

Em segundo lugar, *os libertinos*. De forma diametralmente oposta, estes olhavam para a lei como a causadora de todos os seus problemas. Queriam sacudir o seu jugo para viver sem freios e sem limites. Assim, a graça de Deus é transformada em libertinagem. Esse ainda é o modo de agir da chamada "nova moralidade". Seus seguidores sacudiram de sobre si o jugo divino e anularam a lei moral de Deus.

Contudo, certamente esse não é o significado que Paulo quis dar quando disse que não estamos mais debaixo da lei e sim da graça (6.14). Aqui a antítese é entre a lei e a graça como forma de justificação, e não entre a lei e o Espírito (Gl 5.18) como forma de santificação. De tal forma que, quanto à justificação não estamos mais debaixo da lei, e sim da graça; e, para sermos santificados, não dependemos da lei, mas somos guiados pelo Espírito.[616]

Em terceiro lugar, *os cristãos*. Esses se regozijam tanto em sua libertação da lei, que lhes traz justificação e santificação, como em sua liberdade para cumpri-la. Deleitam-se na lei por ser a revelação da vontade de Deus (7.22), mas reconhecem que a força para cumpri-la não provém da lei, mas do Espírito.[617]

Em síntese, o legalista teme a lei e está debaixo de sua servidão; o libertino detesta a lei e a lança fora; o cristão respeita a lei, à qual ama e obedece.[618]

Tendo considerado essas três vertentes hermenêuticas, analisaremos agora o texto de Romanos 7.1-25.

A libertação da lei (7.1-6)

John Stott elucida essa passagem mostrando que Paulo nos oferece primeiro um princípio (7.1), depois nos dá uma ilustração (7.2,3) e finalmente nos apresenta uma aplicação (7.4-6).[619] Algumas verdades devem ser aqui destacadas:

Em primeiro lugar, *o domínio da lei* (7.1). A lei tem domínio sobre o homem durante toda a sua vida. A palavra grega *kyrieuo* significa "ter domínio ou autoridade sobre". Essa autoridade limita-se à duração da nossa vida. Apenas a morte pode interromper o domínio da lei sobre nós. Se a morte sobrevém, os relacionamentos estabelecidos e protegidos pela lei são dados por terminados. A lei é válida para quem vive; não tem poder sobre um morto. Esse é um axioma legal, universalmente aceito e imutável.[620] Enquanto vivermos, estaremos sujeitos às demandas e penalidades da lei.

Em segundo lugar, *a analogia do casamento* (7.2,3). Paulo compara a lei com um marido e os crentes com uma esposa. Esse casamento é turbulento e conflituoso. A culpa não é do marido. Ele é perfeito. É santo, justo e bom. É espiritual. O problema é que essa esposa nunca consegue agradá-lo, pois é imperfeita, carnal, rendida ao pecado e sempre frustra as expectativas do marido. A lei é como um marido perfeccionista; esse marido condena a esposa por sua menor falha.

Essa mulher (que somos nós) não pode divorciar-se desse marido. O contrato é claro: a lei a prende ao marido enquanto ele viver. Só a morte do marido pode tirar essa mulher desse jugo conjugal, pois a morte muda não apenas as obrigações da pessoa morta, mas também as obrigações dos sobreviventes que com ela mantinham algum contrato.

Geoffrey Wilson diz que a ideia central é que essa morte não apenas encerra um relacionamento, mas abre caminho legal para que a mulher inicie outra união.[621] Isso porque, ainda que o casamento seja para toda a vida, não se estende para além da vida.[622] A única possibilidade de a mulher ficar livre do marido para unir-se a outro marido é a morte dele. Nas palavras de Adolf Pohl, a morte divorcia um matrimônio.[623]

Na metáfora do casamento, o marido morre e a esposa casa-se novamente. No caso em apreço, contudo, não é o marido quem morre (a lei), mas a esposa (o crente). O crente morre ao identificar-se com Cristo na sua morte. Assim como a morte do marido liberta a esposa do vínculo matrimonial, existe uma morte por meio da qual somos libertados da lei. Pois pela morte de Cristo recebemos nossa libertação de todas as exigências da lei. John Murray diz corretamente que, enquanto a lei nos governa, não há a menor possibilidade de sermos libertados da escravidão ao pecado. A única alternativa é sermos desobrigados da lei. Isso ocorre em nossa união com Cristo, em sua morte, pois toda a virtude da morte de Cristo, ao satisfazer as reivindicações da lei, torna-se nossa, e somos livres da escravidão e do poder do pecado a que estávamos consignados pela lei.[624]

Em terceiro lugar, *a legitimidade do novo casamento* (7.4). O segundo casamento é moralmente legítimo porque a morte pôs fim ao primeiro casamento. Somente a morte pode garantir a libertação da lei do casamento e, portanto, o direito de casar-se de novo.[625] Uma vez que a mulher morreu, o vínculo conjugal com o primeiro marido acabou. Ela está morta em relação a esse marido. Uma vez que ela ressuscitou, está livre para pertencer a outro marido.

Desde que Cristo ressuscitou dentre os mortos, não morre mais (6.9). Portanto, essa nova relação matrimonial não será desfeita pela morte, como aconteceu com a antiga relação.[626]

E agora, nesse novo relacionamento, a mulher (o crente) pode frutificar para Deus. Uma vez que morremos com Cristo, fomos libertados da lei. Agora, podemos unir-nos a Cristo, pertencer a ele e frutificar para Deus. Isso implica uma mudança total de relação e lealdade. Adolf Pohl expressa isso de forma magistral: "Qual abismo profundo estende-se, pois, entre nosso outrora e nosso agora, a sepultura de Jesus. Do lado de lá dominava a lei, na margem de cá Cristo nos estende a mão para novas núpcias".[627]

John Stott destaca que estar emancipado da lei não quer dizer estar livre para fazer o que quiser. Ao contrário, a libertação da lei traz não a liberdade de pecar, mas outra classe de servidão (7.6). Somos livres para servir, e não para pecar.[628]

Em quarto lugar, *o contraste entre os dois casamentos* (7.5,6). No primeiro casamento, vivíamos segundo a carne. Naquele tempo, a perfeição do nosso primeiro marido realçava ainda mais nossos erros e paixões pecaminosos. Os frutos que produzimos nesse primeiro casamento foram frutos de morte. Porém, agora, no segundo casamento, libertados desse primeiro marido perfeccionista, morremos para aquilo a que estávamos sujeitos. A força que nos move agora não é mais a caducidade da letra, mas a novidade de espírito.

Na velha ordem estávamos casados com a lei, éramos controlados pela carne e produzíamos fruto para a morte, enquanto como membros da nova ordem estamos casados com o Cristo ressurreto, fomos libertados da lei e produzimos fruto para Deus.[629]

F. F. Bruce diz que a nossa anterior associação com a lei não nos ajudava a produzir os frutos da justiça, mas esses frutos são produzidos com abundância agora que estamos unidos a Cristo. O pecado e a morte foram o resultado de nossa associação com a lei; a justiça e a vida são o produto de nossa nova associação.[630]

A santidade da lei (7.7,13)

Paulo dá uma resposta aos legalistas nos versículos 1-6, mostrando que, por meio da morte de Cristo, ficamos livres do domínio da lei; dá uma resposta aos libertinos nos versículos 7-13 ao rebater as críticas injustas daqueles que culpam a lei como responsável pelo pecado (7.7) e pela morte (7.13), mostrando que o problema não é a lei (7.12), mas nossa natureza pecaminosa (7.8). Já nos versículos 14-25 Paulo descreve o conflito interior do crente e o segredo da vitória em Cristo.[631]

O apóstolo levanta duas perguntas importantes sobre o caráter da lei: A lei é pecado? (7.7). É a causadora da morte? (7.13). Ambas as perguntas têm a mesma resposta: "De modo nenhum!" (7.7,13). Diante do exposto, levantamos dois pontos:

Em primeiro lugar, *as virtudes da lei* (7.12). A lei é santa e o mandamento, santo, justo e bom. Em si mesma a lei é valiosa e esplêndida. É santa. Isso significa que é a própria voz de Deus. O significado básico do termo *hagios,* "santo", é diferente. Descreve o que provém de uma esfera alheia a este mundo, algo que pertence a um campo que está mais além da vida e da existência humana. A lei é também justa. É ela que estabelece todas as relações, humanas e divinas. Finalmente, Paulo diz que a lei é boa, ou seja, foi promulgada para promover o supremo bem.[632]

Nessa mesma linha, John Murray afirma que, na qualidade de santa, justa e boa, a lei reflete o caráter de Deus, sendo a cópia de suas perfeições. Ela traz as impressões de seu autor. Na qualidade de "santo", o mandamento reflete a transcendência e a pureza de Deus, exigindo de nós consagração e pureza correspondentes. Na qualidade de "justo", o mandamento reflete a equidade de Deus e requer de nós, em suas exigências e sanções, nada aquém do que é equitativo. E, na qualidade de "bom", o mandamento promove o mais elevado bem-estar do homem, expressando, desse modo, a bondade de Deus.[633]

O problema não é a lei; somos nós. O primeiro casamento fracassou não pelas falhas do marido, mas pelas fraquezas da esposa. Se pudéssemos viver de acordo com o padrão da lei, o faríamos.

Em segundo lugar, *a malignidade do pecado* (7.13). A lei não é a causadora da morte, mas sim o pecado, assim como o problema de um criminoso não é a lei, mas sua transgressão. Ao exigir de mim o que não faço, a lei me condena e me leva à morte. A lei não me deu poder para fazer o que era certo nem para evitar o que era errado.[634] Mas não há falha na lei; a falha está em mim que não consigo obedecer. Desta forma, a lei revela a gravidade do meu pecado, que produz a morte. Sendo santa, a lei mostra o caráter maligníssimo do meu pecado. O pecado não é apenas maligno. É maligno em grau superlativo. É maligníssimo, a maior de todas as tragédias. É pior que a pobreza, a fome, a doença e a própria morte, pois esses males, embora graves, não nos podem afastar de Deus. O pecado, contudo, nos afasta de Deus agora e por toda a eternidade.

O ministério da lei (7.7-13)

Se a lei não é pecado (7.7) nem provoca a morte (7.13), qual é seu papel? Qual é seu ministério? Qual é seu propósito? Paulo oferece três respostas:

Em primeiro lugar, *o propósito da lei é revelar o pecado* (7.7). O pleno conhecimento do pecado vem pela lei (3.20). A lei é um espelho que revela o ser interior e mostra como somos imundos (Tg 1.22-25). É como um prumo que mostra a sinuosidade da nossa vida. É como um raio-X que diagnostica os tumores infectos da nossa alma. A lei detecta as coisas ocultas na escuridão e as arrasta à luz do dia. É a lei que destampa o fosso do nosso coração e traz à tona a malignidade do nosso pecado.

Digno de nota é o fato de Paulo mencionar o décimo mandamento do decálogo como aquele que o tornou cônscio do seu pecado e abriu seus olhos para a própria devassidão: "Não cobiçarás" (7.7) Os nove primeiros mandamentos da lei são objetivos: "Não terás outros deuses diante de mim"; "Não farás para ti imagem de escultura"; "Não tomarás o nome do Senhor teu Deus em vão"; "Lembra-te do dia do sábado para o santificar"; "Honra a teu pai e a tua mãe"; "Não matarás"; "Não adulterarás"; "Não furtarás"; "Não dirás falso testemunho". Todos esses mandamentos são objetivos, e qualquer tribunal da terra pode legislar sobre eles, fiscalizá-los e condená-los. Mas o décimo mandamento ("Não cobiçarás") é subjetivo, pertence à jurisdição do foro íntimo, e nenhum tribunal da terra tem competência para julgar foro íntimo. A lei de Deus, porém, penetra como uma câmara de raio-X e faz uma leitura dos propósitos mais secretos do nosso coração, trazendo à luz seus desejos pervertidos.

William Greathouse escreve oportunamente: "A lei não é um simples reagente pelo qual se pode detectar a presença do pecado; é também um catalisador que ajuda e até mesmo inicia a ação do pecado sobre o homem. A lei insufla o desejo ilícito".[635] A cobiça, do grego *epithymia,* é algo que se expressa internamente – é um desejo, um impulso, uma concupiscência. Na verdade, inclui todo tipo de desejo ilícito, sendo em si mesma uma forma de idolatria, uma vez que põe o objeto do desejo no lugar de Deus.[636] Segundo F. F. Bruce, *epithymia* pode ser tanto um desejo ilícito como um desejo lícito em si, mas de tão egocêntrica intensidade que usurpa o lugar que somente Deus deve ocupar na alma humana.[637]

Em segundo lugar, *o propósito da lei é despertar o pecado* (7.8). A lei não só expõe o pecado, mas também o estimula e o desperta. Tudo o que é proibido desperta em nós desejo imediato. O pecado encontra no mandamento uma cabeça-de-ponte[638] e uma base para despertar em nós toda sorte de desejos. A palavra grega *aphorme*, "oportunidade", era usada com referência a uma base para operações militares, "o ponto de partida ou base de operações para uma expedição", um trampolim para o próximo ataque. É assim que o pecado estabelece dentro de nós uma base ou ponto de apoio, valendo-se dos mandamentos para nos provocar.[639]

A lógica de Paulo é irrefutável: sem lei, está morto o pecado (7.8). Onde não há proibição, não há transgressão. Sem lei, o pecado não pode ser caracterizado juridicamente (5.13). Unicamente pelo encontro com a lei o pecado se torna passível de ação judicial.[640] No entanto, pela lei vem o pleno conhecimento do pecado. Uma vez que a lei diz "Não cobiçarás", pela cobiça quebramos a lei, e a quebra dessa lei é a perversão do amor, este sim o cumprimento da lei (13.10).[641]

Em terceiro lugar, *o propósito da lei é condenar o pecado* (7.9-11). Onde não há lei, também não há transgressão. Por isso, sem lei o homem tem a sensação de que está vivo. John Murray comenta a expressão de Paulo: "Sem a lei, eu vivia". A palavra "vivia" não pode ter o sentido de vida eterna ou de vida para Deus. Paulo falava sobre a vida baseada na justiça própria, sem perturbações e autocomplacente, que ele levava antes de agirem sobre ele as comoções turbulentas e a convicção de pecado descritas nos versículos anteriores.[642]

William Hendriksen acrescenta que nesse tempo a lei ainda não havia sido gravada em sua consciência nem chegara ser ainda um fardo insuportável para o seu coração. Nesse tempo Paulo pensava que, no campo moral e espiritual, estava fazendo tudo corretamente bem.[643] Porém, quando o preceito chega, o pecado revive e o homem morre. O propósito da lei não é matar, mas dar vida. Contudo, aquilo que era destinado a nos dar vida nos matou, porque o pecado, prevalecendo-se do mandamento, pelo mesmo mandamento nos enganou e nos matou. Assim, o propósito da lei não é apenas revelar e despertar o pecado, mas também condená-lo.

O verbo grego *exapatao,* "enganou", é o mesmo usado em 2Coríntios 11.3, "a serpente enganou a Eva", e em 1Timóteo 2.14, "a mulher, sendo enganada, caiu em transgressão".[644] Paulo diz que o pecado seduz, engana e mata. William Barclay esclarece que o engano do pecado pode ser visto sob três aspectos:[645] 1) Enganamo-nos ao considerar a satisfação que encontraremos no pecado. O pecado é doce ao paladar, mas amargo no estômago. É um embusteiro, pois promete alegria e paga com a tristeza; proclama liberdade e escraviza; faz propaganda da vida, mas seu salário é a morte. 2) Enganamo-nos ao considerar a desculpa que podemos dar por ele. Todo homem pensa que pode estadear sua defesa por ter praticado este ou aquele pecado, mas toda escusa do pecado torna-se nula sob o escrutínio de Deus. 3) Enganamo-nos ao considerar a probabilidade de escapar das consequências do pecado. Ninguém peca sem a esperança de que sairá ileso das consequências do pecado. A realidade inegável, porém, é que cedo ou tarde o nosso pecado nos achará.

Quando um criminoso é apanhado no flagrante de seu delito, a lei exige que ele pague por seu crime. Ele é preso e a lei o condena. Esse transgressor, porém, não pode culpar a lei de ser responsável pelos seus problemas. Ele está preso por causa de seu crime e não por causa da lei. A lei está livre de qualquer culpa. O vilão da história é o pecado. Calvino ressalta que o pecado reside em nós, e não na lei, uma vez que a perversa concupiscência de nossa carne é a sua causa.[646] É certo que a lei expõe, provoca e condena o pecado, mas não é responsável por nossos pecados nem por nossa morte.[647] Assim, a lei não pode salvar-nos porque não podemos cumpri-la, e não podemos cumpri-la por causa do pecado que habita em nós.[648]

A fraqueza da lei (7.14-25)

John Stott tem razão quando diz que a lei é boa, mas também é fraca. Em si, ela é santa; contudo, é incapaz de tornar-nos santos.[649] A fraqueza da lei não está em si mesma, mas em nossa carne (8.4).

Duas coisas merecem atenção neste último parágrafo do capítulo 7 de Romanos:

a. *A mudança do tempo verbal.* Até aqui, Paulo vinha falando no tempo passado; doravante usará o tempo presente. Isso significa que o apóstolo tratará de um conflito pessoal que está enfrentando como crente, e não de um conflito vivido antes de sua conversão. A partir do versículo 14, a linguagem de Paulo é de um homem convertido. No versículo 18, ele reconhece que não há bem nenhum em si mesmo. No versículo 24, solta um lancinante gemido da alma, gritando: "Desventurado homem que sou!" Só uma pessoa convertida tem convicção do pecado. Só um crente maduro lamenta por seus pecados. William Barclay aponta que neste texto Paulo nos dá a própria autobiografia espiritual e desnuda o próprio coração e alma.[650]

b. *A mudança de situação.* Paulo não escrevera sobre uma tese impessoal, mas sobre uma experiência pessoal. Apresentara o próprio dilema, o próprio conflito, a guerra civil instalada em seu peito. Aqui a autobiografia de Paulo é a biografia de todo homem.[651] Vemos o autorretrato de um homem consciente da presença e do poder do pecado em sua vida. O pecado é um tirano cujas ordens ele odeia e despreza, mas contra cujo poder luta em vão.

F. F. Bruce diz que Paulo é um homem que vive simultaneamente em dois planos, ardentemente ansioso por levar uma vida mantida no plano superior, mas tristemente ciente da força do pecado que nele habita e persiste em empurrá-lo para baixo, para o plano inferior.[652] Por um lado ele reconhece que bem nenhum habita nele (v.18), mas, por outro, tem prazer na lei de Deus (7.22).

Concordo com John Murray quando ele diz que a pessoa retratada em Romanos 7.14-25 é alguém cuja vontade se volta para aquilo que é bom (7.15,18,19,21), e o mal que ela comete é uma violação daquilo que quer e prefere (7.16,19,20). O homem de Romanos 7.14-25 faz coisas más, no entanto as abomina. O homem não regenerado aborrece o bem; e o homem de Romanos 7.14-25 odeia o mal.[653]

Reafirmamos nossa convicção de que só um crente pode deleitar-se na lei de Deus. Essa interpretação tornou-se aceita na igreja desde Agostinho.[654] Os reformadores a subscreveram. Os principais exegetas cristãos ainda a sustentam. Hoje, contudo, alguns não apenas a rejeitam, mas falam dela como "relegada ao museu dos absurdos exegéticos".[655] Manifesto apoio, porém, à posição de William Hendriksen: "Segundo a Escritura, é precisamente o cristão que mais progrediu, o crente maduro, que mais profundamente se preocupa com seu pecado. Quanto mais uma pessoa faz progresso na santificação, tanto mais também sentirá aversão pela sua pecaminosidade (Jó 42.6; Dn 9.4,5,8; Is 6.5).[656]

Cinco verdades devem ser aqui destacadas:

Em primeiro lugar, *os conflitos de um salvo* (7.14-17). Alguns pontos devem ser enfatizados:

a. *O conflito entre a natureza da lei e a nossa natureza* (7.14). A lei é espiritual (*pneumatikos*), mas eu sou carnal (*sarkinos*), feito de carne e sangue (1Co 3.1) e, como tal, moralmente impotente perante as tentações.[657] Essa é a batalha cristã entre a carne e o Espírito (Gl 5.17). Quando Paulo diz que é carnal, não está declarando que não é convertido. Essa mesma expressão foi usada para referir-se aos crentes de Corinto (1Co 3.1-3) e Paulo jamais insinuou que eles não fossem convertidos.

Essa batalha interior não é um argumento abstrato usado pelo apóstolo, mas o eco da experiência pessoal de uma alma angustiada.[658] Duas forças antagônicas nos arrastam para direções opostas. Na justificação fomos libertados da culpa do pecado; na santificação estamos sendo libertados do poder do pecado, mas só na glorificação seremos salvos da presença do pecado. Ainda lidamos contra o pecado que tenazmente nos assedia. Temos de reconhecer que os cristãos vivem na tensão entre o "já" do reino inaugurado e o "ainda não" da consumação.[659] A análise que Paulo faz da lei aqui tem um propósito prático. Ele argumenta que a lei não pode justificar nem santificar. A lei é poderosa para condenar, mas incapaz de salvar o pecador (7.7-13). É rápida para detectar, mas impotente para remover o pecado que permanece no crente (7.14-25).[660]

b. *O conflito entre o saber e o fazer* (7.15). Não compreendemos nosso modo de agir, pois não fazemos o que preferimos e sim o que detestamos. Somos seres ambíguos e contraditórios. Há uma esquizofrenia embutida em nosso ser. Sabemos uma coisa e fazemos outra. Ovídio, o poeta romano, escreveu a famosa máxima: "Eu vejo as coisas melhores e as aprovo; mas sigo as piores".[661] Concordo com Charles Erdman no sentido de que não há humana criatura que não tenha consciência de que forças conflitantes do bem e do mal contendem furiosamente para assenhorear-se da alma.[662] O positivismo de Augusto Comte estava equivocado quando afirmou que a maior necessidade do homem é a educação. O conhecimento não é suficiente para mudar a vida do homem. Não basta informação, é preciso transformação. Não somos o que sabemos; somos o que fazemos.

c. *O conflito entre a liberdade e a escravidão* (7.16,17). Não basta decidir fazer algo, é preciso fazê-lo. Intenção não equivale a realização. O pecado gera em nós tal conflito que acabamos fazendo o que não queremos e deixando de fazer o que desejamos. Somos livres em Cristo, mas ao mesmo tempo o pecado ainda está em nós, de modo que fazemos o que não queremos. Assim, não há conflito entre a lei e o crente; o conflito é entre a lei e aquilo que o próprio crente condena.[663] Existe uma diferença total entre o pecado que sobrevive e o pecado que reina, entre o regenerado em conflito com o pecado e o não regenerado complacente com o pecado. Uma coisa é o fato de o pecado viver em nós; outra é o fato de vivermos em pecado.[664]

Em segundo lugar, *a impotência do velho homem* (7.18-20). Destaco aqui três verdades:

a. *A consciência da fraqueza* (7.18). Paulo confessa sua fraqueza. Ele sabe que nenhum bem habita em sua carne, uma vez que não há nele poder para fazer o bem que deseja. O velho homem não é aniquilado na conversão. Ele ainda habita em nós. Embora não tenha poder legal de nos dominar, muitas vezes ele revela quão fracos somos.

b. *A consciência da contradição* (7.19). Somos criaturas ambíguas, paradoxais e contraditórias. Não fazemos o bem que preferimos e sim o mal que não queremos. Em cada pessoa há duas naturezas, duas tendências, dois impulsos.

c. *A consciência da escravidão* (7.20). Quando fazemos o que não queremos e deixamos de fazer o que desejamos, admitimos que o agente em nós operante não é nossa vontade, mas o pecado que habita em nós.

Em terceiro lugar, *a guerra interior do crente* (7.21-23). O crente é uma guerra civil ambulante. Há em seu interior o novo homem, guiado pelo Espírito, que tem prazer na lei de Deus, e há também o velho homem, agarrado ao mal (7.21). Esse homem interior, o novo homem, tem prazer na lei de Deus (7.22), enquanto o pendor da carne é inimizade contra Deus, pois não está sujeito à lei de Deus nem mesmo pode estar (8.7). Robert Lee diz que a consciência dessa guerra interior é uma das maiores evidências de que somos filhos de Deus.[665]

Em quarto lugar, *o clamor de um remido* (7.24). Concordo com o uso que F. F. Bruce faz das palavras de MacFarlane, ao afirmar que os crentes em Cristo são perfeitos quanto à justificação, mas sua santificação apenas começou. Esta é uma obra progressiva. Quando creram em Cristo, sabiam pouco da fonte de corrupção que neles há. Quando Cristo se fez conhecido como seu Salvador, o Bem-amado de sua alma, a mente carnal parecia ter morrido, mas logo eles viram que não estava morta. Assim, alguns vieram a experimentar mais aflições da alma depois da sua conversão do que quando foram despertados para o sentimento de sua condição de perdidos. "Desventurado homem que sou! quem me livrará do corpo desta morte?" é o clamor deles, até que sejam aperfeiçoados em santidade. No entanto, aquele que começou boa obra neles a realizará até o dia de Cristo Jesus.[666]

O grito "desventurado homem que sou", portanto, não é o desabafo de dor de uma alma perdida, nem o apelo desnorteado de alguém que está sob convicção de pecado, sem esperança. É a linguagem de um homem que está ansioso e quase desmaiando, porque não vê ajuda suficientemente próxima.[667]

O que Paulo quis dizer com a expressão "o corpo desta morte"? Os gregos acreditavam que o corpo é o cárcere da alma, aquela composição de barro, aquela estátua modelada, aquela tão cerrada casa da alma que esta nunca põe de lado, mas carrega penosamente como a um cadáver, do berço ao túmulo. Epíteto chegou a falar de si como "uma pobre alma algemada num cadáver. Alguns comentaristas pensam que Paulo está usando uma figura emprestada do relato que Virgílio fez do costume que Mezêncio, rei dos etruscos, tinha de amarrar seus prisioneiros vivos a cadáveres em decomposição.[668] Certamente, Paulo não está falando que o mal está arraigado no corpo físico. O cristianismo não subscreve o pensamento grego. Não cremos nesse dualismo maniqueísta do espírito bom e matéria má. O mal está arraigado mais profundamente. Esse corpo da morte (7.24) tem o mesmo significado do "corpo do pecado" (6.6). Trata-se daquela herança da natureza humana sujeita à lei do pecado e da morte a que todos os filhos de Adão estão submetidos.[669]

Em quinto lugar, *a exultação de um remido* (7.25). Tanto o clamor quanto a exultação procedem da mesma pessoa: um crente convertido que lamenta sua corrupção e que anseia por uma libertação final no dia da ressurreição; ele sabe que a lei é incapaz de resgatá-lo, mas exulta em Deus por meio de Cristo como o único Salvador.[670]

O grande reformador Melanchton escreveu sobre a força do velho homem e a gloriosa libertação que temos em Cristo: "O velho Adão é muito forte para o jovem Melanchton, mas graças a Deus ele não é suficientemente forte para Cristo. Jesus Cristo, nosso Senhor, nos dará a vitória, dia-a-dia e durante todos os dias".[671]

NOTAS DO CAPÍTULO 13

[612] WILSON, Geoffrey B. *Romanos*, p. 91.
[613] BRUCE, F. F. *Romanos: introdução e comentário*, p. 116.
[614] STOTT, John. *Romanos*, p. 228.
[615] WIERSBE, Warren W. *Comentário bíblico expositivo*, p. 696, 701.
[616] STOTT, John. *Romanos*, p. 227, 228.
[617] STOTT, John. *Romanos*, p. 228.
[618] STOTT, John. *A mensagem de Romanos 5-8*, p. 53.
[619] STOTT, John. *A mensagem de Romanos 5-8*, p. 56.
[620] STOTT, John. *Romanos*, p. 229, 230.
[621] WILSON, Geoffrey B. *Romanos*, p. 92.
[622] HENDRIKSEN, William. *Romanos*, p. 285.
[623] POHL, Adolf. *Carta aos Romanos*, p. 116.
[624] MURRAY, John. *Romanos*, p. 270.
[625] STOTT, John. *Romanos*, p. 230.
[626] BRUCE, F. F. *Romanos: introdução e comentário*, p. 118.

[627] POHL, Adolf. *Carta aos Romanos*, p. 117.

[628] STOTT, John. *A mensagem de Romanos 5-8*, p. 58.

[629] STOTT, John. *Romanos*, p. 258.

[630] BRUCE, F. F. *Romanos: introdução e comentário*, p. 118.

[631] STOTT, John. *A mensagem de Romanos 5-8*, p. 53.

[632] BARCLAY, William. *Romanos*, p. 108.

[633] MURRAY, John. *Romanos*, p. 280.

[634] BRUCE, F. F. *Romanos: introdução e comentário*, p. 122.

[635] GREATHOUSE, William. *A epístola aos Romanos,* p. 105.

[636] STOTT, John. *Romanos*, p. 241.

[637] BRUCE, F. F. *Romanos: introdução e comentário*, p. 120.

[638] [NR]: O Houaiss dá como definição de cabeça de ponte: Posição fortificada mais ou menos provisória, que a vanguarda de um exército invasor estabelece para além de um obstáculo natural, ger. em território inimigo, para garantir o acesso de tropas, armamentos e provisões à frente de combate.

[639] BRUCE, F. F. *Romanos: introdução e comentário*, p. 121; STOTT, John. *Romanos*, p. 242.

[640] POHL, Adolf. *Carta aos Romanos*, p. 119.

[641] BRUCE, F. F. *Romanos: introdução e comentário*, p. 121.

[642] MURRAY, John. *Romanos*, p. 278.

[643] HENDRIKSEN, William. *Romanos*, p. 293, 294.

[644] BRUCE, F. F. *Romanos: introdução e comentário*, p. 122.

[645] BARCLAY, William. *Romanos*, p. 110.

[646] CALVINO, João. *Epístola a los Romanos*, p. 176.

[647] STOTT, John. *A mensagem de Romanos 5-8*, p. 62.

[648] STOTT, John. *Romanos*, p. 245.

[649] STOTT, John. *Romanos*, p. 245.

[650] BARCLAY, William. *Romanos*, p. 107.

[651] BRUCE, F. F. *Romanos: Introdução e Comentário*, p. 120, 121.

[652] BRUCE, F. F. *Romanos: introdução e comentário*, p. 122.

[653] MURRAY, John. *Romanos*, p. 285.

[654] MURRAY, John. *Romanos*, p. 284.

[655] BRUCE, F. F. *Romanos: introdução e comentário*, p. 120.

[656] HENDRIKSEN, William. *Romanos*, p. 301, 302.

[657] GREATHOUSE, William. *A epístola aos Romanos,* p. 108.

[658] BRUCE, F. F. *Romanos: introdução e comentário*, p. 123.

[659] STOTT, John. *Romanos*, p. 249.

[660] WILSON, Geoffrey B. *Romanos*, p. 100.

[661] BARCLAY, William. *Romanos*, p. 111.

[662] Erdman, Charles R. *Comentários de Romanos*, p. 83.

[663] Wilson, Geoffrey B. *Romanos*, p. 102.

[664] Wilson, Geoffrey B. *Romanos*, p. 103.

[665] Lee, Robert. *Outline studies in Romans*, p. 42.

[666] Bruce, F. F. *Romanos: introdução e comentário*, p. 125, 126.

[667] Wilson, Geoffrey B. *Romanos*, p. 107.

[668] Bruce, F. F. *Romanos: introdução e comentário*, p. 126.

[669] Bruce, F. F. *Romanos: introdução e comentário*, p. 126.

[670] Stott, John. *Romanos*, p. 256.

[671] Lee, Robert. *Outline studies in Romans*, p. 42.

Capítulo 14

A nova vida em Cristo
(Rm 8.1-17)

No CAPÍTULO 7, PAULO desceu às regiões mais baixas do desespero humano, quando chegou a uma dolorosa constatação e fez uma desesperadora pergunta: "Desventurado homem que sou! Quem me livrará do corpo desta morte?" (7.24). No capítulo 8, Paulo sobe às regiões mais altas da exultação e responde com confiança: "Agora, pois, já nenhuma condenação há para os que estão em Cristo Jesus" (8.1).

O capítulo 7 menciona o Espírito Santo apenas uma vez, e isso indiretamente (7.6); no capítulo 8, o Espírito aparece dezessete vezes e está no centro das atenções do apóstolo. No capítulo 7, o *eu* está no centro e o resultado é morte; no capítulo 8, o *Espírito Santo* está no centro e o resultado é vida. Isso levou A. Skevington Wood a chamar esta seção de "o pentecostes de Romanos".[672] Para John Stott, o contraste essencial que Paulo apresenta aqui é entre a fragilidade da lei e o poder do Espírito Santo. Não haveria discipulado cristão sem o Espírito, uma vez que ele é quem nos vivifica, anima, sustenta, orienta e enriquece.[673]

Duas verdades básicas são mencionadas no texto em apreço: a atividade salvadora de Deus por nós[674] e o multiforme ministério do Espírito Santo em nós. Consideraremos a seguir esses dois pontos.

A atividade salvadora de Deus por nós (8.1-4)

O homem não pode salvar a si mesmo. Seus predicados morais não podem recomendá-lo a Deus. A lei, embora espiritual, santa, justa e boa, não pode justificá-lo nem salvá-lo. Ao contrário, ela apenas realça seu pecado para condená-lo. Na verdade, o propósito da lei não é tirar o nosso pecado, mas convencer-nos dele. O papel da lei não é ser nosso salvador, mas ser nosso pedagogo para nos conduzir ao Salvador. Veremos agora como Deus fez o que a lei não podia fazer. Destacaremos quatro pontos importantes:

Em primeiro lugar, *o fato glorioso* (8.1). Justificados por Deus por intermédio de Cristo, estamos livres da condenação. A justificação é um ato legal e forense de Deus a nosso respeito. Porque estamos livres do casamento com a lei (7.1-4), já que morremos e ressuscitamos com Cristo, a penalidade da lei foi cumprida, a justiça foi satisfeita e agora não pesa mais sobre nós nenhuma culpa. A condenação do pecado que deveria ter caído sobre nós caiu sobre Cristo, que morreu em nosso lugar e em nosso favor. Agora, pois, estamos quites com a lei e com a justiça divina diante do seu justo tribunal. Ninguém nos pode acusar porque é Deus quem nos justifica (8.33). Ninguém nos pode condenar, pois Cristo morreu, ressuscitou, está à destra de Deus e intercede por nós (8.34). O resultado disso é *nenhuma condenação.*

William Greathouse diz que "condenação" aqui é mais que uma absolvição judicial.[675] John Murray aponta que "nenhuma condenação" se refere à libertação não apenas da culpa, mas também do poder escravizante do pecado.[676] De acordo com F. F. Bruce, a palavra grega *katakrima,* "condenação", não significa provavelmente condenação, mas a punição que se segue à sentença. Assim, não há razão para nós, que estamos em Cristo, continuarmos fazendo trabalhos forçados penais, como se nunca tivéssemos sido perdoados e libertados da prisão do pecado.[677]

Digno de nota é o fato de que somos justificados não pelas obras da lei, mas pela obra de Deus em Cristo. Não são as nossas obras que nos salvam, mas a obra de Cristo na cruz por nós. Desde que a lei foi cumprida e a justiça satisfeita, Deus nos declara inocentes, inculpáveis e salvos. Embora a santificação esteja presente em todo o capítulo 8 de Romanos, seu ponto nevrálgico é a garantia da salvação. Paulo começa com "nenhuma condenação" (8.1) e termina com "nenhuma separação" (8.39), em ambos os casos referindo-se àqueles que "estão em Cristo Jesus".[678]

Em segundo lugar, *a explicação perfeita* (8.2). Na antiga ordem estávamos sujeitos à lei do pecado e da morte, e nesse tempo o fruto que colhíamos era a escravidão; mas agora estamos debaixo da lei do Espírito da vida e o resultado é a libertação. Se a ênfase do versículo 1 era *nenhuma condenação,* a ênfase do versículo 2 é *nenhuma escravidão.*

Conforme F. F. Bruce, a velha escravidão da lei foi abolida; o Espírito introduz os crentes numa nova relação como filhos de Deus, nascidos livres.[679]

A vida no Espírito não é uma obediência exterior a um código produtor de morte, mas também não é um misticismo disforme sem relação com a vontade revelada de Deus.[680] De que fomos libertados? Da lei do pecado e da morte. Como fomos libertados? Pela lei do Espírito de vida. O Espírito é o doador da vida física e espiritual. É ele quem nos vivifica, nos regenera e nos dá o novo nascimento. É ele quem nos comunica a vida de Deus e esculpe em nós o caráter de Cristo. John Murray diz que a "lei do Espírito de vida" é o poder do Espírito Santo agindo em nós para nos tornar livres do poder do pecado, que conduz à morte.[681]

Em terceiro lugar, *a causa divina* (8.3). Quatro pontos merecem destaque:

a. *A impossibilidade da lei* (8.3a). A lei estava impossibilitada de nos salvar porque estava enferma por causa da carne. A lei não podia justificar-nos nem nos santificar. Geoffrey Wilson diz que a lei podia condenar o pecador, mas não podia anular o domínio do pecado.[682] Não é que a lei era fraca, nós é que éramos fracos. Como disse Stott, "a impotência da lei não é intrínseca; não reside nela mesma, mas em nós, em nossa natureza caída".[683] Não podíamos atender as demandas da lei, pois ela exigia de nós a perfeição, mas não nos dava poder para fazer o que era certo nem evitar o que era errado.

b. *A intervenção divina* (8.3b). O que a lei não podia fazer, Deus fez. Ele enviou ao mundo o seu próprio Filho. Nossa salvação é um projeto eterno de Deus, o Pai, realizada pelo Deus, o Filho, e aplicada pelo Deus, Espírito Santo. Deus nos justifica por meio do seu Filho e nos santifica pelo seu Espírito. O plano da salvação é essencialmente trinitário, pois o meio da justificação proporcionado por Deus não é a lei, mas a graça, e seu meio de santificação não é a lei, mas o Espírito.[684] Vale ressaltar que não foi a cruz que tornou o coração de Deus favorável ao homem, mas foi o amor eterno de Deus que providenciou a cruz.

c. *A encarnação de Cristo* (8.3c). Cristo entrou no mundo "em semelhança de carne pecaminosa e no tocante ao pecado..." Paulo escolheu cuidadosamente as palavras aqui, sob a assistência do Espírito Santo. Se apenas tivesse dito que "Deus enviou o seu Filho em semelhança de carne", estaríamos caindo na heresia do docetismo, que defendia a tese de que a encarnação de Cristo era apenas aparente, e não real. Se Paulo apenas tivesse dito que "Deus enviou o seu Filho em carne pecaminosa", estaríamos subscrevendo a heresia do gnosticismo, que afirmava que Jesus não podia ser Deus nem perfeito, uma vez que a matéria é essencialmente má. O que Paulo está dizendo é que a encarnação de Cristo é real. Cristo se fez carne, mas não se tornou pecador. Assumiu a nossa carne, mas não a nossa natureza pecadora.[685] Geoffrey Wilson lança luz sobre o assunto: "A encarnação pôs o Filho na mais estreita das ligações possíveis com nossa condição pecaminosa, sem se contaminar com o pecado. E o sentido aqui é que, quando o Filho participou da nossa condição, ele venceu o pecado na carne, isto é, no campo mesmo onde o pecado tomara posse".[686]

d. *A condenação do pecado* (8.3d). A conclusão de Paulo desbanca todas as vás pretensões dos hereges: "... e, com efeito, condenou Deus, na carne, o pecado". O verbo grego *katekrinen* refere-se tanto ao pronunciamento da decisão quanto à execução da sentença.[687] Deus lançou nossos pecados sobre Cristo na cruz (Is 53.6). Cristo carregou em seu corpo, sobre o madeiro, nossos pecados (1Pe 2.24). Ele foi feito pecado por nós (2Co 5.21). Nesse momento, então, Deus condenou na carne do seu Filho o nosso pecado. John Stott diz corretamente que Deus julgou os nossos pecados na humanidade sem pecado de seu Filho, que os carregou em nosso lugar.[688] Nessa mesma linha, F. F. Bruce diz que, em sua natureza humana, foi dada e executada a sentença sobre o pecado. Portanto, para os que estão unidos a Cristo, o poder do pecado foi destruído.[689] O pecado, a partir de então, foi destituído do seu poder autocrático. O pecado tornou-se um poder derrotado, um tirano destronado.[690]

Em quarto lugar, *o objetivo prático* (8.4). Quando Cristo morreu, morremos com ele. Quando cumpriu a lei, cumprimos a lei nele. Assim, a lei não foi ab-rogada, mas cumprida. Porque estávamos em Cristo, os preceitos da lei se cumpriram em nós; porque estamos no Espírito e não mais na carne, andamos no Espírito, numa nova dimensão espiritual.

Concordo com John Stott quando diz que o versículo 4 é de grande valia para compreendermos a santidade cristã. e isso por três razões:

a. *A santidade é o propósito supremo da encarnação e da expiação de Cristo.* O propósito de Deus não era apenas justificar-nos, livrando-nos da condenação da lei, mas também santificar-nos por meio da obediência aos mandamentos da lei.

b. *A santidade consiste em cumprir a justa exigência da lei.* A lei moral não foi abolida para nós; ela deve ser cumprida em nós. Embora a obediência à lei não seja a base da nossa justificação, é fruto da nossa justificação, e é exatamente isso o que significa santificação. Estamos livres de guardar a lei enquanto ela constitui um meio para sermos aceitos por Deus, porém estamos obrigados a guardá-la enquanto ela constitui o caminho para a santidade.[691]

c. *A santidade é obra do Espírito Santo.* A santidade é fruto da graça trinitária: é o Pai que envia seu Filho ao mundo e seu Espírito ao nosso coração.[692]

Concordo com Francis Schaeffer quando ele diz que fomos salvos para ir ao céu e também para cumprir a lei, coisa que não podíamos fazer antes. Deus nos salvou para andarmos em novidade de vida (6.4), a fim de frutificar para Deus (7.4) e cumprir o preceito da lei em nós (8.4).[693]

O multiforme ministério do Espírito em nós (8.2-17)

Transborda no texto em tela a ação multiforme do Espírito Santo. Verdadeiramente, a nossa salvação é obra do Deus triúno. Já vimos como o Pai enviou o Filho e como o Filho morreu em nosso lugar; agora, porém, examinaremos a obra do Espírito Santo em nós.

Em primeiro lugar, *o Espírito Santo nos liberta da escravidão* (8.2). A lei do Espírito da vida é que nos livra da lei do pecado e da morte. Quando dependíamos de nós mesmos para atender às demandas da lei, vivíamos prisioneiros do pecado e caminhávamos para a morte; mas, agora, uma vez que o Espírito Santo habita em nós, saímos da masmorra do pecado e fomos libertados da sua tirania. Somos livres não para desobedecer à lei, mas para cumpri--la. Só o Espírito Santo pode capacitar-nos a obedecer à lei.

Em segundo lugar, *o Espírito Santo nos capacita a obedecer os preceitos da lei* (8.4). Na antiga aliança, tudo vinha de nós, nada de Deus; na nova aliança, tudo vem de Deus, nada de nós. Outrora a lei mostrava nosso pecado, mas não nos capacitava a triunfar sobre ele; agora o Espírito, que habita em nós, nos capacita a vencer o pecado, a obedecer a lei e a nos deleitar nela.

Em terceiro lugar, *o Espírito Santo nos predispõe para a santidade* (8.5-8). O apóstolo Paulo trata nos versículos 5-8 de uma antítese. As duas forças que operam no homem são a carne e o Espírito, dois modos de vida conflitantes. Somos governados por um ou por outro. Warren Wiersbe explica que Paulo não descreve aqui dois tipos de cristão, um carnal e outro espiritual. Antes, contrasta os que têm a salvação com os que não têm.[694] A carne escraviza, o Espírito Santo liberta; a carne produz tormento, o Espírito Santo, paz; a carne dá para morte; o pendor do Espírito, para a vida e a paz. William Greathouse destaca, porém, que a vida no Espírito não elimina a possibilidade de pecar, mas nos confere o poder de não pecar.[695]

Geoffrey Wilson corretamente afirma que ter a mente ou a inclinação da carne é estar naquele estado de morte espiritual que atinge o ápice na segunda morte, a morte eterna que é o salário do pecado (6.23). Ter a mente do Espírito, no entanto, é gozar agora os primeiros frutos da vida e receber no porvir toda a colheita (8.11).[696]

É preciso deixar claro, entretanto, que, quando Paulo fala em *sarx,* "carne", ele não se refere ao tecido muscular mole e macio que cobre o nosso esqueleto, nem aos instintos e apetites do nosso corpo, mas ao todo que compõe a nossa natureza humana, vista como corrupta e irredimida, ou seja, nossa natureza humana caída e egocêntrica.[697] William Greathouse acrescenta que a *carne* é mais que sensualidade, é mais que luxúria sexual. É o homem vivendo no nível terreno e material, separado de qualquer contato com o espiritual.[698] Adolf Pohl conclui afirmando corretamente que *carne* não designa o que é material, físico e visível. Sobre a realidade visível, inclusive a corporalidade humana, alimentação, sexualidade, trabalho e cultura, pairava originalmente a alegria plena do Criador (Gn 1.4,10,12,18,21,25,31).[699]

Ressaltamos aqui dois pontos:

a. *Duas forças antagônicas operam no homem* (8.5). Paulo diz que aqueles que se inclinam para a carne cogitam das coisas da carne, mas os que se inclinam para o Espírito, das coisas do Espírito. Trata-se de nossas preocupações, das ambições que nos movem, de como ocupamos nosso tempo, dinheiro e energias, das coisas às quais nos dedicamos.[700] O Espírito inclina nossa mente para desejá--lo. Essa inclinação é um pendor, um desejo forte que nos impulsiona e nos arrasta. Os que são dominados pela carne buscam agradar a carne e praticar suas obras (Gl 5.19-21), mas os que se inclinam para o Espírito, cogitam das coisas do Espírito.

b. *Dois resultados opostos são colhidos pelos homens* (8.6-8). Enquanto o pendor do Espírito produz vida e paz, o pendor da carne dá para a morte. O pendor da carne é inimizade contra Deus. O pendor da carne não está nem pode estar sujeito à lei de Deus. Há uma tendência de rebeldia no pendor da carne e uma incapacidade inerente de obediência nesse pendor. O resultado óbvio é que os que estão na carne não podem agradar a Deus, porque a única maneira de agradá-lo é submeter-se e obedecer à sua lei.

O versículo 8 ensina com diáfana clareza a doutrina da depravação total. Conforme Geoffrey Wilson, este é um termo de *extensão,* e não de *intensidade.* Opõe-se à doutrina da depravação parcial; isto é, à ideia de que o homem é pecador num momento e inocente ou sem pecado em outro; ou de que é pecador em alguns atos e puro em outros. A doutrina da depravação total afirma que ele está todo errado, em todas as coisas e todo o tempo. Não significa que o homem é tão mau quanto o diabo, nem que é tão mau quanto qualquer outro, nem que é tão mau quanto poderia ser ou possa tornar-se. Não há limite, porém, para a universalidade ou extensão do mal em sua alma. Assim dizem as Escrituras, e assim diz toda alma despertada.[701]

John Stott resume o assunto em tela:

> Vemos aqui duas categorias de pessoas (os não regenerados, que estão "na carne", e os regenerados, que estão "no Espírito"), as quais têm duas perspectivas ou disposições de mente ("a inclinação da carne" e "a inclinação do Espírito"), que levam a dois padrões de comportamento (viver segundo a carne ou de acordo com o Espírito) e que resultam em dois estados espirituais (morte ou vida, inimizade ou paz).[702]

Em quarto lugar, *o Espírito Santo habita em nós* (8.9). Por causa da obra de Cristo por nós e da ação do Espírito em nós, fomos feitos morada de Deus, templos do Espírito Santo. Ele habita em nós. Aquele que nem os céus dos céus podem conter agora habita em nós, vasos frágeis de barro. Somos a casa de Deus, o templo da sua habitação. A evidência de que somos de Cristo é a habitação do Espírito Santo em nós. É o Espírito quem aplica a obra da redenção em nós. Sem sua presença e ação, nenhum homem pode tornar-se um cristão. Passamos a pertencer a Cristo quando o Espírito habita e opera em nós.

Em quinto lugar, *o Espírito Santo vivifica o nosso espírito* (8.10). Quando o apóstolo Paulo afirma que, se Cristo está em nós, o corpo na verdade está morto por causa do pecado, mas o espírito é vida por causa da justiça, precisamos entender o que ele está realmente dizendo. Certamente Paulo não alega que o corpo físico já está morto, uma vez que nos ordenou mortificar os feitos do corpo (8.13). Poderíamos entender essa expressão como sinônimo de mortal, isto é, sujeito à morte e a ela destinado. Em outras palavras, o princípio da decomposição, que leva à morte, encontra-se em cada um de nós. Assim, em meio à nossa mortalidade física, nosso espírito está vivo, pois fomos vivificados; ganhamos vida em Cristo. Nosso corpo tornou-se mortal em virtude do pecado de Adão, mas nosso espírito está vivo por causa da justiça de Cristo.[703] Cranfield nessa mesma linha diz que os cristãos têm ainda de se submeter à morte como o salário do pecado, porque são pecadores; entretanto, uma vez que Cristo está neles mediante a habitação do Espírito, eles têm a presença do Espírito como a garantia de que, finalmente, serão ressuscitados dentre os mortos.[704]

Paulo diz não apenas que o Espírito habita em nós (8.9), mas também Cristo está em nós (8.10). Nosso espírito é vivificado, pois nascemos de novo, do alto, do Espírito, de Deus. O céu não é apenas nosso destino, mas também nossa origem.

Em sexto lugar, *o Espírito Santo dará vida a nosso corpo mortal* (8.11). O mesmo Espírito de Deus que ressuscitou a Jesus dentre os mortos também habita em nós. Assim como o Pai ressuscitou a Jesus pelo poder do Espírito, também vivificará o nosso corpo mortal por meio do seu Espírito que habita em nós. Mais uma vez Paulo faz alusão à trindade: O Pai que ressuscita, o Filho ressuscitado e o Espírito da ressurreição. E mais: a ressurreição de Cristo é o penhor e o padrão da nossa ressurreição. O mesmo Espírito que o ressuscitou haverá de nos ressuscitar. O mesmo Espírito que dá vida a nosso espírito (8.10), também haverá de dar vida a nosso corpo (8.11).[705] Se a consequência do pecado de Adão é nossa morte física, o resultado da justiça de Cristo é nossa vida espiritual.

O Espírito Santo é a primícia e a garantia da nossa ressurreição. A morte não é o fim da linha, não tem a última palavra. Não caminhamos para um ocaso sombrio. Receberemos um corpo incorruptível, imortal, poderoso, glorioso, espiritual e celestial, semelhante ao corpo da glória de Cristo. Nosso corpo brilhará como o sol no seu fulgor.

Em sétimo lugar, *o Espírito Santo é o nosso credor, somos seus devedores* (8.12). Não temos nenhuma dívida com a carne, o conjunto de desejos, motivos, afetos, propensões, princípios e propósitos pecaminosos. Não precisamos fazer sua vontade nem somos constrangidos a viver segundo seus ditames. Somos devedores ao Espírito Santo. Ele habita em nós e nos capacita a viver em novidade de vida. É a fonte do poder que nos conduz à santidade. Todo cristão, portanto, é eternamente devedor ao Espírito Santo, mas nada deve à carne. Franz Leenhardt diz que o dever do crente não se funda na obrigação moral; antes, é uma dívida a saldar.[706]

Em oitavo lugar, *o Espírito Santo nos capacita a triunfar sobre o pecado* (8.13). Só há dois estilos de vida: viver segundo a carne ou mortificar os feitos do corpo pelo Espírito. Os que vivem segundo a carne caminham para a morte; os que pelo Espírito mortificam os feitos do corpo têm a garantia da vida. Há aqui um paradoxo: os que vivem morrem e os que morrem vivem. Os que vivem na carne morrem; os que morrem para o pecado vivem. Emprestamos as palavras de Stott: "Existe um tipo de vida que leva à morte, e há um tipo de morte que conduz à vida".[707]

Uma pergunta solene precisa ser aqui encarada: O que é mortificação? Certamente não é masoquismo (alegrar-se no sofrimento autoinfligido) nem ascetismo (rejeitar e negar as necessidades naturais do corpo), mas reconhecer o mal como mal e repudiá-lo veementemente. É crucificar a carne com suas paixões e desejos (Gl 5.24).

Se perguntamos "Como a mortificação acontece?", a resposta do apóstolo Paulo é clara e incisiva. O Espírito Santo e só ele pode capacitar-nos a mortificar os feitos do corpo. Embora sejamos completamente passivos na justificação e na regeneração, somos participativos na santificação. Embora o poder para o agir e o efetuar emane do próprio Espírito, somos convocados a mortificar os feitos do corpo. Jesus ilustrou essa mortificação: "Se o teu olho direito te faz tropeçar, arranca-o e lança-o de ti; pois te convém que se perca um dos teus membros, e não seja todo o teu corpo lançado no inferno. E, se a tua mão direita te faz tropeçar, corta-a e lança-a de ti; pois te convém que se perca um dos teus membros, e não vá todo o teu corpo para o inferno" (Mt 5.29,30). John Stott corretamente diz que precisamos ser inflexíveis em nossa decisão: não olhar; não tocar; não ir controlando assim a própria aproximação do mal.[708]

Em nono lugar, *o Espírito Santo nos orienta como filhos de Deus* (8.14). Paulo nos ensina duas grandes verdades aqui. A primeira é que a paternidade de Deus não é universal. Nem todos os seres humanos são filhos de Deus, uma vez que só aqueles guiados pelo Espírito de Deus são filhos de Deus. A segunda verdade é que a paternidade de Deus é real e experimental, uma vez que podemos ter garantia de que, se somos guiados pelo Espírito de Deus, verdadeiramente somos filhos de Deus.

O Espírito Santo não apenas habita em nós e nos capacita a triunfar sobre o pecado, mas também nos toma pela mão e nos guia, dirige, impele pelo caminho da obediência.

O Espírito Santo nos constrange e nos compele a viver como filhos de Deus. Assim, não apenas nos tornamos membros da família de Deus, mas também agimos como tal. Não apenas somos adotados como filhos de Deus, somos também orientados a viver como seus filhos. Isso não significa que o Espírito Santo coage, intimida ou violenta, tirando de nós, nossa liberdade de escolha. O que ele faz é nos iluminar e nos persuadir, com sua doçura e poder.

O Espírito não nos aponta o caminho que devemos seguir como um vendedor de mapas; ele nos toma pela mão e nos guia como um beduíno no deserto que caminha com os viajantes pelos montes alcantilados e pelos vales profundos, conduzindo-os ao destino desejado.

Em décimo lugar, *o Espírito Santo nos dá garantia da adoção* (8.15). Não precisamos viver inseguros e atormentados pelo medo, pois não recebemos o espírito de escravidão, mas de adoção, baseados no qual, clamamos: Aba, Pai. A palavra grega *huothesia* indica uma nova relação familiar com todos os direitos, privilégios e responsabilidades.[709] Warren Wiersbe diz que o termo *adoção* significa "ser aceito na família como um filho adulto".[710]

Deus escolheu nos amar, nos adotar e nos redimir. Pertencemos agora à família de Deus. Temos intimidade com Deus. *Aba* é a palavra aramaica (no "estado enfático") usada pelos judeus (e até hoje pelas famílias que falam o hebraico) como o termo familiar com o qual os filhos se dirigem ao seu pai.[711]

De si mesmo, não pode o homem chamar a Deus de Pai, com o tom de familiaridade e reconhecimento que o termo comporta nos lábios do crente. As religiões falam frequentemente na paternidade divina, é bem verdade; mas, ao fazê-lo, estão a celebrar o poder criador, gerador, daquele

que é a fonte da vida, não seu amor ou sua misericórdia.[712]
Citando Lutero, F. F. Bruce escreve:

> Abba, Pai, é uma palavra tão pequenina, e no entanto abrange todas
> as coisas. A boca não fala assim, mas o afeto do coração fala desse
> modo. Ainda que eu seja oprimido pela angústia e terror de todo
> lado, e pareça estar abandonado e ter sido totalmente expulso da tua
> presença, contudo sou teu filho, e tu és meu Pai, por amor de Cristo:
> sou amado por causa do Amado. Por conseguinte, esta pequena
> palavra, Pai, concebida efetivamente no coração, sobrepuja toda a
> eloquência de Demóstenes, de Cícero, e dos mais eloquentes retóricos
> que já houve no mundo. Esta matéria não se expressa com palavras,
> mas com gemidos, gemidos que não podem ser proferidos com
> palavras ou com oratória, pois nenhuma língua os pode expressar.[713]

F. F. Bruce ainda relembra que as implicações de nossa
adoção devem ser interpretadas não em termos de nossa
cultura contemporânea, mas no contexto da cultura greco-
romana nos dias de Paulo. Ele escreve:

> O termo "adoção" pode soar com certo artificialismo aos nossos
> ouvidos. Mas no primeiro século d.C. um filho adotivo era um
> filho escolhido deliberadamente por seu pai adotivo para perpetuar
> seu nome e herdar seus bens. Sua condição não era nem um pouco
> inferior à de um filho segundo as leis comuns da natureza, e bem
> podia desfrutar da afeição paterna o mais completamente e reproduzir
> o mais dignamente a personalidade do pai.[714]

Conforme William Barclay, devemos entender a adoção
no contexto do *patria potestas,* ou seja, do poder absoluto
que o pai tinha sobre os filhos. A adoção era uma transferência de um *patria potestas* para outro. Nessa transferência
havia quatro consequências principais: 1) a pessoa adotada
perdia todos os direitos de sua antiga família e ganhava todos

os direitos de um filho totalmente legítimo na nova família; 2) o filho adotivo tornava-se herdeiro de todos os bens de seu novo pai; ainda que nascessem depois outros filhos, com verdadeira relação sanguínea, isso não afetava seus direitos; 3) legalmente, a antiga vida do adotado ficava completamente cancelada (por exemplo, todas as dívidas eram legalmente canceladas); a pessoa adotada era considerada uma nova pessoa que entrava numa nova vida; 4) aos olhos da lei a pessoa adotada era literal e absolutamente filha de seu novo pai.[715]

William Greathouse aponta dois privilégios que temos na adoção: o primeiro deles é chamar Deus de Pai. O segundo privilégio do filho adotado é tornar-se herdeiro da riqueza do seu pai adotivo.[716] Citando Haldane, Geoffrey Wilson esclarece: "A adoção confere o *nome* de filho, e o *direito* à herança; a regeneração confere a *natureza* de filho, e *aptidão* para a herança. E porque os crentes têm não apenas a *posição,* mas também o *coração* de filhos, é que são levados a clamar, 'Abba, Pai'".[717]

Em décimo primeiro lugar, *o Espírito Santo é testemunha da nossa filiação* (8.16). Não basta saber que somos filhos de Deus por adoção; precisamos estar conscientes desse auspicioso privilégio. O Espírito Santo testifica com nosso espírito que somos filhos de Deus. A palavra grega aqui é *tekna,* "crianças", e não *huioi,* "filhos", como no versículo 14.[718]

A palavra grega *symmartyreo* é composta por duas palavras: o prefixo *syn,* "com", e *martyria,* "testemunha". Neste caso haveria duas testemunhas: o Espírito Santo, confirmando, endossando e conscientizando nosso espírito sobre a paternidade de Deus.[719] Fritz Rienecker diz que essa palavra era usada nos papiros em que a assinatura de cada testemunha era acompanhada pelas palavras "testemunho com... e selo com..."[720]

William Barclay lança luz sobre o assunto relatando que a cerimônia de adoção se efetuava na presença de sete testemunhas. Agora suponhamos que morresse o pai adotivo e logo acontecesse alguma disputa quanto ao direito de herança do filho adotivo; uma ou mais das sete testemunhas originais se adiantavam e juravam que a adoção era genuína e verdadeira. Assim, estava garantido o direito do adotado, que recebia sua herança. Paulo nos diz aqui que o próprio Espírito Santo é a testemunha de nossa adoção na família de Deus.[721]

Não precisamos viver cabisbaixos, derrotados e envergonhados. Somos agora filhos do Altíssimo, membros da família de Deus. Isso não é sugestão humana, mas testemunho fiel do Espírito Santo que habita em nós.

Em décimo segundo lugar, *o Espírito Santo é o penhor da nossa herança gloriosa* (8.17). Não somos apenas filhos, mas também herdeiros de Deus e coerdeiros com Cristo. O Espírito Santo que habita em nós e nos selou para o dia da redenção é o penhor desse resgate, a garantia de que aquilo que Deus começou, ele completará.

Embora sejamos herdeiros de todas as coisas que pertencem ao nosso Pai, pois tudo é dele, por meio dele e para ele, a nossa mais gloriosa herança é o próprio Deus (Sl 73.25,26). Ele é nosso quinhão, nosso tesouro, nossa herança. Nele está nosso prazer. Somos coerdeiros com Cristo da sua glória excelsa, aquela mesma glória de que o pecado nos havia privado (3.23). Como a glória é a efulgência de Deus, participar de sua glória é aparecer em sua presença, ser envolvido na efulgência de sua divindade gloriosa.[722]

Enquanto não tomamos posse definitiva dessa herança imarcescível e gloriosa, cruzamos aqui vales escuros, desertos esbraseados e caminhos juncados de espinhos. O sofrimento com Cristo sempre há de preceder a glória com Cristo. O sofrimento é o caminho para a glória. Primeiro o sofrimento, depois a glória. Essa foi a ordem designada pelo próprio Cristo. Concordo com F. F. Bruce quando ele diz que o sofrimento é o necessário prelúdio da glória.[723] William Hendriksen lembra que é confortador saber que todos quantos participam do sofrimento de Cristo por fim ouvirão de seus lábios as palavras de boas-vindas: "Bem está servo bom e fiel. Entre em meu descanso".[724]

NOTAS DO CAPÍTULO 14

[672] WOOD, A. Skevington. *Life by the Spirit.* Grand Rapids: Zondervan Publishing House, 1963, p. 11.
[673] STOTT, John. *Romanos*, p. 259.
[674] GREATHOUSE, William. *A epístola aos Romanos,* p. 113.
[675] GREATHOUSE, William. *A carta aos Romanos*, p. 114.
[676] MURRAY, John. *Romanos*, p. 302.
[677] BRUCE, F. F. *Romanos: introdução e comentário*, p. 129.
[678] STOTT, John. *Romanos*, p. 260.
[679] BRUCE, F. F. *Romanos: introdução e comentário*, p. 128.
[680] WILSON, Geoffrey B. *Romanos*, p. 109.
[681] MURRAY, John. *Romanos*, p. 303.
[682] WILSON, Geoffrey B. *Romanos*, p. 110.

683 STOTT, John. *Romanos*, p. 262.

684 STOTT, John. *Romanos*, p. 263.

685 GREATHOUSE, William. *A carta aos Romanos*, p. 115.

686 WILSON, Geoffrey B. *Romanos*, p. 110.

687 RIENECKER, Fritz; ROGERS, Cleon. *Chave linguística do Novo Testamento grego*, p. 268.

688 STOTT, John. *Romanos*, p. 264.

689 BRUCE, F. F. *Romanos: introdução e comentário*, p. 131.

690 GREATHOUSE, William. *A carta aos Romanos*, p. 116.

691 STOTT, John. *A mensagem de Romanos 5-8*, p. 76.

692 STOTT, John. *Romanos*, p. 266, 267.

693 SCHAEFFER, Francis A. *A obra consumada de Cristo*, p. 200.

694 WIERSBE, Warren W. *Comentário bíblico expositivo*, p. 703.

695 GREATHOUSE, William. *A carta aos Romanos*, p. 117.

696 WILSON, Geoffrey B. *Romanos*, p. 112.

697 STOTT, John. *Romanos*, p. 267.

698 GREATHOUSE, William. *A carta aos Romanos*, p. 117.

699 POHL, Adolf. *Carta aos Romanos*, p. 126.

700 STOTT, John. *A mensagem de Romanos 5-8*, p. 80.

701 WILSON, Geoffrey B. *Romanos*, p. 113, 114.

702 STOTT, John. *Romanos*, p. 269.

703 STOTT, John. *Romanos*, p. 272.

704 CRANFIELD, C. E. B. *Comentário de Romanos*, p. 174.

705 STOTT, John. *Romanos*, p. 272.

706 LEENHARDT, Franz. J. *Epístola aos Romanos*, p. 211.

707 STOTT, John. *Romanos*, p. 274.

708 STOTT, John. *Romanos*, p. 276.

709 RIENECKER, Fritz; ROGERS, Cleon. *Chave linguística do Novo Testamento grego*, p. 269.

710 WIERSBE, Warren W. *Comentário bíblico expositivo*, p. 704.

711 BRUCE, F. F. *Romanos: introdução e comentário*, p. 135.

712 LEENHARDT, Franz. J. *Epístola aos Romanos*, p. 214.

713 BRUCE, F. F. *Romanos: introdução e comentário*, p. 135.

714 BRUCE, F. F. *Romanos: introdução e comentário*, p. 135.

715 BARCLAY, William. *Romanos*, p. 120, 121.

716 GREATHOUSE, William. *A carta aos Romanos*, p. 122.

717 WILSON, Geoffrey B. *Romanos*, p. 118.

718 BRUCE, F. F. *Romanos: introdução e comentário*, p. 135.

719 STOTT, John. *Romanos*, p. 282.

720 RIENECKER, Fritz; ROGERS, Cleon. *Chave linguística do Novo Testamento grego*, p. 269.

[721] Barclay, William. *Romanos*, p. 121.

[722] Leenhardt, Franz. J *Epístola aos Romanos*, p. 215.

[723] Bruce, F. F. *Romanos: introdução e comentário*, p. 136.

[724] Hendriksen, William. *Romanos*, p. 350, 351.

Capítulo 15

A gloriosa
segurança dos
salvos
(Rm 8.18-39)

Aqui Paulo alcança o ponto culminante de sua argumentação, mostrando que sobre os salvos não pesa mais nenhuma condenação (8.1) e nem haverá mais nenhuma separação do amor de Deus (8.39).

À guisa de introdução, destacamos dois grandes contrastes:

a. *O contraste entre o sofrimento presente e a glória futura* (8.18). Paulo contrasta o sofrimento do tempo presente com as glórias do futuro, como se segurasse em sua mão uma balança com dois pratos. Num prato, ele põe "os sofrimentos deste presente tempo"; no outro, "a glória que está para ser revelada em nós". Os sofrimentos do tempo presente não são dignos de serem comparados com a glória que está para ser revelada em nós.[725] Aqui ainda há dor e lágrima, há fraqueza e morte; não caminhamos, porém, para um túmulo gelado e frio, mas para a gloriosa ressurreição. Não caminhamos para um destino desconhecido nem para um lugar de tormento, mas para a bem-aventurança eterna. O sofrimento presente não pode ser comparado às glórias futuras. Diante do fulgor da glória que nos espera, os sofrimentos do presente são leves e momentâneos (2Co 4.17)

b. *O contraste entre o que somos e o que havemos de ser.* Embora salvos da culpa e da penalidade do pecado, ainda estamos sujeitos à fraqueza e à morte. Ainda vivemos num mundo caído que geme ao nosso redor e também fazemos parte dessa sinfonia do gemido. Aguardamos, porém, nossa plena manifestação como filhos de Deus, a ressurreição do nosso corpo. Aguardamos aquela glória que jamais, nem metade dela, foi contada ao mortal.

O texto em apreço lança os fundamentos da segurança dos salvos. Somos mais que vencedores por meio de Cristo. Nossa segurança não se estriba no frágil bordão da autoconfiança, mas nos decretos eternos e na ação eficaz do Deus Todo-poderoso.

Destacaremos a seguir seis pontos importantes que sinalizam esse caminho da nossa segurança.

Os gemidos da criação (8.18-22)

Paulo informa enfaticamente que "toda criação geme e suporta angústias até agora" (8.22). Essa grandiosa sinfonia de gemidos não é vista como estertor da morte da criação, mas como dor de parto que leva à sua restauração.[726] Três verdades devem ser aqui apontadas:

Em primeiro lugar, *o cativeiro da criação* (8.18-22). Que criação é essa a que Paulo se refere? Certamente não são os anjos, pois eles não estão sujeitos à vaidade nem prisioneiros no cativeiro da corrupção. Também não são os demônios, uma vez que eles não têm expectativa da manifestação dos filhos de Deus nem serão redimidos do seu cativeiro. A criação aqui, de igual forma, não é uma referência aos homens, pois está sujeita involuntariamente. A conclusão inequívoca é que Paulo se refere à criação irracional, animada ou inanimada.[727]

A queda não atingiu apenas o homem, mas também a natureza. É importante observar as palavras de Paulo para descrever a situação da criação: sofrimento (8.18), vaidade (8.20), cativeiro (8.21), corrupção (8.21) e angústias (8.22). Destacamos três pontos:

a. *A criação foi submetida à vaidade* (8.20). Ela está confusa, contraditória, doente. Há brutal desarmonia na natureza. A expressão "cativeiro da corrupção" aponta para um ciclo contínuo de nascimento, crescimento, morte e decomposição, ou seja, de todo o processo de deterioração do universo.[728] A palavra grega *mataiotes,* "vaidade", significa frustração, nulidade, futilidade, falta de propósito, transitoriedade. A ideia básica é a de um vazio, seja de propósito ou de resultado.[729] Trata-se da inabilidade de alcançar um alvo ou resultado.[730] Os sinais da morte estão presentes na natureza. O que está presente não é a evolução do universo, mas sua decadência.

b. *A criação vive prisioneira no cativeiro da corrupção* (8.21). Os sinais de fraqueza e morte estão presentes na criação. Ela não pode redimir-se nem libertar a si mesma. A queda dos nossos primeiros pais atingiu não apenas a raça humana, mas toda a criação. A terra e os animais estão gemendo. Somos seres caídos, vivendo numa natureza caída. Somos seres mortais em cuja natureza os sintomas da morte estão presentes.

c. *A criação geme e suporta angústias até agora* (8.22). Paulo é enfático em dizer que não apenas parte, mas toda a criação, geme e suporta angústias até agora. A natureza está com suas entranhas enfermas. Está com cólicas intestinais. Geme e se angustia. Não apenas a natureza está enferma, mas os homens com sua ganância e avareza têm destruído ainda mais nosso hábitat. Nossos rios estão transformando-se em esgotos a céu aberto. Nosso ar está sendo poluído por toneladas de dióxido de carbono a cada minuto. Nossos campos estão tornando-se desertos, e nossas fontes estão morrendo. Os animais no campo, os peixes do mar e as aves do céu gemem.

Em segundo lugar, *a sujeição da criação* (8.20). Duas verdades devem ser aqui destacadas:

a. *A sujeição da criação é involuntária.* A criação não é o agente da sua queda. É vítima, e não ré. Ela não se submeteu, mas foi submetida. Quando o homem caiu, arrastou consigo para o abismo da queda a própria natureza. As angústias da criação são um juízo divino ao pecado do homem. A terra foi amaldiçoada e passou a produzir cardos e abrolhos.

b. *A sujeição da criação é imposta por Deus.* Não foi o homem nem o diabo que impôs à criação a sentença de sujeição à vaidade, mas o próprio Deus como juiz do universo. Os efeitos da queda na natureza são um castigo divino ao pecado dos nossos primeiros pais. Por isso, só Deus pode redimir a criação do cativeiro da corrupção.

Em terceiro lugar, *a expectativa da criação* (8.19, 21). Três verdades nos chamam a atenção:

a. *A redenção da criação está conectada à glorificação dos filhos de Deus* (8.19,21). A criação foi amaldiçoada por causa do pecado do homem e será redimida do cativeiro da corrupção na glorificação dos salvos. Sua redenção do cativeiro não se dará antes nem à parte da glorificação dos crentes. Então, haverá liberdade em vez de escravidão, glória incorruptível em vez de decomposição. Se nós participaremos da glória de Cristo, a criação participará da nossa.[731]

b. *A criação aguarda ansiosamente a manifestação dos filhos de Deus* (8.19,21). A criação vive como que na ponta dos pés, esticando o pescoço, olhando para esse futuro que virá trazendo em suas asas a restauração de todas as coisas. A expectativa da criação é uma esperança viva e certa. A palavra grega *apokaradokia,* "ardente expectativa", significa esperar de cabeça erguida e com os olhos fixos naquele ponto do horizonte de onde virá o objeto esperado.[732] Fritz Rienecker diz que essa palavra denota a concentração em um único objeto, sem levar em conta outros ao redor.[733]

c. *Os gemidos da criação não são de desespero, mas de esperança* (8.21,22). A criação não se contorce com os gemidos da morte, mas geme como uma mulher prestes a dar à luz. Seus gemidos não são de desespero, mas de gloriosa expectativa. Ela não geme por causa de um passado inglório, mas por um futuro glorioso. John Stott tem razão ao dizer que os gemidos da criação não são dores que carecem de sentido e propósito, mas são dores inevitáveis no vislumbre de uma ordem nova.[734] A escravidão da decadência dará lugar à liberdade da glória (8.21). Às dores de parto seguirão as alegrias do nascimento (8.22). Portanto, haverá continuidade e descontinuidade na regeneração do mundo, assim como na ressurreição do corpo. O universo não será destruído, mas libertado, transformado e inundado da glória de Deus.[735]

William Hendriksen diz que essa transformação incluirá harmonização.[736] Ausentes na natureza estão a paz e a harmonia. Vários organismos parecem operar com propósitos conflitantes: estrangulam uns aos outros até a morte. Porém, então, haverá concórdia e harmonia por toda parte. A profecia de Isaías 11.6-9 atingirá seu cumprimento último:

> O lobo habitará com o cordeiro, e o leopardo se deitará junto ao cabrito; o bezerro, o leão novo e o animal cevado andarão juntos, e um pequenino os guiará. A vaca e a ursa pastarão juntas, e as suas crias juntas se deitarão; o leão comerá palha como o boi. A criança de peito brincará sobre a toca da áspide, e o já desmamado meterá a mão na cova do basilisco. Não se fará mal nem dado algum em todo o meu santo monte, porque a terra se encherá do conhecimento do SENHOR, como as águas cobrem o mar.

Os gemidos da igreja (8.23-25)

Paulo passa dos gemidos da velha criação para os gemidos da nova criação; dos gemidos da natureza para os gemidos da igreja; dos gemidos da criação de Deus para os gemidos dos filhos de Deus. Com respeito aos gemidos da igreja, três verdades devem ser destacadas:

Em primeiro lugar, *os gemidos da igreja não são gemidos de desespero, mas de esperança* (8.23a). Os filhos de Deus gemem em seu íntimo porque, tendo experimentado as primícias do Espírito, anseiam ardentemente tomar posse definitiva da plenitude da salvação. As primícias eram a primeira porção da colheita, compreendida tanto como uma primeira prestação quanto como um penhor pelo pagamento final do todo. O Espírito Santo é compreendido como uma antecipação da salvação final e um penhor de que todos os que têm o

Espírito serão finalmente salvos.[737] O Espírito é mais que uma garantia; é o antegozo dessa herança.[738]

Vivemos na tensão entre o que Deus inaugurou (ao dar-nos seu Espírito) e o que ele consumará (quando se completar nossa adoção e redenção final); gememos em desconforto, desejando ardentemente o futuro.[739] Os gemidos da igreja não são os soluços da alma, movidos pela desesperança, mas o anseio ardente daqueles que, tendo provado os sabores da bem-aventurança eterna, aguardam a glorificação, ou seja, a manifestação pública de sua adoção como filhos de Deus.

William Hendriksen corretamente diz que o próprio fato de os filhos de Deus agora serem habitados pelo Espírito Santo faz nascer dentro deles um doloroso senso de ausência. O que eles já possuem os faz famintos por mais, ou seja, pela salvação em toda sua plenitude. É nesse sentido que dor e esperança são aqui combinados.[740]

Em segundo lugar, *os gemidos da igreja não são de morte, mas de vida* (8.23b). Os filhos de Deus não gemem com medo da morte; gemem pela ardente expectativa da ressurreição. Não gemem por aquilo que são, mas por desejarem ardentemente aquilo que virão a ser. Não gemem pela fraqueza do corpo terreno, mas pelo anelo do revestimento do corpo de glória.

John Stott tem razão quando escreve:

> É claro que já fomos adotados por Deus (8.15), e o Espírito nos assegura que somos filhos de Deus (8.16). Existe, porém, uma relação Pai-filho ainda mais rica e profunda que virá quando formos plenamente "revelados" como seus filhos (8.19) e "conformados à imagem do seu Filho" (8.29). Nós já fomos redimidos, mas nossos corpos não. Nosso espírito está vivo (8.11), mas aguardamos o dia em que receberemos um corpo semelhante ao corpo da glória de Cristo.[741]

Em terceiro lugar, *os gemidos da igreja não são aquilo que se vê, mas o anelo do que se não vê* (8.24,25). Os filhos de Deus já foram salvos da condenação do pecado e estão sendo salvos do poder do pecado; mas ainda serão salvos da presença do pecado. Temos a garantia da salvação, mas não sua posse definitiva. Recebemos o Espírito como selo e garantia de que receberemos a posse final e definitiva, mas ainda aguardamos pacientemente o que não vemos.

O gemidos do Espírito (8.26,27)

O apóstolo Paulo passa dos gemidos da criação e da igreja para os gemidos do Espírito Santo. Numa ordem crescente Paulo, como maestro habilidoso, leva a sinfonia do gemido ao seu apogeu. Os gemidos estão presentes na terra e no céu, dentro dos filhos de Deus e até mesmo nas entranhas da própria divindade.

Duas verdades solenes devem ser aqui destacadas:

Em primeiro lugar, *a assistência do Espírito em nossa fraqueza* (8.26). Nós somos mais que vencedores não porque somos fortes. O cristianismo diverge frontalmente da psicologia de autoajuda. Paulo afirma que somos fracos. Não somos um gigante adormecido; não temos poder inato. A ajuda não vem de dentro, mas do alto; a vitória não resulta da autoajuda, mas de ajuda do alto. Três fatos devem ser aqui observados:

a. *Temos fraquezas* (8.26). A nova era está equivocada ao afirmar que a força vem de dentro. As religiões místicas estão erradas ao ensinar que há uma espécie de divindade dentro das pessoas que precisa ser conhecida e libertada. A verdade é que somos fracos, limitados e contingentes. Temos fraquezas físicas, emocionais, morais e espirituais. O tempo esculpe rugas em nossa face e deixa nossas pernas bambas, nossos joelhos trôpegos, nossas mãos descaídas e nossos olhos embaçados. Cada fio de cabelo branco que surge em nossa cabeça é a morte nos chamando para um duelo. Nossas fraquezas nos esmagam. Tropeçamos nos mesmos erros, incorremos nas mesmas falhas e caímos nas mesmas armadilhas. O bem que queremos não praticamos, mas o mal que odiamos, esse o fazemos. Somos ambíguos, contraditórios, paradoxais. Há uma guerra constante instalada em nosso peito, um conflito permanente no campo de batalha da nossa mente. Uma esquizofrenia existencial fincada nos meandros da nossa alma nos arrasta para direções opostas. Nossos desejos secretos denunciam a gravidade da nossa doença moral. Nossos pensamentos íntimos revelam quanto o pecado nos atingiu. Todos nós temos os pés de barro. Todos nós temos nosso calcanhar-de-aquiles. Todos nós temos fraquezas!

b. *Não sabemos orar como convém* (8.26). John Stott diz que nossa fraqueza decorre de não sabermos orar convenientemente.[742] Somos fracos porque não conseguimos manter comunhão ininterrupta com o Deus onipotente. Nosso maior problema não está em nossas fraquezas, mas em nosso distanciamento daquele que é onipotente. Concordo com Geoffrey Wilson quando diz: "A inabilidade na oração não é apenas uma ilustração da fraqueza do crente, mas também uma explicação dessa fraqueza".[743]

A oração é a respiração da alma. Quem não tem intimidade com Deus não pode ser forte. Nas palavras de Leenhardt: "A fraqueza da oração não está em seu laconismo; está é na pobreza de sua substância. Não é bastante orar; é preciso orar como convém".[744] Não sabemos orar como convém porque somos faltos de discernimento. Muitas vezes pedimos a Deus uma pedra, pensando que estamos pedindo um pão; pedimos uma cobra, pensando que estamos pedindo um peixe; pedimos o que nos destruirá, pensando que estamos pedindo o que nos dará vida. Não sabemos orar como convém porque somos impacientes. Queremos pressionar Deus com a urgência da nossa agenda. Queremos que nossa vontade seja feita no céu em vez de buscar que a vontade de Deus seja feita na terra.

c. *O Espírito nos assiste em nossa fraqueza* (8.26). O Espírito não nos escorraça por causa de nossas fraquezas nem sente nojo de nós. Não nos deixa entregues à nossa sorte. Encurva-se para tomar o nosso fardo e levá-lo por nós. Quando nos sentimos cansados, ele nos toma no colo. Fortalece-nos quando o peso da vida nos pressiona além da conta.

A palavra grega traduzida por "assistir" significa mais que "assistir". O sentido é que o Espírito toma sobre si nossa carga não somente para nos ajudar e socorrer, mas sobretudo para nos aliviar, carregando todo o peso por nós. Nossa fraqueza nos levaria ao desfalecimento e ao desespero, não fosse a assistência do Espírito. Há momentos na vida em que se ajuntam sobre nossa cabeça nuvens escuras. Nessas horas, sentimo-nos encurralados por tempestades devastadoras. É a enfermidade grave que chega; é a dor atroz do luto que se instala; é o casamento ferido mortalmente pelo divórcio; é o pecado que tenazmente nos assedia.

James Hastings diz que aquele que pode confessar "eu creio no Espírito Santo" encontrou um amigo divino. Para ele, o Espírito Santo não é uma influência, uma energia ou alguém distante, mas um consolador presente a quem Cristo enviou para estar sempre conosco.[745] Que bendita esperança a de termos o Espírito Santo, Deus onipotente, assistindo-nos em nossas fraquezas. Aquele que embelezou os céus e a terra e por seu poder criador espalha vida em todo o universo é o mesmo que nos assiste em nossas fraquezas.[746]

Em segundo lugar, *a intercessão do Espírito a nosso favor* (8.26,27). Paulo passa da assistência do Espírito para a intercessão do Espírito. Aqui vemos o Deus que está em nós, intercedendo por nós, ao Deus que está sobre nós. Citando C. H. Dodd, William Barclay diz que "a oração é o divino em nós, apelando ao divino sobre nós".[747] Temos dois intercessores na trindade: Jesus, nosso advogado e sumo sacerdote, é o nosso intercessor legal (8.34), e o Espírito Santo é o nosso intercessor existencial (8.26).

James Hastings recorre a Abraham Kuyper para distinguir entre a intercessão do Espírito e a intercessão de Cristo. Este intercede por nós no céu, e o Espírito Santo, na terra. Cristo, nosso cabeça, estando no céu, intercede por nós fora de nós para que desfrutemos os frutos da sua redenção; o Espírito Santo, nosso Consolador, intercede por nós em nosso coração para nos assistir em nossas aflições e levar nossas profundas necessidades diante do trono de Deus.[748]

A intercessão do Espírito tem três características:

a. *É uma intercessão intensa* (8.26). O apóstolo afirma que o Espírito intercede por nós "sobremaneira". Isso descreve o aspecto intenso dessa intercessão. Assim como o Pai nos amou "de tal maneira", de igual forma, o Espírito intercede por nós "sobremaneira". Ainda que usássemos todas as palavras do nosso vernáculo, não poderíamos descrever com precisão a intensidade que o Espírito intercede pelos santos.

b. *É uma intercessão agônica* (8.26). Não apenas a natureza e os filhos de Deus estão gemendo, mas também o Espírito Santo. Os gemidos do Espírito estão ligados ao seu ministério de intercessão. John Stott diz que "a inspiração do Espírito Santo é tão necessária quanto a mediação do Filho, se quisermos obter acesso ao Pai na oração".[749] O gemido é uma expressão de dor. Gememos quando não conseguimos expressar em palavras nossos sentimentos intensos. É assim que o Espírito intercede por nós, em nós, ao Deus que está sobre nós. Aquele que conhece todas as línguas, idiomas e dialetos de todos os povos, de todos os tempos, ora por nós com tal agonia que o faz com gemidos inexprimíveis. A palavra grega *alale* significa "sem palavras". O que Paulo, portanto, quer mostrar aqui não é que os gemidos não podem ser traduzidos em palavras, mas que de fato não há como expressá-los.[750]

c. *É uma intercessão eficaz* (8.27). A intercessão do Espírito não é pelo mundo, mas pelos santos. Os santos não são os beatificados ou canonizados pela igreja, mas todos aqueles que foram remidos e lavados no sangue de Jesus. A intercessão do Espírito em nós, por nós, ao Pai que está sobre nós, está sempre alinhada com sua soberana e perfeita vontade e por isso tem a marca da eficácia. Não há conflito na trindade. O Espírito nunca intercede por uma causa contrária à vontade do Pai. A intercessão do Espírito não se baseia em sentimentos equivocados ou propósitos errados, pois está sempre em harmonia com a vontade e o plano divino. Seu plano tem dois objetivos: nosso bem e sua glória.

Uma convicção segura (8.28)

Paulo faz uma transição da assistência e da intercessão do Espírito para a gloriosa convicção dos salvos. A História não está à deriva, mas nas mãos do nosso Deus. Não é cíclica, mas caminha para um fim glorioso. Nós não somos arrastados de um lado para o outro sob a força insopitável das fragorosas circunstâncias, mas temos a convicção de que Deus tece todas as circunstâncias da nossa vida, objetivando o nosso bem.

O apóstolo inicia o versículo 28 usando um verbo extremamente sugestivo: "Sabemos". O apóstolo não diz: "esperamos" ou "supomos", mas "sabemos". Thomas Watson compara o versículo a um artigo do nosso credo.[751] Segundo F. F. Bruce, o verbo "saber" expressa o conhecimento da fé.[752] A palavra grega vem de um termo da matemática. É algo exato, incontroverso, absoluto. Essa não é a linguagem da conjectura hipotética, mas da certeza experimental.[753] Três verdades nos chamam a atenção no versículo 28:

Em primeiro lugar, *Deus trabalha por nós em todas as circunstâncias da vida* (8.28). A vida é feita de montes e vales, alegrias e lágrimas, prosperidade e perdas. Todas essas coisas cooperam para o nosso bem. Com isso Paulo não está dizendo que todas as coisas que acontecem conosco são coisas boas. Ao contrário, afirma que, mesmo que essas coisas sejam más, Deus as transformará em bênção (Gn 50.20). Paulo também não está dizendo que essas coisas se encaixam por si mesmas, como se a vida fosse um grande jogo de quebra-cabeça e as peças fossem sendo encaixadas por nossa iniciativa ou pela coincidência. A verdade é que Deus tece nossa vida como um mosaico. Ele escreve o poema da nossa vida capítulo por capítulo, esculpindo em nós o caráter de Cristo.

Em segundo lugar, *Deus trabalha em todas as circunstâncias para o bem daqueles que o amam* (8.28). Paulo não diz que Deus trabalha para o bem de todas as pessoas, mas apenas para o bem daqueles que o amam. Aqueles que semeiam vento colhem tempestades e os que semeiam na carne, da carne colhem corrupção. Se amamos a Deus, contudo, sabemos que ele toma nosso destino em suas mãos e trabalha para o nosso bem (Sl 119.71). Não há motivo para desespero, dúvida ou ansiedade no coração de quem ama a Deus. Toda boa dádiva procede de Deus. Todo dom perfeito vem de suas bondosas mãos. O nosso Pai só nos dá coisas boas!

Em terceiro lugar, *Deus trabalha para o bem daqueles que o amam, mas segundo seu propósito e não conforme nosso querer* (8.28). Deus tem um plano eterno, perfeito e vitorioso. Esse plano não pode ser frustrado. Deus o levará a cabo. Não existe acaso para nós. Nossa vida, nosso futuro e tudo o que nos diz respeito estão sob o total controle do Senhor.

Um propósito eterno (8.29,30)

O eterno propósito de Deus em nossa vida não é nos fazer ricos nem famosos, mas santos. O projeto de Deus não é nos tornar celebridades, mas pessoas parecidas com Jesus. O sentido da vida não é sucesso segundo o padrão do mundo, mas atingir a plenitude da estatura de Cristo. O propósito de Deus não é apenas nos salvar, mas nos transformar à imagem de Jesus. Nosso destino não é apenas a glória, mas a semelhança ao Rei da glória.

O decreto divino tem por finalidade última a exaltação de Cristo. Seremos filhos e herdeiros da família de Deus, mas Cristo será o primogênito entre muitos irmãos. O termo "primogênito" reflete a prioridade e a supremacia de Cristo (Cl 1.15,18; Hb 1.6; Ap 1.5).

Estabelecido o fim último do eterno propósito divino, Paulo passa a tratar dos cinco elos da corrente dourada desse propósito:

Em primeiro lugar, *a presciência* (8.29). Quando Paulo declara que Deus nos conheceu de antemão, ele quer dizer que Deus nos amou desde a eternidade. Esta frase é equivalente "aos que dantes amou" (Jr 1.5; Am 3.2; Os 13.5; Mt 7.23).[754] Não é apenas um conhecimento geral de Deus. Nesse sentido, Deus conhece todas as pessoas. Mas Paulo destaca que Deus nos amou de antemão. Leenhardt tem razão quando diz que "conhecer é escolher, é deixar--se envolver; é, então amar e escolher por amor".[755] Deus colocou o seu coração em nós antes dos tempos eternos. O amor de Deus não foi gerado por possíveis virtudes ou méritos que ele viu em nós. Toda a causa do amor de Deus está nele mesmo. Seu amor é a causa da eleição.

Em segundo lugar, *a predestinação* (8.30). A predestinação é um decreto eterno, soberano, livre e gracioso de Deus. Foi Deus quem nos escolheu, e não nós a ele. A eleição é incondicional. Ele não nos escolheu porque previu que iríamos crer, mas cremos porque ele nos escolheu (At 13.48). A eleição não é resultado da fé, mas sua causa. A eleição é a mãe da fé, e não sua filha. Deus não nos escolheu porque viu em nós santidade, mas nos escolheu para a santidade (Ef 1.4). A santidade não é causa da eleição, mas seu resultado. Deus não nos escolheu por causa das boas obras, mas para as boas obras (Ef 2.10). Assim, as obras não são a causa da eleição, mas consequência. Nossa salvação não resulta da iniciativa humana nem do mérito humano, já que tudo provém de Deus (2Co 5.18).

Em terceiro lugar, *o chamamento* (8.30). O mesmo Deus que ama, conhece e elege é o Deus que chama, e o faz de forma eficaz. O chamado de Deus é a concretização histórica da predestinação eterna.[756] A invencibilidade do propósito de Deus é a garantia absoluta de que aqueles que ele chamou não deixarão de alcançar a glória futura, pois o que foi forjado na bigorna da graça de Deus não pode ser quebrado pela vontade da criatura. Todo aquele que foi escolhido por Deus e é de Deus ouve suas palavras (Jo 8.47). Todo aquele que foi destinado para a salvação crê (At 13.48). Todo aquele que o Pai elege vai a Jesus (Jo 6.37,39,40,44,45).

O chamado ao qual Paulo se refere não é o chamado externo, mas o interno. Todo aquele a quem Deus predestinou desde a eternidade para a salvação, ao ouvir o evangelho – o chamado externo –, passa por uma operação íntima, profunda e irresistível do Espírito Santo, que é o chamado interno. A esta operação eficaz e transformadora do Espírito denominamos "vocação eficaz" ou "graça irresistível". Os eleitos de Deus são chamados irresistivelmente. Podem até resistir temporariamente, mas não finalmente.

Nossa resposta ao chamado é uma operação do próprio Deus em nós (Fp 2.13). É o próprio Deus quem abre nosso coração, dando-nos o arrependimento para a vida e a fé salvadora. É o próprio Espírito Santo quem opera em nós a regeneração e o novo nascimento.

Em quarto lugar, *a justificação* (8.30). Como já dissemos, a justificação é um ato legal e forense de Deus. Não acontece em nós, mas fora de nós; não acontece no nosso coração, mas no tribunal de Deus. Não é obra que Deus faz em nós, mas por nós. A justificação não é uma infusão da graça, ou seja, não pode ser confundida com santificação, mas um ato judicial de Deus por nós. Consequentemente, não é um processo, mas um ato único e que não pode ser repetido. Não há graus na justificação, ou seja, todos os salvos estão justificados da mesma forma. Somos justificados não pelas nossas obras, mas pela obra de Cristo por nós. A base da justificação é a obra expiatória de Cristo na cruz, o instrumento de apropriação é a fé e o resultado é a paz com Deus.

Em quinto lugar, *a glorificação* (8.30). Paulo usa a palavra grega *edoxasen*, no aoristo, ou seja, no pretérito perfeito: "glorificou". Isso significa que Deus vê o fim desde o início. Em seu decreto e propósito todos os eventos futuros são abrangidos.[757]

A glorificação é um fato futuro que se dará na segunda vinda de Cristo, mas nos decretos de Deus já é um fato consumado. Não importa se o caminho é estreito, se a estrada está juncada de espinhos, se os inimigos se arvoram contra nós; se estamos em Cristo, pelos decretos de Deus, já estamos na glória. Seguindo o modo de falar hebraico, esse é "o tempo passado profético".[758] Cristo, em cujo destino está incluído o destino dos eleitos de Deus, já foi glorificado, de maneira que nele a glorificação de seus filhos já foi realizada.

F. F. Bruce afirma que a glorificação do povo de Deus é sua final e completa conformidade com a "imagem do seu Filho".[759] Diz ainda o mesmo escritor: "A santificação é a progressiva conformação com a imagem de Cristo aqui e agora; a glória é a perfeita conformidade com a imagem de Cristo depois e além. A santificação é a glória iniciada; a glória é a santificação completada".[760]

Paulo enfatiza a inevitabilidade e a certeza absoluta da nossa glorificação. É o céu antecipado. É a glória já. Para Charles Erdman, esse pretérito "glorificou" é a mais ousada antecipação de fé que o Novo Testamento contém.[761] Leenhardt concorda: "Pode-se perceber na escolha desse tempo verbal uma expressão da certeza da fé; a vontade divina já está firmada na eternidade de Deus, nada podendo contra ela as peripécias da História".[762]

O fim do nosso caminho não é o sepulcro coberto de lágrimas, mas o hino triunfal da gloriosa ressurreição. Nossa jornada não terminará com o corpo surrado pela doença, enrugado pelo peso dos anos, coberto de pó na sepultura, mas receberemos um corpo de glória, semelhante ao de Cristo (Fp 3.21). Nosso corpo resplandecerá como o fulgor do firmamento e como as estrelas, sempre e eternamente (Dn 12.3). Nosso choro cessará, nossas lágrimas serão estancadas. Não haverá mais luto, nem pranto, nem dor (Ap 21.4).

Uma segurança inabalável (8.31-39)

Charles Erdman, afirma que esta é provavelmente a mais majestosa porção que nos legou a pena do apóstolo Paulo. É o clímax de sua argumentação. Mostra que os crentes em Cristo são justificados pela fé, que sua justificação resulta em um viver santo e, por fim, em glória eterna.[763] Francis Schaeffer nos relembra que o Espírito Santo garante vida eterna (8.26,27), Deus Pai garante vida eterna (8.28-32) e Deus Filho garante vida eterna (8.33,34). Mesmo diante das tempestades da vida, temos a garantia da vida eterna (8.35-39).[764] O apóstolo Paulo não poderia terminar essa clássica exposição sobre a segurança inabalável da salvação senão fazendo cinco perguntas retóricas. Consideraremos essas perguntas a seguir.

Em primeiro lugar, *se Deus é por nós, quem será contra nós?* (8.31). O apóstolo Paulo não pergunta: "Quem é contra nós", pois, se assim o fizesse, o inferno inteiro se levantaria, vociferando seu ódio incontido. A pergunta é: "Se Deus está do nosso lado, quem poderá deter-nos ou resistir a nós?" Se o Rei e Senhor do universo está do nosso lado, se ele nos amou, nos escolheu, nos chamou, nos justificou e já decretou a nossa glorificação, então somos vitoriosos e invencíveis. Ainda que o inferno inteiro se levante contra nós, certamente triunfaremos. John Stott corretamente afirma: "O mundo, a carne, e o diabo podem continuar alistando-se contra nós, porém nunca nos poderão vencer, se Deus é por nós".[765]

Warren Wiersbe diz que Deus é por nós e provou isto dando-nos seu Filho (8.32). O Filho é por nós e prova isto intercedendo por nós junto ao Pai (8.34). O Espírito Santo é por nós, assistindo-nos em nossa fraqueza e intercedendo por nós com gemidos inexprimíveis (8.26). Deus trabalha para que todas as coisas contribuam para o nosso bem (8.28). Em sua pessoa e em sua providência, Deus é por nós. Por vezes, lamentamos como Jacó: "Todas estas coisas me sobrevêm" (Gn 42.36), quando, na verdade, tudo está trabalhando em nosso favor.[766]

Em segundo lugar, *aquele que não poupou a seu próprio Filho, porventura não nos dará com ele graciosamente todas as coisas?* (8.32). O argumento aqui é do menor para o maior. Se, quando éramos pecadores, Deus nos deu o seu melhor, será que agora, que somos filhos, não nos dará tudo o que precisamos? Se Deus nos deu o maior, certamente nos dará o menor. Aquele que começou a boa obra em nós, há de completá-la até o dia de Cristo Jesus (Fp 1.6).

A expressão "não poupou" é negativa; enquanto "entregou" é positiva. Cristo é o dom inefável de Deus, e a cruz é o gesto mais profundo do seu amor. Cristo não morreu como um mártir. Foi entregue, e ele mesmo se entregou. Quem entregou Jesus à morte? Não foi Judas, por dinheiro; não foi Pilatos, por medo; não foram os judeus, por inveja; mas o Pai, por amor".[767]

Em terceiro lugar, *quem intentará acusação contra os eleitos de Deus?* (8.33). Nenhuma acusação pode prosperar contra nós, uma vez que Deus já nos justificou com base no sacrifício vicário de Cristo. Estamos quites com a lei e a justiça de Deus. Não há base legal para nenhuma cobrança contra nós no tribunal de Deus. A ideia é que nenhuma acusação pode ser levantada contra nós porque Jesus Cristo, nosso Advogado, nos defende, e porque Deus, o Juiz, já nos declarou justificados.[768] Nossos pecados já foram perdoados. Nossa dívida já foi paga. A justiça de Cristo já foi creditada em nossa conta (2Co 5.21). Estamos justificados. Este fato é real, absoluto e irrevogável.

Em quarto lugar, *quem condenará os eleitos de Deus?* (8.34). Nosso coração, nossos críticos e todos os demônios do inferno procuram condenar-nos. Porém, essa condenação é sem efeito, e isso, por quatro razões:

a. *A morte vicária de Cristo* (8.34). Cristo morreu por nós, em nosso lugar e em nosso favor. Ele sofreu o castigo que deveria cair sobre nós. Bebeu sozinho o cálice amargo da ira de Deus que nós deveríamos beber. Sofreu o duro golpe da lei que nós deveríamos ter suportado. Morreu a nossa morte.

b. *A ressurreição de Cristo* (8.34). A morte não pôde retê-lo na sepultura. Cristo triunfou sobre a morte e arrancou o seu aguilhão. Ele venceu a morte, ressuscitou dentre os mortos para a nossa justificação. A morte foi destronada, vencida. A ressurreição de Cristo é a garantia e o modelo da nossa ressurreição.

c. *O governo de Cristo* (8.34). Jesus está à direita de Deus, uma posição de exaltação e governo. Isso significa que Deus Pai aceitou sua obra expiatória e o exaltou sobremaneira, colocando-o acima de todo principado e potestade.

d. *A intercessão de Cristo* (8.34). A intercessão de Cristo tem absoluta eficácia. Ele é o nosso intercessor legal. Representa-nos diante do trono de Deus de tal maneira que não precisamos representar a nós mesmos.

Em quinto lugar, *quem nos separará do amor de Cristo?* (8.35-39). Paulo responde a esta grande pergunta com outra: "Será tribulação, ou angústia, ou perseguição, ou fome, ou nudez, ou perigo, ou espada?" O argumento do apóstolo é que nenhum problema, situação, adversidade, acontecimento, ser humano ou mesmo angelical poderá separar-nos do amor de Cristo. Ao contrário, em todas essas coisas somos mais que vencedores (8.35-37). Essa frase "mais do que vencedores" é na língua grega uma só palavra, *hypernikomen,* cujo significado é "hipervencedores".

Paulo chega ao ponto culminante da sua argumentação: "Porque eu estou bem certo de quem nem a morte, nem a vida, nem os anjos, nem os principados, nem as coisas do presente, nem do porvir, nem os poderes, nem a altura, nem a profundidade, nem qualquer outra criatura poderá separar-nos do amor de Deus, que está em Cristo Jesus, nosso Senhor" (8.38,39). A convicção firme e inabalável de Paulo é que nem a crise da morte, nem as desgraças da vida, nem poderes sobre-humanos, sejam eles bons ou maus (anjos, principados, potestades), nem o tempo (presente ou futuro), nem o espaço (alto ou profundo), nem criatura alguma, por mais que tente fazê-lo, poderá separar-nos do amor de Deus, que está em Cristo Jesus, nosso Senhor.[769]

Franz Leenhardt apropriadamente cita as três séries de provações que nos atingem. A primeira evoca os embates interiores da fé contra a dúvida (8.35a). A segunda traz à baila as ameaças de que os homens são os instrumentos (8.35b). A terceira faz intervirem as forças misteriosas do mundo que escapam a todo controle humano (8.38,39).[770]

Juan Schaal, de forma exultante, comenta que o capítulo 8 de Romanos começa com "nenhuma condenação" porque estamos em Cristo, e termina com "nenhuma separação" porque estamos em Cristo. Entre o começo e o fim há um profundo vale de lutas e conflitos. Contudo, o viajante no caminho da salvação tem a segurança da vitória.[771] Deus seja louvado por tão gloriosa salvação e por tão bendita segurança!

NOTAS DO CAPÍTULO 15

[725] HENDRIKSEN, William. *Romanos*, p. 351.
[726] WILSON, Geoffrey B. *Romanos*, p. 123.
[727] MURRAY, John. *Romanos*, p. 329.
[728] STOTT, John. *A mensagem de Romanos 5-8*, p. 88.
[729] STOTT, John. *Romanos*, p. 288.
[730] RIENECKER, Fritz; ROGERS, Cleon. *Chave linguística do Novo Testamento grego*, p. 269.
[731] STOTT, John. *A mensagem de Romanos 5-8*, p. 88, 89.
[732] STOTT, John. *Romanos*, p. 287.
[733] RIENECKER, Fritz; ROGERS, Cleon. *Chave linguística do Novo Testamento grego*, p. 269.
[734] STOTT, John. *A mensagem de Romanos 5-8*, p. 89.
[735] STOTT, John. *Romanos*, p. 291.
[736] HENDRIKSEN, William. *Romanos*, p. 357.
[737] RIENECKER, Fritz; ROGERS, Cleon. *Chave linguística do Novo Testamento grego*, p. 269.
[738] STOTT, John. *A mensagem de Romanos 5-8*, p. 90.

[739] STOTT, John. *Romanos*, p. 291.

[740] HENDRIKSEN, William. *Romanos*, p. 360.

[741] STOTT, John. *Romanos*, p. 293.

[742] STOTT, John. *A mensagem de Romanos 5-8*, p. 91.

[743] WILSON, Geoffrey B. *Romanos*, p. 125.

[744] LEENHARDT, Franz. J. *Epístola aos Romanos*, p. 227.

[745] HASTINGS, James. *The great texts of the Bible*, p. 72.

[746] LOPES, Hernandes Dias. *Destinados para a glória*. São Paulo: Mundo Cristão, 2006, p. 30.

[747] BARCLAY, William. *Romanos*, p. 126.

[748] HASTINGS, James. *The great texts of the Bible*, p. 76.

[749] STOTT, John. *A mensagem de Romanos 5-8*, p. 91.

[750] STOTT, John. *Romanos*, p. 295.

[751] WATSON, Thomas. *All things for God*. Pennsylvania: The Banner of Truth Trust, 1998, p. 10.

[752] BRUCE, F. F. *Romanos: introdução e comentário*, p. 142.

[753] WILSON, Geoffrey B. *Romanos*, p. 126.

[754] WILSON, Geoffrey B. *Romanos*, p. 128.

[755] LEENHARDT, Franz. J. *Epístola aos Romanos*, p. 228.

[756] STOTT, John. *A mensagem de Romanos 5-8*, p. 95.

[757] RIENECKER, Fritz; ROGERS, Cleon. *Chave linguística do Novo Testamento grego*, p. 270.

[758] BRUCE, F. F. *Romanos: introdução e comentário*, p. 144.

[759] BRUCE, F. F. *Romanos: introdução e comentário*, p. 144.

[760] BRUCE, F. F. *Romanos: introdução e comentário*, p. 145.

[761] ERDMAN, Charles R. *Comentários de Romanos*, p. 101.

[762] LEENHARDT, Franz. J. *Epístola aos Romanos*, p. 230.

[763] ERDMAN, Charles R. *Comentários de Romanos*, p. 102.

[764] SCHAEFFER, Francis A. *A obra consumada de Cristo*, p. 240.

[765] STOTT, John. *A mensagem de Romanos 5-8*, p. 97.

[766] WIERSBE, Warren W. *Comentário bíblico expositivo*, p. 705.

[767] WILSON, Geoffrey B. *Romanos*, p. 99.

[768] STOTT, John. *A mensagem de Romanos 5-8*, p. 97, 98.

[769] STOTT, John. *A mensagem de Romanos 5-8*, p. 99, 100.

[770] LEENHARDT, Franz. J. *Epístola aos Romanos*, p. 234.

[771] SCHAAL, Juan. *El camino real de Romanos*, p. 97.

Capítulo 16

A soberania de Deus na salvação
(Rm 9.1-33)

Romanos 9–11 é um dos textos mais complexos de toda a Bíblia. Charles Erdman é da opinião que estes três capítulos são possivelmente os mais difíceis de interpretar de tudo quanto Paulo jamais escreveu.[772] Tom Wright diz que Romanos é um livro que contém oito capítulos de "evangelho" no começo, quatro de "aplicação" no final e, no meio, três capítulos de puro enigma. Ele chegou a considerar Romanos um livro tão cheio de problemas quanto um ouriço de espinhos.[773] Alguns eruditos pensam que Paulo está apenas fazendo um parêntese e retornará ao fio da meada no capítulo 12, com a aplicação da doutrina ensinada até o capítulo 8.[774]

Outros estudiosos, entretanto, defendem que esse é o ponto culminante da carta, em que Paulo detalhará a soberania divina na salvação.[775]

Geoffrey Wilson afirma categoricamente que a capitulação neste ponto [soberania de Deus] marcaria o abandono da fé no Deus vivo.[776] Stendahl alega que Romanos 9–11 constitui o cerne e o clímax da epístola e a única função dos capítulos restantes seria a de introdução e conclusão.[777] Para Calvino, esta porção das Escrituras é uma defesa da verdadeira identidade do Cristo e da credibilidade das promessas de Deus.[778]

John Stott diz que, em Romanos 9–11, Paulo aborda a posição singular do povo judeu no propósito de Deus. Aquilo que Paulo já havia aludido em uma série de passagens anteriores (1.16; 2.9; 2.17; 3.1; 3.29; 4.1; 5.20; 6.14; 7.1; 8.2), agora ele passa a elaborar.[779] David Stern afirma que os capítulos 9–11 de Romanos contêm a discussão mais importante e completa do Novo Testamento sobre o povo judeu.[780] Cada capítulo aborda um aspecto diferente da relação de Deus com Israel, o passado, o presente e o futuro: 1) o fracasso de Israel – o propósito da eleição de Deus (9.1-33); 2) a culpa de Israel – o desapontamento de Deus com a desobediência do seu povo (10.1-21); 3) o futuro de Israel – o desígnio eterno de Deus (11.1-32); 4) doxologia – a sabedoria e a generosidade de Deus (11.33-36).[781]

Para William Hendriksen, tanto no passado como no presente muitos eruditos defendem como propósito de Romanos 9–11 mostrar que na reta final da história humana todos os judeus sobre a terra serão salvos. Essa salvação alcançaria a nação toda, numa abrangente recuperação escatológica dos judeus incrédulos.[782]

Charles Erdman diz que Romanos 9–11 deve ser lido como uma unidade. Os três capítulos tratam tanto da soberania de Deus como da responsabilidade humana, formando uma trilogia: o capítulo 9 olha para o passado e mostra a soberana eleição divina; o capítulo 10 vê o presente e aborda a responsabilidade humana; já o capítulo 11 vislumbra o futuro e trata da bênção universal. O primeiro focaliza a "eleição", o segundo a "rejeição", o terceiro a "restauração"; a trilogia abre as cortinas com um brado de angústia de Paulo, mas se encerra com uma doxologia de louvor a Deus, cujos juízos são insondáveis, cujos caminhos são inescrutáveis.[783]

Analisaremos agora o capítulo 9. Cinco verdades devem ser aqui destacadas.

A tristeza de Paulo (9.1-5)

Paulo passa da exultação do final do capítulo 8 para a profunda tristeza do começo do capítulo 9. William Greathouse diz que o grito de alegria de Paulo se tornou um soluço de compaixão.[784] Na vida do cristão, algumas vezes, coexistem a alegria e a tristeza; a exultação e a dor.

Muitos judeus olhavam para Paulo como um consumado inimigo. Sentiam-se traídos com sua conversão à fé cristã e o consequente abandono das fileiras do judaísmo. Por esta causa, os judeus compatriotas foram seus perseguidores mais implacáveis. Eles não acreditavam que Paulo os amasse. Então, o apóstolo reforça seu argumento: "Digo a verdade em Cristo, não minto, testemunhando comigo, no Espírito Santo, a minha própria consciência" (9.1). Paulo afirma seu amor pelos israelitas, evocando o testemunho de Cristo e do Espírito Santo. Sua confissão de amor por seus compatrícios não é uma retórica vazia nem uma verborragia hipócrita, dissimulada e fingida, mas uma realidade insofismável. Seu coração está rasgado, seus olhos estão molhados e sua alma está gemendo. William Hendriksen diz que a tristeza de Paulo é grande em sua intensidade, profunda em sua natureza e incessante em sua duração.[785]

Qual é a razão da tristeza de Paulo?

Em primeiro lugar, *a incredulidade dos judeus* (9.1-3). Os judeus, irmãos e compatriotas de Paulo segundo a carne, ainda estavam aferrados à sua tradição religiosa, sem Cristo e sem salvação. Isso provoca no apóstolo grande tristeza e incessante dor. Paulo é um teólogo que escreve sobre a soberania de Deus não como frio acadêmico, mas como homem de coração quebrado e com os olhos molhados de lágrimas. Embora faça uma análise meticulosa do propósito soberano de Deus na salvação, revela profundo amor por seu povo e grande pesar por vê-lo ainda endurecido ao evangelho da graça.

Como apóstolo dos gentios, Paulo anseia ardentemente ver a salvação dos judeus, seus compatriotas segundo a carne. A tristeza profunda e a dor contínua do veterano apóstolo o levam a fazer uma ousada confissão. Ele desejou ser apartado de Cristo para que seus irmãos fossem reconciliados com Cristo. Desejou ser maldito para que seus compatriotas fossem benditos. Desejou ir ao inferno para que os seus irmãos fossem ao céu. Warren Wiersbe diz que Paulo se mostrou disposto a ficar fora do céu por amor aos salvos e a ir ao inferno por amor aos perdidos (9.3).[786] A palavra grega *anathema* significa "separado de Cristo e destinado à destruição, ou seja, abandonado à perdição".[787] Paulo estava pronto a ir às últimas consequências para ver seus compatrícios salvos.

O sentimento de Paulo nos lembra de Judá que, como substituto de seu irmão Benjamim, disse: "Agora, pois, fique teu servo em lugar do moço por servo de meu senhor" (Gn 44.33). Recorda-nos as palavras emocionantes de Moisés ao interceder pelo povo: "Agora, pois, perdoa-lhe o pecado; ou, se não, risca-me, peço-te, do livro que escreveste" (Êx 32.32). Voltamos nossa memória para o agonizante clamor de Davi: "Meu filho Absalão, meu filho, meu filho Absalão! Quem me dera que eu morrera por ti, Absalão, meu filho, meu filho!" (2Sm 18.33). Porém, acima de tudo, ele fixa nossa atenção naquele que realmente se fez o substituto de seu povo (3.24,25; 8.32).[788]

Citando Lutero, John Stott declara: "Parece inacreditável que um homem se disponha a ser amaldiçoado a fim de que os malditos possam se salvar".[789] É óbvio que essa é uma impossibilidade absoluta, já que o mesmo Paulo acabara de ensinar que nada nem ninguém pode separar-nos do amor de Deus que está em Cristo Jesus (8.38,39). No entanto, se isso fosse possível, estaria disposto a sacrificar-se para ver seus irmãos salvos.

Em segundo lugar, *os privilégios dos judeus* (9.4,5). A tristeza de Paulo se agravava não apenas pelo fato de seus irmãos permanecerem incrédulos, mas também por permanecerem incrédulos a despeito de tantos e benditos privilégios. Que insignes privilégios eram esses?

a. *A descendência* (9.4). Eles eram descentes de Jacó. O título "israelitas" chama à atenção sua descendência de Jacó, cujo nome foi mudado para "Israel", em comemoração à sua fé vitoriosa, que não permitiu que Deus o deixasse antes que o tivesse abençoado.

b. *A adoção* (9.4). A adoção se refere à sua eleição teocrática, pela qual eles foram separados das nações pagãs para se tornarem os primogênitos de Deus (Êx 4.22), sua possessão particular (Êx 19.5), seu filho (Os 11.1), seu povo escolhido (Is 43.20).

c. *A glória* (9.4). A "glória" era o sinal visível da presença de Deus com eles. William Hendriksen diz que a glória é a manifestação visível do Deus invisível.[790] John Murray esclarece que essa glória deve ser reputada como referência àquela que se manifestou e permaneceu no monte Sinai (Êx 24.16,17), a glória que cobriu e encheu o Tabernáculo (Êx 40.34-38), a glória que aparecia sobre o propiciatório, no Santo dos Santos (Lv 16.2), a glória do Senhor que encheu o templo (1Rs 8.10,11). Essa glória era o sinal da presença de Deus entre os israelitas, garantindo-lhes que Deus habitava e viera ter comunhão com eles (Êx 29.42-46).[791]

d. *As alianças* (9.4). As "alianças" estão no plural porque o pacto de Deus foi progressivamente revelado. Mesmo que haja somente um pacto da graça, em essência idêntico em ambas as dispensações, ele foi revelado plenamente no decurso do tempo.[792] John Murray tem razão quando diz que devemos considerar o plural como denotação das alianças abraâmica, mosaica e davídica.[793]

e. *A legislação* (9.4). Deus favoreceu de modo especial Israel, pela dádiva da lei. Deus deu preceitos e instruções a seu povo para guiá-lo no caminho da santidade.

f. *O culto* (9.4). O culto aqui fala da adoração do verdadeiro Deus de modo verdadeiro. William Hendriksen diz corretamente que Romanos 9.4 se refere a muito mais que o culto no templo, ou ainda o culto público em geral. Provavelmente Paulo estava pensando no culto ou serviço verdadeiro do único Deus e na maneira pela qual tal homenagem é prestada.[794]

g. *As promessas* (9.4). Essas "promessas" são aquelas relativas ao Messias, e foi pela fé nessas promessas que os santos da antiga dispensação obtiveram a vida eterna.

h. *Os patriarcas* (9.5). Os "patriarcas" se referem a Abraão, Isaque e Jacó, os pais da fé de quem eles descendiam e podiam orgulhar-se (Êx 3.6; Lc 20.37).

i. *A descendência de Cristo, segundo a carne* (9.5). A maior glória de Israel consiste no fato de Cristo, que é "sobre todos, Deus bendito eternamente. Amém", ter consentido em ser seu compatriota "segundo a carne". Paulo afirma ambas as naturezas de Cristo: a divina e a humana. Os eruditos ao longo dos séculos têm discutido se essa doxologia se refere a Deus Pai ou a Deus Filho. Concordo com a ideia de Geoffrey Wilson de que esta é uma doxologia a Deus [Pai] anulada pelo contexto. O que torna a tristeza de Paulo tão forte é o fato de que Israel, mesmo tão favorecido por Deus, tenha fracassado em reconhecer Cristo como seu Salvador. Assim, se Paulo inserisse uma doxologia a Deus [Pai] neste ponto, ela estaria fora de lugar e a incongruência seria evidente. Entretanto, é altamente apropriado Paulo mostrar que o Cristo que os judeus rejeitaram e crucificaram é aquele que é "sobre todos, Deus bendito eternamente".[795]

A eleição divina, a Palavra que não pode falhar (9.6-13)

Em face da incredulidade de muitos judeus, alguns começaram a duvidar da credibilidade da Palavra e da veracidade das promessas. Alguns escritores acreditam que Paulo escreveu a carta aos Romanos com o propósito de mostrar a solução ao dilema dos judeus: ou as promessas de Deus eram falsas, ou os judeus não podiam perder-se porque eram judeus. Ou o evangelho de Paulo era falso, ou as promessas de Deus não eram verdade.[796] Paulo responde a essas objeções citando a soberana eleição divina. Destacamos aqui dois pontos:

Em primeiro lugar, *a eleição não é genética, mas espiritual* (9.6-9). Nem todos os descendentes físicos de Abraão são filhos espirituais de Abraão. Os verdadeiros filhos de Abraão não são os que têm o sangue de Abraão correndo nas veias, mas os que têm a fé de Abraão em seu coração. O puritano John Flavel é ainda mais claro: "Se a fé de Abraão não estiver em seus corações, de nada lhes adiantará ter o sangue de Abraão em suas veias".[797] Geoffrey Wilson está certo quando diz que a descendência natural de Abraão não é garantia de um parentesco espiritual com Abraão.[798] Adolf Pohl esclarece esse ponto: "O nascimento judaico não é por natureza uma ligação com Deus. Nenhum poder salvífico lhe é inerente. Deus não se deixa enquadrar como um deus nacionalista".[799]

John Stott diz que sempre houve dois tipos de "Israel": de um lado, os que o eram por descenderem fisicamente de Israel (Jacó) e, de outro lado, os que constituíam sua descendência espiritual; e a promessa de Deus destinava-se aos últimos, os que a receberam.[800] John Murray afirma que existe um "Israel" dentro do Israel étnico. Assim, não são judeus todos os que são judeus, nem são circuncisos todos os que são da circuncisão (2.28,29). O Israel distinguido do Israel de descendência natural é o verdadeiro *Israel*.[801] Na linguagem de Paulo, este é o Israel segundo o Espírito (Gl 4.29). Desta maneira, os verdadeiros filhos de Abraão são aqueles que "também andam nas pisadas da fé que teve Abraão" (4.12). A promessa da aliança estabelecida por Deus não foi promulgada para incluir todo o Israel étnico, mas todo o Israel espiritual.

Em segundo lugar, *a eleição divina não é meritória, mas incondicional* (9.10-13). Paulo exemplifica isso com dois exemplos da escolha divina dentro do Israel étnico: Isaque e Jacó. Tanto a escolha de Isaque em vez de Ismael quanto a de Jacó em vez de Esaú ilustram a mesma verdade fundamental do propósito de Deus conforme a eleição. Desta forma, a promessa de Deus não falhou, apenas se cumpriu no Israel espiritual dentro do Israel físico.[802] Este ponto é elucidado por F. F. Bruce:

> Abraão foi pai de um bom número de filhos, mas somente por meio de um deles, Isaque, o filho da promessa, é que a linha da promessa de Deus devia ser traçada. Isaque, por sua vez, teve dois filhos, mas somente por um deles, Jacó, é que a semente santa foi transmitida. E a escolha que Deus fez de Jacó e a omissão do seu irmão Esaú não dependeram nem um pouco da conduta ou do caráter dos irmãos gêmeos: Deus o declarara previamente – antes do nascimento deles.[803]

Geoffrey Wilson tem razão quando diz que não existia nenhuma tal disparidade entre Esaú e Jacó, quer de nascimento, quer de obras; ambos tinham a mesma mãe; Rebeca os concebeu no mesmo momento, e de ninguém além de nosso pai Isaque; e assim mesmo um deles é escolhido, e o outro recusado.[804] Jacó não foi amado por causa de suas virtudes, nem Esaú foi rejeitado por causa de seus deméritos. A escolha divina foi feita antes que pudesse haver qualquer manifestação de seus caracteres.

Tanto Esaú como Jacó mereciam repúdio, por causa do pecado de Adão, de modo que, na realidade, é mais fácil explicar a rejeição de Deus por Esaú que seu amor por Jacó (Ml 1.2). Quando todos merecem a morte, é um milagre de pura graça se alguns recebem vida. Certamente Jacó não merecia essa misericórdia mais que Esaú. No entanto, Deus soberanamente escolheu Jacó, enquanto também soberanamente deixou de lado Esaú. Cranfield tem razão quando diz que tanto "amar" como "aborrecer" devem ser entendidos como designando eleição e rejeição, respectivamente. Deus escolheu Jacó e seus descendentes para serem seu povo peculiar e deixou Esaú e Edom fora desse relacionamento.[805]

A eleição de Israel aqui tratada pelo apóstolo não é apenas nacional, coletiva e teocrática, como pensava Leenhardt, mas pessoal.[806] Presto apoio ao que diz John Murray: "Nem todos os que são da nação eleita de Israel são eleitos. Há uma distinção entre Israel e o *verdadeiro* Israel, entre os filhos e os filhos *verdadeiros,* entre os descendentes e os *verdadeiros* descendentes. Precisamos distinguir entre os eleitos de Israel e a nação eleita de Israel".[807]

A misericórdia divina, uma decisão de sua livre e soberana escolha (9.14-18)

Alguns opositores insinuavam que o ensino de Paulo acerca da soberania de Deus na salvação tornava Deus injusto por conceder a uns a sua misericórdia e ignorar outros, aplicando a eles sua santa ira. Paulo responde a esses ataques com três declarações:

Em primeiro lugar, *a misericórdia divina não é merecimento humano* (9.14-16). Paulo defende a justiça de Deus proclamando sua misericórdia, mostrando que aqueles que acusam Deus de cometer injustiça estão rotundamente equivocados, uma vez que, quando se trata de salvar pecadores, Deus não se baseia em justiça, mas em misericórdia. Deus não deve misericórdia a nenhum homem. As palavras divinas ditas a Moisés revelam misericórdia (9.15), enquanto as dirigidas a Faraó apontam para o seu poder julgador (9.17). Deus é glorificado tanto em sua misericórdia como na vindicação de sua justiça.

Como todos não merecem nada além de ira, ninguém pode reivindicar a misericórdia como direito. Assim, Deus não é injusto quando deixa que alguns recebam a justa recompensa por seus atos. Pois, embora ele deva punir o pecado, não está sob nenhuma obrigação de exercer misericórdia. Não há base justa para se reclamar de Deus. "Não me é lícito fazer o que quero do que é meu?" (Mt 20.15).[808]

A eleição de Deus não provém da vontade ou do esforço de Jacó, nem de homem algum, isto é, não vem de seus bons desejos ou ações, suas boas inclinações e obras, nem da previsão destas coisas; vem puramente da misericórdia e boa vontade de Deus.[809]

Em segundo lugar, *dar ao homem o que seus pecados merecem não é arbitrariedade divina* (9.17). A escolha de alguns para a vida eterna inevitavelmente implica a rejeição de outros, e isto se confirma pelo exemplo de Faraó (Êx 9.16).[810] As mesmas Escrituras que anunciam misericórdia a Moisés (9.15) anunciam o poder de juízo a Faraó (9.17). Com respeito à salvação, Deus deu a Moisés o que ele não merecia e, quanto ao juízo, Deus deu a Faraó o que ele merecia. Nisso não há injustiça da parte de Deus, pois ele ignora alguns enquanto concede sua graça a outros. Ele tem o direito de fazer isso porque não deve sua graça a nenhum homem. John Stott está coberto de razão quando diz que, se há algo de surpreendente nisso tudo, não é que uns sejam salvos e outros não, mas que pelo menos alguém se salve; afinal de contas, perante Deus, nenhum de nós merece coisa alguma a não ser o juízo. Quer recebamos o que merecíamos (ou seja, juízo), quer recebamos o que não merecíamos (isto é, misericórdia), em nenhum dos casos Deus estará sendo injusto. Se, portanto, alguém se perder, a culpa é sua; mas se alguém for salvo, o crédito é de Deus.[811]

Em terceiro lugar, *Deus endurece os endurecidos e dá a eles o que merecem* (9.18). Deus endurece os endurecidos. Jamais haverá o caso de um indivíduo desejoso de ir a Cristo mesmo sendo rejeitado. Os réprobos são aqueles que deliberadamente rejeitam a graça. Por isso, a doutrina de rejeição é a contrapartida da doutrina da eleição, pois a eleição de alguns implica inevitavelmente a rejeição de outros (Mt 11.25,26; 1Pe 2.8; Jd 4). As duas doutrinas permanecem em pé ou caem juntas.[812] Louis Berkhof define com clareza a doutrina da rejeição: "A reprovação pode definir-se como aquele decreto eterno de Deus, por meio do qual ele determina passar por alto a alguns homens com a operação de sua graça especial e castigá-los por seus pecados para manifestar assim sua justiça".[813] A causa eficiente da salvação é a graça, mas a causa eficiente da condenação é o pecado.

William Hendriksen está certo quando diz: "Ainda que o pecado seja de fato a causa meritória da reprovação, a fé não é a causa meritória da eleição".[814] O espantoso não é o fato de Deus condenar o pecador por sua justiça, mas de Deus salvá-lo por sua graça. As Confissões Reformadas (Confissão Belga, Catecismo de Heidelberg, Confissão Helvética e Confissão de Westminster e Catecismos Breve e Maior) são unânimes em ensinar tanto a eleição pela graça como a reprovação dos impenitentes.[815] Concordo com William Hendriksen quando ele diz que os nossos credos procedem da posição *infralapsariana,* segundo a qual as pessoas destinadas à glória foram escolhidas do estado de pecado e destruição no qual estavam submersas; e as destinadas à perdição foram, por decreto divino, deixadas nesse estado.[816] Assim, o homem entra no céu inteiramente pela graça e vai para o inferno inteiramente por causa do seu pecado.

Leon Morris complementa: "Nem aqui, nem em nenhum lugar, se vê que Deus endurece alguém que já não tenha endurecido a si mesmo".[817] Está meridianamente claro nas Escrituras que Faraó endureceu seu coração contra Deus e reiteradas vezes recusou arrepender-se (Êx 7.13,14,22; 8.15,19,32; 9.7,17,27,34; 10.3,16; 11.9; 13.15; 14.5). Consequentemente, o gesto de Deus ao endurecê-lo foi um ato de juízo, abandonando-o à própria obstinação (Êx 4.21; 7.3; 9.12; 10.1,20,27; 11.10; 14.4,8,17), da mesma forma que a ira de Deus contra os ímpios se expressa em "entregá-los" à própria depravação (1.24,26,28).[818] Nessa mesma linha de pensamento, Leenhardt diz que o endurecimento é uma reação de Deus à dureza do coração humano. Deus confirma e sela uma situação que não foi ele quem criou; o endurecimento é um juízo de Deus sobre o pecado, e não uma decisão arbitrária de Deus em relação a um indivíduo com vistas a excluí-lo da salvação e da condenação.[819]

A queixa humana, uma atitude insolente contra Deus (9.19-29)

Paulo trata agora de cinco verdades importantes:

Em primeiro lugar, *Deus tem o direito de fazer o que lhe apraz com suas criaturas* (9.19-21). Deus é o criador, e nós somos criaturas. Deus é santo, e nós somos pecadores. Deus é soberano, e nós somos limitados. Deus é o oleiro, e nós somos o barro. Queixar-se de Deus é o cúmulo da petulância, o máximo da arrogância. Assim como o barro não pode querer colocar-se no lugar do oleiro nem questioná-lo, também não podemos colocar-nos no lugar de Deus nem pôr em xeque seu direito absoluto e inalienável de dispor das suas criaturas como lhe apraz.

John Stott argumenta que Deus tem pleno direito de lidar com a humanidade caída conforme queira, seja de acordo com sua ira ou sua misericórdia. Deus não é apenas o criador, é também o governador moral do universo. Em lugar algum sugere-se que Deus teria o direito de "criar seres pecadores a fim de puni-los", mas que ele tem o direito de "lidar com os pecadores conforme ele queira", perdoando-os ou punindo-os.[820]

Existe uma justa e natural diferença entre a vontade preceptiva de Deus e sua vontade determinadora. Era da vontade preceptiva de Deus que os judeus não crucificassem o Senhor Jesus Cristo. Eles agiram dessa forma, contrariamente ao mandamento divino, e eram portanto culpados; apesar disso, era da vontade determinadora de Deus que o Salvador fosse crucificado, pois os judeus e os soldados romanos fizeram apenas o que "sua mão e seu conselho de antemão determinaram que fosse feito" (At 2.23). Embora a traição de Judas contra Cristo estivesse preordenada desde a eternidade como o meio de efetuar a redenção, foi Judas, e não Deus, quem traiu a Cristo. As causas históricas secundárias não são eliminadas pela causalidade divina, mas antes se tornam certas. A vontade preceptiva de Deus é a regra de conduta para nós, ou seja, sua vontade revelada nas Escrituras, enquanto a vontade determinadora é o plano de operações para si mesmo, ou seja, sua vontade secreta.[821]

Em segundo lugar, *Deus tem o controle da vida do homem, e não o homem da vida de Deus* (9.20,21). Paulo usa a figura do oleiro e do barro para ilustrar a autoridade de Deus sobre suas criaturas (Is 29.15,16; 64.8,9; Jr 18.1-6). William Hendriksen escreve:

> Se até mesmo um oleiro tem direito, da mesma massa de barro, de fazer um vaso para honra e outro para desonra, então com certeza Deus, nosso Criador, tem direito, da mesma massa de seres humanos que por sua própria culpa precipitou-se no poço de miséria, eleger alguns para a vida eterna e permitir que os demais permaneçam no abismo da degradação.[822]

A autoridade de Deus sobre a criatura é maior que a do oleiro sobre o barro. O oleiro não faz seu barro; mas tanto o barro quanto o oleiro foram feitos por Deus.[823] Vivemos numa geração homocêntrica e antropolátrica, que busca sofregamente substituir o criador pela criatura. O homem besuntado de tola soberba quer destronar a Deus e ascender a seu trono. Aquele que não passa de pó e cinza quer arvorar-se contra o Criador e colocá-lo no banco dos réus para julgá-lo. É Deus, contudo, quem está no controle de todas as coisas, e não o homem. Não é o homem quem manipula a Deus; é Deus quem molda o homem como o oleiro faz com o barro.

Em terceiro lugar, *Deus é glorificado tanto na salvação dos eleitos quanto na condenação dos réprobos* (9.22,23). Os vasos de ira são os impenitentes, aqueles que se endureceram e foram endurecidos, aqueles que rejeitaram e foram rejeitados, aqueles a quem Deus suportou com paciência e em quem manifestou o poder do seu juízo.

Os vasos de misericórdia são aqueles a quem Deus escolheu por sua graça para sobre eles derramar sua misericórdia e dar-lhes a riqueza da sua glória. John Murray é absolutamente oportuno ao alertar para o fato de que na ira divina não existe malícia, perversidade, vingança, rancor ou amargura profanos. O tipo de ira assim caracterizada é condenada nas Escrituras, e seria uma blasfêmia atribuí-la ao próprio Deus.[824]

Warren Wiersbe destaca que o termo "preparados" em Romanos 9.22 não dá a entender que Deus tornou Faraó um "vaso de ira". Esse verbo é o que os gramáticos gregos chamam de voz média e indica uma ação reflexiva. Assim, a frase deve ser traduzida por "prepararam a si mesmos para a perdição". Deus prepara os homens para a glória (9.23), mas os pecadores se preparam para o julgamento.[825] John Murray defende que é o próprio Deus quem prepara os vasos de ira para a perdição, porém a perdição imposta aos vasos de ira é algo para o que sua anterior condição os torna adequados. Há uma correspondência exata entre o que eles foram na vida presente e a perdição à qual estão destinados. Assim, os vasos de ira capacitam a si mesmos para a perdição; são os agentes do mérito que resulta em perdição. No entanto, somente Deus prepara para a glória.[826]

Em quarto lugar, *Deus por sua graça nos dá o que não merecemos* (9.24-26). A graça não é concedida por critério étnico, cultural ou religioso, pois Deus chama seus eleitos não só dentre os judeus, mas também dentre os gentios (9.24). Mesmo vivendo sem Deus no mundo, ele nos tornou seu povo. Mesmo sendo inimigos de Deus, ele nos fez amados (9.25). Mesmo vivendo sem esperança e sem Deus no mundo, mortos nos nossos delitos e pecados, Deus nos transformou em seus filhos, membros de sua bendita família (9.26). Concordo com Cranfield quando ele diz que a presença dos gentios na igreja é o sinal e o penhor de que a esfera de rejeição de Ismael, Esaú, Faraó e dos próprios judeus incrédulos não está finalmente excluída da misericórdia de Deus.[827]

Em quinto lugar, *Deus escolhe por sua graça para a salvação um remanescente fiel* (9.27-29). A eleição da graça é para o remanescente. A salvação não é endereçada a todos os filhos de sangue de Abraão, mas aos filhos da promessa; não aos que são israelitas por nascimento, mas aos que são crentes pelo novo nascimento. Stott escreve: "Apenas um remanescente seria salvo, o Israel dentro de Israel (9.6). Semelhantemente, conforme o versículo 29, em meio à total destruição de Sodoma e Gomorra, somente alguns seriam poupados – ou melhor, apenas Ló e suas duas filhas".[828]

Solano Portela, ilustre escritor evangélico presbiteriano, faz uma importante síntese acerca da doutrina da eleição, que passo aqui a mencionar. Essa gloriosa doutrina foi ensinada por Jesus (Jo 5.21; 6.65; 10.27; 15.16), explanada por Paulo (Rm 9.1-16; Ef 1.4,5-11), registrada por João, Lucas e outros (Jo 1.12,13; At 13.48), aceita pelos patriarcas da igreja, por exemplo Policarpo, Irineu e Eusébio. Foi, porém, contestada pelos ramos heréticos da igreja, dos quais o maior expoente nos primeiros séculos foi Pelágio, defensor do livre-arbítrio irrestrito, em oposição a Agostinho, que defendia e enaltecia a soberania de Deus em todas as esferas, principalmente na salvação de almas. Foi esquecida pela igreja católica, na medida em que sua formação se deu entrelaçada ao Estado, após a regência do imperador Constantino. Este esquecimento foi paralelo ao de outras doutrinas cardeais da Bíblia, sufocadas e suplantadas pelas tradições e conveniências da igreja, concretizando-se no humanismo pragmático de Tomás de Aquino. Reapareceu em todos os movimentos pré-Reforma que desabrocharam na Idade Média, sendo uma constante, paralelamente às outras doutrinas chaves da Bíblia, entre os valdenses (seguidores de Waldo), os hussitas (seguidores de João Huss) os lolardos (seguidores de Wycliff). Lutero a reviveu na Reforma do século 16, que, despertando para as doutrinas fundamentais que haviam sido mumificadas pela igreja católica, a defende e a proclama, principalmente em seu livro *De servo arbitrio (A prisão do arbítrio)*, escrito em resposta a Erasmo de Roterdã. Constante em todos os movimentos pós-Reforma, por exemplo nos escritos e tratados de Melanchton, Zuínglio e João Knox, teve seus ensinamentos sistematizados por Calvino, que reapresenta e organiza a posição de Paulo e de Agostinho em seu tratado *Institutas da religião cristã* e em outros livros e comentários bíblicos, fundamentando a posição da igreja protestante contra os arminianos. Nessa ocasião, sofre ataques apenas de Jacobus Armínius e seus seguidores, que assumiram a posição de Pelágio, levando ao posicionamento contrário, oficial, conhecido como os Cânones de Dort (Dordrecht) – o qual resume a doutrina reformada sobre a soberania de Deus na salvação, refletindo igualmente a interpretação bíblica dessas doutrinas contidas no Catecismo de Heidelberg e na Confissão de Fé Belga. Constituiu-se no posicionamento oficial de quase todas as denominações que se afirmaram após a Reforma.[829]

A justificação pela fé, o único meio de salvação (9.30-33)

John Stott vê nesse último parágrafo de Romanos 9 três verdades importantes sobre a justificação: começa com uma descrição, continua com uma explicação e termina com uma confirmação.[830]

Em primeiro lugar, *uma descrição* (9.30,31). Paulo afirma que os judeus buscaram a justificação pelos méritos das obras, mediante a observância da lei, e não alcançaram essa justiça, ao passo que os gentios que não a buscavam, encontram-na, ou seja, a justiça que decorre da fé.

Em segundo lugar, *uma explicação* (9.32,33a). Depois de descrever como os gentios encontraram a justificação pela fé e os judeus não alcançaram a justificação pelas obras, Paulo oferece uma explicação importante. A justiça que os judeus buscavam não decorria da fé, mas das obras. Assim, eles tropeçaram em Cristo e desprezaram seu sacrifício. Cristo tornou-se para eles pedra de tropeço e rocha de escândalo. Citando Charles Hodge, Geoffrey Wilson faz um solene alerta: "Que nenhum homem pense que o erro doutrinário é apenas um pequeno mal. Nenhum caminho que conduz para a perdição já se encontrou mais cheio de gente do que o da falsa doutrina. O erro é um escudo para a consciência; e uma venda para os olhos".[831]

Em terceiro lugar, *uma confirmação* (9.33b). Paulo conclui sua argumentação confirmando a essência da doutrina da justificação: "... aquele que nela [rocha de escândalo] crê não será confundido" (9.33b). Os judeus buscaram a justificação pelas obras e foram confundidos, mas os que se voltam das obras para Cristo não serão confundidos. Os judeus, que buscavam a justiça nunca a alcançaram; os gentios, que não a buscavam, dela se apossaram.

O Cristo crucificado era "escândalo" para os judeus (1Co 1.23). Eles tropeçaram na pedra de tropeço (9.33). O verbo grego *prosekopsan*, "tropeçou", não significa "tropeçar por descuido", mas "ficar aborrecido com". Para os judeus, a cruz do Messias era um "escândalo" que os irritava e os levava à indignação.[832] A grande questão é: Por que as pessoas tropeçam na cruz? Porque ela corrói os alicerces da nossa justiça própria. Pois se a justiça vem pela lei, Cristo morreu em vão (Gl 2.21). Só há duas atitudes em relação a Jesus:

ele é pedra de esquina ou pedra de tropeço; é o rochedo da nossa salvação ou a rocha de escândalo. Israel fracassou em reconhecer Cristo como seu Salvador. Enquanto confiasse nas obras, Israel não poderia abraçar a Cristo. Tinha de ser um ou outro. Não havia como ser ambos.[833]

John Stott tem razão quando diz que só existem duas possibilidades: uma é colocar nossa confiança em Cristo, fazer dele o alicerce de nossa vida e construir sobre esse fundamento. A outra é esfolar as canelas na pedra, tropeçar e cair.[834] Um encontro com Jesus, o grande divisor da humanidade, não pode ser evitado. Aqueles que não encontrarem em Cristo sua rocha de refúgio se arruinarão ao tropeçar na pedra de tropeço (Jo 16.9).[835]

Notas do capítulo 16

[772] Erdman, Charles R. *Comentários de Romanos*, p. 106.

[773] Wright, N. T. *The climax of the covenant*, p. 231.

[774] Stott, John. *Romanos*, p. 315.

[775] Stendahl, Krister. *Paul among jews and gentiles and other essays.* Philadelphia: Fortress, 1976, p. 4.

[776] Wilson, Geoffrey B. *Romanos*, p. 136, 137.

[777] Stendahl, Krister. *Paul among jews and gentiles and other essays*, p. 4.

[778] CALVINO, João. *Epístola a los Romanos*, p. 231.

[779] STOTT, John. *Romanos*, p. 315.

[780] STERN, David H. *Comentário judaico do Novo Testamento*, p. 419.

[781] STOTT, John. *Romanos*, p. 316.

[782] HENDRIKSEN, William. *Romanos*, p. 405.

[783] ERDMAN, Charles R. *Comentários de Romanos*, p. 106, 107.

[784] GREATHOUSE, William. *A epístola aos Romanos,* p. 135.

[785] HENDRIKSEN, William. *Romanos*, p. 407.

[786] WIERSBE, Warren W. *Comentário bíblico expositivo*, p. 708.

[787] BARCLAY, William. *Romanos*, p. 139; MURRAY, John. *Romanos*, p. 365.

[788] HENDRIKSEN, William. *Romanos*, p. 409.

[789] STOTT, John. *Romanos*, p. 319.

[790] HENDRIKSEN, William. *Romanos*, p. 411.

[791] MURRAY, John. *Romanos*, p. 367.

[792] HENDRIKSEN, William. *Romanos*, p. 411.

[793] MURRAY, John. *Romanos*, p. 367.

[794] HENDRIKSEN, William. *Romanos*, p. 412.

[795] WILSON, Geoffrey B. *Romanos*, p. 139.

[796] SCHAAL, Juan. *El camino real de Romanos*, p. 101.

[797] WILSON, Geoffrey B. *Romanos*, p. 140.

[798] WILSON, Geoffrey B. *Romanos*, p. 139.

[799] POHL, Adolf. *Carta aos Romanos*, p. 154.

[800] STOTT, John. *Romanos*, p. 321.

[801] MURRAY, John. *Romanos*, p. 371.

[802] STOTT, John. *Romanos*, p. 323.

[803] BRUCE, F. F. *Romanos: introdução e comentário*, p. 153.

[804] WILSON, Geoffrey B. *Romanos*, p. 141.

[805] CRANFIELD, C. E. B. *Comentários de Romanos*, p. 215.

[806] LEENHARDT, Franz. J. *Epístola aos Romanos*, p. 253.

[807] MURRAY, John. *Romanos*, p. 380, 381.

[808] WILSON, Geoffrey B. *Romanos*, p. 143.

[809] WILSON, Geoffrey B. *Romanos*, p. 143.

[810] WILSON, Geoffrey B. *Romanos*, p. 143.

[811] STOTT, John. *Romanos*, p. 325.

[812] WILSON, Geoffrey B. *Romanos*, p. 144.

[813] BERKHOF, L. *Teologia sistemática*, p. 136.

[814] HENDRIKSEN, William. *Romanos*, p. 422.

[815] BEEKE, Joel R. FERGUSON, Sinclair B. *Harmonia das confissões reformadas.* São Paulo: Cultura Cristã, 2006, p. 28-36.

816 HENDRIKSEN, William. *Romanos*, p. 424.

817 MORRIS, Leon. *The Epistle to the Romans*, p. 361.

818 STOTT, John. *Romanos*, p. 325.

819 LEENHARDT, Franz. J. *Epístola aos Romanos*, p. 255.

820 STOTT, John. *Romanos*, p. 328.

821 WILSON, Geoffrey B. *Romanos*, p. 145, 146.

822 HENDRIKSEN, William. *Romanos*, p. 432.

823 WILSON, Geoffrey B. *Romanos*, p. 146.

824 MURRAY, John. *Romanos*, p. 384, 385.

825 WIERSBE, Warren W. *Comentário bíblico expositivo*, p. 710, 711.

826 MURRAY, John. *Romanos*, p. 398.

827 CRANFIELD, C. E. B. *Comentários de Romanos*: 224.

828 STOTT, John. *Romanos*, p. 333.

829 PORTELA, Solano. *www.solanoportela.net*

830 STOTT, John. *Romanos*, p. 333.

831 WILSON, Geoffrey B. *Romanos*, p. 150.

832 GREATHOUSE, William. *A epístola aos Romanos,* p. 143.

833 HENDRIKSEN, William. *Romanos*, p. 441.

834 STOTT, John. *Romanos*, p. 335.

835 WILSON, Geoffrey B. *Romanos*, p. 151.

Capítulo 17

A desobediência do povo de Deus
(Rm 10.1-21)

No CAPÍTULO 9 DE ROMANOS, Paulo olhou para o passado e tratou do propósito divino quanto à eleição dos judeus; no capítulo 10, voltou os olhos para o presente a fim de mostrar a incredulidade dos judeus; e, no capítulo 11, dirigirá sua atenção para o futuro, manifestando sua esperança de que os judeus venham a ouvir e crer no evangelho.

Warren Wiersbe diz que Paulo passa da soberania divina no capítulo 9 para a responsabilidade humana no capítulo 10.[836] John Murray destaca que Paulo encerrou o capítulo 9 mostrando que o tropeço de Israel consistiu em buscar a justiça mediante as obras e não mediante a fé. Isto é apenas outro modo de dizer que eles procuravam estabelecer a própria justiça, não se sujeitando à justiça de Deus (10.3). Portanto, não há interrupção no pensamento iniciado em Romanos 10.1.[837]

Ao adentrar os umbrais do capítulo 10, notaremos que o apóstolo Paulo continua focando sua atenção sobre o povo de Israel, seus irmãos e compatriotas segundo a carne. O profundo desejo de vê-los salvos (9.3) transforma-se agora em boa vontade e súplica a Deus (10.1) por parte do apóstolo dos gentios (11.13). Para usar as palavras de Adolf Pohl, em Paulo, coração e oração se unem.[838]

No estudo deste capítulo, trataremos de cinco pontos importantes, como seguem.

A oração de Paulo pela salvação de Israel (10.1)

O apóstolo escreve: "Irmãos, a boa vontade do meu coração e a minha súplica a Deus a favor deles são para que sejam salvos" (10.1). Paulo foi, sem sombra de dúvidas, o maior teólogo do cristianismo. Como nenhum outro, recebeu da parte de Deus a revelação do mistério de Deus, desvendando o eterno propósito divino de unir em um só corpo, judeus e gentios (Ef 3.3-7). Paulo, porém, não foi um acadêmico frio nem um teólogo de gabinete. Era um homem de oração. Não apenas amava a pregação, mas também as pessoas a quem pregava. Estava pronto a retardar sua entrada no céu por causa dos salvos (Fp 1.23,24) e estava pronto a ir para o inferno a fim de ver os perdidos salvos (9.3).

Os entranhados afetos do apóstolo, contudo, não são apenas emoções subjetivas, mas se transformam em orações objetivas. Leenhardt ressalta que a severidade de Paulo para com os erros teológicos de seu povo não lhe diminui a profunda afeição (9.3) nem lhe desencoraja a prática da intercessão (10.1).[839] A doutrina da soberania de Deus na salvação não inibiu o apóstolo de orar pelo seu povo. A doutrina da eleição não é um desestímulo à oração, mas um incentivo. De acordo com William Hendriksen: "A identidade dos réprobos só é conhecida de Deus. Portanto, o apóstolo estava certo em orar pelos judeus individualmente e pelos judeus em geral".[840]

E qual o motivo que Paulo ora? Para que os judeus sejam prósperos? Para que sejam libertados do jugo de Roma? Para que se tornem os líderes do mundo? Não! Paulo ora para que eles sejam salvos. As bênçãos temporais, embora importantes, não podem ser comparadas às espirituais e eternas.

A ignorância espiritual de Israel (10.2-4)

Por que Israel, sendo detentor de tantos privilégios espirituais (9.4,5), ainda se conservava ignorante e incrédulo? O que mantinha esse povo afastado da salvação? Paulo dá a resposta:

Em primeiro lugar, *o zelo sem entendimento* (10.2). Os judeus não eram indiferentes às coisas espirituais. Não eram apáticos às coisas de Deus. O problema deles não era mornidão espiritual, mas fervor fora da verdade, zelo sem entendimento. E zelo sem entendimento é fanatismo. Geoffrey Wilson tem razão quando diz que o zelo é sempre mal dirigido quando é mal informado.[841] Calvino, por sua vez, diz que não existe verdadeira religião se esta não se apoia na Palavra de Deus.[842]

O problema de Israel era deficiência doutrinária, equívoco teológico. O que manteve Israel fora do privilégio da salvação não foi ausência de religiosidade, mas religiosidade fora da verdade. O que faltou a Israel não foi sinceridade, mas discernimento. Concordo com

John Stott quando ele diz que sinceridade não basta, pois sempre existe a possibilidade de alguém estar sinceramente equivocado.[843] Robert Lee chama atenção para o fato de que muitos hoje, equivocadamente, dizem que o importante é ter uma religião e ser sincero, como se a sinceridade fosse um passaporte para o céu. O destino de Israel é uma resposta suficiente a essa falácia.[844]

Paulo conhecia bem o que era zelo sem entendimento. Possivelmente, ele mesmo foi o maior exemplo de todos os tempos do que isso significa. Ele foi um implacável perseguidor da igreja. Fez isso por zelo. Entrava nas casas e nas sinagogas em Israel e fora de seus limites para açoitar os crentes, forçá-los a blasfemar, encerrá-los em prisões e dar seu voto para matá-los. E fazia tudo isso com o propósito de agradar a Deus.

Chamamos a atenção para dois fatos aqui:

a. *Uma afirmação.* "Porque lhes dou testemunho de que eles têm zelo por Deus, porém não com entendimento" (10.2). Paulo faz uma afirmação categórica e insofismável de que os judeus tinham zelo por Deus, mas esse zelo era desprovido de entendimento. Faltava aos judeus a compreensão do ponto mais vital. Eles viam, mas não percebiam; ouviam, mas não entendiam (Mc 4.12). Warren Wiersbe diz que os judeus eram tão zelosos que chegaram a ponto de acrescentar à lei as próprias tradições, tornando-as iguais à lei.[845] Hoje, a igreja tem entendimento, mas lhe falta zelo. Temos conhecimento, mas nos falta fervor. Temos a mente cheia de luz, mas nosso coração está vazio de entusiasmo.

b. *Uma justificativa.* "Porquanto, desconhecendo a justiça de Deus e procurando estabelecer a sua própria, não se sujeitaram à que vem de Deus" (10.3). A ignorância levou os judeus a buscar um caminho errado de salvação.

Eles erigiram uma justiça própria como monumento à própria glória, e não à glória de Deus.[846]

A falta de conhecimento da verdade é o mecanismo mais sutil usado pelo diabo para cegar o entendimento dos incrédulos (2Co 4.4). A ignorância dos judeus acerca do verdadeiro caminho da salvação levou-os a buscar o próprio caminho para alcançar a salvação. Em vez de entrar pelo caminho traçado por Deus, os judeus tentaram abrir outro caminho e se perderam nos labirintos do engano.

Precisamos estar alertas ao fato de que o desconhecimento não é uma atitude neutra e inofensiva. Por desconhecer a justiça de Deus e estabelecer a própria, os judeus não se sujeitaram à justiça que vem de Deus, ou seja, tornaram-se culpados não apenas de ignorância, mas também de rebeldia e obstinação. Ninguém pode aceitar a justiça de Deus sem antes renunciar à própria. As duas não podem caminhas juntas. Uma sempre anulará a outra.

Esse pecado dos judeus é, na verdade, o engano de todas as religiões do mundo. Sem sombra de dúvida, é a principal ilusão da religião do homem natural. Ele sempre busca justificar-se a si mesmo, e talvez até consiga sucesso perante os homens, mas permanece estranho à justificação de Deus (Lc 16.15; 18.9-14).[847]

Só há duas religiões no mundo: aquela revelada por Deus e aquela criada pelo homem. O cristianismo é o caminho que Deus traçou desde o céu à terra; as demais religiões são os caminhos que o homem tenta abrir da terra para o céu. O cristianismo é a religião da graça; as demais religiões estabelecem a confiança nas obras. No cristianismo Deus busca o homem em Cristo; nas demais religiões o homem busca Deus pelas obras. O resultado é que pelas obras ninguém será justificado diante de Deus, uma vez que a seus olhos nossa justiça não passa de trapo de imundícia (Is 64.6). Somente por meio do evangelho, a justiça de Deus nos é oferecida. Por isso, somente por meio do evangelho podemos ser salvos.

John Stott registra:

> O Deus justo justifica o injusto consigo mesmo ao conferir-lhe a condição de justo. É esta a "justiça de Deus" que é revelada no evangelho e que é recebida pela fé completamente independente da lei, como Paulo já havia escrito anteriormente (1.17; 3.21). A trágica consequência da ignorância dos judeus foi que, reconhecendo que só poderiam comparecer diante do Deus justo se fossem justificados, eles tentaram fazê-lo procurando estabelecer a própria justiça e não se submeteram à justiça de Deus (10.3).[848]

Em segundo lugar, *a relação de Cristo com a lei* (10.4). Os judeus acusavam Cristo de ser transgressor da lei e, por isso, o levaram à cruz. Todavia, eles não discerniram qual era a real relação entre Cristo e a lei. Pensavam que podiam ser salvos mediante a lei, porém a finalidade da lei não era lhes dar a salvação, mas evidenciar seus pecados, tomá-los pela mão e levá-los ao Salvador, que é Cristo. Geoffrey Wilson está certo quando diz que os não crentes esperam conseguir justiça pelas obras da lei, mas esta relação com a lei foi extinta por Cristo para todos os crentes, que, portanto, não mais a consideram o instrumento de sua justificação.[849]

Precisamos entender dois pontos aqui:

a. *O que Paulo quer dizer quando afirma que o fim da lei é Cristo?* Cranfield defende a posição de que a palavra grega *telos,* "fim", pode ser interpretada de três maneiras: 1) cumprimento; 2) alvo; 3) término. Segundo o autor, os pais da igreja em geral parece ter pendido para a combinação de (1) e (2). Tomás de Aquino, Lutero, Calvino e Bengel, todos entenderam este versículo como exprimindo uma relação positiva entre Cristo e a lei.[850] Já Stott reduz o significado da palavra grega *telos,* "fim", a apenas dois significados. Pode significar tanto "alvo" como "término".[851] Cristo é o fim da lei em ambos os sentidos:

- *Cristo é o fim da lei no sentido de ser o alvo da lei.* Tudo na religião judaica apontava para a vinda do Messias – seus sacrifícios, o sacerdócio, os cultos no templo, as festas religiosas e as alianças. Sua lei revelava que os judeus eram pecadores e precisavam de um Salvador. No entanto, em vez de deixarem que a lei os conduzisse a Cristo (Gl 3.24), eles adoraram a lei e rejeitaram o Salvador.[852] A lei é a placa que indica o caminho da glória, mas a placa não é o caminho. A lei não tem poder de oferecer justificação; apenas conduz o pecador ao Salvador que justifica. Cranfield esclarece este ponto: "A declaração segundo a qual Cristo é o alvo para o qual a lei sempre se orientou é inteiramente apropriada, pois Cristo, de fato, é o seu alvo, o seu objetivo, o seu significado e a sua substância e, fora dele, ela não pode absolutamente ser corretamente entendida".[853]

- *Cristo é o fim no sentido de ser a terminação da lei.* Esta é a ênfase primordial das palavras de Paulo. Cristo é a terminação da lei no sentido de que, com ele, a velha ordem, da qual a lei fazia parte, foi eliminada, para ser substituída pela nova ordem do Espírito.[854] Cristo é o fim da lei, pois por meio de sua morte e ressurreição ele encerrou o ministério da lei para os que creem. A justiça da lei, agora, se cumpre na vida do cristão por meio do poder do Espírito (Rm 6.14; 8.4).

Na mesma linha de pensamento, John Stott diz que Cristo é o fim da lei tanto no sentido de "alvo", significando que a lei apontava para Cristo, como no sentido de "terminalidade ou conclusão", indicando que Cristo aboliu a lei. É no último sentido que Paulo fala. Ao abolir a lei, Cristo não nos desobrigou de suas exigências morais, mas nos justificou diante de Deus. Cristo é o fim da lei para a justiça de todo aquele que crê (10.4). Quando se trata de salvação, Cristo e a lei são alternativas incompatíveis. Se a justiça decorre da lei, não vem por intermédio de Cristo; e se ela se dá por meio de Cristo, não decorre da lei.[855]

b. *O que Paulo quer dizer quando afirma "para justiça de todo aquele que crê"?* John Murray diz que a justiça que Cristo proveu, visando nossa justificação, possui tal natureza que satisfaz todas as exigências da lei do Senhor, em suas sanções e demandas.[856] Vale ressaltar que Paulo declara ser Cristo o término da lei para todo o crente que crê, e toda a sua declaração visa apenas confirmar que todo o crente rompe definitivamente com a lei, como um meio de alcançar a justiça.[857]

Precisamos deixar claro que, ao escrever que "morremos" para a lei e fomos "libertados" dela (7.4,6) e já não estamos mais "debaixo dela" (6.15), Paulo estava referindo-se à lei como a forma de sermos justificados com Deus.[858] Porque estávamos em Cristo em sua morte e ressurreição, cumprimos nele todas as exigências da lei e todas as demandas da justiça. Em Cristo nós, que cremos, cumprimos a lei. Por isso, aquele que crê é justificado não por intermédio de sua própria justiça, como queriam os judeus, mas pela justiça de Cristo imputada a nós.

A justiça própria e a justiça de Deus (10.5-13)

Existem dois meios para a justiça: o caminho da lei e o caminho da fé. A justiça da lei diz: Obedeça ao que a lei ordena, e você viverá; a justiça da fé diz: Creia no

Senhor Jesus Cristo, e você viverá.[859] Ambos exigem plena perfeição. Somente uma pessoa perfeita pode entrar no céu (Ap 21.27). Pelo caminho da lei é impossível ao homem ser salvo, uma vez que ele não é perfeito (3.23). Só lhe resta ser salvo pelo caminho da fé em Cristo (3.21,22). Destacaremos três pontos importantes aqui:

Em primeiro lugar, *a justiça de Deus não é alcançada pelo esforço humano.* "Ora, Moisés escreveu que o homem que praticar a justiça decorrente da lei viverá por ela" (10.5). O apóstolo afirma que a lei é perfeita, boa, santa e espiritual. Seu padrão é a perfeição (Tg 2.10; Gl 3.13). O problema é que nenhum filho de Adão é capaz de praticar a justiça decorrente da lei, uma vez que todos pecaram. O homem está em estado de depravação total e toda a inclinação da sua carne é inimizade contra Deus. Por si mesmo, ele jamais consegue atender as demandas da lei divina. Pela lei, o homem só encontra condenação e jamais justificação. A fragilidade da lei é a nossa fragilidade (8.3).

Estou de acordo com o que escreve Leenhardt:

> O erro dos judeus não estava em levarem a sério a lei; consistia, antes, justamente o contrário, em que não a levavam muito a sério; faziam os judeus vantajoso balanço das faltas e dos méritos, contando com estes para compensar pelo menos em parte aquelas, apelando às vezes para a benignidade de Deus no sentido de fechar os olhos, se o saldo ainda fosse passivo. Dupla maneira de não levar a sério a lei, o que equivale a dizer, a vontade de Deus, como se os atos de obediência positiva pudessem relevar-lhes a malignidade dos atos de desobediência positiva, mediante um jogo de compensação; como se, ainda, recorrer à graça de Deus consistisse em cultivar a indiferença divina em relação ao pecado. Tivessem os judeus levado realmente a sério a palavra de Deuteronômio que Paulo cita, teriam raciocinado de outra maneira, de vez que o termo significa ademais: Aquele que

não cumprir a lei será condenado em nome da lei (Dt 27.26; Gl 5.10). Não quiseram os judeus aceitar que sua obediência à lei redundasse afinal em sua condenação.[860]

Em segundo lugar, *a justiça de Deus é alcançada mediante Jesus* (10.6-8). O apóstolo evoca o texto de Deuteronômio 30.12-14 e escreve: "Mas a justiça decorrente da fé assim diz: Não perguntes em teu coração: Quem subirá ao céu?, isto é, para trazer do alto a Cristo ou: Quem descerá ao abismo?, isto é, para levantar Cristo dentre os mortos. Porém, que se diz? A palavra está perto de ti, na tua boca e no teu coração; isto é, a palavra da fé que pregamos". Leenhardt ressalta que "subir ao céu" e "descer ao abismo" eram expressões correntes na linguagem costumeira para indicar qualquer coisa impossível.[861] Já Stott diz que fazer esse tipo de pergunta seria tão absurdo quanto desnecessário. Não há necessidade alguma de escalarmos as alturas ou mergulharmos nas profundezas em busca de Cristo, pois ele já veio, morreu e ressuscitou; assim, temos pleno acesso a ele.[862]

William Greathouse argumenta que fazer essas duas perguntas era como se Jesus nunca tivesse encarnado na terra e não tivesse ressuscitado.[863] Foi Cristo quem veio do céu e, no lugar de seu povo, sofreu as agonias do inferno. A difícil obra foi feita por ele e, portanto, não deve ser pretendida por nós.[864] A mensagem do evangelho se concentra nesse Cristo encarnado e ressuscitado, e não em nossos esforços.[865] Em Cristo a verdade desceu à terra e a vida triunfou sobre a morte.

Geoffrey Wilson explica que Paulo interpreta a primeira pergunta como uma negação da encarnação. Está totalmente além da capacidade humana escalar as alturas do céu, quer por esforço legalista, quer por filosofia especulativa, e não há agora nenhuma necessidade de fazer a tentativa, pois "o Verbo se fez carne e habitou entre nós" (Jo 1.14). A maldade toda da incredulidade é demonstrada pelos muitos que preferem tentar uma odisseia impossível em vez de confiar no Cristo acessível. É igualmente fútil tentar uma descida ao abismo ou à sepultura para descobrir a verdade. A realidade da vida após a morte não deve ser constatada pelas tentativas proibidas dos espíritos de se comunicar com a alma dos que partiram (Dt 18.9-12; Is 8.19,20). Um já retornou da região dos mortos em todo o esplendor de sua vida ressurreta como as primícias dos que dormem (1Co 15.20).[866]

John Stott é enfático ao escrever:

> Ninguém precisa escalar os muros do céu nem descer às cavernas do Hades em busca de Cristo. Cristo mesmo veio e morreu, ressuscitou e encontra-se à inteira disposição de qualquer um, pela fé. O acesso é imediato. Não precisamos fazer coisíssima alguma. Tudo o que era necessário já foi feito. E já que Cristo está perto, o evangelho de Cristo também está perto. Encontra-se no coração e na boca de todo crente. Toda a ênfase reside no acesso – próximo, pronto e fácil – a Cristo e ao evangelho.[867]

Concluindo esse raciocínio, Paulo diz que a salvação não está longe, num horizonte longínquo e inalcançável, mas perto de nós, em nossa boca e em nosso coração. Não temos de buscar a salvação em outras fontes, mas na própria fonte das Escrituras, que Deus nos revelou.

Em terceiro lugar, *a justiça de Deus é alcançada mediante a fé* (10.9-13). Três verdades devem ser destacadas a respeito da salvação pela fé:

a. *A condição da salvação.* "Se, com a tua boca, confessares Jesus como Senhor e, em teu coração, creres que Deus o ressuscitou dentre os mortos, serás salvo. Porque com o coração se crê para justiça e com a boca se confessa a respeito da salvação" (10.9,10). A fé salvadora é fé na ressurreição (1Co 15.17), e a confissão de Cristo é profissão pública de que ele é Senhor, sendo este o mais antigo – e suficiente – credo cristão.[868]

Essa confissão equivale a reconhecer a suprema honra à qual Deus exaltou a Cristo.[869] William Barclay diz que o termo grego *Kyrios*, "Senhor", é a palavra-chave do cristianismo primitivo. A palavra era aplicada aos imperadores romanos, aos deuses gregos e, sobretudo, ao Deus Iavé, o nome inefável de Deus. Chamar Jesus de Senhor, portanto, era conceder a ele a mais alta honra.[870] A confissão, porém, tinha mais um componente: Jesus é o Senhor que venceu a morte. A ressurreição é fundamental na fé cristã. Não basta saber que Jesus viveu; importa-nos saber que ele vive. Não devemos conhecer apenas sobre Cristo, mas conhecer a Cristo. Quando mencionamos Cristo, não estamos tratando apenas de uma personagem histórica, mas de uma Pessoa vitoriosa, que venceu a morte e está viva.[871] Concordo com John Murray quando diz: "O senhorio de Cristo pressupõe a encarnação, a morte e a ressurreição de Cristo e consiste em sua investidura no domínio universal.[872]

Boca e coração estão inseparavelmente conectados. É preciso crer com o coração e confessar com a boca. O coração é a sede e o órgão da consciência religiosa e não deve ser restringido ao terreno das emoções ou afetos. Determina aquilo que a pessoa é, moral e religiosamente falando; por esse motivo envolve as funções intelectual e volitiva, assim como a emotiva.[873]

A fé é a raiz e a confissão, o ramo da planta.[874] Fé interior e confissão pública andam juntas e são essencialmente uma coisa só. Fé sem confissão seria espúria; não passaria de mero religiosismo estéril. Confissão sem fé seria vaidade, palavras jogadas ao vento. John Stott está coberto de razão quando diz que o conteúdo do que se crê e o conteúdo da confissão têm de ser um só. Implícitas nas boas-novas estão as verdades de que Jesus Cristo morreu, ressuscitou, foi exaltado e agora reina como Senhor e concede salvação aos que nele creem.[875] Concordo com William Barclay quando diz que o cristianismo não é apenas uma crença, mas sobretudo uma confissão. Essa confissão precisa ser feita a Deus e aos homens. Não apenas Deus, mas também as pessoas precisam saber que nós somos cristãos. Precisamos declarar aos homens de que lado estamos.[876]

O efeito dessa confissão e crença é a salvação – "serás salvo" (10.9). A salvação tem a ver com o crer no coração, e o testemunho tem a ver com a confissão da boca. A boca pronuncia os termos; o coração, porém, é que se lhes prende. Não se impõe a questão de separar as operações; não há confissão da boca sem a fé que procede do coração.[877] O coração deve reger a boca, e esta deve falar daquilo que está cheio o coração.

b. *A garantia da salvação.* "Porquanto a Escritura diz: Todo aquele que nele crê não será confundido" (10.11). Ao citar o profeta Isaías (Is 28.16), Paulo mostra que a garantia da salvação àquele que crê não é apenas um sentimento, mas uma promessa infalível das Escrituras. Deus empenha sua própria palavra nessa promessa.

c. *O alcance da salvação.* "Pois não há distinção entre judeu e grego, uma vez que o mesmo é o Senhor de todos, rico para com todos os que o invocam" (10.12). Cristo não é apenas facilmente acessível, como também igualmente acessível a todos e a qualquer um.[878] A salvação mediante a fé em Cristo é o único caminho tanto para o judeu como para o grego. Não existem duas maneiras de ser salvo, uma mediante a fé em Cristo e outra mediante a justiça própria. O homem é salvo pela fé em Cristo, ou não é salvo de modo algum.

William Hendriksen tem razão quando escreve: "O amor de Deus em Cristo desfaz as distinções com respeito a raça, nacionalidade, sexo, idade, condição social e/ou financeira, grau de cultura etc. Com respeito a qualquer e todas essas questões, Deus é imparcial".[879]

A evangelização e o evangelizador (10.13-15)

A mensagem da salvação precisa ser proclamada em todo o mundo, a cada criatura, até os confins da terra. Deus tem seus escolhidos e eles ouvirão a voz do pastor e o seguirão. Dois pontos devem ser aqui destacados:

Em primeiro lugar, *os estágios da evangelização.*
"Todo aquele que invocar o nome do Senhor será salvo. Como, porém, invocarão aquele em quem não creram? E como crerão naquele de quem nada ouviram? E como ouvirão, se não há quem pregue? E como pregarão, se não forem enviados?" (10.13-15a). Temos na estrutura quatro perguntas paralelas, que juntas formam uma cadeia lógica.[880] Elas apontam para seis estágios na evangelização. Paulo os cita do fim para o começo: 1) ser salvo; 2) invocar; 3) crer; 4) ouvir; 5) pregar; 6) enviar. Assim o apóstolo percorre a cadeia de acontecimentos que levam à fé e à confissão: 1) não se pode invocar alguém em quem não se crê; 2) não se pode crer em alguém de quem não se ouviu falar; 3) não se pode ouvir sem que haja um pregador; 4) não haverá pregadores a menos que Deus os envie.[881]

Invertendo a ordem proposta pelo apóstolo, fica mais claro de entender: É preciso que alguém seja enviado para pregar. É preciso pregar para que alguém ouça. É preciso ouvir para que alguém creia. É preciso crer para que alguém invoque. É preciso invocar para que alguém seja salvo. Esses são os estágios da evangelização.

John Stott sintetiza esses estágios como segue: "Cristo envia seus arautos; os arautos pregam; as pessoas ouvem; os ouvintes creem; os crentes invocam; e aqueles que invocam são salvos".[882]

Vejamos a mesma sentença colocada na forma negativa: "A menos que certas pessoas sejam comissionadas para a tarefa, não haverá pregadores do evangelho; se o evangelho não for pregado, os pecadores não ouvirão a mensagem nem a voz de Cristo; a não ser que ouçam, nunca crerão nas verdades de sua morte e ressurreição; a menos que creiam nessas verdades, não invocarão o Senhor; e, se não invocarem o seu nome, nunca serão salvos".[883]

Em segundo lugar, *a importância do evangelizador* (10.15b). O texto bíblico diz: "Como está escrito: Quão formosos são os pés dos que anunciam coisas boas!" Paulo cita Isaías 52.7 e transporta o episódio de um mensageiro que anuncia o fim do cativeiro para o mensageiro que anuncia as boas-novas da salvação. O evangelizador tem os pés formosos por causa da mensagem que leva, a mensagem da graça, a mensagem da reconciliação, a mensagem da salvação. Assim diz John Murray: "Os pés são declarados belos porque o movimento dos mesmos revela o caráter da mensagem trazida, ou seja, as boas-novas".[884]

A incredulidade de Israel (10.16-21)

Nenhuma nação ouviu mais a mensagem de Deus que Israel. A incredulidade de Israel não era resultado do desconhecimento, mas da rejeição. Destacaremos três pontos:

Em primeiro lugar, *Israel se recusou a crer no evangelho* (10.16-18). A incredulidade de Israel tinha duas características:

a. *A incredulidade de Israel foi deliberada* (10.16,17). Citando Isaías 53.1, Paulo escreve: "Mas nem todos obedeceram ao evangelho; pois Isaías diz: Senhor, quem acreditou na nossa pregação? E, assim, a fé vem pela pregação, e a pregação, pela palavra de Cristo". Assim como os judaítas não creram na pregação de Isaías, os judeus também não obedeceram ao evangelho. E, porque se recusaram a obedecer, fecharam a porta da salvação, uma vez que a fé salvadora vem pela pregação da palavra de Cristo. O reformador Calvino alerta: "O apóstolo Paulo não afirma que a fé nasça de qualquer doutrina, ao invés disso, a limita propriamente à Palavra de Deus (10.17). Esta limitação seria absurda se a fé pudesse ser fundada sobre as determinações humanas. Por esta razão, é preciso deixar para trás todas as fantasias dos homens, quando se trata da certeza da fé".[885]

b. *A incredulidade de Israel foi indesculpável* (10.18). Paulo agora cita o Salmo 19.4: "Mas pergunto: Porventura, não ouviram? Sim, por certo: Por toda a terra se fez ouvir a sua voz, e as suas palavras, até aos confins do mundo". Deus se revela na criação (Sl 19.1-6) e em sua Palavra (Sl 19.7-10). O livro da natureza e o livro da revelação são constantes proclamações tanto da glória quanto da graça de Deus.[886] Charles Erdman diz que, da mesma maneira que as silenciosas vozes dos céus proclamam ao mundo inteiro o poder do Criador, as vozes dos arautos cristãos estão a declarar em todas as terras a glória do Cristo redentor.[887] William Hendriksen descreve esse testemunho universal dos cristãos e o rápido progresso do evangelho nos seguintes termos:

O rápido progresso do evangelho nos dias antigos sempre foi a perplexidade dos historiadores. Justino Mártir, cerca de meados do segundo século, escreveu: "Não há povo, grego ou bárbaro, ou de qualquer raça, seja qual for a designação ou costumes, seja ele distinguido, seja ignorante das artes e da agricultura, habite em tendas ou viva como nômade sob a cobertura de carroças, entre os quais não se ofereçam orações e ações de graça em nome do Jesus crucificado ao Pai e Criador de todas as coisas". Meio século mais tarde, Tertuliano acrescenta: "Somos apenas de ontem, e todavia já enchemos suas cidades, ilhas, campos, seus palácios, senado e fórum. Só lhes deixamos seus templos".[888]

Partindo da revelação natural para a revelação especial, Paulo usa aquela como símbolo desta, para afirmar que Israel ouviu o evangelho e, por isso, sua incredulidade é indesculpável. John Stott diz que, se Deus deseja que a revelação geral de sua glória seja universal, quanto mais deve almejar que a revelação específica de sua graça seja igualmente universal.

F. F. Bruce chama esse testemunho do evangelho no contexto judaico de "universalismo representativo",[889] isto é, onde quer que exista judeus ou uma comunidade judaica, ali o evangelho já foi pregado. Os judeus já ouviram. São indesculpáveis.

Em segundo lugar, *os gentios creram na mensagem que Israel rejeitou* (10.19,20). Paulo agora volta a citar Moisés e Isaías: "Pergunto mais: Porventura, não terá chegado isso ao conhecimento de Israel? Moisés já dizia: Eu vos porei em ciúmes com um povo que não é nação, com gente insensata eu vos provocarei à ira. E Isaías a mais se atreve e diz: Fui achado pelos que não me procuravam, revelei-me aos que não perguntavam por mim". A primeira pergunta de Paulo é se Israel ouvira o evangelho (10.18). A resposta é sim. A segunda pergunta é se eles entenderam o evangelho (10.19a). E novamente a resposta é positiva. Então, por que Israel rejeitou o evangelho? A única explicação é sua teimosia e rebeldia (10.21). Israel rejeitou o que conhecia, e os gentios, que não buscavam, encontraram o caminho da verdade que Israel rejeitou. Assim, Deus provou ciúmes em Israel por meio da salvação dos gentios.

Em terceiro lugar, *Deus pacientemente ofereceu a salvação ao rebelde Israel* (10.21). Paulo conclui seu argumento citando Isaías 65.2: "Quanto a Israel, porém, diz: Todo o dia estendi as mãos a um povo rebelde e contradizente". A despeito da boa vontade de Paulo (10.1) e dos braços estendidos de Deus, Israel não creu.[890] Deus muitas vezes e de muitas maneiras falou a Israel. Deu-lhes sua lei. Enviou-lhes seus profetas. Manifestou seu poder providente e sua libertação compassiva. Israel, porém, respondeu ao Senhor com rebeldia e deliberada ingratidão.

Mediante uma ignorância proposital, Israel desconheceu a justiça de Deus e a ela não se sujeitou (10.3). Não se trata de falta de conhecimento, mas de desobediência voluntária e teimosa rebeldia. Israel tropeçou em Cristo e fez dele pedra de tropeço (9.32). Durante todo esse tempo, entretanto, como um pai amoroso, Deus sempre convidou Israel a voltar-se para ele. Deus sempre esteve disposto a abraçá-lo, beijá-lo e dar-lhe as boas-vindas. Deus sempre lhe estendeu os braços e implorou o seu regresso. Mas não houve nenhuma resposta positiva. Israel se manteve rebelde, recalcitrante e desobediente.

O capítulo termina mostrando que a incredulidade de Israel é de sua inteira responsabilidade. De um lado está Deus com os braços estendidos; do outro, um povo com as costas viradas para Deus. A mesma cena pode ser vista quando Jesus chorou sobre Jerusalém e almejou reunir o povo em seus braços (Mt 23.37,38). Em vez disso, esses braços foram estendidos e pregados numa cruz por um povo que lhe virou as costas.

NOTAS DO CAPÍTULO 17

[836] WIERSBE, Warren W. *Comentário bíblico expositivo*, p. 713.
[837] MURRAY, John. *Romanos*, p. 408.
[838] POHL, Adolf. *Carta aos Romanos*, p. 166.
[839] LEENHARDT, Franz. J. *Epístola aos Romanos*, p. 269.
[840] HENDRIKSEN, William. *Romanos*, p. 467.
[841] WILSON, Geoffrey B. *Romanos*, p. 152.
[842] CALVINO, João. *Epístola a los Romanos*, p. 266.
[843] STOTT, John. *Romanos*, p. 339.
[844] LEE, Robert. *Outline studies in Romans*, p. 72.
[845] WIERSBE, Warren W. *Comentário bíblico expositivo*, p. 713.
[846] GREATHOUSE, William. *A epístola aos Romanos,* p. 145.
[847] WILSON, Geoffrey B. *Romanos*, p. 153.
[848] STOTT, John. *Romanos*, p. 340.
[849] WILSON, Geoffrey B. *Romanos*, p. 154.
[850] CRANFIELD, C. E. B. *Comentário de Romanos*, p. 232.
[851] BRUCE, F. F. *Romanos: introdução e comentário*, p. 164.
[852] WIERSBE, Warren W. *Comentário bíblico expositivo*, p. 714.

853 Cranfield, C. E. B. *Comentário de Romanos*, p. 233.

854 Bruce, F. F. *Romanos: introdução e comentário*, p. 164, 165.

855 Stott, John. *Romanos*, p. 341.

856 Murray, John. *Romanos*, p. 411.

857 Murray, John. *Romanos*, p. 412.

858 Stott, John. *Romanos*, p. 341.

859 Schaal, Juan H. *El camino real de Romanos*, p. 112.

860 Leenhardt, Franz. J. *Epístola aos Romanos*, p. 271.

861 Leenhardt, Franz. J. *Epístola aos Romanos*, p. 273.

862 Stott, John. *Romanos*, p. 342.

863 Greathouse, William. *A epístola aos Romanos*, p. 146.

864 Hendriksen, William. *Romanos*, p. 469.

865 Erdman, Charles R. *Comentários de Romanos*, p. 123, 124.

866 Wilson, Geoffrey B. *Romanos*, p. 155.

867 Stott, John. *Romanos*, p. 344.

868 Bruce, F. F. *Romanos*, p. 164.

869 Bruce, F. F. *Romanos: introdução e comentário*, p. 166.

870 Barclay, William. *Romanos*, p. 154.

871 Barclay, William. *Romanos*, p. 154.

872 Murray, John. *Romanos*, p. 417.

873 Murray, John. *Romanos*, p. 417, 418.

874 Wilson, Geoffrey B. *Romanos*, p. 157.

875 Stott, John. *Romanos*, p. 343.

876 Barclay, William. *Romanos*, p. 154.

877 Leenhardt, Franz. J. *Epístola aos Romanos*, p. 274, 275.

878 Stott, John. *Romanos*, p. 344.

879 Hendriksen, William. *Romanos*, p. 468.

880 Cranfield, C. E. B. *Comentário de Romanos*, p. 240.

881 Wilson, Geoffrey B. *Romanos*, p. 159.

882 Stott, John. *Romanos*, p. 347.

883 Stott, John. *Romanos*, p. 347.

884 Murray, John. *Romanos*, p. 421.

885 Calvino, João. *Epístola a los Romanos*, p. 280.

886 Wiersbe, Warren W. *Comentário bíblico expositivo*, p. 716.

887 Erdman, Charles R. *Comentários de Romanos*, p. 126.

888 Hendriksen, William. *Romanos*, p. 464.

889 Bruce, F. F. *Romanos: introdução e comentário*, p. 170.

890 Wiersbe, Warren W. *With the Word*. Londres: Thomas Nelson, 1991, p. 738.

Capítulo 18

O plano de Deus
para o seu povo
(Rm 11.1-36)

ROMANOS 11 É O CLÍMAX da exposição
doutrinária do maior tratado teológico
do Novo Testamento. Paulo alcança o
pico dessa montanha e quase sem fôle-
go desabotoa sua alma num jorro caudaloso de exaltação a Deus. A teologia
desemboca na doxologia. A doutrina
transforma-se em poesia musical.

Paulo olhou para o passado em
Romanos 9 e falou acerca da eleição da
graça. A eleição é filha da graça, e não
herdeira dos méritos humanos; ele olha
para o presente em Romanos 10 e vê a
rejeição de Israel. A decadência de Israel
é de sua inteira responsabilidade; agora,
no capítulo 11, o apóstolo se coloca na
ponta dos pés, esticando o pescoço, para

vislumbrar o futuro glorioso de Israel. Charles Erdman diz que o capítulo 11 revela que a rejeição de Israel não é nem completa (11.1-10) nem final (11.11-32), mas florescerá em restauração nacional de tal ordem que defluirá em bênção universal.[891]

O povo judeu é um dos maiores milagres da História. Tem sido preservado por séculos em meio aos perigos mais devastadores. Apesar de séculos de perseguição e de muitos planos urdidos com requintes de crueldade para eliminá-lo da face da terra, mesmo estando banido de sua própria pátria pelo espaço de dezenove séculos, os judeus mantiveram sua identidade milagrosamente, e em 14 de maio de 1948 retornaram à sua terra como nação livre, tornando-se desde então uma nação rica e forte. Recordemos, por exemplo, como tramaram contra os judeus durante a Segunda Guerra Mundial para aniquilá-los. De dezessete milhões de judeus que viviam em 1933, somente onze milhões sobreviveram. Seis milhões foram trucidados nas câmaras de gás, nos campos de concentração.

Qual é o futuro do povo judeu? Voltará esse povo, como nação, para o Messias? Haverá despertamento espiritual entre eles? Buscarão os judeus, como raça, sua salvação na cruz do Calvário algum dia? A resposta à pergunta é o ponto nevrálgico da exposição de Romanos 11.

O texto em apreço não é de fácil interpretação. Não há consenso entre os eruditos acerca do seu real significado. Os dispensacionalistas fazem uma distinção entre igreja e Israel. Eles creem que a igreja é um parêntese na história e, tão logo chegar a plenitude dos gentios, Cristo arrebatará a igreja e voltará sua atenção exclusivamente para os judeus, e então haverá uma salvação completa de todos eles, os quais passarão a reinar com Cristo no milênio terrenal. O reformador João Calvino, entretanto, entende que Paulo não se refere ao Israel étnico, mas aponta para a salvação da igreja, formada por judeus e gentios, o chamado Israel de Deus (Gl 6.16). É importante, porém, ressaltar que em todo o contexto imediato Paulo faz clara distinção entre judeus e gentios, entre o Israel étnico e a igreja. Negar essa realidade exatamente em Romanos 11.26, que é o clímax da argumentação, é torcer o seu real significado.

Nossa exposição a seguir versará sobre quatro pontos distintos.

Deus não rejeitou o seu povo (11.1-10)

Paulo terminou o capítulo 10 falando sobre a rebeldia de Israel e a generosa espera divina (10.21). Uma pergunta, então, é suscitada: "... terá Deus, porventura, rejeitado o seu povo?..." (11.1). A resposta de Paulo é imediata e peremptória: "De modo nenhum!" No entanto, sobre que povo Paulo fala? Os gentios? Os gentios e judeus? Não! Ele fala apenas sobre os judeus, que eram o próprio "tesouro peculiar" de Deus (Êx 4.22; 19.6; Dt 14.2; 26.18). Para fundamentar sua resposta, Paulo usa alguns argumentos:

Em primeiro lugar, *o seu próprio exemplo*. "... porque eu também sou israelita da descendência de Abraão, da tribo de Benjamim" (11.1). Paulo usa um argumento pessoal para provar sua tese. A salvação de Paulo, um judeu descendente de Abraão e membro de uma de suas tribos mais ilustres, era prova cabal e irrefutável de que Deus não rejeitara seu povo. Adolf Pohl afirma que o próprio Paulo era um contra-argumento vivo.[892] E John Murray tem razão quando diz: "Visto ser o apóstolo pertencente à nação de Israel, sua aceitação por Deus nos prova que Deus não abandonara completamente Israel".[893]

A rejeição de Israel era apenas parcial, uma vez que existia um remanescente fiel. Há um Israel espiritual dentro do Israel étnico, um grupo de Israel que crê e um grupo de Israel que não crê. Dentro do círculo maior composto de todos os judeus, havia um círculo menor, composto pelo remanescente da graça, ou seja, pelos judeus crentes convertidos a Cristo.[894]

Em segundo lugar, *o exemplo de Elias.* Paulo escreve:

> Deus não rejeitou o seu povo, a quem de antemão conheceu. Ou não sabeis o que a Escritura refere a respeito de Elias, como insta perante Deus contra Israel, dizendo: Senhor, mataram os teus profetas, arrasaram os teus altares, e só eu fiquei, e procuram tirar-me a vida. Que lhe disse, porém, a resposta divina? Reservei para mim sete mil homens, que não dobraram os joelhos diante de Baal (11.2-4).

Deus não é contraditório. Não rejeitou o seu povo a quem de antemão conheceu e amou. Fez dele o objeto de seu especial deleite, deleite que tem início na eternidade, prosseguindo em conexão com sua concepção e nascimento, jamais se apartando dele.[895] Para confirmar a assertiva de que Deus não havia rejeitado o seu povo, Paulo usa um argumento bíblico citando o profetas Elias. Mesmo num tempo de generalizada apostasia, Deus reservara para si sete mil que não dobraram os joelhos a Baal. Adolf Pohl diz que nesse remanescente já havia algo do Israel completo, pois seu número, sete mil, não é número de contagem, e sim número de sentido, de uma plenitude intentada por Deus. Era assim que Deus levava avante sua causa com Israel, até mesmo atravessando a apostasia.[896] A mesma posição é esposada por Cranfield ao afirmar que o significado especial que se atribui, tanto na Bíblia como também no judaísmo, ao número sete, bem como aos múltiplos de sete, é o de totalidade e perfeição.[897] Nunca faltou na História uma lâmpada acesa. Nunca deixou de existir um remanescente fiel. Mesmo no cenário mais escuro da apostasia, o remanescente permanece fiel.

Nesta passagem, a prova de que a Palavra de Deus não falhara reside na diferenciação entre o verdadeiro Israel e aqueles que são meramente israelitas, entre a descendência verdadeira e aqueles que são meros descendentes. Assim também, no caso presente, a eleição da graça é a demonstração de que Israel, como um povo, não fora totalmente esquecido por Deus. Apesar da apostasia generalizada de Israel, "sobrevive um remanescente segundo a eleição da graça".[898]

Em terceiro lugar, *o exemplo do remanescente segundo a eleição da graça.* "Assim, pois, também agora, no tempo de hoje, sobrevive um remanescente segundo a eleição da graça. E, se é pela graça, já não é pelas obras; do contrário, a graça já não é graça" (11.5,6). Paulo tira os olhos do passado e fixa-os no presente, apresentando um argumento teológico. Como fora no passado, ainda é agora. Conforme Adolf Pohl, o que no tempo de Elias eram aqueles sete mil equivale no tempo de Paulo aos judeus convertidos a Cristo.[899] Deus não rejeitou então, nem rejeita agora, e jamais rejeitará Israel. Ele não "rompeu" com os judeus. Dentre os judeus incrédulos, Deus tem um remanescente segundo a eleição da graça. "E, se é pela graça, já não é pelas obras; do contrário, a graça já não é graça" (11.6). É o que Geoffrey Wilson reafirma: "Há apenas duas fontes possíveis de salvação – obras humanas e graça divina; e estas duas são tão essencialmente distintas e opostas que a salvação não pode vir de nenhuma combinação ou mistura de ambas; deve ser totalmente ou por uma ou pela outra (Ef 2.8,9).[900]

Mesmo que a maioria seja rebelde (10.21), os eleitos ouvem a Palavra de Deus e se convertem a Cristo. Concordo com William Barclay quando diz que nenhuma igreja ou nação se salva em massa. A relação com Deus é individual. Deus não chama homens em multidão. Ninguém é salvo porque é membro de uma nação, ou porque é membro de uma família, ou por ter herdado salvação de seus antepassados. A salvação é uma decisão pessoal por Cristo.[901]

William Hendriksen destaca que a doutrina da salvação do remanescente é ensinada por todas as Escrituras. No tempo de Noé, muitos pereceram, poucos foram salvos (Gn 6.1-8). O mesmo sucedeu nos dias de Ló (Gn 19.29). Elias também estava familiarizado com a ideia do remanescente salvo. Não nos surpreende que também "no tempo atual", ou seja, na própria época do apóstolo, houvesse um remanescente salvo, e que Paulo pertencesse a ele. Na parábola do semeador, é somente o último tipo de solo que produz uma colheita farta. Jesus mesmo disse: "Porque muitos são chamados, mas poucos, escolhidos" (Mt 22.14).[902]

John Murray argumenta que Paulo, com base na situação análoga dos dias de Elias, faz a aplicação à sua própria época e conclui que continua existindo um remanescente segundo a eleição da graça. De acordo com esse argumento, há necessidade de um remanescente, por mais generalizada que seja a incredulidade e a apostasia de Israel. A rejeição completa de Israel seria incompatível com seu amor eletivo.[903]

Em quarto lugar, *o exemplo da eleição de uns e o endurecimento de outros* (11.7-10). Acompanhemos as palavras do apóstolo:

> Que diremos, pois? O que Israel buscava, isso não conseguiu; mas a eleição o alcançou; e os mais foram endurecidos, como está escrito:

Deus lhes deu espírito de entorpecimento, olhos para não ver e ouvidos para não ouvir, até ao dia de hoje. E diz Davi: Torne-se-lhes a mesa em laço e armadilha, em tropeço e punição; escureçam-se-lhes os olhos, para que não vejam, e fiquem para sempre encurvadas as suas costas (11.7-10).

Israel buscava uma salvação pelo mérito das obras, e isso ele não conseguiu; no entanto, o remanescente foi alcançado pela eleição, e os demais foram endurecidos. Quando Paulo disse "A eleição os alcançou", estava pensando nos eleitos. Entretanto, preferiu usar o substantivo abstrato para frisar "a ideia, e não os indivíduos" e, deste modo, salientar a ação de Deus como motivo para isso. "A eleição" é um termo análogo à declaração "reservei para mim sete mil homens" (11.4), bem como a "um remanescente segundo a eleição da graça" (11.5). "A eleição da graça" e "a eleição", expressões que aparecem nos versículos 5 e 7, devem referir-se à eleição de indivíduos, em distinção à eleição teocrática, referida nas palavras "o seu povo" (11.1) e "o seu povo, a quem de antemão conheceu" (11.2).[904]

Como raça ou nacionalidade, os judeus foram endurecidos. O Antigo Testamento já havia profetizado acerca desse endurecimento (11.8). Ressaltamos na exposição do capítulo 9 que Deus endurece os endurecidos. O endurecimento é um juízo divino ao endurecimento do coração humano. Leenhardt destaca que Deus sanciona essa oposição: quer dizer que, por sua vez, ele se recusa àquele que o recusa.[905] A palavra grega *porosis,* traduzida por "endurecidos" (11.7), é um termo médico que significa "calo". Aplica-se especialmente ao calo que se forma ao redor de uma fratura, deixando a região insensível. Os judeus tornaram-se insensíveis espiritualmente. Para John Murray, trata-se de um endurecimento judicial que tem sua base na incredulidade e na desobediência de seus objetos.[906] Para William Hendriksen, o espírito de torpor mencionado em Romanos 11.8 é o de embotamento ou apatia mental e moral. A concessão desse espírito expressa o processo divino de endurecimento. O torpor lembra um profundo sono durante o qual uma pessoa permanece insensível às impressões que lhe vêm do lado de fora; daí ela não ver nem ouvir (Is 29.10).[907] Por fim, Adolf Pohl alerta para o fato de que endurecimento não é rejeição, mas uma situação que permanece em aberto (9.26).[908]

Os versículos 9 e 10 prosseguem: "E diz Davi: Torne-se-lhes a mesa em laço e armadilha, em tropeço e punição; escureçam-se-lhes os olhos, para que não vejam, e fiquem para sempre encurvadas as suas costas". Segundo Warren Wiersbe, a expressão "torne-se-lhes a mesa em laço" significa que suas bênçãos se transformarão em fardos e em julgamentos. Foi o que aconteceu a Israel: suas bênçãos espirituais deveriam tê-los conduzido a Cristo; em vez disso, porém, se tornaram uma armadilha e os impediram de chegar a Cristo. As próprias práticas e observâncias religiosas tornaram-se substitutos para a experiência real de salvação.[909]

Deus não desistiu do seu povo (11.11-24)

John Murray afirma que nos versículos anteriores a tese era que, embora Israel, como um todo, tivesse sido desobediente, um remanescente havia sido deixado; logo, Deus não rejeitara seu povo. A rejeição de Israel não foi *completa*. A tese dos versículos seguintes é que a rejeição não é *final*. Ambas as considerações – não completa, mas parcial; não final, mas temporária – sustentam a proposição de que Deus não rejeitou seu povo.[910]

Angus MacLeod observa que Paulo divide Israel em duas partes: um pequeno remanescente de judeus que tem crido em Cristo e uma maioria de judeus endurecidos, que tem rechaçado a Cristo. É precisamente este segmento maior o que se menciona nos versículos 11-24.[911]

Destacaremos aqui algumas importantes verdades:

Em primeiro lugar, *a transgressão de Israel trouxe salvação para os gentios.* Paulo escreve:

> Pergunto, pois: porventura, tropeçaram para que caíssem? De modo nenhum! Mas, pela sua transgressão, veio a salvação aos gentios, para pô-los em ciúmes. Ora, se a transgressão deles redundou em riqueza para o mundo, e o seu abatimento, em riqueza para os gentios, quanto mais a sua plenitude! (11.11,12).

Paulo faz agora a segunda pergunta: "[...] porventura, tropeçaram para que caíssem?" (11.11). O termo grego usado aqui significa levar os judeus à ruína final, total e inexorável. Paulo se rebela contra tal possibilidade e responde: "De modo nenhum!" (11.11). A rejeição dos judeus não foi total nem definitiva. Houve um remanescente no passado, há um remanescente no presente e haverá no futuro, uma restauração de Israel que se reverterá em bênção para o mundo todo.[912] Para Leenhardt, a graça jamais se converte em maldição, ainda que por vezes assuma a feição de castigo. Israel tropeçou, mas Deus não tinha a intenção de fazê-lo cair.[913]

O fato de a maioria de Israel ter rejeitado o evangelho abriu caminho para a salvação dos gentios. Cristo veio para os seus, mas os seus não o receberam (Jo 1.12). Porque os judeus rejeitaram a graça, o evangelho foi oferecido aos gentios. Segundo F. F. Bruce, em Atos dos Apóstolos, a repetida recusa da comunidade judaica, de um lugar ou de outro, em aceitar a salvação oferecida é que dá ocasião para os apóstolos a apresentarem diretamente aos gentios. "Cumpria que a vós outros, em primeiro lugar, fosse pregada a Palavra de Deus", disseram Paulo e Barnabé aos judeus de Antioquia da Pisídia; "mas, posto que a rejeitais e a vós mesmos vos julgais indignos da vida eterna, eis aí que nos volvemos para os gentios" (At 13.46).[914]

Angus MacLeod corrobora a ideia de que, do ponto de vista histórico sabemos que é assim, porque foi quando os judeus rechaçaram o evangelho que Paulo anunciou que iria pregá-lo aos gentios.[915] Adolf Pohl oferece-nos uma oportuna ilustração dessa verdade:

> A água de um rio represado corre para um leito diferente, irrigando dessa maneira outras áreas de terra. Ou conforme Marcos 7.28: As migalhas que caem da mesa das criancinhas beneficiam os cachorrinhos debaixo da mesa. A passagem do evangelho para os gentios, depois que foi dirigido primeiramente só a Israel (At 11.19), sendo, porém, barrado por esse povo, constituiu repetidamente uma experiência prática dos missionários cristãos no primeiro século e finalmente convenceu-os por sua regularidade como sendo desígnio superior. O fracasso dos judeus trouxe salvação aos gentios.[916]

Lucas, o historiador da igreja, registra quatro ocasiões em que a rejeição dos judeus resultou no oferecimento do evangelho aos gentios: em Antioquia da Pisídia (At 13.46), em Corinto (At 18.6), em Éfeso (At 19.8s.) e em Roma (At 28.28). John Stott diz que Paulo transformou história em teologia, ao destacar que o primeiro evento se deu objetivando o segundo. Assim Deus reverteu o endurecimento do povo de Israel em bênção: a salvação dos gentios.[917]

Em segundo lugar, *a salvação dos gentios trouxe ciúme para os judeus*. Paulo afirma:

Mas, pela sua transgressão [dos judeus], veio a salvação aos gentios, para pô-los em ciúmes [...]. Dirijo-me a vós outros, que sois gentios! Visto, pois, que eu sou apóstolo dos gentios, glorifico o meu ministério, para ver se, de algum modo, posso incitar à emulação os do meu povo e salvar alguns deles. Porque, se o fato de terem sido eles rejeitados trouxe reconciliação ao mundo, que será o seu restabelecimento, senão vida dentre os mortos? (11.11,13-15).

Um dos propósitos da evangelização dos gentios era despertar nos judeus um santo ciúme, a fim de levá-los à emulação e despertar neles o desejo de usufruir as mesmas bênçãos da salvação. William Hendriksen elucida que, no presente contexto, *ciúme* tem um efeito positivo, uma vez que o Espírito Santo usa o ciúme para salvar esses judeus.[918]

Na mesma linha, Angus MacLeod afirma: "O propósito primordial de levar o evangelho aos gentios é que a maioria endurecida de Israel, vendo as riquezas espirituais e as bênçãos que os gentios receberam, fosse provocada a ciúmes, ou seja, que esses judeus anelassem ter para si mesmos também essas riquezas espirituais".[919] A incredulidade de Israel foi determinada a fim de promover a salvação dos gentios. No entanto, a fé subentendida da parte dos gentios não é prejudicial à salvação de Israel; ao contrário, tem o objetivo de promovê-la.[920] Assim, quanto maior o sucesso do ministério aos gentios, mais fomentada será a causa da salvação de Israel.

O judeu messiânico David Stern denuncia a prática vergonhosa de muitos "cristãos" nesses dois mil anos de história que, em vez de despertar o ciúme dos judeus, fizeram aflorar neles repugnância e medo. Do que se espera que os judeus tenham ciúmes? Dos "cristãos" que prenderam judeus em sinagogas e os queimaram vivos (o que aconteceu quando os expedicionários das cruzadas conquistaram Jerusalém em 1099, bem como em várias cidades da Europa)? Dos "cristãos" que forçaram judeus a ouvir sermões para convertê-los contra sua vontade e expulsaram do país aqueles que não responderam (o que aconteceu por séculos durante a Idade Média e a Inquisição)? Dos "cristãos" que inventaram o "libelo de sangue" de que judeus assassinam uma criança cristã e usam seu sangue na *matzá* na Páscoa? Dos sacerdotes "cristãos" que carregavam a cruz e lideravam multidões assassinas em massacres? Dos "cristãos" que silenciaram enquanto seis milhões de judeus pereceram no holocausto? Ou talvez dos "cristãos" que os assassinaram – inclusive o próprio Hitler, que nunca foi excomungado da igreja católica romana? Dos membros "cristãos" do Ku Klux Klan e de outras gangues de supremacia "cristã" formadas por brancos e suas demonstrações brutais? De "cristãos" que apoiam organizações palestinas cujos terroristas matam e mutilam crianças judias de Israel? De Capucci, arcebispo ortodoxo grego, condenado por contrabando de armas para essas mesmas organizações terroristas palestinas? De quais desses "cristãos" nós, judeus, devemos ter ciúmes? A vergonha da igreja não consiste apenas em não ter tomado posição, repudiando firmemente cada um desses e outros horrores cometidos contra os judeus, mas em ter de fato autorizado e incentivado alguns deles.[921]

David Stern diz que os judeus não-messiânicos deveriam ser capazes de olhar para os gentios salvos na igreja e ver neles uma mudança tão maravilhosa a ponto de sentirem ciúmes e quererem também para si mesmos o que torna esses gentios diferentes e especiais.[922] É desse tipo de ciúmes que Paulo fala em Romanos 11.

O historiador Lucas menciona algumas vezes o ciúme dos judeus com relação aos apóstolos (At 5.17; 13.45; 17.5). Ciúme é o desejo de ter para si algo que pertence a outro; e, se o ciúme é uma coisa boa ou ruim, depende da natureza daquilo que se deseja e de o invejoso ter ou não o direito de possuí-lo.[923] Essa inveja, porém, não é a do tipo pecaminoso. Em vez de conduzir ao pecado, esse ciúme estimula a fé salvadora. Os israelitas obstinados no pecado, observando a paz e alegria experimentadas pelos gentios, se enchem de inveja, a qual é por Deus transformada em fé viva no Senhor Jesus Cristo. Agora eles amam o que anteriormente odiavam. Odeiam o que anteriormente amavam. Acima de tudo, sabem que não mais são inimigos de Deus. Agora foram aceitos pelo mesmo Deus contra quem anteriormente se endureceram e por quem se tornaram ainda mais empedernidos. A mudança foi simplesmente tão assustadora como sair da morte para a vida.[924]

O que Paulo quer dizer com "vida dentre os mortos?" As interpretações variam de acordo com os expositores. Há aqueles que interpretam o texto literalmente e creem que Paulo se refere à ressurreição dos mortos no fim dos tempos, por ocasião da segunda vinda de Cristo. Outros interpretam o texto espiritualmente e entendem que Paulo alude à conversão (6.13). Angus MacLeod interpreta essas palavras como uma grande efusão de poder, bênçãos e riquezas provenientes dos que agora estão mortos espiritualmente.[925] Ainda há aqueles que interpretam as palavras de forma figurada, como se Paulo estivesse descrevendo um grande reavivamento espiritual entre os gentios.[926] Charles Erdman é da opinião que a restauração de Israel resultará em um reavivamento espiritual para a humanidade toda, uma verdadeira "vida entre os mortos".[927]

O apóstolo declara que nada seria melhor, nem de maior bênção espiritual para o mundo, do que se a maioria de Israel recebesse toda a sua plenitude, a plenitude dos privilégios e da salvação perdidos ao rechaçar Jesus Cristo.[928]

Antonio Hoekema observa que neste versículo 15 a *rejeição* de Israel é contrastada com sua *aceitação*. Novamente pensamos em uma conversão de muito mais israelitas do que simplesmente a conversão do remanescente. A expressão "vida entre os mortos" não se refere a uma ressurreição literal; provavelmente, é usada como uma figura para descrever a feliz surpresa que teremos quando os judeus rebeldes se voltarem ao Senhor. Não há necessidade, portanto, de restringir essa *aceitação* a um período histórico no tempo do fim; a aceitação por Deus de todos os israelitas crentes através de toda a História é de fato "vida entre os mortos" e, assim, será por toda a eternidade.[929]

Em terceiro lugar, *a rejeição de Israel e a aceitação dos gentios* (11.16-22). Acompanhemos as palavras de Paulo:

> E, se forem santas as primícias da massa, igualmente o será a sua totalidade; se for santa a raiz, também os ramos o serão. Se, porém, alguns dos ramos foram quebrados, e tu, sendo oliveira brava, foste enxertado em meio deles e te tornaste participante da raiz e da seiva da oliveira, não te glories contra os ramos; porém, se te gloriares, sabe que não és tu que sustentas a raiz, mas a raiz, a ti. Dirás, pois: Alguns ramos foram quebrados, para que eu fosse enxertado. Bem! Pela sua incredulidade, foram quebrados; tu, porém, mediante a fé, estás firme. Não te ensoberbeças, mas teme. Porque, se Deus não poupou os ramos naturais, também não te poupará. Considerai, pois, a bondade e a severidade de Deus: para com os que caíram, severidade; mas, para contigo, a bondade de Deus, se nele permaneceres; doutra sorte, também tu serás cortado (11.16-22).

Paulo passa a usar duas metáforas: uma da culinária, outra da fruticultura. A primeira trata das primícias: "E, se forem santas as primícias da massa, igualmente o será a sua totalidade; e se for santa a raiz, também os ramos o serão" (11.16). Com isto o apóstolo quer dizer que, assim como o primeiro fruto, a saber, Abraão, é santo a Deus, também são santos seus descendentes. Todos os descendentes de Abraão, apesar de sua falta de fé e santidade pessoal, encontram-se ainda de uma forma especial consagrados a Deus. O Senhor ainda os considera como seus.[930] Obviamente a palavra "santo" neste contexto não significa "moralmente puro", mas é usada para descrever a separação especial dos judeus do mundo para servir a Deus.[931]

A segunda metáfora refere-se à oliveira. A raiz é Abraão, Isaque e Jacó. Os ramos naturais são todos os descendentes de Abraão e Jacó. Os ramos naturais que têm permanecido na árvore são essa pequena parte de Israel, o remanescente que tem crido em Jesus. Os ramos naturais que foram quebrados são a maioria de Israel que rechaçou a Jesus como seu Salvador. Os ramos silvestres que foram enxertados são os gentios que receberam a Jesus. A oliveira em sua totalidade é a igreja de Deus composta por crentes tanto judeus quanto gentios.[932]

Paulo especificamente adverte os gentios contra o orgulho. Os ramos silvestres, os gentios crentes, não devem jactar-se por terem sido enxertados, nem se gloriar contra os ramos que foram quebrados, uma vez que não são eles que sustentam a raiz, mas a raiz é que os sustenta (11.18,19). Paulo diz que os ramos (os judeus) foram arrancados pela incredulidade e os ramos silvestres (os gentios) foram enxertados mediante a fé, sem mérito algum. Por isso, não há espaço para a soberba, mas motivos para temor (11.20).

Paulo exorta os gentios a baixar a bola da soberba (11.21), conclamando-os a meditar na severidade e bondade de Deus. Em relação aos judeus que como ramos naturais foram quebrados, severidade, mas em relação aos gentios, ramos silvestres, que foram enxertados na oliveira, a bondade de Deus (11.22).

Nessa mesma linha de pensamento, F. F. Bruce diz que os cristãos gentios não se devem render à tentação de desdenhar dos judeus. Não fosse a graça de Deus que os enxertou na videira e os fez "concidadãos dos santos" (Ef 2.19), eles teriam permanecido para sempre sem vida e sem frutos.[933] Paulo adverte sobre a tendência dos gentios em crer que eles vieram a tornar-se a pedra capital do tabuleiro, que tomaram o lugar de Israel no coração de Deus. De modo algum. Deus não deixou de amar a Israel quando vocacionou os gentios. O amor de Deus refluirá sobre Israel, pois não é parcial nem exclusivo, mas generoso e inclusivo.[934]

Em quarto lugar, *a restauração de Israel, um milagre da graça*. Paulo escreve:

> Eles também, se não permanecerem na incredulidade, serão enxertados; pois Deus é poderoso para os enxertar de novo. Pois, se foste cortado da que, por natureza, era oliveira brava e, contra a natureza, enxertado em boa oliveira, quanto mais não serão enxertados na sua própria oliveira aqueles que são ramos naturais! (11.23,24).

Se o povo de Israel deixar sua incredulidade, voltará a ser enxertado na oliveira. Sua queda não é completa nem final. Aqueles que se arrependem e creem em Cristo são reenxertados na oliveira, ou seja, passam a fazer parte da igreja de Deus. Paulo ilustra esse fato mostrando que, se Deus já havia feito um milagre maior, antinatural, enxertando ramos silvestres de uma oliveira brava numa oliveira verdadeira, quanto mais fará o enxerto de volta dos ramos naturais (11.24). Ou seja, a restauração de Israel é um processo mais fácil que o chamado dos gentios.[935]

Angus MacLeod esclarece que a maioria dos endurecidos, a parte de Israel que tem sido quebrada, não está total nem finalmente perdida em sua incredulidade. Eles não cruzaram a linha da qual é impossível retroceder. Ainda pode chegar para eles o dia da salvação, o tempo oportuno de fazerem parte da igreja de Cristo.[936] Se no versículo 23 Paulo diz que é possível para a parte quebrada de Israel ser restaurada à igreja, agora, no versículo 24, ele declara que é muito provável que isso aconteça!

Foi obra extrema da graça divina que os gentios pagãos tivessem vindo a Cristo de todas as partes do mundo. Quanto mais fácil, pois, será para a graça de Deus fazer que a maioria de Israel se volte à fé genuína de seus pais e aceite o Salvador prometido pelos profetas, entregando-se a Jesus pela fé como seu Senhor e Redentor, como o Messias nascido da descendência de Davi.[937] Nossa oração deveria ser: Senhor, desperta a fé e o arrependimento em teu povo endurecido e apartado!

Estou de pleno acordo com William Hendriksen quando ele afirma que o apóstolo reconhece uma única oliveira (cultivada). Para judeus e gentios, a salvação é a mesma, obtida sobre a base da expiação de Cristo, pela graça, por meio da fé. A noção segundo a qual Deus reconhece dois objetos sobre os quais concede seu amor eterno e salvífico, ou seja, os judeus e a igreja, é contrária às Escrituras. Aqui em Romanos, Paulo se expressa sobre esse tema repetidas vezes (3.29,30; 4.11,16; 5.18,19; 9.22; 10.12,13). Uma só oliveira representa todos os salvos, sem importar sua origem. E, como resultado da operação da graça salvífica de Deus, todos os renascidos são destinados ao mesmo lar eterno: uma só oliveira![938]

Deus salvará o seu povo (11.25-32)

Paulo chega aqui ao ponto central de sua discussão:

> Porque não quero, irmãos, que ignoreis este mistério (para que não sejais presumidos em vós mesmos): que veio endurecimento em parte a Israel, até que haja entrado a plenitude dos gentios. E, assim, todo o Israel será salvo, como está escrito: Virá de Sião o Libertador e ele apartará de Jacó as impiedades. Esta é a minha aliança com eles, quando eu tirar os seus pecados. Quanto ao evangelho, são eles inimigos por vossa causa; quanto, porém, à eleição, amados por causa dos patriarcas; porque os dons e a vocação de Deus são irrevogáveis. Porque assim como vós também, outrora, fostes desobedientes a Deus, mas, agora, alcançastes misericórdia, à vista da desobediência deles, assim também estes, agora, foram desobedientes, para que, igualmente, eles alcancem misericórdia, à vista da que vos foi concedida. Porque Deus a todos encerrou na desobediência, a fim de usar de misericórdia para com todos (11.25-32).

Precisamos elucidar alguns termos, a fim de tirar conclusões claras:

Em primeiro lugar, *de que mistério Paulo está falando?* (11.25). Para Geoffrey Wilson, não se trata de um mistério no sentido pagão de uma doutrina esotérica conhecida apenas pelos iniciados, mas no sentido cristão de uma doutrina que requer a revelação divina para que seja conhecida.[939] Hoekema assevera que "mistério" é algo que estava previamente escondido, mas que agora é revelado. Paulo percebeu certo método no modo de Deus trabalhar com os judeus e gentios: a queda de Israel havia conduzido os gentios à salvação, e a salvação dos gentios havia levado os judeus ao ciúme. Esta interdependência da salvação de gentios e judeus é o "mistério" a que Paulo se refere – um mistério que estava sendo agora revelado.[940] Na mesma linha de pensamento, Juan Schaal diz que esse mistério é uma verdade oculta que foi revelada a Paulo, mostrando que a fé para a salvação em Cristo Jesus foi dada a judeus e gentios, a fim de que ambos formassem um só corpo em Cristo, a saber, a igreja.[941] Angus MacLeod amplia o entendimento do tema, esclarecendo que o mistério a que Paulo se refere é que todo o Israel será salvo apenas no momento em que acontecer a *plenitude dos gentios*.[942]

Encontramos outros mistérios nas Escrituras, como a encarnação de Cristo (1Tm 3.16), a igreja como corpo de Cristo (Ef 3.4,5), a morada de Cristo no crente (Cl 1.27) e a igreja como noiva de Cristo (Ef 5.32).

Em segundo lugar, *o que significa esse endurecimento em parte a Israel?* (11.25). Paulo já havia mencionado esse endurecimento parcial de Israel (11.7). Vimos que é Deus quem "endurece" (9.18), mas esse endurecimento é apenas um juízo divino ao endurecimento humano. Aos insensíveis, Deus endurece, entregando-os ao seu próprio estado. Era como o véu que permanecia sobre sua mente e seu coração (2Co 3.14-17). Agora, Paulo diz que esse endurecimento não é total, mas parcial. Não é final, mas temporário.

Não concordamos com a ideia dispensacionalista segundo a qual Deus rejeitou temporariamente os judeus e instituiu nesse tempo a igreja, como se ela fosse uma espécie de parêntese na História. Para os dispensacionalistas, depois que a igreja for arrebatada, Israel se converterá, e o Senhor estabelecerá um reino terrenal cujo centro e coração será Israel como povo nacional. Como tal, esse povo viverá na

Palestina, onde haverá um templo e um trono em que Jesus Cristo, como o Messias, se assentará e reinará em paz e amor.[943]

Em terceiro lugar, *o que significa a plenitude dos gentios?* (11.25). Hoekema entende que a palavra "plenitude" neste texto deve ser entendida em termos escatológicos: o número total dos gentios a quem Deus pretende salvar. Quando o número total dos gentios for juntado, será o fim da era. Essa reunião da plenitude dos gentios não acontece apenas no fim dos tempos, mas aparece em todos os períodos da história da igreja.[944]

William Hendriksen, por sua vez, compreende a palavra grega *pleroma,* "plenitude", como um número completo. Assim Paulo estaria dizendo que o endurecimento em parte a Israel durará até que o número completo dos gentios eleitos seja congregado no rebanho de Deus, o que se dará no dia glorioso do regresso de Cristo.[945]

John Murray concorda com Hendriksen nesse particular e afirma que "a plenitude dos gentios" é o número total de eleitos dentre os gentios.[946] Calvino, entretanto, defende que "todo o Israel" se refere ao número total dos eleitos ao longo da História, todos aqueles que por fim serão salvos, tanto judeus como gentios.[947] O reformador, mesmo sendo um exegeta tão consistente, não pode ter razão aqui, uma vez que no contexto precedente as palavras *Israel* e *israelitas* ocorrem não menos de onze vezes (9.4; 9.6; 9.27; 9.31; 10.19; 10.21; 11.1; 11.2; 11.7; 11.25) e, em cada caso, a referência é claramente aos judeus, nunca aos gentios.[948]

Angus MacLeod tem uma posição distinta desses corifeus da exegese bíblica: se a "plenitude dos gentios" significa que isto ocorrerá apenas quando o último dos gentios eleito aceitar a Cristo, e só então "todo o Israel" será salvo, temos de admitir que a salvação de "todo o Israel" apenas se daria após a segunda vinda de Cristo, uma vez que Cristo regressará ao se completar o número dos salvos. Quando será salvo o último dos gentios? A resposta é: justamente antes do juízo. Então seria impossível Paulo querer dizer que os judeus serão salvos após a segunda vinda de Cristo. Teríamos de abandonar nossa convicção reformada e converter-nos em dispensacionalistas para aceitar tal posição.[949]

O termo grego *he pleroma,* "a plenitude", não indica nem na Septuaginta nem no Novo Testamento um número final ou total do genitivo que o sucede. Portanto, interpretar "a plenitude dos gentios" como a conversão do último dos gentios é uma interpretação equivocada dos termos. A plenitude dos gentios indica o momento em que os gentios foram plenificados de algo. O endurecimento de Israel em parte continuará até que os gentios alcancem a mais alta medida das bênçãos espirituais que há em Cristo. Em outras palavras, "a plenitude dos gentios" quer dizer o tempo em que as nações gentílicas possuirão a glória e o poder do evangelho em uma medida que não haviam previamente alcançado na História do mundo e que não seria excedida no futuro. Será durante esse período, em que os gentios desfrutarão a plenitude das bênçãos espirituais, que os judeus como povo se voltarão a Jesus em arrependimento e fé.[950] Interpretar essas palavras de qualquer forma de menor transcendência seria violar os princípios da exegese.[951]

Em quarto lugar, *o que Paulo quer dizer quando afirma que todo o Israel será salvo?* (11.26,27). De que Israel Paulo está falando? Como já dissemos, Calvino entendia que Paulo se refere ao Israel espiritual, ou seja, à igreja composta de judeus e gentios (Gl 6.16). Como também já deixamos claro, o problema é que, em Romanos, "Israel" significa o Israel étnico ou nacional, em contraposição às nações gentílicas. Portanto, dificilmente poderíamos assumir um significado diferente no versículo 26.[952] Geoffrey Wilson é categórico: "O contexto torna certo que 'Israel' se refere à nação de Israel, mas a palavra 'todo' não autoriza a conclusão de que cada judeu individual será salvo. Ela simplesmente significa a nação como um grupo eleito".[953] Essa mesma posição é defendida por Cranfield: "A explanação mais provável de 'todo Israel' é que significa a nação Israel como um todo, embora não necessariamente incluindo cada membro individual".[954] O judeu messiânico David Stern reforça esse argumento: "Uma análise da literatura judaica e grega mostra que os judeus usavam o termo *Israel* em vez de *Judeus*, para se referirem a si mesmos como uma nação, e especialmente quando se referiam a si mesmos como povo de Deus".[955]

John Murray é mais enfático: "A tese principal do versículo 26 é que o endurecimento de Israel terminará quando Israel for restaurado. Esta é apenas outra maneira de afirmar aquilo que foi chamado de 'plenitude' de Israel, no versículo 12, de 'restabelecimento', no versículo 15, e de 'enxertar de novo', nos versículos 23-24. Seria praticar uma violência exegética reputar a declaração 'todo o Israel será salvo' como uma referência a qualquer coisa além desse informe preciso".[956] Paulo se referia ao Israel étnico; e, neste caso, é impossível que Israel, em seu escopo, inclua os gentios, pois, se os incluísse, o versículo 25 seria reduzido a um absurdo. E, posto que o versículo 26 é uma afirmação paralela ou correlata, o sentido de "Israel" deve ser o mesmo que se encontra no versículo 25.[957]

A compreensão de William Hendriksen é diferente. Ele entende "todo Israel" como a soma de todos os remanescentes de Israel.[958] Na mesma linha, o teólogo holandês H. Bavink, citado por Hendriksen, propõe: "Todo o Israel, em Romanos 11.26, não é o povo de Israel, destinado a converter-se coletivamente, tampouco é a igreja que consiste em judeus e gentios unidos, mas é o número completo que durante o curso dos séculos é reunido de Israel".[959] Em apoio aos dois eruditos anteriores, L. Berkhof declara que "todo o Israel" deve ser entendido como designação não da totalidade da nação, mas da totalidade numérica dos eleitos do antigo povo do pacto.[960]

Não devemos esquecer, entretanto, que o principal interesse do apóstolo no versículo 25 é a remoção do endurecimento de Israel e sua conversão, como um todo. Este é o tema dos versículos 11-32.[961] Corroborando esse pensamento, F. F. Bruce diz que é impossível sustentar uma exegese que tome "Israel" aqui [11.26] em sentido diferente de "Israel" no versículo 25. "Todo o Israel" é expressão que aparece repetidamente na literatura judaica, não significando necessariamente "todo judeu sem uma única exceção", mas "Israel como um todo".[962] Concordo com David Stern no sentido de que o termo "todo" é usado aqui de forma figurativa, e não literal, uma vez que no pensamento hebraico o termo *kol,* "todo", em referência a um coletivo, não significa cada indivíduo do qual ele é composto, mas, em vez disso, a maioria, ou a parte essencial, ou até um componente significante ou muito visível possivelmente muito menor do que a maioria (Mt 3.2; 3.5).[963] Nessa mesma linha, Charles Erdman escreve: "É evidente que Paulo está aqui a falar de Israel como nação; não está a referir-se a cada israelita como indivíduo;

assim como em falando da 'plenitude dos gentios' não quer ele significar que se trata de todo indivíduo do mundo gentílico. Paulo aqui fala de nações e está a apontar para uma época ou tempo quando os reinos gentios e o povo de Israel estarão irmanados nas bênçãos de um mundo redimido".[964]

John Murray também lança luz sobre o assunto:

> Se conservarmos em mente o tema deste capítulo e a contínua ênfase sobre a restauração de Israel, não nos restará qualquer alternativa, senão concluir que a proposição "todo o Israel será salvo" deve ser interpretada em termos da plenitude, do acolhimento, do recebimento, do enxertar Israel como um povo, de sua restauração às bênçãos e ao favor do evangelho e do seu retorno à fé e ao arrependimento. Visto que os versículos anteriores estão relacionados ao versículo 26, a salvação de Israel tem de ser concebida em uma escala proporcional à sua transgressão, à sua perda, à sua rejeição, à sua remoção da oliveira natural, ao seu endurecimento e, evidentemente, proporcional na direção oposta. Esta é a implicação clara do contraste subentendido na plenitude, no recebimento, no enxertar e na salvação. Em resumo, o apóstolo estava afirmando a salvação das massas populacionais de Israel.[965]

John Stott é meridianamente claro ao dizer que "todo o Israel" que será salvo deve significar a grande massa de povo judeu, englobando a maioria previamente endurecida e a minoria que crê, não literalmente todo e cada um dos israelitas.[966] Corroborando esse ponto, John Murray diz que "todo o Israel" pode referir-se ao povo inteiro, segundo o padrão adotado em todo este capítulo, ou seja, Israel como nação, e não necessariamente incluindo cada indivíduo israelita. Assim, o apóstolo aludia a uma época futura, quando chegará ao fim o endurecimento de Israel.[967] É bem verdade que a relação entre a salvação de Israel e a entrada da plenitude dos gentios não é indicada em termos que estabeleceriam estrita dependência cronológica. Não escreveu Paulo: *kai tote,* "e então", mas *kai houtos,* "e assim". Isso equivale a dizer que os dois eventos estão em relação lógica; todavia, não é necessário compreender essa relação de maneira rígida, aritmética. Trata-se, antes, de situações que chegaram a maturação e permitirão a realização dos propósitos divinos.[968]

Hoekema ajuda-nos a entender melhor esse ponto ao asseverar que a interpretação que aponta para uma conversão em larga escala da nação de Israel, imediatamente antes ou no retorno de Cristo, após o complemento do número dos gentios enfrenta pelo menos dois sérios obstáculos. Primeiro, é que o pensamento de que a salvação do povo de Israel ocorrerá somente no final dos tempos não faz justiça à palavra *todo* na expressão "e todo Israel...". Essa expressão se refere, nessa interpretação, apenas à última geração de israelitas que estiver vivendo naqueles dias, mas essa última geração é apenas um fragmento do número total dos judeus que viveram sobre a face da terra. Como pode esse pequeno fragmento chamar-se "todo Israel"? Segundo, o texto não diz "e, *então,* todo Israel será salvo". Se Paulo quisesse destacar esse pensamento, poderia ter usado uma palavra que significa "então" (como *tote* ou *epeita*). O apóstolo usou a palavra "houtos", que descreve não uma sucessão temporal, mas uma maneira, e significa "assim" ou "desse modo". Em outras palavras, Paulo não está dizendo que "Israel tem experimentado um endurecimento em parte até que a plenitude dos gentios haja entrado, e *então* (após isso ter acontecido), todo Israel será salvo", mas "Israel tem experimentado um endurecimento em parte, até que a plenitude dos gentios haja entrado, e *desse modo* todo Israel será salvo".[969]

Concluímos este quarto ponto trazendo à baila a posição de Angus MacLeod. Certamente, "todo o Israel" não pode ser entendido como pensam os dispensacionalistas, todos os judeus sem exceção. Como podemos observar, a expressão "todo Israel" não significa a totalidade sem exceção (1Rs 12.18,20; 2Cr 12.1). Analisando o contexto, perceberemos claramente que, nestes textos, muitos judeus e até tribos inteiras não estavam incluídos entre os presentes na cena. Em Mateus 3.5 encontramos expressão semelhante em que, falando de João Batista, o texto diz: "saíam a ter com ele Jerusalém, toda a Judeia e toda a circunvizinhança do Jordão..." Isso não quer dizer que todas as pessoas sem exceção ouviriam João. Significa simplesmente que gentes de todas as partes e de todos os níveis sociais iriam ao profeta.[970] Assim, pois, "*todo* Israel" não significa que, em um ponto da História, todos e cada um dos judeus necessariamente chegarão à fé. A expressão *todo Israel* significa que muitos judeus de todos os níveis sociais e classes se voltarão para Cristo. Vale observar que o povo que será restaurado é exatamente aquele que foi endurecido (11.7,26), e não o remanescente, como querem alguns. Eis algumas razões:

— Não é o remanescente escolhido que tropeçou (11.11).

— Não é o remanescente escolhido que caiu e transgrediu (11.12).

— Não é o remanescente escolhido que foi cortado da oliveira (11.12-22).

— Não é o remanescente que é inimigo de Cristo (11.28).

— Não é o remanescente escolhido que, por meio de sua incredulidade, causou a misericórdia aos gentios (11.30,31).

— Não é o remanescente escolhido que não creu e foi encerrado por Deus na incredulidade (11.32,33).

Em cada um desses versículos Paulo trata de Israel como um povo que rejeitou o evangelho. Devemos, portanto, interpretar *"todo* Israel" como muitos do povo de Israel incrédulo, mas não como a reunião de todos os remanescentes.[971] O mesmo povo que gritou "Caia o sangue sobre nós e nossos filhos", esse mesmo povo, antes da volta de Cristo, encontrará o dia da salvação, e "todo Israel" será salvo. Então, gentios e judeus clamarão em grande vós: "Ora, vem, Senhor Jesus. Maranata!"[972]

Concluindo, precisamos deixar claro o significado da expressão: "... será salvo". Paulo já havia esclarecido detalhadamente o que entendia por "salvação" e "ser salvo" (1.16; 10.8-13). A salvação acontece por fé com base na pregação apostólica. As duas referências citadas ressaltam que nisso não há diferença nem para os judeus nem para os gentios.[973]

Em quinto lugar, *o que Paulo quer dizer ao afirmar que os judeus são inimigos do evangelho, mas amados pela eleição?* (11.28). Aqui há uma grande antítese: "eles são inimigos" e "eles são amados". Os judeus são ao mesmo tempo objetos do amor e também objetos da ira de Deus.[974] Assim, diz Geoffrey Wilson, a exclusão de Israel não é definitiva, e a sua eventual restauração é garantida.[975]

Em sexto lugar, *o que Paulo quer dizer com dons e vocação de Deus irrevogáveis?* (11.29-31). Cranfield declara que o fundamento da certeza de Paulo está no fato de os judeus ainda serem amados por Deus, se bem que sob a ira divina por causa de sua incredulidade e oposição ao evangelho.[976] A salvação desses judeus outrora endurecidos só pode acontecer por causa da fidelidade, firmeza e fidedignidade de Deus à sua aliança e à sua eleição. William Hendriksen diz que esta é certamente a vocação interior ou eficaz que pertence somente aos eleitos.[977]

Em sétimo lugar, *o que significa o fato de Deus encerrar a todos na desobediência para usar de misericórdia para com todos?* (11.32). A desobediência é comparada a um calabouço no qual Deus teria encerrado todos os seres humanos, a fim de que "eles não tenham possibilidade alguma de escape, a não ser que a misericórdia de Deus os liberte". Paulo não ensina o universalismo neste versículo, porque isto entraria em contradição com tudo o que já ensinou na carta. Stott está certo quando diz que Paulo não se refere a "todos os homens" ou simplesmente "todos", mas usa a expressão *tous pantas,* que significa "os todos". E esta expressão, neste contexto, refere-se aos dois grupos específicos que são contrastados no decorrer do capítulo e especialmente nos versículos 28 e 31, isto é, "eles" e "vocês", os judeus e gentios.[978]

Uma das grandes teses de Paulo em Romanos é provar que não há distinção entre judeus e gentios, no que concerne quer ao pecado (3.9,22), quer à salvação (10.12). Agora, ele diz que, assim como eles participaram da mesma prisão, em virtude da sua desobediência, também estarão juntos ao desfrutar a liberdade da misericórdia de Deus. Essa misericórdia é sobre todos sem distinção, mas não para com todos sem exceção. Além disso, Paulo já predisse a "plenitude" futura, tanto para Israel (11.12) como para os gentios (11.25). Somente quando estas duas "plenitudes" se fundirem em uma só é que se realizará a nova humanidade, constituída de um número incontável de redimidos, a grande multidão multinacional que ninguém jamais poderá contar (Ap 7.9).[979]

Deus é exaltado por seu plano vitorioso (11.33-36)

A doxologia dos versículos 33-36 não arremata apenas os capítulos 9–11; conclui toda a argumentação dos capítulos 1–11.[980] Paulo escreve:

> Ó profundidade da riqueza, tanto da sabedoria como do conhecimento de Deus! Quão insondáveis são os seus juízos, e quão inescrutáveis, os seus caminhos! Quem, pois, conheceu a mente do Senhor? Ou quem foi o seu conselheiro? Ou quem primeiro deu a ele para que lhe venha a ser restituído? Porque dele, e por meio dele, e para ele são todas as coisas. A ele, pois, a glória eternamente. Amém! (11.33-36).

Destacamos aqui algumas verdades sublimes:

Em primeiro lugar, *a teologia precisa transformar-se em doxologia* (11.33-35). Paulo passa da teologia para a doxologia, da doutrina para o louvor, do argumento para a adoração. Concordo com John Stott quando ele diz que não devemos separar a teologia (nossa crença em Deus) da doxologia (nosso culto a Deus). Devemos acautelar-nos tanto de uma teologia sem devoção como de uma devoção sem teologia.[981]

Em segundo lugar, *as coisas profundas de Deus devem levar-nos à adoração, e não à frívola especulação* (11.33-35). Como um viajante que atinge o pico de íngreme escalada, o apóstolo volta-se e contempla. As profundezas estão a seus pés, iluminadas por ondas de luz, e em toda a extensão seus olhos divisam um horizonte imenso. Antes de descrever as implicações práticas do evangelho, Paulo prostra-se diante de Deus em adoração (11.33-36).[982] William Barclay diz que aqui a teologia se torna em poesia e a busca da mente se transforma em adoração do coração.[983]

Em terceiro lugar, *o estudo da teologia deve levar-se à compreensão de que Deus não pode ser domesticado nem plenamente compreendido por nossa mente finita* (11.33-35). Paulo destaca aqui três preciosas verdades:

a. *A profundidade da riqueza de Deus* (11.33). Paulo já havia falado sobre as riquezas de Deus (2.4; 9.23; 10.12). A ideia predominante é que a salvação é uma dádiva de Deus que enriquece imensamente aqueles a quem é concedida.[984]

b. *A inescrutável sabedoria de Deus* (11.33). O conhecimento de Deus se refere ao todo-inclusivo e exaustivo entendimento de Deus; e a sabedoria fala sobre o arranjo e a adaptação de todas as coisas para o cumprimento de seus santos propósitos.[985] Foi a sabedoria de Deus que planejou a salvação e foi sua riqueza que a concedeu. Os juízos de Deus não são apenas profundos, mas também insondáveis. Seres finitos como nós não podem penetrar nas profundezas desses caminhos inescrutáveis. John Murray diz que é um erro pensar que a nossa incompreensibilidade de Deus se aplica somente a seu conselho secreto e ainda não revelado. O que Deus não revelou não cabe no âmbito de nosso conhecimento; é inapreensível. Porém, o aspecto mais significativo dessa incompreensibilidade é aquele que se aplica ao que Deus revelou. O conselho revelado foi o que compeliu o apóstolo à doxologia.[986]

c. *A absoluta independência de Deus* (11.34,35). A mente de Deus não pode ser exaurida pela mente finita dos homens. Não podemos tornar Deus mais sábio com nossos conselhos. Deus não depende de suas criaturas; nós é que dependemos dele para nos ensinar e salvar.

Em quarto lugar, *o estudo da doutrina deve levar-nos à completa rendição a Deus* (11.36). Quatro verdades essenciais são aqui destacadas:

a. *Deus é a origem de todas as coisas* (11.36). Deus é a origem do mundo natural e do mundo espiritual. É a origem da criação material e da igreja multirracial. Todas as coisas são de Deus, pois ele é o autor de tudo; sua vontade é a origem de toda existência.

b. *Deus é o sustentador de todas as coisas* (11.36). Se perguntarmos de onde surgiram todas as coisas, nossa resposta será: "De Deus". Se indagarmos como todas as coisas vieram a existir e como continuam existindo, a resposta será: "Por intermédio de Deus". Todas as coisas são por Deus, pois todas as coisas são criadas por ele como grande agente.

c. *Deus é o herdeiro de todas as coisas* (11.36). Se perguntarmos para onde irão todas as coisas, e qual é o propósito último para o qual todas as coisas existem, a única resposta possível será: "Para Deus". Estas três preposições: *ek ,*"de", *dia,* "através de", e *eis,* "para", indicam que Deus é o criador, sustentador e herdeiro de tudo, sua fonte, seu meio e seu fim.[987] Todas as coisas são para Deus, pois todas as coisas tendem à sua glória como seu objetivo final.

d. *Deus é o alvo de todas as coisas* (11.36). Paulo conclui com sua declaração final: "A ele seja a glória para sempre! Amém". É porque todas as coisas são de Deus, vieram por intermédio de Deus e vão para Deus que a glória só pertence a ele.[988] John Murray esclarece que Deus é a fonte de todas as coisas, no sentido de que elas procedem de Deus. Ele é o criador e o agente por intermédio de quem todas as coisas subsistem e são direcionadas à sua devida finalidade. E ele é a finalidade essencial, em cuja glória todas as coisas haverão de redundar. Deus é o Alfa e o Ômega, o princípio e o fim, o primeiro e o último. A ele não somente devemos tributar toda a glória, mas para ele redundará toda a glória.[989]

NOTAS DO CAPÍTULO 18

891 ERDMAN, Charles R. *Comentários de Romanos*, p. 128.
892 POHL, Adolf. *Carta aos Romanos*, p. 177.
893 MURRAY, John. *Romanos*, p. 428.
894 MACLEOD, Angus. *El fin del mundo*. Grand Rapids: TELL, 1977, p. 87, 88.
895 HENDRIKSEN, William. *Romanos*, p. 474.
896 POHL, Adolf. *Carta aos Romanos*, p. 177.
897 CRANFIELD, C. E. B. *Comentário de Romanos*, p. 246.
898 MURRAY, John. *Romanos*, p. 429, 430.
899 POHL, Adolf. *Carta aos Romanos*, p. 178.
900 WILSON, Geoffrey B. *Romanos*, p. 163.
901 BARCLAY, William. *Romanos*, p. 160.
902 HENDRIKSEN, William. *Romanos*, p. 477, 478.
903 MURRAY, John. *Romanos*, p. 432.
904 MURRAY, John. *Romanos*, p. 433, 434.
905 LEENHARDT, Franz. J *Epístola aos Romanos*, p. 285.
906 MURRAY, John. *Romanos*, p. 435.
907 HENDRIKSEN, William. *Romanos*, p. 480.
908 POHL, Adolf. *Carta aos Romanos*, p. 178.
909 WIERSBE, Warren W. *Comentários bíblico expositivo*, p. 719.
910 MURRAY, John. *Romanos*, p. 438.
911 MACLEOD, Angus. *El fin del mundo*, p. 91.
912 STOTT, John. *Romanos*, p. 353.
913 LEENHARDT, Franz. J. *Epístola aos Romanos*, p. 286.
914 BRUCE, F. F. *Romanos: introdução e comentário*, p. 172.
915 MACLEOD, Angus. *El fin del mundo*, p. 92.
916 POHL, Adolf. *Carta aos Romanos*, p. 180.
917 STOTT, John. *Romanos*, p. 358.
918 HENDRIKSEN, William. *Romanos*, p. 483.
919 MACLEOD, Angus. *El fin del mundo*, p. 93.
920 MURRAY, John. *Romanos*, p. 440.
921 STERN, David H. *Comentário judaico do Novo Testamento*, p. 443, 444.
922 STERN, David H. *Comentário judaico do Novo Testamento*, p. 444.
923 STOTT, John. *Romanos*, p. 360.
924 HENDRIKSEN, William. *Romanos*, p. 486.
925 MACLEOD, Angus. *El fin del mundo*, p. 96.
926 STOTT, John. *Romanos*, p. 362, 363.

[927] ERDMAN, Charles R. *Comentários de Romanos*, p. 133.

[928] MACLEOD, Angus. *El fin del mundo*, p. 94.

[929] HOEKEMA, Antonio A. *La Biblia y el futuro*. Grand Rapids: Subcomisión de Literatura Cristiana, 1984, p. 165.

[930] MACLEOD, Angus *El fin del mundo*, p. 96.

[931] WILSON, Geoffrey B. *Romanos*, p. 167.

[932] MACLEOD, Angus. *El fin del mundo*, p. 97.

[933] BRUCE, F. F. *Romanos: introdução e comentário*, p. 177.

[934] LEENHARDT, Franz. J. *Epístola aos Romanos*, p. 288.

[935] STOTT, John. *Romanos*, p. 366.

[936] MACLEOD, Angus. *El Fin de Mundo*, p. 98.

[937] MACLEOD, Angus. *El fin del mundo*, p. 99.

[938] HENDRIKSEN, William. *Romanos*, p. 496.

[939] WILSON, Geoffrey B. *Romanos*, p. 170.

[940] HOEKEMA, Antonio A. *La Biblia y el futuro*, p. 166.

[941] SCHAAL, Juan. *El camino real de Romanos*, p. 117, 118.

[942] MACLEOD, Angus. *El fin del mundo*, p. 115.

[943] SCHAAL, Juan. *El camino real de Romanos*, p. 118.

[944] HOEKEMA, Antonio A. *La Biblia y el futuro* p. 166, 167.

[945] HENDRIKSEN, William. *Romanos*, p. 499.

[946] MURRAY, John. *Romanos*, p. 456, 457.

[947] CALVINO, João. *Epístola a los Romanos*, p. 306.

[948] HENDRIKSEN, William. *Romanos*, p. 502.

[949] MACLEOD, Angus. *El fin del mundo*, p. 106.

[950] MACLEOD, Angus. *El fin del mundo*, p. 107, 108.

[951] MACLEOD, Angus. *El fin del mundo*, p. 115.

[952] STOTT, John. *Romanos*, p. 368.

[953] WILSON, Geoffrey B. *Romanos*, p. 171.

[954] CRANFIELD, C. E. B. *Comentários de Romanos*, p. 258.

[955] STERN, David H. *Comentário judaico do Novo Testamento*, p. 456.

[956] MURRAY, John. *Romanos*, p. 461.

[957] MURRAY, John. *Romanos*, p. 460.

[958] HENDRIKSEN, William. *Romanos*, p. 502.

[959] HENDRIKSEN, William. *Romanos*, p. 503.

[960] BERKHOF, L. *Teologia sistemática*, p. 699, 670.

[961] MURRAY, John. *Romanos*, p. 459.

[962] BRUCE, F. F. *Romanos: introdução e comentário*, p. 179.

[963] STERN, David H. *Comentário judaico do Novo Testamento*, p. 458.

[964] ERDMAN, Charles R. *Comentários de Romanos*, p. 136, 137.

[965] MURRAY, John. *Romanos*, p. 461.

966 Stott, John. *Romanos*, p. 368.

967 Murray, John. *Romanos*, p. 462.

968 Leenhardt, Franz. J. *Epístola aos Romanos*, p. 296.

969 Hoekema, Antonio A. *La Biblia y el futuro*, p. 167.

970 MacLeod, Angus. *El fin del mundo*, p. 103, 104.

971 MacLeod, Angus. *El fin del mundo*, p. 110, 111.

972 MacLeod, Angus. *El fin del mundo*, p. 118.

973 Pohl, Adolf. *Carta aos Romanos*, p. 190.

974 Stott, John. *Romanos*, p. 371.

975 Wilson, Geoffrey B. *Romanos*, p. 172.

976 Cranfield, C. E. B. *Comentário de Romanos*, p. 260.

977 Hendriksen, William. *Romanos*, p. 507.

978 Stott, John. *Romanos*, p. 373, 374.

979 Stott, John. *Romanos*, p. 374.

980 Bruce, F. F. *Romanos: introdução e comentário*, p. 181.

981 Stott, John. *Romanos*, p. 378.

982 Stott, John. *Romanos*, p. 375.

983 Barclay, William. *Romanos*, p. 169.

984 Stott, John. *Romanos*, p. 376.

985 Murray, John. *Romanos*, p. 469.

986 Murray, John. *Romanos*, p. 467, 468.

987 Stott, John. *Romanos*, p. 377.

988 Stott, John. *Romanos*, p. 378.

989 Murray, John. *Romanos*, p. 471.

Capítulo 19

Vidas transformadas, relacionamentos transformados
(Rm 12.1-21)

Nos CAPÍTULOS I–II, Paulo abordou o sacrifício que Cristo fez por nós na cruz como prova da misericórdia de Deus; agora, ele versa sobre o sacrifício que devemos oferecer a Deus como prova da nossa gratidão a ele.

Até o capítulo 11 Paulo tratou da doutrina; agora, tratará da ética. Ele passa da teologia para a vida, do ensino para o dever. F. F. Bruce afirma que a Bíblia nunca ensina uma doutrina para torná-la simplesmente conhecida. Ela é ensinada para que seja transferida para a prática. Paulo repetidamente apresenta uma exposição doutrinária, e em seguida uma exortação ética, interligando ambas, como aqui, pela conjunção "pois" (12.1).[990] Nunca é demais ressaltar que Paulo sempre baseia o dever na doutrina; deduz a vida da crença; mostra que o caráter é determinado pelo credo.[991]

No capítulo 12, Paulo foca sua atenção nos relacionamentos: com Deus, com nós mesmos, com o próximo e com os inimigos. Uma vida transformada tem relacionamentos transformados. Não podemos amar a Deus e odiar nossos irmãos. Não podemos ter um relacionamento vertical correto se os relacionamentos horizontais estão errados.

Relacionamento com Deus (12.1,2)

Paulo observa que Cristo entregou seu corpo na cruz como sacrifício vicário e morreu por nós, varrendo todas as vítimas mortas do altar de Deus; agora, devemos entregar nosso corpo como sacrifício vivo a Deus como nosso culto racional. Paulo roga pelas misericórdias de Deus, ou seja, com base no que Deus fez por nós. Stott diz que não há motivação maior para uma vida de santidade que contemplar as misericórdias de Deus.[992] No Novo Testamento, se a teologia é graça, a ética é gratidão.[993]

Duas verdades nos chamam a atenção aqui:

Em primeiro lugar, *corpos consagrados*. "Rogo-vos, pois, irmãos, pelas misericórdias de Deus, que apresenteis o vosso corpo por sacrifício vivo, santo e agradável a Deus, que é o vosso culto racional" (12.1). O apóstolo usa o verbo *parakaleo,* "rogar", que mescla súplica e autoridade.[994] A razão pela qual Paulo roga aos crentes judeus e gentios com esse tom de autoridade é porque Deus já lhes havia demonstrado sua copiosa misericórdia. O termo "apresentar", neste versículo, significa "apresentar de uma vez por todas".[995] Paulo ordena uma entrega definitiva do corpo ao Senhor, como os noivos se entregam um ao outro na cerimônia de casamento. Esse sacrifício é descrito como "vivo" em contraste com os sacrifícios antigos cuja vida era tirada antes de ser apresentada sobre o altar; como "santo", isto é, consagrado, separado e reservado para o serviço de Deus, e "agradável a Deus" como o ascender em sua presença da oferta aromática de outrora.[996]

A sociedade contemporânea idolatra o corpo. As academias de ginástica estão lotadas. Gastamos rios de dinheiro com cosméticos. Cultuamos a beleza e também a força. A Palavra de Deus, entretanto, nos ensina não a cultuar o corpo, mas a cultuar a Deus por intermédio do corpo.[997]

Antes da nossa conversão oferecíamos os membros do nosso corpo ao pecado (6.12-14). Agora, oferecemos nosso corpo como sacrifício vivo a Deus. Não oferecemos mais um cordeiro morto no altar, mas nosso corpo vivo. Nosso corpo não é uma tumba como pensavam os gregos. É o templo do Espírito Santo, a morada de Deus. Foi comprado por alto preço e devemos glorificar a Deus no nosso corpo. O próprio Deus não vacilou em tomar um corpo humano e nele viver. Nosso corpo será ressuscitado e glorificado um dia. Consequentemente, o culto racional ou espiritual que prestamos a Deus pela consagração do nosso corpo não é prestado apenas nas cortes do templo ou no edifício da igreja, mas na vida do lar e no mercado de trabalho.[998] A isso Adolf Pohl corrobora: "O que Paulo vislumbra não é o culto delimitado, restrito a uma hora e a um recinto".[999]

Concordo com John Stott quando diz que nenhum culto é agradável a Deus quando é unicamente interior, abstrato e místico; nossa adoração deve expressar-se em atos concretos de serviço manifestados em nosso corpo.[1000]

Glorificamos a Deus em nosso corpo quando contemplamos o que é santo, quando nossos ouvidos se deleitam no que é puro, quando nossas mãos praticam o que é reto, quando nossos pés caminham por veredas de justiça. Para Geoffrey Wilson, uma santificação que não se estenda ao corpo é essencialmente espúria.[1001] Citando Crisóstomo, William Greathouse pergunta:

> Como pode o corpo tornar-se um sacrifício? Deixe que o olho não veja nada mau, e ele se tornará um sacrifício; permita que a língua não diga nada vergonhoso, e ela se tornará uma oferta; deixe que a mão não faça nada ilegal, e ela se tornará uma oferta em holocausto. Não, isso não será suficiente, mas precisamos ter a prática ativa do bem – a mão precisa dar esmola; a boca precisa abençoar em lugar de amaldiçoar; o ouvido precisa dar atenção sem cessar aos ensinamentos divinos. Pois um sacrifício não tem nada impuro; um sacrifício é a primícia de outras coisas. Portanto, que nós possamos produzir frutos para Deus com as nossas mãos, com os nossos pés, com a nossa boca e com todos os nossos outros membros.[1002]

Paulo diz que a oferta do nosso corpo a Deus como sacrifício vivo, santo e agradável é nosso culto racional. A palavra grega *logikos,* "racional", carrega a ideia de razoável, lógico e sensato. Trata-se, portanto, de um culto oferecido de mente e coração, culto espiritual em oposição a culto cerimonial.[1003] Para F. F. Bruce, talvez seja preferível "culto espiritual", em contraste com as exterioridades do culto do templo de Israel.[1004] Para Adolf Pohl, o culto racional é apenas um culto que responde de modo coerente e adequado à misericórdia de Deus em Jesus Cristo.[1005]

Em segundo lugar, *mentes transformadas.* "E não vos conformeis com este século, mas transformai-vos pela renovação da vossa mente, para que experimenteis qual seja a boa, agradável e perfeita vontade de Deus" (12.2). Há duas palavras que regem esse versículo: conformação e transformação. O mundo tem uma fôrma. Essa fôrma é elástica e flácida. A fôrma do mundo é a fôrma do relativismo moral, da ética situacional e do desbarrancamento da virtude. O crente é alguém que não põe o pé nessa fôrma. Não se amolda ao esquema do mundo, mas se transforma pela renovação da mente. A fôrma do mundo é um esquema que muda todo dia. Em vez de entrar nessa fôrma para sermos conformados a ela, devemos ser transformados de dentro para fora, pela renovação da nossa mente.

Em vez de viver pelos padrões de um mundo em desacordo com Deus, os crentes são exortados a deixar que a renovação de sua mente, pelo poder do Espírito Santo, transforme sua vida harmonizando-a com a vontade de Deus.[1006] Nas palavras de William Barclay: "Não devemos ser como o camaleão que assume as cores daquilo que o cerca".[1007]

O cristão não deve adotar o padrão exterior e transitório deste mundo, mas ser transformado em sua natureza íntima. Paulo usa duas palavras para fôrma: *squema,* em referência a uma fôrma que muda todo dia, e *morphe*, em alusão a uma fôrma imutável. *Squema* significa "aparência exterior" e *morphe,* "essência interior".[1008] O termo traduzido aqui por "transformar" é o mesmo traduzido por "transfigurar" em Mateus 17.2. Em nossa língua, equivale à palavra "metamorfose". Descreve uma mudança que ocorre de dentro para fora.[1009] Em vez de adotar o padrão exterior e transitório deste mundo, devemos ser transformados em nossa natureza íntima. O crente não deve conformar-se com o mundo porque a fôrma do mundo muda todo dia. O errado ontem é certo hoje. O repudiado ontem é aplaudido hoje. O vergonhoso ontem é praticado à luz do dia hoje. Nós, porém, seguimos um modelo absoluto, que jamais fica obsoleto. Esse modelo é Jesus!

Warren Wiersbe diz: "Se o mundo controla nossa maneira de pensar, somos *conformados*, mas, se Deus controla nossa maneira de pensar, somos *transformados*".[1010] A transformação interior é a única defesa efetiva contra a conformidade exterior com o espírito do tempo presente.[1011] Temos, assim, uma metamorfose gerada pelo Espírito Santo. Quando nosso corpo é consagrado e nossa mente é transformada, nosso culto torna-se racional e experimentamos a boa, perfeita e agradável vontade de Deus.

Relacionamento com nós mesmos (12.3-8)

O cristão é uma pessoa que tem uma visão correta de si mesmo. Destacamos dois pontos:

Em primeiro lugar, *o cristão tem uma avaliação honesta de si mesmo*. "Porque, pela graça que me foi dada, digo a cada um dentre vós que não pense de si mesmo além do que convém; antes, pense com moderação, segundo a medida da fé que Deus repartiu a cada um" (12.3). Nessa avaliação de si mesmo, há dois perigos que precisam ser evitados:

a. *O complexo de superioridade* (12.3). Não podemos pensar acerca de nós mesmos além daquilo que convém. Não há espaço para a soberba, arrogância e altivez no coração de quem foi salvo pela graça. Tudo o que temos é o que recebemos de Deus. Tanto a salvação que recebemos pela fé como os dons que recebemos para o serviço são dádivas do Deus triúno. Warren Wiersbe diz corretamente que os dons espirituais são instrumentos que devem ser usados para a edificação, não brinquedos para a recreação nem armas de destruição.[1012] Paulo denuncia o pecado do complexo de superioridade em 1Coríntios 12.21: "Não podem os olhos dizer à mão: Não precisamos de ti; nem ainda a cabeça aos pés: Não preciso de vós".

b. *O complexo de inferioridade* (12.3). Tanto os que se exaltam como aqueles que se rebaixam aviltam a graça de Deus. Negar a realidade da nossa salvação, negar a honrosa posição que temos como filhos de Deus é uma falsa humildade. Os puritanos diziam: "Achas pouco o fato de seres amado por Deus?" O cristão não pode ter uma autoimagem achatada. Ele é filho de Deus, herdeiro de Deus, a herança de Deus, a menina dos olhos de Deus. Paulo combateu o pecado do complexo de inferioridade quando escreveu: "Se disser o pé: Porque não sou mão, não sou do corpo; nem por isso deixa de ser do corpo. Se o ouvido disser: Porque não sou olho, não sou do corpo; nem por isso deixa de o ser" (1Co 12.15,16).

Em segundo lugar, *o cristão tem uma compreensão correta dos seus dons espirituais* (12.4-8). É necessário dar atenção ao que Paulo escreve:

> Porque assim como num só corpo temos muitos membros, mas nem todos os membros têm a mesma função, assim também nós, conquanto muitos, somos um só corpo em Cristo e membros uns dos outros, tendo, porém, diferentes dons segundo a graça que nos foi dada: se profecia, seja segundo a proporção da fé; se ministério, dediquemo-nos ao ministério; ou o que ensina esmere-se no fazê--lo; ou o que exorta faça-o com dedicação; o que contribui, com liberalidade; o que preside, com diligência; quem exerce misericórdia, com alegria (12.4-8).

Pertencemos uns aos outros, ministramos uns aos outros e precisamos uns dos outros. Quatro verdades devem ser aqui destacadas acerca dos dons que recebemos de Deus:

a. *A unidade* (12.5). Somos um só corpo. Fazemos parte de uma só família. Somos um só rebanho. Embora coletivamente sejamos vários membros, somos um só corpo. O que dá unidade a esse corpo é estarmos ligados ao mesmo cabeça e sermos irrigados pelo mesmo sangue.

b. *A diversidade* (12.4-6a). Segundo F. F. Bruce, a marca das obras de Deus é a diversidade, não a uniformidade. Assim é com a natureza; assim é também com a graça, e em nenhum lugar mais que na comunidade cristã. Nesta há muitos homens e mulheres das mais diversas origens, ambientes, temperamentos e capacidades. E não só isso, mas, desde que se tornaram cristãos, são também dotados por Deus de grande variedade de dons espirituais. Entretanto, graças a essa diversidade e por meio dela, cada um pode cooperar para o bem do todo.[1013] Assim como o corpo tem vários membros, Deus concedeu à igreja vários dons. Somos diferentes uns dos outros para suprir as necessidades uns dos outros.

c. *A mutualidade* (12.5). Paulo diz que somos membros uns dos outros. Não estamos competindo uns com os outros; antes, servimos uns aos outros. Não atacamos uns aos outros; antes, protegemos uns aos outros. Preciso das mãos para levar o alimento à boca; dos olhos para vê-lo, do olfato para sentir seu aroma; dos dentes para mastigá-lo; da garganta para engoli-lo; do estômago para processá-lo. Todos os membros trabalham para a edificação do corpo e cooperam com igual cuidado a favor uns dos outros (1Co 12.25)

d. *A utilidade* (12.6b-8). Temos vários dons. Nesta lista, os dons são dados pelo Pai. Em 1Coríntios 12, os dons são dados pelo Espírito. Em Efésios 4, os dons são dados pelo Filho. Os dons mencionados em Romanos 12.6-8 são divididos em duas categorias: dons de fala (profecia, ensino e exortação) e dons de serviço (servir, contribuir, liderança e mostrar misericórdia).[1014] É bastante óbvio que o apóstolo não está falando de cargos, mas de dons. Nem todo dom implica um cargo diferente. Muitos dons não exigem nenhum cargo.[1015] Consideraremos a seguir esses dons espirituais.

- *O dom de profecia.* "[...] se profecia, seja segundo a proporção da fé" (12.6b). William Barclay diz que, no Novo Testamento, a profecia raramente tem a ver com a predição do futuro; geralmente se refere à proclamação da Palavra de Deus (1Co 14.3,24,31).[1016] Devemos fazer uma distinção entre o ofício de profeta no Antigo e Novo Testamentos e o dom de profecia. Hoje não há mais profetas no sentido daqueles primeiros profetas, que se tornaram o fundamento da igreja (Ef 2.20) e receberam a revelação divina para o registro das Escrituras. Hoje qualquer manifestação subsequente deste dom deve ser submetida à doutrina autorizada dos apóstolos e profetas originais, conforme consta do cânon das Escrituras. Hoje Deus não revela mais "verdade nova" diretamente. Sendo, assim, o dom de profecia é o dom de entender as Escrituras e explicá-las. É apresentar ao povo de Deus verdades recebidas não por revelação direta, mas pelo estudo cuidadoso da Palavra de Deus, completa e infalível. Quando Paulo diz: "Se profecia, seja segundo a proporção da fé", precisamos entender que "fé" aqui não é subjetiva, mas fé objetiva, ou seja, o conteúdo geral das Escrituras (Jd 3; 1Pe 4.10,11).

- *O dom de ministério.* "Se ministério, dediquemo-nos ao ministério..." (12.7a). Se a profecia envolve demonstrar o amor de Cristo aos homens pela pregação da Palavra; a *diakonia,* "o dom de serviço", implica demonstrar o amor de Cristo às pessoas por atos de serviço. Quem tem esse dom é especialmente prestativo. Está sempre atento e disposto a ajudar e servir (Lc 10.40).

- *O dom de ensino*. "[...] ou o que ensina esmere-se no fazê-lo" (12.7b). A mensagem de Cristo não deve ser apenas proclamada, mas também explicada. Quem tem o dom de ensino apresenta propensão natural para o estudo. Trata-se do indivíduo que investe na pesquisa, que se deleita no exame da Palavra e se alegra em compartilhar com outros esse conhecimento. Envolve a habilidade de aprofundar-se nas insondáveis riquezas do evangelho de Cristo e aclará-las em detalhes para a igreja (At 13.1; 15.35; 20.20; 1Tm 2.2).

- *O dom de exortação*. "Ou o que exorta faça-o com dedicação" (12.8a). Se o ensino se dirige ao entendimento, a exortação é dirigida à consciência e às emoções. Estes devem sempre estar juntos, pois enquanto a exortação recebe conteúdo do ensino, o ensino recebe sua força da exortação.[1017] O dom de exortação é a habilidade de estar do lado de outra pessoa para encorajá-la, fortalecê-la e consolá-la. Quem tem o dom de exortação faz a aplicação pessoal do que é declarado pelo profeta e praticado pelo mestre. Este é o dom de tornar a doutrina viva na vida do cristão, despertando-o, encorajando-o, corrigindo-o, a fim de que ele tenha a vida de Cristo (15.14)

- *O dom de contribuição*. "[...] o que contribui, com liberalidade" (12.8b). O dom de contribuição é a habilidade especial de ofertar, repartir e compartilhar bens materiais com as pessoas em suas necessidades, na medida de suas posses e até acima delas (2Co 8.1-5). Aqueles que de graça receberam devem livremente dar, sem desejo ulterior de ganho ou desejo ostentatório de fama.[1018] É importante ressaltar que não está em foco a quantidade, por isso não só os ricos podem contribuir. Quem tem esse dom jamais vê a contribuição como um peso ou uma obrigação, mas como um privilégio.

- *O dom de presidência*. "[...] o que preside, com diligência" (12.8c). Deus habilita alguns membros do corpo a exercer a liderança, dando-lhes o dom da presidência. Trata-se do dom de dirigir, liderar, controlar (1Ts 5.12; 1Pe 5.2,3). A palavra grega *proistemi* traz a ideia de ficar em pé diante de alguém. Liderar é ir adiante de alguém para guiar (Jo 10.27). O líder é aquele que inspira confiança nos outros. É aquele que está disposto a correr riscos e enfrentar perigos para defender seus liderados. O líder é aquele que sobe nos ombros dos gigantes e tem a visão do farol alto, e ao mesmo tempo tem uma atitude de humildade e usa sua liderança não para servir-se dos liderados, mas para servi-los com diligência. O líder é aquele que delega responsabilidades e ao mesmo tempo encoraja e aprecia o trabalho dos liderados. O líder é aquele que influencia pelo exemplo, é organizado, analítico, ágil e eficaz. Adolf Pohl diz que uma igreja na qual a função diretiva é negligenciada equivale a um rio sem leito. Muitas coisas se dispersam e não produzem resultado.[1019]

- *O dom de misericórdia*. "[...] quem exerce misericórdia, com alegria" (12.8d). O dom de misericórdia é aquele que leva o cristão a envolver-se com os aflitos e socorrê-los em suas angústias, fazendo isso com espontaneidade e alegria. É o dom de consolo. É lançar o coração na miséria do outro. É sofrer com o outro; é ter empatia (Lc 10.33-35). Adolf Pohl diz que, assim como Jesus, sua igreja se torna um ímã para um número enorme de fracos, doentes e pobres. Por isso, há diversos membros que recebem com clareza especial o carisma de Jesus de compadecer-se.[1020] O dom de misericórdia move as ações sociais mais sublimes. Certamente George Muller foi movido por esse dom ao criar na cidade de Bristol, na Inglaterra, orfanatos para cuidar de crianças pobres. Não há dúvida de que Robert Raykes foi motivado por esse dom espiritual ao criar a Escola Dominical em Gloucester, na Inglaterra, em 1780, com o propósito de ensinar a Palavra de Deus às crianças que andavam errantes pela cidade. Aqueles que têm o dom de misericórdia identificam-se espontaneamente com os que sofrem (Hb 13.3) e manifestam compaixão em ações práticas que aliviam o sofrimento (Jó 29.15,16; Pv 31.20).

Relacionamento com os irmãos (12.9-16)

O amor deve reger nossos relacionamentos. O amor é o sistema circulatório do corpo espiritual, permitindo que todos os membros funcionem de maneira saudável e harmoniosa.[1021] John Stott diz que a receita do amor tem doze ingredientes:[1022]

a. *Sinceridade*. "O amor seja sem hipocrisia" (12.9a). A palavra grega *anypokritos*, "sem hipocrisia", é muito interessante. *Hypokrites* era o ator que participava de um drama. No entanto, a igreja não pode transformar-se num palco. Afinal, o amor não é teatro; ele faz parte da vida real.

b. *Discernimento*. "Detestai o mal, apegando-vos ao bem" (12.9b). O cristão deve amar e odiar com a mesma intensidade. Deve apegar-se ao bem e abominar o mal com todas as forças da sua alma. Precisa sentir aversão e repugnância pelo mal. Não pode ser uma pessoa amorfa, insípida, que fica sempre em cima do muro, sem se posicionar.

c. *Afeição*. "Amai-vos cordialmente uns aos outros com amor fraternal" (12.10a). Paulo usa neste versículo duas palavras gregas distintas para amor: *philadelphia* e *philostorgos*. A primeira descreve o amor fraternal, ou seja, o amor de irmãos e irmãs uns pelos outros. A segunda descreve a afeição natural que sentimos pelos nossos familiares, tipicamente o amor dos pais pelos filhos. Ambas as palavras eram aplicadas a relações de sangue dentro da família humana.[1023] Devemos amar nossos irmãos em Cristo como amamos os membros da nossa família de sangue.

d. *Honra.* "[...] preferindo-vos em honra uns aos outros" (12.10b). O amor na família cristã deve expressar-se em honra mútua, assim como em afeição mútua.

e. *Entusiasmo.* "No zelo, não sejais remissos; sede fervorosos de espírito, servindo ao Senhor" (12.11). A apatia não combina com a vida cristã. O crente precisa ser um indivíduo em chamas para Deus. Precisa arder de zelo pelas coisas de Deus. É alguém que serve a Deus com fervor. Aqueles que são mornos provocam náuseas em Jesus e, à semelhança da igreja de Laodiceia, estão prestes a ser vomitados pelo Senhor.

f. *Paciência.* "Regozijai-vos na esperança, sede pacientes na tribulação, na oração, perseverantes" (12.12). O crente cruza os vales da vida com os olhos cravados na esperança da gloriosa volta de Cristo. Ele se alimenta de uma viva esperança, enquanto pacientemente enfrenta as tribulações com uma vida de oração perseverante. William Hendriksen diz que a esperança da salvação futura (5.2,4,5; 8.24,25; 15.4,13) estimula a alegria presente.[1024]

g. *Generosidade.* "Compartilhai as necessidades dos santos" (12.13a). O verbo grego *koinoneo,* "compartilhar", pode significar tanto participar das necessidades e dos sofrimentos dos outros, como repartir os nossos recursos com eles.[1025]

h. *Hospitalidade.* "[...] praticai a hospitalidade" (12.13b). Se com os necessitados precisamos ser generosos, com os visitantes devemos ser hospitaleiros. É preciso haver um equilíbrio entre *philadelphia* (amor pelos irmãos e irmãs) e *philoxenia* (amor pelos estranhos).[1026]

i. *Boa vontade.* "Abençoai os que vos perseguem, abençoai e não amaldiçoeis" (12.14). O cristão deve desejar o bem até mesmo para aqueles que lhe desejam o mal.

j. *Simpatia.* "Alegrai-vos com os que se alegram e chorai com os que choram" (12.15). O amor nunca se mantém longe das alegrias e das dores dos outros. Assim como o gozo dividido é dobrado, também a tristeza dividida é reduzida à metade. Citando Crisóstomo, Geoffrey Wilson alerta para o fato de que é mais fácil chorar com os que choram que se alegrar com os que se alegram; porque a própria natureza estimula o primeiro, mas a inveja bloqueia o segundo.[1027]

k. *Harmonia.* "Tende o mesmo sentimento uns para com os outros" (12.16a). Os cristãos devem viver em concordância uns com os outros. Devem ser unânimes entre si, nutrir os mais nobres sentimentos e praticar as mais excelentes atitudes entre si.

l. *Humildade.* "[...] em lugar de serdes orgulhosos, condescendei com o que é humilde; não sejais sábios aos vossos próprios olhos" (12.16b). Entre os cristãos não há espaço para o esnobismo. O amor coloca o outro na frente do eu.

Sintetizando esses doze ingredientes, destacamos cinco verdades importantes:

Em primeiro lugar, *devemos abrir nosso coração* (12.9,10). Paulo diz que o nosso amor pelos irmãos deve ser sincero, cordial e fraterno. Como já vimos, a palavra "sincero" destaca que não somos atores nem a igreja é um palco. Onde a hipocrisia está presente, o amor está ausente. O amor deve ser sem dissimulação. A palavra *cordial* destaca o amor *storge*, ou seja, o amor familiar, especialmente aquele que os pais dedicam aos filhos. Dentro da igreja não somos estranhos, muito menos unidades isoladas; somos irmãos e irmãs, porque temos o mesmo Pai, Deus. A igreja não é apenas um agrupamento de conhecidos nem mesmo a reunião de amigos, mas uma família em Deus.

Já a palavra *fraterno* fala do amor *philéo*. O termo usado pelo apóstolo, *philadelphia,* como já destacamos, significa amar os irmãos como amamos um irmão de sangue. Dificilmente teríamos coragem de ser desonestos com um irmão de sangue ou trair sua confiança. Devemos amar uns aos outros como carne da nossa carne e sangue do nosso sangue.

Em segundo lugar, *devemos abrir nosso bolso* (12.13a). O cristão não ama apenas de palavra, mas de fato e em verdade. Ele compartilha a necessidade dos santos e reparte os seus bens. Num mundo governado pelo afã de obter, o cristão se inclina a dar, porque sabe que aquilo que guardamos, nós o perdemos, mas o que nós damos, isso é o que temos.

O cristão não tem apenas o coração aberto, mas também o bolso. A generosidade é a marca do cristão. A Bíblia diz que devemos trabalhar para suprir nossas necessidades e ainda socorrer aos necessitados (Ef 4.28). Nosso papel não é acumular apenas para nós. A verdadeira riqueza é aquela que distribuímos. A semente que multiplica não é a que comemos, mas a que semeamos. Deus supre e multiplica a nossa sementeira para continuarmos semeando na seara dos necessitados. O princípio ensinado pelo Senhor Jesus é claro: "Mais bem-aventurado é dar que receber" (At 20.35). A alma generosa prosperará. Quando você semeia com abundância, com fartura ceifará.

Qual foi a última vez que você ajudou alguém, que você deu uma oferta a alguém? Lembre-se, aqueles que foram salvos pela graça têm o coração aberto para amar e o bolso aberto para contribuir!

Em terceiro lugar, *devemos abrir nossa casa* (12.13b). O cristão não tem apenas seu coração e bolso abertos, mas também sua casa. Ele é hospitaleiro. Não devemos amar apenas os irmãos, mas também acolher os estranhos. A Palavra de Deus diz que muitos sem saber hospedaram anjos (Hb 13.2). Não apenas nós devemos estar a serviço de Deus, mas também nossa casa deve estar a serviço dos forasteiros. A Bíblia fala de Priscila e Áquila, que abriram sua casa para receber as pessoas. A casa deles era uma igreja. Hoje podemos fazer da nossa casa uma agência de evangelização, um centro de aconselhamento. O cristianismo é a religião do coração aberto, da mão aberta e da porta aberta.

Em quarto lugar, *devemos abrir nossos lábios* (12.14). O cristão é um abençoador. Ele abençoa até mesmo as pessoas que lhe perseguem. Platão dizia que é melhor suportar o mal que cometê-lo. A língua do cristão não deve ser fogo e veneno, mas árvore frutífera e fonte que jorra água límpida. Suas palavras são medicina. O cristão deve tornar a vida das pessoas mais suave com suas palavras. Ele é um encorajador. Suas palavras aliviam o fardo; são azeite na ferida. Suas palavras são verdadeiras, boas, oportunas e encontram graça.

Jesus não respondeu ultraje com ultraje. Os homens cuspiram nele. Arrancaram sua barba, esbordoaram sua cabeça, surraram seu corpo, pregaram-no numa cruz, mas ele, que podia fuzilá-los com seu juízo, abriu os lábios para interceder por eles. O diácono Estêvão morreu pedindo perdão para aqueles que o apedrejavam (At 7.60). Agostinho disse que foi a oração de Estêvão que quebrou a dureza do coração de Paulo, assim como foi a oração de Cristo que quebrou a dureza do coração do ladrão na cruz.

Em quinto lugar, *devemos abrir nossa alma* (12.15,16). O cristão não é solitário, mas solidário. Ele chora com o que sofre e alegra-se com o que se alegra. Trafega da festa de casamento para o funeral e do cemitério para um aniversário e solidariza-se com seus irmãos tanto em suas tristezas como em suas alegrias. Como já afirmamos, o amor nunca se afasta das alegrias e das dores dos outros.

O cristão não pode ser uma pessoa egoísta, arrogante e soberba (12.16). Não pode tocar trombeta acerca de suas pretensas virtudes. Não pode aplaudir a si mesmo e colocar placas de honra ao mérito ao longo de seu caminho. Não é aprovado quem a si mesmo se louva, diz a Palavra.

Relacionamento com os inimigos (12.17-21)

O crente não faz inimigos, mas tem inimigos. Jesus teve inimigos. Paulo teve inimigos. Temos inimigos e precisamos aprender a lidar com eles. Por essa razão, não há vida saudável, casamento saudável, família saudável ou igreja saudável sem relacionamentos saudáveis, e não há relacionamentos saudáveis sem o exercício do perdão. Somos imperfeitos e tropeçamos em muitas coisas. As pessoas nos decepcionam e nós decepcionamos as pessoas. As pessoas nos ferem e nós ferimos as pessoas. Falar de perdão é mais fácil que perdoar.

Paulo destaca cinco verdades importantíssimas acerca do nosso relacionamento com os inimigos:

Em primeiro lugar, *não devemos retaliar*. "Não torneis a ninguém mal por mal; esforçai-vos por fazer o bem perante todos os homens" (12.17). Pagar o mal com o mal, devolver a agressão na mesma moeda, dar o troco na mesma medida podem dar-lhe a sensação de ser justo, mas não expressam a graça de Deus. Somos um povo perdoado e perdoador.

Pagar o bem com o mal é demoníaco. Pagar o mal com o mal é retribuição humana. Pagar o mal com o bem é graça divina. Mesmo que recebamos mal, devemos esforçar-nos para fazer o bem perante todos os homens. A Bíblia fala que Jó, em vez de retaliar seus acusadores, orou por eles e, na medida em que fez isso, eles foram perdoados e Jó foi restaurado. Estêvão intercedeu por seus algozes quando estava sendo apedrejado. Ao ser pregado na cruz, Jesus orou por seus exatores.

Em vez de retaliar, procure uma oportunidade para fazer o bem a quem lhe fez o mal. Peça a oportunidade de demonstrar a essa pessoa sua bondade. Peça a Deus o privilégio de não apenas fazer o bem, mas também de sentir um amor sincero pela pessoa que lhe fez o mal.

William Hendriksen diz que Paulo combate aqui dois erros estreitamente relacionados. O primeiro é a vingança, o desejo de desforrar-se por uma injustiça sofrida. A vingança é uma espécie de apropriação indébita. Ela pertence a Deus e não a nós. Administrá-la com nossas mãos é conspirar contra uma atribuição divina. A Palavra de Deus insistentemente proíbe a vingança (1Ts 5.15; 1Co 4.12,14; 1Co 6.7; 1Pe 3.9). David Stern diz que vingança significa ser vencido pelo inimigo, a quem você permite incitá-lo a pagar na mesma moeda pelos impulsos do mal de sua própria velha natureza, os quais você deveria subjugar.[1028] O segundo erro é a pretensão de assumir a função do magistrado civil a fim de punir individualmente o crime. O espírito vingativo é contrário ao espírito cristão.[1029]

Em segundo lugar, *não devemos criar conflitos desnecessários*. "Se possível, quanto depender de vós, tende paz com todos os homens" (12.18). Essa exortação para viver em paz com todos está em harmonia com outras passagens, como: "Segui a paz com todos e a santificação, sem a qual ninguém verá o Senhor" (Hb 12.14); "A sabedoria, porém, lá do alto é, primeiramente, pura; depois, pacífica" (Tg 3.17) e "Bem-aventurados [são] os pacificadores, porque serão chamados filhos de Deus" (Mt 5.9).[1030]

Aqueles que são filhos do Deus da paz, têm como irmão mais velho o Príncipe da paz, anunciam o evangelho da paz, têm paz com Deus e experimentam a paz de Deus, esses são desafiados a ter paz com todos os homens.

Geoffrey Wilson está coberto de razão, entretanto, quando diz que esta exortação a viver em paz com todos os homens é apresentada com uma dupla limitação. "Se possível" implica que não será sempre possível. Quando a verdade deve ser sacrificada pela paz, então o preço da paz está alto demais. Não devemos nunca procurar manter a paz, com o mundo ou com cristãos, pelo sacrifício de alguma parte da verdade divina. Um cristão deve estar disposto a ser impopular, para que possa ser útil e fiel. Contra qualquer dificuldade ou oposição, ele deve diligentemente lutar pela fé que foi uma vez entregue aos santos. Entretanto, como indica a segunda restrição, o prazer na discórdia não tem parte alguma na virtude cristã, e portanto o cristão, tanto quanto depender dele, deve fazer todo esforço para preservar e promover a paz com seus semelhantes (Hb 12.14).[1031]

Há momentos em que manter a paz é um erro. William Hendriksen diz que há circunstâncias sob as quais é impossível o estabelecimento ou a manutenção da paz. Hebreus 12.14 não só defende a paz, mas também a santificação. Esta não deve ser sacrificada a fim de manter aquela, pois uma paz sem santificação não é digna do nome. Se a manutenção da paz subentende o sacrifício da verdade ou da honra, a paz deve ser abandonada. Quando as pessoas, para manter paz conosco, nos exigirem o sacrifício da verdade, terá chegado o momento do sacrifício da paz.[1032]

A Bíblia não nos ensina a ter paz a qualquer preço. Contudo, enquanto depender de nós, devemos ter paz com todos os homens, pois o cristão não é um gerador de conflitos. Não é um encrenqueiro nem deve ser um criador de problemas. O crente é da paz e também é um pacificador. Ele apaga os focos de incêndio em vez de jogar mais combustível na fogueira. Não joga um irmão contra o outro. Não dissemina contendas entre os irmãos nem espalha boatos. Não descobre a falha dos irmãos, mas cobre multidão de pecados.

Em terceiro lugar, *não devemos vingar-nos das pessoas que nos fazem mal*. "Não vos vingueis a vós mesmos, amados, mas dai lugar à ira; porque está escrito: A mim me pertence a vingança; eu é que retribuirei, diz o Senhor" (12.19). A vingança é uma atribuição exclusiva de Deus. Vingar é tentar assumir o comando que só pertence a Deus. É usurpar o lugar de Deus. É ter síndrome de Deus. A retribuição é obra de Deus. Ele sabe o que fazer, quando fazer e na medida certa de fazer. Tentar administrar a vingança com nossas mãos é atentar não apenas contra as pessoas, mas contra o próprio Deus.

A Bíblia fala de José. Ele foi odiado e vendido por seus irmãos. José os perdoou e demonstrou isso de forma dupla: primeiro, dando-lhes o melhor da terra; segundo, dando a seu filho primogênito o nome de Manassés, cujo significado é "Deus me fez esquecer". José ergueu um monumento vivo ao perdão.

Em quarto lugar, *não devemos guardar mágoa, mas perdoar*. "Pelo contrário, se o teu inimigo tiver fome, dá-lhe de comer; se tiver sede, dá-lhe de beber; porque, fazendo isto, amontoarás brasas vivas sobre a sua cabeça" (12.20). O perdão não é apenas o cancelamento da dívida, mas a restauração a favor. Devemos não apenas deixar de revidar, mas também ajudar, socorrer o nosso inimigo. Devemos dar-lhe pão se ele tiver fome. Devemos dar-lhe água se ele tiver sede. Devemos envergonhá-lo não com nossa truculência, mas com nossa bondade. Devemos vencê-lo não com nossas armas de destruição, mas com nossos gestos de misericórdia.

Trate seu inimigo com bondade, pois isso poderá fazê-lo envergonhar-se e arrepender-se. Será como brasas vivas sobre sua cabeça. Possivelmente, Paulo estava referindo-se a um ritual egípcio no qual um homem dava pública demonstração do seu arrependimento levando na cabeça uma bacia cheia de carvão em brasa.[1033] Leenhardt diz que a sensação provocada pelo calor das brasas vivas figurava a dor do arrependimento, ardente como um fogo interior a queimar a consciência.[1034]

Onde há arrependimento, deve existir perdão. O perdão é a faxina da mente, a assepsia da alma, a libertação da masmorra da mágoa. Perdoar é zerar a conta, é não lançar no rosto da pessoa nunca mais o mal que ela nos fez. Perdoar é lembrar sem sentir dor. Jesus disse que aquele que não perdoa não pode orar, nem adorar, nem contribuir, nem ser perdoado. Quem não perdoa adoece emocional, física e espiritualmente. Quem não perdoa é entregue aos verdugos da consciência, aos flageladores da alma.

Em quinto lugar, *não devemos ser derrotados pelo mal, mas vencer o mal com o bem*. "Não te deixes vencer do mal, mas vence o mal com o bem" (12.21). O crente age transcendentalmente. Não é vencido pelo mal; ele vence o mal com o bem. Concordo com Leenhardt quando ele diz que a vitória primeira sobre o mal é o amor. O bem é o amor ao próximo e de modo geral a vontade de Deus.[1035] José do Egito não revidou o mal com o mal, mas ofereceu aos seus irmãos o melhor. Jesus não revidou ultraje com ultraje, mas orou por seus algozes e ainda atenuou-lhes a culpa. Abraão Lincoln dizia que a única maneira de vencer um inimigo é fazendo dele um amigo. Warren Wiersbe tem razão quando destaca que o mal só pode ser sobrepujado através do bem. Se pagarmos com a mesma moeda, só alimentaremos ainda mais o conflito.[1036] Concluímos este capítulo com as palavras de John Murray: "A vingança fomenta a contenda e desperta as chamas do ressentimento. Quão sublime é o alvo de conduzir nossos adversários ao arrependimento ou à vergonha que restringirá e, talvez, removerá as ações malignas compelidas pela hostilidade".[1037]

Notas do capítulo 19

[990] Bruce, F. F. *Romanos: introdução e comentário*, p. 182.

[991] Erdman, Charles R. *Comentários de Romanos*, p. 140.

[992] Stott, John. *Romanos*, p. 388.

[993] Wilson, Geoffrey B. *Romanos*, p. 175.

994 STOTT, John. *Romanos*, p. 387.

995 WIERSBE, Warren W. *Comentário bíblico expositivo*, p. 723.

996 ERDMAN, Charles R. *Comentários de Romanos*, p. 141.

997 HASTINGS, James. *The great texts of the Bible*, p. 212.

998 STOTT, John. *Romanos*, p. 389.

999 POHL, Adolf. *Carta aos Romanos*, p. 199.

1000 STOTT, John. *Romanos*, p. 389.

1001 WILSON, Geoffrey B. *Romanos*, p. 175.

1002 GREATHOUSE, William. *A epístola aos Romanos,* p. 159.

1003 STOTT, John. *Romanos*, p. 389.

1004 BRUCE, F. F. *Romanos: introdução e comentário*, p. 183.

1005 POHL, Adolf. *Carta aos Romanos*, p. 200.

1006 BRUCE, F. F. *Romanos: introdução e comentário*, p. 182.

1007 BARCLAY, William. *Romanos*, p. 171.

1008 STOTT, John. *Romanos*, p. 391.

1009 WIERSBE, Warren W. *Comentário bíblico expositivo*, p. 724.

1010 WIERSBE, Warren W. *Comentário bíblico expositivo*, p. 724.

1011 WILSON, Geoffrey B. *Romanos*, p. 176.

1012 WIERSBE, Warren W. *Comentário bíblico expositivo*, p. 725.

1013 BRUCE, F. F. *Romanos: introdução e comentário*, p. 184.

1014 STOTT, John. *Romanos*, p. 395.

1015 WILSON, Geoffrey B. *Romanos*, p. 178.

1016 BARCLAY, William. *Romanos*, p. 175.

1017 WILSON, Geoffrey B. *Romanos*, p. 178.

1018 WILSON, Geoffrey B. *Romanos*, p. 178, 179.

1019 POHL, Adolf. *Carta aos Romanos*, p. 204.

1020 POHL, Adolf. *Carta aos Romanos*, p. 204.

1021 WIERSBE, Warren W. *Comentário bíblico expositivo*, p. 725.

1022 STOTT, John. *Romanos.* 399-403.

1023 STOTT, John. *Romanos*, p. 400.

1024 HENDRIKSEN, William. *Romanos*, p. 546.

1025 STOTT, John. *Romanos*, p. 401.

1026 STOTT, John. *Romanos*, p. 402.

1027 WILSON, Geoffrey B. *Romanos*, p. 182.

1028 STERN, David H. *Comentário judaico do Novo Testamento*, p. 465.

1029 HENDRIKSEN, William. *Romanos*, p. 551, 552.

1030 HENDRIKSEN, William. *Romanos*, p. 553.

1031 WILSON, Geoffrey B. *Romanos*, p. 183, 184.

1032 HENDRIKSEN, William. *Romanos*, p. 553.

1033 BRUCE, F. F. *Romanos: introdução e comentário*, p. 187.

[1034] LEENHARDT, Franz. J. *Epístola aos Romanos*, p. 323.

[1035] LEENHARDT, Franz. J. *Epístola aos Romanos*, p. 323.

[1036] WIERSBE, Warren W. *Comentário bíblico expositivo*, p. 726.

[1037] MURRAY, John. *Romanos*, p. 507.

Capítulo 20

O relacionamento do cristão como cidadão de dois mundos
(Rm 13.1-14)

VIMOS QUE, em Romanos 12, o apóstolo Paulo abordou nosso relacionamento com Deus (12.1,2), com nós mesmos (12.3-8), com nossos irmãos (12.9-16) e com nossos inimigos (12.17-21). Agora, no capítulo 13, ele analisará mais três relacionamentos: o relacionamento com as autoridades (13.1-7), com a lei (13.8-10) e com o dia da volta do Senhor Jesus (13.11-14).[1038] No capítulo 12 de Romanos, Paulo trata dos crentes espirituais no corpo espiritual, a igreja. Esses crentes viviam no mundo. Após dar regras de como viver na igreja, o apóstolo agora explica no capítulo 13 de Romanos como os cristãos podem praticar seu cristianismo no mundo secular, político e cotidiano.[1039] O cristão é um cidadão de dois mundos, de duas ordens, e Paulo parece dizer como o Mestre: "Dai, pois, a César o que é de César e a Deus o que é de Deus" (Mt 22.21).[1040]

Citando J. W. Allen, F. F. Bruce afirma que o capítulo 13 da epístola aos Romanos contém o que talvez constituam as palavras mais importantes já escritas na história do pensamento político.[1041] Consideraremos agora esses três novos relacionamentos.

Nosso relacionamento com as autoridades (13.1-7)

Quando Paulo menciona "autoridades superiores" em Romanos 13.1, está referindo-se ao Estado, com seus representantes oficiais.[1042] Paulo não defende aqui nenhuma forma específica de governo, mas afirma que esse governo é uma instituição divina.[1043] É Deus quem levanta e depõe reis. É ele quem coloca no trono aqueles que governam e os tira do trono. Ele é quem governa o mundo e faz isso mediante as autoridades constituídas. Deus é Deus de ordem, e não de desordem. Ele instituiu o governo, e não a anarquia.

Calvino diz que essas "autoridades superiores" não são as potestades soberanas que dominam um império ou ostentam um domínio soberano, mas as que têm alguma preeminência sobre os demais. Refere-se, por conseguinte, às pessoas chamadas magistrados, e não a uma comparação dos distintos magistrados entre si.[1044]

Leenhardt diz que nossa obediência às autoridades não é servil, mas positiva e crítica.[1045] A igreja deve ser a consciência do Estado, alertando-o sempre de seu papel. A autoridade das autoridades possui limites. O Estado não pode ser absolutista, divinizado. Deve ser laico e jamais interferir no foro íntimo das pessoas para escravizar as consciências. A autoridade do Estado é delegada, e não uma autoridade absoluta.[1046]

Warren Wiersbe diz que apenas três organizações terrenas foram instituídas por Deus: a família, a igreja e o governo humano. Suas funções não se sobrepõem, e há confusão e problema quando isso acontece.[1047]

No decorrer dos séculos a relação do Estado com a igreja tem sido notoriamente controvertida. Quatro modelos principais já foram tentados: o erastianismo (o Estado controla a igreja); a teocracia (a igreja controla o Estado); o constantinismo (compromisso pelo qual se estabelece que o Estado favorece a igreja e esta se acomoda ao Estado a fim de garantir seus favores); e a parceria (a igreja e o Estado reconhecem e incentivam um ao outro nas distintas responsabilidades dadas por Deus, em um espírito de colaboração construtiva). O último parece o que melhor se encaixa no ensino de Paulo aqui em Romanos 13.[1048]

Quatro verdades básicas são abordadas pelo apóstolo no texto em tela.

Em primeiro lugar, *a origem da autoridade* (13.1), sobre a qual Paulo destacada três aspectos importantes:

a. *A autoridade procede de Deus.* "Todo homem esteja sujeito às autoridades superiores; porque não há autoridade que não proceda de Deus; e as autoridades que existem foram por ele instituídas" (13.1). O apóstolo deixa claro que nenhum indivíduo está isento dessa sujeição; nenhuma pessoa desfruta privilégios especiais. Nas palavras de John Murray, "nem a incredulidade nem a fé oferecem imunidade".[1049]

Agora, Paulo diz que Deus é a fonte de toda autoridade e os que a exercem o fazem por delegação divina. A autoridade precisa reconhecer que sua autoridade é delegada. Aquele que exerce autoridade é servo. É subalterno. É constituído por Deus para governar em conformidade com a justiça. Deus é o protótipo e arquétipo da autoridade. É a autoridade de Deus que se exerce, quando a autoridade exerce sua autoridade a serviço do bem.

Franz Leenhardt diz que a autoridade pública se manifesta nas autoridades (*exousiai*), nos funcionários legitimamente incumbidos de exercê-la. A autoridade (*exousia*) é, em primeiro plano, o poder efetivo de fazer algo; em segundo lugar, o direito de exercer tal poder; e, em última análise, é o poder político, síntese do direito e do poder.[1050]

b. *O compromisso de obedecer à autoridade.* "Todo homem esteja sujeito às autoridades superiores..." (13.1). A atitude que devemos ter em relação às autoridades é sujeição. O termo *hypotalassesthai* não implica de modo algum servilismo. Trata-se de uma sujeição que visa evitar a desordem e promover a paz, como convém no Senhor.[1051]

O apóstolo ainda afirma: "É necessário que lhe estejais sujeitos, não somente por causa do temor da punição, mas também por dever de consciência" (13.5). A obediência à autoridade não tem o caráter de resignada submissão inspirada por temor ou medo, seja de multa, seja de prisão. Sua obediência não se dá só por medo das consequências. Você obedece por questão de consciência, pois aceita que a autoridade vem de Deus e, quando obedece à autoridade, obedece a Deus.

c. *A atitude de não resistir à autoridade*: "De modo que aquele que se opõe à autoridade resiste à ordenação de Deus; e os que resistem trarão sobre si mesmos condenação" (13.2). A expressão "... se opõe..." (13.2) significa "lançar em batalha contra". Paulo fala sobre uma resistência formal, planejada, proposital e sistemática. A resistência que podemos ter não é ao princípio de autoridade, mas aos desmandos da autoridade.

Quando a autoridade foge do seu caminho, quando deixa de ser ministro de Deus para fazer o bem e punir o mal, quando oprime, quando se corrompe, quando torce as leis ou elabora leis injustas de opressão, quando cria meios e instrumentos para espoliar os fracos, quando suborna os tribunais, quando arrebata o direito do inocente, quando ama o luxo e esquece a fome e a miséria do povo a quem governa, quando promove a idolatria e induz o povo a se desviar, quando colabora com a depravação moral e o desbarrancamento da virtude, então, esse governo precisa ser alertado. Precisa ser alertado como João Batista alertou o rei Herodes Antipas, como Amós alertou Jeroboão II, como os apóstolos alertaram o sinédrio judaico, como Lutero alertou a aristocracia feudal, como Calvino alertou os tecnocratas genebrinos, como João Wesley condenou o tráfico de escravos na Inglaterra, como Charles Finney alertou sobre a impiedade da escravidão na América, como Dietrich Bonhoeffer ergueu sua voz contra o nazismo alemão.

O povo de Deus não pode, a título de obediência, ser colaboracionista, entreguista e conivente com a opressão, a corrupção e a maldade. A igreja europeia foi colaboracionista com o nazismo de Adolf Hitler. No Brasil, muitos pastores foram entreguistas no regime da ditadura e da repressão militar.[1052]

Quando o governo se desvia de sua rota e se rebela contra a autoridade de Deus, promulgando leis contrárias à lei de Deus, a desobediência civil se torna um dever cristão, e precisamos resistir como as parteiras hebreias se recusaram a matar os meninos recém-nascidos no Egito por ordem de Faraó (Êx 1.17). Precisamos resistir como Mesaque, Sadraque e Abede-Nego resistiram às ordens de Nabucodonosor para adorar a sua imagem (Dn 3.15-18). Precisamos resistir como Daniel resistiu à trama que lhe armaram para não orar a Deus (Dn 6.10). Precisamos resistir como os cristãos primitivos resistiram para não adorar o imperador romano, ainda que selando essa resistência com o próprio sangue, incendiados nos jardins de Roma e rasgados por feras no Coliseu Romano. Concordo com Charles Colson no sentido de que, em cada caso supracitado, o propósito foi "demonstrar a submissão deles a Deus, e não a sua oposição ao governo".[1053]

John Stott é enfático: "Se o Estado exige aquilo que Deus proíbe, ou então proíbe o que Deus ordena, então, como cristãos, nosso dever é claro: resistir, não sujeitar-nos, desobedecer o Estado a fim de obedecer a Deus (1Rs 21.3; Dn 3.18; 6.12; Mc 12.17; At 4.19; 5.29; Hb 11.23)".[1054]

A história tem mostrado que, toda vez que o teísmo é aceito, a liberdade humana é assegurada, enquanto a tendência natural do ateísmo é sempre totalitária.[1055] Oscar Cullmann destacou que poucos dizeres do Novo Testamento sofreram tantos abusos como este.[1056] Muitos se entregaram à subserviência aos ditames de governos totalitários. Nessas horas, temos de entender e responder como os apóstolos: "Antes importa obedecer a Deus que aos homens" (At 5.29).

Todavia, é grave pecado resistir à autoridade. Quem a resiste, resiste ao próprio Deus. É rebelião contra Deus. E ninguém pode resistir a Deus senão para a própria ruína e confusão. O que resiste à autoridade esforça-se para transtornar a ordem de Deus. E essa resistência gera a desordem, patrocina a anarquia e o desgoverno, e estabelece o caos. O texto bíblico diz: "[...] os que resistem trarão sobre si mesmos condenação" (13.2). O evangelho é tão inimigo da anarquia quanto da tirania.

Em segundo lugar, *a natureza da autoridade*. Paulo escreve:

> Visto que a autoridade é ministro de Deus para teu bem. Entretanto, se fizeres o mal, teme; porque não é sem motivo que ela traz a espada; pois é ministro de Deus, vingador, para castigar o que pratica o mal. É necessário que lhe estejais sujeitos, não somente por causa do temor da punição, mas também por dever de consciência (13.4,5).

O apóstolo diz que a autoridade é "ministro de Deus" (13.4). João Calvino disse: "Não se deve pôr em dúvida que o poder civil é uma vocação, não somente santa e legítima diante de Deus, mas também mui sacrossanta e honrosa entre todas as vocações".[1057]

Os magistrados precisam entender sua vocação, seu chamado, seu ministério. Eles não são autocratas, mas homens vocacionados por Deus. São ministros de Deus, *diakonoi,* representantes de Deus, estão sob a mão de Deus. São mordomos de Deus. Geoffrey Wilson explica que esta passagem não consigna aos governantes carta branca para exercitarem poderes ilimitados. Esses poderes são limitados pela natureza da autoridade que é entregue ao magistrado civil.[1058]

Sua autoridade está sob a autoridade de Deus. Seu poder não vem de si mesmo. Não são absolutistas. Não governam à parte de Deus, sem a direção de Deus, sem reconhecer a soberania de Deus, a justiça de Deus. Não governarão bem sem conhecerem a ética de Deus, os valores de Deus, os propósitos de Deus, a Palavra de Deus.

Por isso, a autoridade não é constituída para dominar com rigor e despotismo, com violência e truculência, mas para o bem. A autoridade não recebe poder ilimitado para rechaçar a autoridade de Deus que está acima.

Calvino chega a dizer que a autoridade é vigário de Cristo, representa Deus na aplicação da justiça e na punição do mal. Mas como pode ser ministro de Deus a autoridade que nega que Deus existe? Como pode representar a Deus? Como a autoridade que descrê de Deus pode agir em seu nome? Daí bandearem para o totalitarismo, para a crueldade, os governos que aderem ao ateísmo. Daí os desatinos históricos que trucidaram milhões de pessoas sob a tirania, a tortura e o holocausto.

No regime despótico de Mao Tse Tung 60 milhões morreram na China. O regime nazista que provocou a Segunda Guerra Mundial matou mais de 60 milhões. O regime stalinista com seu ateísmo intolerante e cercas de arame farpado sacrificou milhões de pessoas.

O fascismo e o nazismo com sua truculência inundaram a Europa num mar de sangue. O comunismo manteve por mais de meio século milhões de pessoas debaixo de opressão. Ainda hoje governos absolutistas governam o povo com punhos de ferro.

Como explicar a presença dessas autoridades más? É possível que um mau rei seja um açoite de Deus pelo qual seu povo é disciplinado (Os 13.11). Calvino diz que é por nossa culpa que uma bênção tão excelente de Deus se converta em maldição.[1059] Deus castigou Israel com a vara da Assíria e disciplinou Judá com o cetro da Babilônia.[1060]

Em terceiro lugar, *a finalidade da autoridade* (13.3,4). A autoridade constituída tem duas finalidades, ambas importantes, ambas fundamentais para o progresso e a paz da sociedade.

a. *Promover o bem* (13.3,4). O objetivo do governo civil não é promover o bem-estar dos governantes, mas dos governados. Eles são ordenados e investidos de autoridade a fim de agir como terror para os malfeitores e louvor para aqueles que fazem o bem.[1061] Se a autoridade é representante de Deus, se é vigário de Cristo, e se Deus é justo e bom, a autoridade precisa compatibilizar-se com o caráter de quem ela representa.

Ninguém pode representar outrem se nega esse alguém, contraria sua vontade, torce suas palavras e conspira contra os interesses desse alguém. Qual é o ministério que Deus confiou ao Estado? É um ministério que tem a ver com o bem e o mal. Paulo já disse que devemos detestar o mal e apegar-nos ao bem (Rm 12.9), que não devemos retribuir a ninguém mal por mal, mas fazer o bem perante todos os homens (12.17), e que não devemos deixar-nos vencer pelo mal, mas vencer o mal com o bem (12.21). Agora, ele descreve o papel que cabe ao Estado com respeito ao bem e ao mal. O papel do Estado é promover o bem e coibir o mal (13.4).[1062]

A autoridade é ministro de Deus para o nosso bem. Que tipo de bem?

— *O bem espiritual.* Para Calvino, o governo deve promover a verdade. Quando um governo promove o ateísmo ou outras aberrações que levam o povo a se desviar da verdade, está cavando a própria sepultura e tornando-se instrumento de juízo em vez de bênção. A Bíblia diz: "Feliz a nação cujo Deus é o SENHOR" (Sl 33.12).

— *O bem político.* O objetivo do governo civil não é promover o bem-estar dos governantes, mas dos governados. Maldito é o ministro que apascenta a si mesmo, e não a seu rebanho. Maldito é o que legisla em causa própria. Maldito é o governante que se deleita nas camas de marfim e nos banquetes regalados enquanto o povo geme sob a tirania da fome.

— *O bem social.* O governo tem o compromisso de promover a dignidade humana, estabelecer a justiça social, defender a liberdade, coibir os preconceitos, defender os humildes, os fracos, os desassistidos, os despossuídos. O governo tem de ser padrão de honestidade. Não pode ser corrupto, imoral e parcial.

— *O bem econômico.* O governo tem de valorizar o homem e o trabalho, remunerando-o com justiça para que todos possam viver dignamente.

— *O bem moral.* O governo deve estimular e promover um alto nível moral do seu povo. Um povo não é forte sem valores morais sólidos. O patrocínio da cultura imoral está destruindo nosso povo. Os grandes reinos e nações do passado caíram não por forças externas, mas por debilidade interna. Uma nação nunca é forte se os valores morais que a sustentam estão entrando em colapso. Os historiadores dizem que o império romano só caiu nas mãos dos bárbaros porque já estava podre por dentro. As grandes potências econômicas da atualidade estão cavando a própria sepultura ao se render ao relativismo moral.

b. *Castigar o mal* (13.3,4). O Estado recebe a incumbência de uma função explicitamente proibida ao cristão (12.17,19). Deus proíbe ao cristão aplicar vingança pessoal e ordena ao Estado fazê-lo. A autoridade deve ser austera no combate ao mal, pois liberdade sem restrição resulta em anarquia. O governo não pode ser complacente com a injustiça, com o mal, com a anarquia, com as forças desintegradoras que tentam anarquizar a sociedade.

A palavra grega usada pelo apóstolo para espada, *machaira,* já ocorreu antes na epístola, indicando morte (8.35), e, uma vez que foi usada no sentido de execução, parece claro que Paulo a utiliza aqui como símbolo de punição capital.[1063] Geoffrey Wilson emboca a sua trombeta em sinal de alerta: "Nestes dias degenerados em que o veneno do humanismo dirigiu a simpatia para o criminoso em vez de para a vítima, deve-se notar especialmente que o apóstolo descreve os controles impostos pela lei em termos de vingança retributiva".[1064]

O governo não pode agir com frouxidão no castigo do mal. Ele precisa punir exemplarmente os promotores do mal. Tem de reagir com rigor e firmeza contra toda forma de violência, crime, suborno e corrupção (13.4; Gn 9.6; Pv 17.11,15; 20.8,26; 24.24; 25.4,5).

Assim como Deus não tolera o mal, também as autoridades devem ter pulso forte para combatê-lo. Quando o Estado castiga um malfeitor, está agindo como servo de Deus, executando sobre ele a ira divina (13.4).[1065] Assim como Deus não tolera a injustiça, a autoridade civil não pode ter dois pesos e duas medidas. Não pode favorecer os poderosos e negar a justiça aos fracos. Assim como Deus não faz acepção de pessoas, o governo civil não pode acobertar o erro daqueles que cometem crimes de colarinho branco.

Como servos de Deus, devemos orar pelas autoridades (1Tm 2.1,2). Devemos honrá-las, obedecer-lhes e pagar-lhes tributos. Mas devemos também confrontá-las se elas se desviarem da verdade, pois, enquanto a autoridade governa sob o governo de Deus e o representa, somos a consciência do Estado e devemos chamá-lo a voltar-se a seu papel sempre que ele perder o rumo da sua caminhada.

Em quarto lugar, *nosso dever para com a autoridade.*

"Por esse motivo, também pagais tributos, porque são ministros de Deus, atendendo, constantemente, a este serviço. Pagai a todos o que lhes é devido: a quem tributo, tributo; a quem imposto, imposto; a quem respeito, respeito; a quem honra, honra" (13.6,7).[1066] O cristão é cidadão de dois reinos: é cidadão do mundo e cidadão do céu. Deve obediência ao Estado e obediência a Deus. Sua obediência ao Estado é delimitada por sua obediência a Deus. O termo grego usado aqui para "ministro" não é *diakonos*, como aparece no versículo 4, mas *leitourgos,* que geralmente tem implicações religiosas. O termo foi usado para descrever os anjos (Hb 1.7), os sacerdotes (Hb 8.2) e o próprio Paulo (15.16).[1067]

As obrigações do cristão para com o Estado são estabelecidas por Deus. É o próprio Deus quem nos ordena a pagar ao Estado tributo e imposto, tratando as autoridades com respeito e honra. Uma vez que o Estado precisa prover certos serviços e estes têm o seu custo, é absolutamente legítimo que o Estado cobre impostos. Por isso, todo cristão deve acatar de bom grado as suas obrigações tributárias, pagando completamente suas dívidas, tanto no nível nacional como local. O cristão consciente submete-se à autoridade do Estado, honra seus representantes, paga seus impostos e ora pelo bem-estar do povo (1Tm 2.1-4).[1068]

Warren Wiersbe argumenta que, se não pagarmos nossos impostos, demonstraremos desrespeito para com a lei, para com as autoridades e para com o Senhor, e essa falta de consideração afeta inevitavelmente a consciência do cristão.[1069] Entretanto, o governo não pode exorbitar em sua função, sobrecarregando o povo com pesados e abusivos impostos, vivendo no fausto e no luxo às expensas da pobreza e miséria do povo.

Não poucas vezes, os profetas de Deus condenaram os reis por esse abuso e anunciaram sobre eles o justo juízo de Deus. Se, por um lado, temos responsabilidades para com o Estado; por outro lado, o Estado tem responsabilidade para conosco. Quando se instalam no poder homens gananciosos e corruptos, que mordem vorazmente o erário público, desviando os recursos dos impostos para as suas gordas contas bancárias em paraísos fiscais, ou desviam para o ralo da corrupção verbas que deveriam promover o bem do povo, essa atitude má do governo deve ser denunciada com toda veemência e ousadia. O Estado não está acima da lei moral, mas deve ser seu mordomo. Citando Agostinho, F. F. Bruce, registra: "Sem justiça, que são os reinos senão grandes bandos de ladrões?"[1070]

Nosso relacionamento com a lei (13.8-10)

Paulo faz uma transição de nossa relação com o Estado (13.1-7) para a nossa relação com os irmãos (13.8-10). Ele já tratou de nossa dívida de compartilhar o evangelho com os incrédulos (1.14), de nossa dívida para com o Espírito de viver uma vida santa (8.12) e de nossa dívida de lealdade no pagamento dos impostos ao Estado (13.6,7).[1071] Agora, trata de uma dívida que nunca poderemos quitar completamente, a dívida do amor. Nunca amamos em grau superlativo. Estamos sempre aquém dessa exigência divina.

Charles Erdman diz: "A razão de o amor ser tão importante reside no fato de que o amor é o cumprimento de toda a lei e a lei é o próprio fundamento do Estado".[1072]

Destacaremos aqui, três pontos:

Em primeiro lugar, *o amor ao próximo é uma dívida impagável.* "A ninguém fiqueis devendo coisa alguma, exceto o amor com que vos ameis uns aos outros..."

433

(13.8a). Conforme William Hendriksen, este versículo condena a prática de alguns que estão sempre prontos a tomar empréstimo, porém são muito lentos em reembolsar a soma emprestada.[1073] A Bíblia diz que o ímpio pede emprestado e não paga (Sl 37.21), mas o apanágio do cristão é a honestidade. Vale ressaltar que a expressão "uns aos outros" (13.8) não significa apenas os irmãos na fé. Na verdade, ninguém está excluído desse amor todo abrangente.[1074] Devemos livrar-nos de todas as dívidas, não negando, ignorando ou fugindo delas, mas pagando-as: existe apenas uma dívida de que ninguém pode livrar-se, a dívida do amor.[1075]

Viver como cristão não significa apenas prontamente quitar compromissos financeiros, legais e morais, para depois reclinar-se, desligando-se do gigantesco volume restante de tarefas ao redor. Um cristão permanece no serviço. Jamais dirá ao próximo: cumpri minha obrigação, estamos quites. Jamais tentará evadir-se com ajudas que já prestou: desse e daquele me livrei, pois com essa atitude já estaria fora do amor.[1076] Não podemos amar suficientemente uma pessoa. Só Deus pode fazê-lo de forma plena e cabal. Seremos sempre devedores em relação à dívida do amor.

Em segundo lugar, *o amor ao próximo é o cumprimento da lei*. "[...] pois quem ama o próximo tem cumprido a lei. Pois isto: Não adulterarás, não matarás, não furtarás, não cobiçarás, e, se há qualquer outro mandamento, tudo nesta palavra se resume: Amarás o teu próximo como a ti mesmo" (13.8b,9). O amor é essencialmente obediência. Quem ama o próximo tem cumprido a lei. O amor não é o fim da lei, e sim o seu cumprimento. Ao afirmar que quem ama o próximo tem cumprido a lei, Paulo cita os mandamentos da segunda tábua da lei, ou seja, nossa relação horizontal ou nosso dever para com as outras pessoas. Quem ama não mata, não adultera, não furta nem cobiça o que é do próximo. É conhecida a expressão usada por Agostinho de Hipona: "Ama a Deus e faze o que quiseres". Quando amamos a Deus e ao próximo, cumprimos a lei. Concordo com John Stott quando ele diz que o amor e a lei necessitam um do outro. O amor necessita da lei para orientá-lo, e a lei necessita do amor para inspirá-la.[1077] Geoffrey Wilson completa: "A lei dá conteúdo ao amor; o amor dá cumprimento à lei. A lei prescreve a ação, mas é o amor que constrange ou motiva a realização da ação envolvida".[1078]

Em terceiro lugar, *o amor não pratica o mal contra o próximo*. "O amor não pratica o mal contra o próximo; de sorte que o cumprimento da lei é o amor" (13.10). O amor é benigno, e não maligno. O amor é altruísta, e não egoísta. O amor coloca sempre o *outro* na frente do *eu*. O amor respeita a vida do outro, por isso quem ama não mata. O amor respeita a honra e a família do outro, por isso quem ama não adultera. O amor respeita os bens e a propriedade do outro, por isso quem ama não furta. O amor respeita o bom nome do outro, por isso quem ama não se presta ao falso testemunho. O amor não deseja o que é do outro; antes, está contente com o que Deus lhe deu, por isso quem ama não cobiça.

William Hendriksen diz que cada mandamento negativo ("Não") está na base de um mandamento positivo. Portanto, eis o significado:

> Você amará, e por isso não cometerá adultério, mas preservará a sacralidade dos laços conjugais. Você amará, e por isso não matará, mas ajudará seu próximo a conservar-se vivo e bem. Você amará, e por isso nada furtará que pertença a seu próximo, mas, antes, protegerá suas possessões. Você amará, e como resultado não

cobiçará o que pertença a seu próximo, mas se alegrará no fato de que ele possui algo.[1079]

Nosso relacionamento com o tempo (13.11-14)

Depois de falar da conduta cristã em relação ao Estado e ao próximo, Paulo estabelece um fundamento escatológico para essa conduta. Duas verdades são destacadas: o discernimento do tempo em que vivemos e o discernimento da conduta apropriada que devemos ter nesse tempo.

Em primeiro lugar, *o discernimento do tempo em que vivemos* (13.11,12b). À luz das Escrituras Sagradas, o tempo é dividido em duas partes: "este mundo" e "a era vindoura". A "era vindoura" já foi inaugurada na primeira vinda de Cristo e será consumada na sua segunda vinda. Quando Jesus voltar, na *parousia*, a era presente será completamente tragada pela era vindoura, então haverá novos céus e nova terra. Hoje, vivemos sob a tensão do "já" da inauguração do Reino no tempo presente e do "ainda não" da consumação do Reino na segunda vinda de Cristo.

De que forma o cristão pode discernir o tempo em que vive?

a. *Vivendo acordado e não dormindo.* "E digo isto a vós outros que conheceis o tempo: já é hora de vos despertardes do sono..." (13.11a). Passou a hora de dormir. É hora de acordar e levantar-se.[1080] Escrevendo aos efésios, Paulo diz: "Desperta, ó tu que dormes, levanta-te de entre os mortos, e Cristo te iluminará" (Ef 5.14). O cristão não pode viver anestesiado pela presente era, numa espécie de torpor espiritual. O dia da vinda de Cristo não nos pode apanhar de surpresa, já que ele vem como o ladrão, inesperadamente. Isso porque não somos filhos da noite, mas do dia (1Ts 5.4,5). O cristão não pode, de igual forma, viver na prática de pecados que anestesiam sua consciência e lhe roubam a percepção espiritual.

b. *Vivendo na expectativa da glorificação.* "[...] porque a nossa salvação está, agora, mais perto do que quando no princípio cremos" (13.11b). Já deixamos claro nesta obra que fomos salvos quanto à justificação, estamos sendo salvos quanto à santificação, mas seremos salvos quanto à glorificação. O uso que Paulo faz do termo "salvação" neste versículo 11 alude à glorificação. Hoje estamos mais perto da segunda vinda de Cristo do que quando no início cremos. Essa proximidade deve levar-nos a viver de forma coerente com tal expectativa.

c. *Vivendo na expectativa da segunda vinda de Cristo.* "Vai alta a noite, e vem chegando o dia..." (13.12a). A noite, o velho tempo das trevas, está bem avançada, de forma que está quase acabando; o dia da volta de Cristo logo vem, está batendo à porta.[1081] Não sabemos o dia em que Jesus virá. Devemos viver apercebidos, para que esse dia não nos apanhe de surpresa.

Em segundo lugar, *discernindo a conduta apropriada que devemos ter nesse tempo* (13.12b-14). Depois de explicar acerca do tempo, Paulo faz algumas exortações sobre como devemos viver nesse tempo. Não basta discernir o tempo, precisamos viver em conformidade.[1082] Paulo usa três imperativos nesta passagem: "deixemos", "revistamos" e "andemos". Esses três verbos governam o pensamento do apóstolo.

a. *Deixemos as obras das trevas.* "Deixemos, pois, as obras das trevas e revistamo-nos das armas da luz" (13.12b). Não basta estarmos acordados, precisamos despojar-nos das obras das trevas. Não é suficiente apenas tirarmos as vestes noturnas, precisamos vestir-nos das armas da luz. Um soldado não vive de pijamas, ele se atavia com roupas próprias para o combate. A vida cristã não é um *spa* espiritual, mas um campo de batalha.

b. *Andemos como filhos da luz.* "Andemos dignamente, como em pleno dia, não em orgias e bebedices, não em impudicícias e dissoluções, não em contendas e ciúmes" (13.13). Paulo passa da vestimenta adequada ao comportamento apropriado.[1083] Paulo lista aqui seis pecados, em três pares, tratando da falta de controle nas áreas da bebida, do sexo e dos relacionamentos. Concordo com John Stott quando ele diz: "A falta de controle próprio nas áreas de bebida, do sexo e dos relacionamentos sociais contradiz totalmente um comportamento cristão decente".[1084]

William Barclay nos ajuda a entender o significado dos seis pecados mencionados aqui pelo apóstolo Paulo.[1085]

- *Orgias.* A palavra grega *komos,* traduzida por "orgias", originalmente se referia a uma banda formada de amigos que acompanhava um vencedor desde os jogos até sua casa, cantando seus louvores e celebrando seu triunfo. Logo passou a significar uma cuidadosa banda que varava as noites com músicas. Finalmente, veio a significar a classe de pessoas que degrada um homem e é uma moléstia para os demais. As orgias e as farras não raro são promovidas com luxo pecaminoso, gastança perdulária e imoralidade desenfreada. Essa atitude não é digna de um cristão.

- *Bebedices.* A palavra grega *methe* descreve a pessoa que é dominada pela bebida e se entrega à embriaguez. Os gregos eram grandes bebedores de vinho. Seu café da manhã era pão molhado no vinho. A embriaguez é um vício maldito. Um copo pede pelo seguinte, até que a sociedade toda esteja alcoolizada e os controles normais estejam desligados.[1086]

- *Impudicícias*. A palavra grega *koite* significa literalmente "cama". Trata-se do desejo da cama proibida. Ou seja, da pessoa que não dá valor à fidelidade e busca o prazer acima do dever. É uma referência à sexualidade sem dignidade, encontrada muitas vezes em festinhas, favorecida pelo efeito entorpecente do álcool e excitada por alimentos fortes.[1087]

- *Dissoluções*. A palavra *aselgeia* é uma das mais feias do idioma grego. Não só descreve a imoralidade, mas também o homem que perdeu a vergonha. A maioria das pessoas tenta encobrir seus pecados, mas o homem em cujo coração se aninha *aselgeia* já não tem mais pudor nem se importa com os escândalos.

- *Contendas*. A palavra grega *eris* refere-se ao espírito que nasce da disputa pelo desejo de posição, poder e prestígio; ou seja, à aversão de ser superado. Trata-se do egoísmo mais exacerbado. É o oposto do amor.

- *Ciúmes*. A palavra grega *zelos* não é necessariamente má em seu significado. Aqui, porém, não é zelo pelo bem, mas ciúme, inveja, o tipo de espírito que não se contenta com o que tem e inveja o que os outros têm.

c. *Revistamo-nos do Senhor Jesus*. "Mas revesti-vos do Senhor Jesus Cristo e nada disponhais para a carne no tocante às suas concupiscências" (13.14). Em vez de viver premeditando como satisfazer os desejos da carne, o cristão deve revestir-se do Senhor Jesus Cristo, tornando-se semelhante a ele. Warren Wiersbe tem plena razão quando escreve: "O cristão não pode planejar pecar".[1088]

Todos os deveres cristãos estão incluídos no "revestir-se do Senhor Jesus", em ser como ele, tendo aquela semelhança de temperamento e conduta resultante de estar intimamente unido a ele pelo Espírito Santo. Essa união proíbe a indulgência para com toda inclinação pecaminosa.

A salvação é *do* pecado e *para* a santidade.[1089] Devemos andar como Jesus andou, falar como Jesus falou, agir como Jesus agiu, sentir como Jesus sentiu. Jesus deve dominar-nos da cabeça aos pés!

Concluo com as palavras de William Hendriksen:

> Esta admoestação final é um resumo muitíssimo adequado e belo do que o apóstolo já disse em 12.1—13.13. Ela toca tanto na justificação quanto na santificação. Significa que, havendo aceitado a Cristo e havendo sido batizado, o crente agora não deve descansar em seus lauréis, mas deve prosseguir pondo em prática o que já havia feito em princípio (Gl 3.27). De certo modo Paulo está dizendo: Havendo despido as vestes do pecado, vistam-se agora, mais e mais, com o manto da justiça de Cristo, de modo que, sempre que Satanás trouxer a lume a pecaminosidade de vocês, lembrem-se imediatamente dele e do novo estado que desfrutam junto a Deus.[1090]

NOTAS DO CAPÍTULO 20

[1038] STOTT, John. *Romanos*, p. 409.

[1039] SCHAAL, Juan. *El camino real de Romanos*, p. 133.

[1040] GREATHOUSE, William. *A epístola aos Romanos*, p. 168.

[1041] BRUCE, F. F. *Romanos: introdução e comentário*, p. 191.

[1042] STOTT, John. *Romanos*, p. 410.

[1043] ERDMAN, Charles R. *Comentários de Romanos*, p. 149.

[1044] CALVINO, João. *Epístola a los Romanos*, p. 337, 338.

[1045] LEENHARDT, Franz. J. *Epístola aos Romanos*, p. 331.

[1046] WILSON, Geoffrey B. *Romanos*, p. 185.

[1047] WIERSBE, Warren W. *Comentário bíblico Wiersbe Novo Testamento*. Rio de Janeiro: Central Gospel, 2009, p. 436.

[1048] STOTT, John. *Romanos*, p. 410, 411.

[1049] MURRAY, John. *Romanos*, p 510.

[1050] LEENHARDT, Franz. J. *Epístola aos Romanos*, p. 333.

[1051] LEENHARDT, Franz. J. *Epístola aos Romanos*, p. 333, 334.

[1052] ARNS, Paulo Evaristo. *Brasil nunca mais*. São Paulo: Vozes, 2003.

[1053] COLSON, Charles W. *Kingdoms in conflict, an insider's challenging view of politics, power and the pulpit*. Grand Rapids: William Morrow/ Zondervan, 1987, p. 251.

[1054] STOTT, John. *Romanos*, p. 414.

[1055] WILSON, Geoffrey B. *Romanos*, p. 185.

[1056] BRUCE, F. F. *Romanos: introdução e comentário*, p. 192.

[1057] CALVINO, João. *Institución de la religión cristiana*. Vol. II. Barcelona: Fundación Editorial de Literatura Reformada, 1967, p. 1.171.

[1058] WILSON, Geoffrey B. *Romanos*, p. 186.

[1059] CALVINO, João. *Epístola a los Romanos*, p. 339.

[1060] Isaías 10.5; Daniel 1.1,2.

[1061] WILSON, Geoffrey B. *Romanos*, p. 187.

[1062] STOTT, John. *Romanos*, p. 416.

[1063] STOTT, John. *Romanos*, p. 417.

[1064] WILSON, Geoffrey B. *Romanos*, p. 187, 188.

[1065] STOTT, John. *Romanos*, p. 418.

[1066] Veja ainda os seguintes textos: Tito 3.1; 1Pedro 2.13,14; 1Timóteo 2.1,2.

[1067] HENDRIKSEN, William. *Romanos*, p. 575.

[1068] STOTT, John. *Romanos*, p. 420.

[1069] WIERSBE, Warren W. *Comentário bíblico expositivo*, p. 727.

[1070] BRUCE, F. F. *Romanos: introdução e comentário*, p. 189.

[1071] STOTT, John. *Romanos*, p. 421.

[1072] ERDMAN, Charles R. *Comentários de Romanos*, p. 150.

[1073] HENDRIKSEN, William. *Romanos*, p. 578.

[1074] HENDRIKSEN, William. *Romanos*, p. 578.

[1075] GREATHOUSE, William. *A epístola aos Romanos*: 170.

[1076] POHL, Adolf. *Carta aos Romanos*, p. 217, 218.

[1077] Stott, John. *Romanos*, p. 423.

[1078] Wilson, Geoffrey B. *Romanos*, p. 190.

[1079] Hendriksen, William. *Romanos*, p. 579.

[1080] Stott, John. *Romanos*, p. 425.

[1081] Stott, John. *Romanos*, p. 426.

[1082] Stott, John. *Romanos*, p. 427.

[1083] Stott, John. *Romanos*, p. 427.

[1084] Stott, John. *Romanos*, p. 427.

[1085] Barclay, William. *Romanos*, p. 191, 192.

[1086] Pohl, Adolf. *Carta aos Romanos*, p. 221.

[1087] Pohl, Adolf. *Carta aos Romanos*, p. 221.

[1088] Wiersbe, Warren W. *Comentário bíblico Wiersbe Novo Testamento*, p. 438.

[1089] Wilson, Geoffrey B. *Romanos*, p. 193.

[1090] Hendriksen, William. *Romanos*, p. 585.

Capítulo 21

O relacionamento entre irmãos que pensam diferente
(Rm 14.1–15.13)

O TEXTO EM TELA ABORDA o intrincado problema do relacionamento entre irmãos na fé que pensam de forma diferente em algumas questões espirituais. Paulo classifica esses irmãos em dois grupos distintos: os fortes e os fracos na fé. Ambos eram crentes em Cristo e ambos eram salvos por Cristo. Embora esses dois grupos pertencessem à família de Deus e participassem da mesma igreja, não estavam de acordo acerca de alguns pontos da vida cristã como comida, bebida e dias sagrados.

À guisa de introdução elucidaremos alguns pontos importantes antes de avançar na exposição deste texto.

Em primeiro lugar, *com respeito à liberdade cristã, devemos distinguir entre coisas morais, imorais e amorais.* Há coisas que são essencialmente erradas e imorais. Não importa o tempo nem o contexto, essas coisas devem ser repudiadas e tratadas como imorais por todos os filhos de Deus. Um exemplo clássico é a embriaguez. Entretanto, há práticas que são morais e virtuosas na própria essência e devem ser praticadas por todos os crentes em todos os tempos e em todos os lugares. Citamos como exemplo o amor fraternal. Mais difícil, porém, é distinguir aquilo que é amoral e neutro em si mesmo. O que é amoral pode tornar-se inconveniente e até escandaloso, dependendo da situação. Um exemplo comum nos dias de Paulo era a prática de comer carne e beber vinho (14.15,21) que provocava escândalo nos crentes fracos (1Co 8.9-13). Os crentes fortes, de posse da sua liberdade em Cristo, comiam carne e bebiam vinho sem nenhum drama de consciência; os crentes fracos, porém, não apenas se abstinham dessas práticas, mas ficavam escandalizados quando outros crentes o faziam. O amor fraternal deve regulamentar nossa liberdade pessoal a ponto de nos abstermos de direitos legítimos para não sermos causa de tropeço para os fracos.

Charles Erdman lança luz sobre essa questão:

> Coisas há que são inquestionavelmente retas, outras inquestionavelmente condenáveis; contudo, outras ainda existem a cujo respeito diverge a consciência dos homens. Estas chamadas "questões de consciência" surgem entre os crentes e se fazem fonte de sérias dificuldades. Os crentes que se caracterizam por acentuado zelo e escrúpulo são susceptíveis de condenar a outros como inconsistentes, enquanto aqueles que não sentem iguais escrúpulos quanto às coisas em questão são tentados a desprezar aos demais como fanáticos, estreitos ou intolerantes.[1091]

Em segundo lugar, *a igreja não é lugar para disputa de ideias acerca de coisas secundárias, mas campo fértil para o exercício do amor fraternal.* Romanos capítulos 14–15 trata de uma discussão de coisas não-essenciais. Os crentes estavam transformando coisas secundárias, como alimentos e dias sagrados, na essência do cristianismo.[1092] Na igreja de Roma os crentes fracos julgavam os crentes fortes como mundanos, e os crentes fortes desprezavam os crentes fracos como imaturos.

O pecado dos crentes fracos era o julgamento; o pecado dos crentes fortes era o desprezo. Os crentes fracos pecavam pelo zelo sem entendimento; os crentes fortes pecavam pelo entendimento sem amor. Tanto o julgamento quanto o desprezo são atitudes indignas de um membro da família de Deus. Em vez de exercer o amor fraternal, acolhendo uns aos outros, os crentes de Roma estavam criticando e condenando uns aos outros. Em vez de viver desprezando e julgando uns aos outros, eles deveriam coexistir amigavelmente na comunidade cristã. Não se deve fazer da igreja uma arena de discussões cuja característica central é a argumentação, muito menos um tribunal em que os fracos são postos no banco dos réus, interrogados e acusados. A acolhida que nós lhes damos deve incluir o respeito às suas opiniões próprias.[1093]

Estou de pleno acordo com John Stott quando ele diz que, hoje em dia, temos a mesma necessidade de discernimento. Não devemos exaltar as coisas não-essenciais, especialmente questões de costumes e rituais, ao nível do essencial, fazendo delas testes de ortodoxia e condição para a comunhão.[1094] Não raro as igrejas contemporâneas passam mais tempo discutindo coisas periféricas e secundárias como usos e costumes do que debatendo a essência do evangelho.

Em terceiro lugar, *na igreja, uma mesma matéria pode ser tratada com tolerância compassiva ou intolerância inegociável.* A questão da guarda de dias especiais foi abordada por Paulo na sua carta aos Gálatas de forma absolutamente diversa (Gl 4.10,11). Na carta aos Gálatas estava em jogo a essência do evangelho, pois os judaizantes agregavam a observância desses dias especiais no pacote da salvação, dizendo que, se os gentios não guardassem essas datas do calendário judaico, não poderiam ser salvos. Na verdade, os falsos mestres estavam com isso apresentando outro evangelho. John Murray diz que os judaizantes estavam pervertendo o evangelho em seu próprio âmago. Eles eram os propagandistas de um legalismo que afirmava ser a observância de dias e épocas necessária à justificação e à aceitação diante de Deus. Isto importava retrocesso "aos rudimentos fracos e pobres" (Gl 4.9).[1095]

O mesmo aconteceu na igreja de Colossos (Cl 2.16,17). Segundo John Murray, a heresia de Colossos era mais complexa que a da Galácia. O erro que Paulo combateu em Colossos foi basicamente o gnosticismo. Esse movimento pregava um dualismo evidente entre o campo espiritual e o material, considerando que a salvação consistia em libertar o espiritual do que é material.[1096] Os gnósticos alegavam que a observância a determinada dieta e a determinados dias do calendário era condição indispensável para alcançar o favor de Deus. Paulo rechaçou com veemência essas distorções da verdade. Na carta aos Romanos, porém, a questão não envolvia a essência do evangelho, por isso Paulo foi tão brando e recomendou aos dois grupos agir com amor e respeito mútuo.

Esse mesmo espírito de tolerância e respeito governou o Concílio de Jerusalém. A decisão daquele importante conclave deu aos cristãos judeus a liberdade de continuar com suas práticas culturais e cerimoniais peculiares e recomendou aos cristãos gentios que, em determinadas circunstâncias, se abstivessem de práticas que pudessem ofender a consciência sensível dos cristãos judeus (At 15.19,20).

Três verdades são destacadas no texto em apreço.

Acolha seu irmão e aprenda a viver com os diferentes (14.1-12)

É de bom alvitre acender a candeia e ter um pouco mais de luz acerca da natureza desses dois grupos na igreja de Roma. William Hendriksen diz que os membros de cada grupo devem ser considerados crentes genuínos (14.1-4,6,10,13); cada grupo criticava um ao outro (14.3,4,13); e cada grupo terá de prestar contas de si mesmo (14.12).[1097]

Quem eram os crentes fracos? John Stott oferece quatro alternativas: 1) ex-idólatras, recém-convertidos do paganismo; 2) ascetas; 3) legalistas; 4) cristãos judeus.[1098] É consenso geral que os crentes chamados fracos eram oriundos das fileiras do judaísmo, os quais, embora tivessem depositado sua fé em Cristo, ainda viviam comprometidos com as regras judaicas concernentes à dieta (14.14,20) e aos dias religiosos (14.5).

William Hendriksen tem razão, porém, quando diz que isso não significa que somente os gentios pertencessem à porção forte, e somente os judeus, à porção fraca, uma vez que Paulo foi um hebreu de hebreus e se incluiu entre os fortes (15.1).[1099] Os crentes fracos tinham uma fé deficiente. Eram imaturos, incultos e até equivocados.[1100] Leenhardt diz que os crentes fracos sofriam pressões inconscientes que os paralisavam; eram escrupulosos e inibidos.[1101] Não tinham plena compreensão de que esses ritos dietéticos e focados em calendários religiosos eram meras sombras do evangelho de Cristo, aos quais pela obra expiatória do Filho de Deus estavam desobrigados de cumprir. A deficiência de conhecimento os tornou crentes julgadores, carregados de muitos escrúpulos.

Concordo com John Stott quando diz: "O que falta ao fraco não é força de vontade, mas liberdade de consciência".[1102] A palavra grega *asthenounta*, "fraco", usada pelo apóstolo indica alguém que é momentaneamente fraco, mas pode tornar-se forte.[1103] Vale ressaltar que a "fraqueza" aqui não era associada a nenhum afastamento da fé, e isto explica o tom de moderação adotado pelo apóstolo, enquanto o motivo que causava as observâncias ascéticas, duramente condenadas nas epístolas aos Gálatas e Colossenses, era uma subversão do próprio evangelho.[1104]

Quem eram os crentes fortes? Eram aqueles crentes, judeus ou gentios que, convertidos a Cristo, haviam compreendido com mais clareza a liberdade cristã, desvencilhando-se dessa forma dos escrúpulos dos rituais judaicos com respeito à dieta e ao calendário religioso. Os crentes fortes eram a maioria da igreja de Roma, e Paulo com eles se identifica (15.1). A maior parte desta passagem é destinada a eles. Embora Paulo deixe claro que acredita que a posição dos fortes está certa (14.14,20), estes não tinham o direito de desprezar os crentes fracos, mas deviam acolhê-los.

Paulo ordena aos crentes fortes: "Acolhei ao que é débil na fé, não, porém, para discutir opiniões" (14.1). O verbo grego *proslambano*, "acolhei", significa mais que aceitar as pessoas no sentido de aquiescer em sua existência e mesmo em seu direito de pertencer a um grupo; quer dizer acolhê-las em nosso círculo de amigos e em nosso coração. Implica o calor e a bondade que marcam o verdadeiro amor (Fm 17; At 28.2).[1105] Concordo com John Schaal quando ele diz que, ao praticar o amor cristão, o peso da prova descansa sobre o crente forte. É ele quem deve amar e ajudar, e não condenar ao débil.[1106]

Devemos perguntar, porém: Por que os crentes fortes deveriam acolher os crentes fracos sem discutir com eles opiniões?

Em primeiro lugar, *porque Deus já os acolheu*. "Um crê que de tudo pode comer, mas o débil come legumes; quem come não despreze o que não come; e o que não come não julgue o que come, porque Deus o acolheu" (14.2,3). O fraco na fé prefere ser vegetariano a correr o risco de comer carne de animais impuros ou carne consagrada aos ídolos. O forte na fé, por sua vez, está livre desse temor e come de tudo sem constrangimento de consciência. O forte na fé desprezava os fracos por causa de seus escrúpulos, e o fraco na fé julgava os fortes por causa de sua liberdade. Essa atitude beligerante estava em desacordo com o evangelho, porque a ambos, fracos e fortes, Deus já havia acolhido. Não devemos desprezar nem julgar aqueles a quem Deus acolheu.

John Stott está correto quando diz que tratar os outros como gostaríamos que eles nos tratassem é certamente uma garantia; mais seguro ainda, porém, é tratá-los como Deus o faz. A primeira opção é um guia acessível baseado em nosso egoísmo; a segunda é um padrão baseado na perfeição de Deus.[1107]

Em segundo lugar, *porque Cristo morreu e ressuscitou para ser Senhor de mortos e de vivos* (14.4-9). Atentemos às palavras do apóstolo:

> Quem és tu que julgas o servo alheio? Para o seu próprio senhor está em pé ou cai; mas estará em pé, porque o Senhor é poderoso para o

suster. Um faz diferença entre dia e dia; outro julga iguais todos os dias. Cada um tenha opinião bem definida em sua própria mente. Quem distingue entre dia e dia para o Senhor o faz; e quem come para o Senhor come, porque dá graças a Deus; e quem não come para o Senhor não come e dá graças a Deus. Porque nenhum de nós vive para si mesmo, nem morre para si. Porque, se vivemos, para o Senhor vivemos; se morremos, para o Senhor morremos. Quer, pois, vivamos ou morramos, somos do Senhor. Foi precisamente para esse fim que Cristo morreu e ressurgiu: para ser Senhor tanto de mortos como de vivos (14.4-9).

Alguns pontos aqui merecem destaque:

a. *Nossa função na igreja é acolher os irmãos e não julgá-los* (14.4,5). Há julgamento legítimo e julgamento ilegítimo. O crente precisa discernir o certo do errado; precisa distinguir entre os falsos profetas e aqueles que trazem o fiel ensino do Senhor. Aqui, contudo, Paulo condena a atitude de julgar um irmão, um servo de Cristo, por este ter uma opinião diferente acerca de assuntos secundários como dieta e calendário religioso. Nosso papel na igreja não é nos assentarmos na cadeira de juiz para julgar os irmãos, mas acolhê-los em amor.

A expressão "cada um tenha opinião bem definida em sua própria mente", segundo Warren Wiersbe, significa que cada um deve estar certo de que aquilo que faz é para o Senhor, não apenas motivado por algum preconceito ou capricho.[1108]

b. *Nossa função na igreja é fazer tudo para agradar a Deus, não para ganhar aprovação dos homens* (14.6). Tanto os abstêmios como os que comiam e bebiam tinham suas ações governadas por Deus e cultivavam o propósito de agradar a Deus. Os que não comiam agradeciam a Deus por não comer; os que comiam agradeciam a Deus por comer. Os que guardavam dias especiais do calendário religioso faziam isso por causa de Deus, e os que consideravam todos os dias iguais também assumiam essa posição para glorificar a Deus. A motivação de ambos os grupos era de agradar a Deus, e não receber aprovação ou aplauso dos homens. William Barclay diz que a ação dos crentes deve ser ditada não por costume, muito menos pela superstição, mas pela convicção. É um dever ter nossas convicções, mas também é um dever permitir que os outros tenham as suas, sem desprezá-los ou julgá-los.[1109]

c. *Nossa função na igreja é viver para agradar a Deus, e não a nós mesmos* (14.7,8). Não somos uma ilha. Nossas ações têm reflexos na vida de outras pessoas. Não vivemos nem morremos para nós mesmos. Vivemos e morremos para o Senhor e somos do Senhor tanto na vida como na morte. Uma vez que nossas ações atingem nossos irmãos para o bem ou para o mal, devemos ser mais criteriosos e cautelosos em nossa postura. Não basta fazer aquilo que julgamos certo; devemos fazê-lo para a edificação dos nossos irmãos e para a glória de Deus.

d. *Nossa função na igreja é vivermos debaixo do senhorio de Cristo* (14.9). Cristo morreu e ressurgiu para ser Senhor de mortos e de vivos. Em sua morte ele é Senhor dos mortos; em sua ressurreição, ele é Senhor dos vivos. Se Jesus é Senhor e acolheu tanto fracos quanto fortes, devemos, para honrar esse Senhor, acolher-nos uns aos outros. John Stott é oportuno ao escrever: "Por ser ele o nosso Senhor, nós devemos viver para ele; e, por ser também o Senhor dos outros cristãos, irmãos nossos, devemos respeitar a forma como estes se relacionam com ele e cuidar da nossa vida. Afinal, ele morreu e ressuscitou para ser Senhor".[1110]

Em terceiro lugar, *porque os crentes fracos e fortes são irmãos uns dos outros* (14.10a). Se os crentes fracos e fortes são irmãos, não devem viver lutando uns contra os outros, a ponto de os fracos julgarem os fortes e os fortes desprezarem os fracos. Tanto o sorriso de desdém dos fortes como a carranca de juízo acusador dos fracos são atitudes anômalas dentro da igreja, não apenas porque Deus aceitou a ambos e Cristo morreu e ressuscitou para ser Senhor de ambos, mas também porque tanto os crentes fracos como os crentes fortes pertencem à mesma família. Eles são verdadeiramente irmãos uns dos outros.[1111]

Em quarto lugar, *porque todos nós seremos julgados no tribunal de Deus* (14.10b-12). Não devemos julgar nossos irmãos porque nós mesmos seremos julgados no tribunal de Deus. John Murray enfatiza que cada indivíduo prestará contas de si mesmo, e não dos outros. Portanto, a necessidade é de julgarmos a nós mesmos agora, à luz da prestação de contas que finalmente teremos diante de Deus. Cumpre-nos julgar a nós mesmos, e não realizar julgamentos a respeito de outros. O juízo incluirá não apenas todas as pessoas, mas também todos os atos. Não daremos conta do nosso irmão nesse tribunal, mas cada um dará contas de si mesmo a Deus.

Obviamente Paulo não está proibindo o crente de exercer julgamento, pois do contrário, não poderíamos obedecer à ordem de Jesus: "Acautelai- vos dos falsos profetas" (Mt 7.15). O que Jesus proíbe a seus seguidores não é a crítica, mas a mania de censurar, de "julgar" no sentido de "estabelecer juízo" ou de condenar algo ou alguém. E a razão para isso é que nós mesmos, um dia, compareceremos diante do Juiz.[1112] Já que Deus é o Juiz e estamos entre os julgados, deixemos de julgar uns aos outros (14.13a), pois assim evitaremos a extrema insensatez de tentar usurpar a prerrogativa de Deus e antecipar o dia do juízo.[1113] Leenhardt tem razão quando diz que cada qual terá de dar contas de si mesmo, os "fortes" da liberdade que arrogaram, os "fracos" dos escrúpulos que alimentaram. Ninguém terá de prestar contas dos erros dos outros.[1114]

F. F Bruce diz que, quando lançamos julgamentos apressados, mal informados, sem amor e sem generosidade, por certo esquecemos que, se falamos mal dos outros, ao mesmo tempo falamos mal do Senhor cujo nome eles levam.[1115] Precisamos entender que Deus se recusa a rejeitar aqueles a quem rejeitamos. O Senhor abençoa até mesmo as pessoas das quais discordamos.

A igreja de Roma, inclusive cristãos judeus e gentios, podia desintegrar-se rapidamente se alguns grupos insistissem em exercer plenamente sua liberdade cristã sem dar a mínima consideração aos escrúpulos de outros.[1116] Warren Wiersbe cita o conhecido conflito existente entre dois grandes pregadores da Inglaterra vitoriana, Charles Spurgeon e Joseph Parker. No começo do ministério, os dois chegaram a pregar na igreja um do outro. Então, tiveram um desentendimento, e essa desavença chegou aos jornais. Spurgeon acusou Parker de não ser espiritual, pois costumava ir ao teatro. O mais interessante é que Spurgeon fumava charuto, prática condenada por muitos cristãos. A pendenga entre esses dois líderes cristãos estava errada, pois se levantaram como juiz um do outro, em vez de acolher um ao outro.[1117]

Ame o seu irmão, e não seja pedra de tropeço para ele (14.13-23)

De que forma podemos amar o nosso irmão, deixando de ser pedra de tropeço para ele? Paulo nos dá algumas respostas:

Em primeiro lugar, *pare de julgar seu irmão e tome o propósito de não colocar tropeço no seu caminho.* "Não nos julguemos mais uns aos outros; pelo contrário, tomai o propósito de não pordes tropeço ou escândalo ao vosso irmão" (14.13). Paulo quer dar um basta na onda de julgamento dentro da igreja. Em vez de ser um tropeço no caminho uns dos outros, gerando problemas na igreja e escândalos fora dela, os cristãos deveriam cuidar e amar uns aos outros. William Greathouse diz que nem o forte nem o fraco estão em posição de adotar uma atitude superior de juiz. Todos os sentimentos de crítica e censura devem ser extirpados.[1118] Embora o cristão seja o mais livre senhor de todos, não sujeito a ninguém, é o mais dócil servo de todos, sujeito a todos.[1119]

Em segundo lugar, *saiba que a impureza não está nas coisas exteriores, mas no interior, ou seja, no coração.* "Eu sei e estou persuadido, no Senhor Jesus, de que nenhuma coisa é de si mesma impura, salvo para aquele que assim a considera; para esse é impura" (14.14). Há coisas que são essencialmente impuras e não é delas que Paulo está falando. Não podemos interpretar corretamente esse versículo tirando-o do seu contexto. Paulo falando sobre dieta alimentar e calendário religioso. Não há alimentos essencialmente impuros. Nas palavras de Jesus, não é aquilo que entra pela boca que contamina o homem, mas o que sai do seu coração (Mt 15.11). Jesus ab-rogou as leis sobre alimentos declarando "limpas" todas as espécies (Mc 7.19). Pedro aprendeu a não considerar impura coisa ou pessoa alguma que Deus tivesse declarado limpa (At 10.15). Paulo escreveu: "Pois tudo que Deus criou é bom, e, recebido com ações de graças, nada é recusável, porque, pela Palavra de Deus e pela oração, é santificado" (1Tm 4.4,5). É de bom-tom enfatizar, porém, que pessoas ignorantes devem ser instruídas, mas jamais encorajadas a fazer aquilo que elas próprias julgam ser contrário à vontade de Deus.[1120]

Em terceiro lugar, *o amor fraternal, e não sua convicção dietética, deve ser o vetor de suas ações.* "Se, por causa de comida, o teu irmão se entristece, já não andas segundo o amor fraternal. Por causa da tua comida, não faças perecer aquele a favor de quem Cristo morreu" (14.15). Quando um crente forte comia carne e bebia vinho na presença de um crente fraco, violando sua consciência débil, provocando tristeza e escândalo ao seu irmão, agia sem amor e sem nenhuma consideração por alguém muito precioso para Jesus, alguém por quem Cristo dera a própria vida. Falando sobre a atitude do forte em relação ao fraco, John Stott escreve:

> Se Cristo o amou a ponto de morrer por ele, por que não podemos amá-lo o suficiente para controlar-nos, evitando magoar a sua consciência? Se Cristo se sacrificou por seu bem-estar, que direito temos nós de prejudicá-lo? Se Cristo morreu para salvá-lo, não nos importa se vamos destruí-lo?[1121]

Em quarto lugar, *busque as primeiras coisas primeiro.* "Não seja, pois, vituperado o vosso bem. Porque o reino de Deus não é comida nem bebida, mas justiça, e paz, e alegria no Espírito Santo. Aquele que deste modo serve a Cristo é agradável a Deus e aprovado pelos homens" (14.16-18). Se a primeira verdade teológica que suporta o apelo de Paulo para que os fortes se controlem é a cruz de Cristo, a segunda é o reino de Deus.[1122] Quando o crente fraco supervaloriza a dieta alimentar pensando que abster-se de certos alimentos o torna mais aceitável a Deus, comete um grande equívoco, uma vez que o reino de Deus não é comida nem bebida, mas justiça, paz e alegria no Espírito Santo. Viver um cristianismo legalista é inverter as prioridades, é colocar as coisas de ponta-cabeça, é deixar de buscar as primeiras coisas primeiro.

Entretanto, sempre que o crente forte insiste em usar a sua liberdade para comer o que quiser, nem que seja às expensas do bem-estar do fraco, está incorrendo em grave falha de desproporção. Está superestimando a importância da comida (coisa que é trivial) e subestimando a importância do reino (que é central).[1123]

Em quinto lugar, *invista mais em relacionamentos que em rituais*. "Assim, pois, seguimos as coisas da paz e também as da edificação de uns para com os outros. Não destruas a obra de Deus por causa da comida. Todas as coisas, na verdade, são limpas, mas é mau para o homem o comer com escândalo" (14.19,20). Em vez de os crentes fortes violentarem a consciência dos fracos, comendo o que para eles era impuro, deviam buscar a paz e a edificação de uns para com os outros. Mesmo que os crentes fortes estivessem com a razão, pleiteando que todas as coisas são limpas, ao comer essas coisas limpas perto dos crentes fracos, os escandalizavam. E essa atitude era incompatível com o amor fraternal, pois gerava conflito, e não paz; escândalo, e não edificação. Warren Wiersbe diz que tanto o crente forte quanto o crente fraco precisam crescer. O mais forte precisa crescer em amor, enquanto o mais fraco precisa crescer em conhecimento. O mais fraco deve aprender com o mais forte, o mais forte deve amar o mais fraco. O resultado será maturidade para a glória de Deus.[1124]

Em sexto lugar, *por amor a seu irmão abstenha-se de seus próprios privilégios*. "É bom não comer carne, nem beber vinho, nem fazer qualquer outra coisa com que teu irmão venha a tropeçar (ou se ofender ou se enfraquecer)" (14.21). Paulo não se refere à glutonaria nem à embriaguez. Essas coisas são em si mesmas pecaminosas e reprováveis. Ele está tratando de algo absolutamente legítimo, ou seja, comer carne e beber vinho. Porém, mesmo que o uso não descambe para o abuso, se essa prática provoca escândalo na vida do irmão mais fraco, o crente forte deve abster--se, pois o amor procura as coisas da edificação (1Co 8.9-13). Geoffrey Wilson resume esse ponto de forma clara: "Embebedar-se é pecado, ofenda ou não aos irmãos, enquanto beber vinho não é errado exceto se resultar em bebedeira ou levar outros a tropeçar".[1125]

Em sétimo lugar, *cuidado para não se tornar um crente inconsistente e contraditório.* "A fé que tens, tem-na para ti mesmo perante Deus. Bem-aventurado é aquele que não se condena naquilo que aprova. Mas aquele que tem dúvidas é condenado se comer, porque o que faz não provém de fé; e tudo o que não provém de fé é pecado" (14.22,23). Paulo conclui seu argumento distinguindo entre o crer e o agir, entre convicção pessoal e a conduta em público.[1126] O crente precisa ser consistente para não falar uma coisa e fazer outra, não manter uma convicção e agir na contramão dessa convicção. Warren Wiersbe diz que nenhum cristão pode "tomar emprestadas" as convicções de outro para ter uma vida cristã honesta.[1127] Se um crente fraco, prisioneiro de seus escrúpulos, come carne contra suas convicções para agradar os crentes fortes, nisso está pecando, porque essa conduta não procede de fé. Geoffrey Wilson coloca esse ponto com diáfana clareza:

> O crente "fraco" que imitar a liberdade dos "fortes" sem compartilhar de suas convicções é condenado não só por sua própria consciência, mas também por Deus. Portanto os "fortes" não devem tentar os

"fracos" a violarem suas consciências, esperando que ajam como se não tivessem escrúpulos quanto a comer.[1128]

Paulo conclui que "tudo o que não provém de fé é pecado". Isto significa que tudo o que não é feito com a convicção de que está de acordo com a vontade de Deus é pecaminoso, embora possa ser em si mesmo certo. Este ensino aplica-se não apenas a alimentos, mas a tudo. Se alguém estiver convencido de que algo é contrário à lei de Deus, e apesar disso a praticar, é culpado diante de Deus, embora a coisa em si seja lícita.[1129]

Imite a Cristo, pense nos outros mais do que em você (15.1-13)

Paulo inclui-se no grupo dos crentes fortes não para se gabar, mas para exortá-los a imitar a Cristo. Como os crentes fortes podem ser imitadores de Cristo?

Em primeiro lugar, *agradando aos irmãos, e não a si mesmos* (15.1-4). O amor não é egocentrado, mas "outrocentrado". O amor não visa os próprios interesses, mas busca o interesse dos irmãos. Acompanhemos o relato de Paulo:

> Ora, nós que somos fortes devemos suportar as debilidades dos fracos e não agradar-nos a nós mesmos. Portanto, cada um de nós agrade ao próximo no que é bom para edificação. Porque também Cristo não se agradou a si mesmo; antes, como está escrito: As injúrias dos que te ultrajavam caíram sobre mim" (15.1-4).

Três verdades são aqui destacadas:

a. *Devemos agradar aos irmãos, e não a nós mesmos* (15.1,2). O conhecimento e a maturidade espiritual dos crentes fortes não deve levá-los à arrogância e ao desprezo dos fracos; antes, devem eles suportar suas debilidades. Os escrúpulos do fraco são um peso que o forte deve carregar.[1130] A força de um deve compensar a fragilidade do outro. Os crentes fortes não devem agradar a si mesmos, comendo e bebendo publicamente, sabendo que esse comportamento trará tropeço aos crentes fracos; antes, devem agradar aos fracos buscando sua edificação. O cristão de consciência forte não deve esmagar a consciência dos fracos.[1131] Comer e beber pode agradar o paladar, mas o cristão deve procurar agradar seu irmão. Leenhardt destaca o fato de que são os fortes que têm de suportar os fracos; não o inverso.[1132]

b. *Cristo não agradou a si mesmo* (15.3). O Filho de Deus, sendo perfeito, não agradou a si mesmo. Despojou-se de seus direitos e prerrogativas e veio para servir. Esvaziou-se e tornou-se servo. Submeteu-se à vontade do Pai e suportou toda sorte de sofrimento para salvar tanto os crentes fortes como os crentes fracos. Warren Wiersbe enfatiza que nenhum sacrifício que fazemos pode equiparar-se ao do Calvário.[1133] As injúrias caíram sobre Cristo porque ele não agradou a si mesmo, mas viveu para agradar a Deus na obra da redenção. Se o objetivo da vida de Cristo tivesse sido agradar a si mesmo, ele teria escapado à vergonha e à censura que o atingiram; mas vivendo como ele viveu, para agradar a Deus, para servir à sua vontade e salvar os homens, essas injúrias passaram a ser propriedade de Deus.[1134]

c. *As Escrituras foram dadas para o nosso ensino* (15.4). Temos tanto o testemunho das Escrituras como o exemplo de Cristo. Pela paciência e consolação das Escrituras, devemos ter esperança e viver não de forma egoísta e arrogante, mas de forma humilde e altruísta. John Stott diz acertadamente que podemos extrair cinco verdades das Escrituras: 1) sua intenção é atual; 2) seu valor é abrangente; 3) seu enfoque é cristológico; 4) seu propósito é prático; 5) sua mensagem é divina.[1135]

Em segundo lugar, *adorando a Deus em espírito de unidade.* "Ora, o Deus da paciência e da consolação vos conceda o mesmo sentir de uns para com os outros, segundo Cristo Jesus, para que concordemente e a uma só voz glorifiqueis ao Deus e Pai de nosso Senhor Jesus Cristo" (15.5,6). A unidade de sentimento é uma dádiva de Deus, e não uma aptidão natural. O mesmo sentir de uns para com os outros só pode ser experimentado no âmbito de nossa relação com Cristo Jesus. Glorificamos a Deus não com disputas e batalhas internas na igreja, ferindo a comunhão, julgando ou desprezando os irmãos. O culto que agrada e glorifica a Deus é aquele que parte de corações unidos pelo mesmo propósito e pelo mesmo sentimento (Sl 133.1; At 1.14; 2.42-46).

Geoffrey Wilson diz que onde houver tal unidade de mente e coração haverá também unidade de boca. A unidade de crença leva à unidade no louvor; a ordem é significativa porque uma nunca pode ser alcançada sem a outra.[1136]

Em terceiro lugar, *acolhendo uns aos outros como Cristo nos acolheu.* "Portanto, acolhei-vos uns aos outros, como também Cristo nos acolheu para a glória de Deus" (15.7). Paulo dá uma ordem, apresenta um modelo e estabelece uma motivação: devemos acolher uns aos outros, da mesma forma que Cristo nos acolheu, fazendo isso para a glória de Deus. Se o exemplo de Cristo é nosso modelo, a glória de Deus é nossa motivação.

Em quarto lugar, *sabendo que o próprio Cristo se tornou servo* (15.8-13). Paulo conclui a parte exortativa da sua carta, mostrando que devemos acolher uns aos outros na igreja, porque o próprio Senhor e cabeça da igreja se tornou servo para salvar tanto judeus como gentios. Acompanhemos o registro do apóstolo:

> Digo, pois, que Cristo foi constituído ministro da circuncisão, em prol da verdade de Deus, para confirmar as promessas feitas aos nossos pais; e para que os gentios glorifiquem a Deus por causa da sua misericórdia, como está escrito: Por isso, eu te glorifiquei entre os gentios e cantarei louvores ao teu nome. E também diz: Alegrai-vos, ó gentios, com o seu povo. E ainda: Louvai ao Senhor, vós todos os gentios, e todos os povos o louvem. Também Isaías diz: Haverá a raiz de Jessé, aquele que se levanta para governar os gentios; nele os gentios esperarão. E o Deus da esperança vos encha de todo o gozo e paz no vosso crer, para que sejais ricos de esperança no poder do Espírito Santo (15.8-13).

John Stott diz que Paulo desliza quase imperceptivelmente da unidade dos fracos e fortes por meio de Cristo para a unidade dos judeus e gentios por intermédio desse mesmo Cristo. Em ambos os casos a unidade visa a adoração, a fim de que eles glorifiquem a Deus juntos (15.9). Paulo afirma que o ministério de Cristo com os judeus deu-se "por amor à verdade de Deus", no propósito de demonstrar a sua fidelidade às promessas da aliança, enquanto o seu ministério com os gentios foi devido "à sua misericórdia", uma misericórdia sem aliança.[1137]

William Barclay explica que o argumento de Paulo é que podem existir muitas diferenças na igreja, mas há um só Cristo, e o laço de unidade entre os crentes na igreja é a sua comum lealdade a ele. A obra de Cristo foi a mesma para judeus e gentios. Para provar esse posicionamento, Paulo cita quatro passagens do Antigo Testamento (Sl 18.50; Dt 32.43; Sl 117.1; Is 11.10). Em todas elas, Paulo encontra antigas previsões da recepção dos gentios à fé. Paulo está convencido de que, assim como Jesus Cristo veio a este mundo para salvar tanto judeus como gentios, a igreja deve acolher a todos os irmãos, a despeito de suas diferenças.[1138]

Paulo conclui seu ensino sobre a tolerância cristã, e também o corpo principal da epístola, com uma breve oração por seus leitores em Roma (5.13). A súplica do apóstolo pelos cristãos é por uma vida abundante: "E o Deus da esperança vos encha de todo o gozo e paz no vosso crer, para que sejais ricos de esperança no poder do Espírito Santo". Cinco perguntas podem ser feitas à luz deste precioso versículo:

a. *De onde vem essa vida abundante?* "E o Deus da esperança..." A vida abundante procede do Deus da esperança. Tudo provém de Deus. Ele é a fonte de todo bem. Deus não apenas ordena que seu povo viva de forma superlativa e maiúscula, mas também concede a ele essa bênção.

b. *Em que consiste essa vida abundante?* "... vos encha de todo gozo e paz..." A vida abundante consiste na plenitude do gozo e no reinado da paz. Deus é a fonte da nossa alegria e, quando temos alegria em Deus, temos também paz com Deus e experimentamos a paz de Deus.

c. *Como podemos obter a vida abundante?* "... no vosso crer..." A vida abundante não é fruto do esforço, mas resultado da fé. O mesmo Deus que dá a vida abundante nos dá também a fé para possuí-la. Tanto o fim quanto o meio são dádivas de Deus.

d. *Por que devemos possuir a vida abundante?* "... para que sejais ricos de esperança..." O que haveremos de ser na glória deve instruir-nos quanto ao que devemos ser aqui e agora. O céu ensina a terra. A igreja triunfante deve ser pedagoga da igreja militante. As riquezas que o povo de Deus deve buscar com extremo zelo não são ouro e prata, mas riquezas espirituais; devemos ser ricos de esperança. Nossa Pátria está no céu. Nossa herança está no céu. O nosso Senhor virá do céu, e nós iremos para o céu!

e. *Como podemos viver a vida abundante?* "... no poder do Espírito Santo." A vida abundante não resulta do esforço da carne, mas do poder do Espírito. A vida abundante não é um troféu que conquistamos, mas um dom que recebemos. Essa dádiva não procede da terra, mas do céu; não dos homens, mas do Espírito Santo de Deus.

Concluímos essa exposição citando mais uma vez John Stott. Segundo o erudito expositor, de todos os temas analisados no texto em apreço, há três que parecem centrais e têm a ver com a cruz, a ressurreição e o juízo final. Cristo morreu para ser nosso Salvador. Cristo ressuscitou para ser nosso Senhor. Cristo virá para ser nosso Juiz. Cristo morreu! Cristo ressuscitou! Cristo voltará! Essas gloriosas verdades, além de constituir a essência do nosso culto, influenciam a nossa conduta.[1139]

NOTAS DO CAPÍTULO 21

[1091] ERDMAN, Charles R. *Comentários de Romanos*, p. 153.

[1092] STOTT, John. *Romanos*, p. 432.

[1093] STOTT, John. *Romanos*, p. 435.

[1094] STOTT, John. *Romanos*, p. 433.

[1095] MURRAY, John. *Romanos*, p. 534.

[1096] MURRAY, John. *Romanos*, p. 534.

[1097] HENDRIKSEN, William. *Romanos*, p. 597.

[1098] STOTT, John. *Romanos*, p. 429, 430.

[1099] HENDRIKSEN, William. *Romanos*, p. 596.

[1100] STOTT, John. *Romanos*, p. 434.

[1101] LEENHARDT, Franz. J. *Epístola aos Romanos*, p. 355.

[1102] STOTT, John *Romanos*, p. 429.

[1103] GREATHOUSE, William. *A epístola aos Romanos*, p. 173.

[1104] WILSON, Geoffrey B. *Romanos*, p. 193.

[1105] STOTT, John. *Romanos*, p. 434.

[1106] SCHAAL, Juan. *El camino real de Romanos*, p. 139.

[1107] STOTT, John. *Romanos*, p. 436.

[1108] WIERSBE, Warren W. *Comentário bíblico expositivo*, p. 730.

[1109] BARCLAY, William. *Romanos*, p. 198, 199.

[1110] STOTT, John. *Romanos*, p. 438.

[1111] STOTT, John. *Romanos*, p. 439.

[1112] STOTT, John. *Romanos*, p. 439.

[1113] STOTT, John. *Romanos*, p. 440.

[1114] LEENHARDT, Franz. J. *Epístola aos Romanos*, p. 358.

[1115] BRUCE, F. F. *Romanos: introdução e comentário*, p. 199.

[1116] BRUCE, F. F. *Romanos: introdução e comentário*, p. 202.

[1117] WIERSBE, Warren W. *Comentário bíblico expositivo*, p. 731.

[1118] GREATHOUSE, William. *A epístola aos Romanos,* p. 176.

[1119] BRUCE, F. F. *Romanos: introdução e comentário*, p. 199, 200.

[1120] WILSON, Geoffrey B. *Romanos*, p. 199.

[1121] STOTT, John. *Romanos*, p. 442.

[1122] STOTT, John. *Romanos*, p. 443.

[1123] STOTT, John. *Romanos*, p. 443.

[1124] WIERSBE, Warren W. *Comentário bíblico expositivo*, p. 732, 733.

[1125] WILSON, Geoffrey B. *Romanos*, p. 202.

[1126] STOTT, John. *Romanos*, p. 445.

[1127] WIERSBE, Warren W. *Comentário bíblico expositivo*, p. 733.

[1128] WILSON, Geoffrey B. *Romanos*, p. 203.

[1129] WILSON, Geoffrey B. *Romanos*, p. 203.

[1130] GREATHOUSE, William. *A epístola aos Romanos*, p. 178.

[1131] STOTT, John. *Romanos*, p. 446.

[1132] LEENHARDT, Franz. J. *Epístola aos Romanos*, p. 369.

[1133] WIERSBE, Warren W. *Comentário bíblico expositivo*, p. 733.

[1134] GREATHOUSE, William. *A epístola aos Romanos*, p. 179.

[1135] STOTT, John. *Romanos*, p. 448.

[1136] WILSON, Geoffrey B. *Romanos*, p. 206.

[1137] STOTT, John. *Romanos*, p. 450.

[1138] BARCLAY, William. *Romanos*, p. 212, 213.

[1139] STOTT, John. *Romanos*, p. 452.

Capítulo 22

As excelências do ministério de Paulo
(Rm 15.14-33)

PAULO ESTÁ CONCLUINDO sua mais robusta epístola. Escreve para uma igreja que não fundara nem mesmo conhecera. Depois de ter feito uma grande exposição (capítulos 1–11) e uma grande exortação (capítulos 12.1–15.13), o apóstolo volta ao assunto introduzido no início de sua missiva (1.8-13),[1140] citando agora seus projetos de viagem a Roma, sua missão apostólica, laços de intercessão e comunhão de graças.[1141] Como sábio comunicador, antecipa algumas objeções, destacando dois pontos vitais:

Em primeiro lugar, *Paulo elogia seus leitores*. "E certo estou, meus irmãos, sim, eu mesmo, a vosso respeito, de que estais possuídos de bondade, cheios de todo o conhecimento, aptos para vos admoestardes uns aos outros" (15.14). Paulo ensinara verdades profundas e fizera exortações pesadas à igreja. Emitira advertência contra as tendências antinomianas (capítulo 6), contra a arrogância por parte de alguns (11.20,21; 12.3), contra a oposição às autoridades governamentais (13.2) e contra os fortes ridicularizando os fracos e os fracos condenando os fortes (14.1-4). Diante desses fatos, alguns crentes de Roma poderiam pensar que Paulo os julgasse imaturos, ignorantes e ineptos para a obra de Deus.

Geoffrey Wilson, porém, capta o sentido correto do sentimento de Paulo quando escreve:

> Antes de concluir a carta, Paulo deseja esclarecer que não escreveu à igreja de Roma porque achasse que os crentes lá fossem defeituosos em sua experiência cristã ou deficientes em seu conhecimento da verdade divina. Ele, com muito tato, observa que o objetivo de sua carta não é ensinar-lhes nenhuma doutrina nova, mas sim de os lembrar da verdade que já possuíam.[1142]

Antecipando as possíveis objeções que poderiam surgir dentro da igreja de Roma, Paulo, que já elogiara a igreja por sua fé proclamada em todo o mundo (1.8), lhes assegura que tem elevado conceito da igreja (15.14). Cranfield diz que "o que temos aqui é cortesia cristã, e não adulação".[1143] As falhas detectadas na igreja não arrefecem seu alto apreço pela igreja como um todo.[1144] Paulo destaca três virtudes cardeais na vida da igreja de Roma:

a. *Os crentes de Roma estavam cheios de bondade* (15.14). A bondade tem a ver com a disposição de investir tempo e energia para socorrer as outras pessoas em suas necessidades. É a disposição de tratar bem aqueles cujas virtudes não os recomendam. John Murray diz que a palavra grega *agathosunes,* "bondade", se refere à virtude oposta a tudo quanto é vil e maligno; também inclui retidão, gentileza e beneficência de coração e vida.[1145]

b. *Os crentes de Roma estavam cheios de conhecimento* (15.14). "Conhecimento" significa a compreensão da fé cristã, estando particularmente relacionado à capacidade de instruir outrem.[1146] O pastoreio mútuo depende não só de bondade, mas também de conhecimento. É o conhecimento que governa a bondade. Se a bondade enche o coração de amor, o conhecimento enche a mente de luz. John Murray escreve: "A bondade é a virtude que constrangeria os crentes fortes a se absterem daquilo que prejudicaria os fracos; e conhecimento é aquela realização que corrigiria as debilidades da fé".[1147]

c. *Os crentes de Roma estavam aptos para o pastoreio mútuo* (15.14). A admoestação recíproca resulta da bondade e do conhecimento. É a bondade conjugada ao conhecimento que habilita os crentes a ser admoestadores eficazes. A palavra grega *nouthesia,* "admoestação", é um apelo à mente na qual está presente uma oposição. A pessoa é tirada de um falso caminho mediante admoestação, ensino, lembrança e encorajamento; e sua conduta é então corrigida.[1148] Calvino destaca oportunamente que aqueles que admoestam devem possuir duas graças especiais: humildade e prudência. Os que se sentem chamados a exortar e ao mesmo tempo desejam ajudar os irmãos com seu conselho devem manifestá-lo tanto pela doçura no rosto como no modo gentil de falar, pois não há coisa pior para a exortação fraternal que a malevolência e a soberba, já que ambas nos impulsionam a desprezar aqueles a quem desejamos fortalecer.[1149]

Em segundo lugar, *Paulo defende seu apostolado diante dos leitores*. "Entretanto, vos escrevi em parte mais ousadamente, como para vos trazer isto de novo à memória, por causa da graça que me foi outorgada por Deus" (15.15). Duas verdades são aqui destacadas pelo apóstolo:

a. *Ele relembra os crentes aquilo que eles já sabem* (15.15). Paulo não está ensinando para os crentes de Roma novidades desconhecidas. Está relembrando e aprofundando verdades que eles já conhecem. Paulo não está sendo inédito; está sendo enfático. Charles Erdman diz que Paulo escrevera não em razão de alguma falta específica da parte dos romanos, mas em função de seu especial interesse neles. Não tanto para anunciar-lhes novas verdades quanto para fazê-los lembrados das verdades que haviam já recebido.[1150]

b. *Ele relembra os crentes sua autoridade apostólica* (15.15b). Paulo não se intromete em campo alheio; não é um aventureiro que instrui a igreja de Roma sem credencial divina. É apóstolo de Cristo, e a autoridade de orientar doutrinária e eticamente a igreja era não só um privilégio sublime, mas também uma responsabilidade a ele outorgada pela graça de Deus. Foi a graça de Deus que o salvou, o chamou e fez dele um apóstolo (Rm 1.5; 1Co 15.8-11; Ef 3.7,8).

Disto examinaremos algumas excelências do ministério de Paulo.

Paulo, o ministro de Cristo (15.16)

Na conclusão desta carta, Paulo, que fora essencialmente doutrinário, se torna eminentemente pessoal.[1151] Ele se autodenomina ministro de Cristo. Leiamos seu relato: "Para que eu seja ministro de Cristo Jesus entre os gentios, no sagrado encargo de anunciar o evangelho de Deus, de modo que a oferta deles seja aceitável, uma vez santificada pelo Espírito Santo" (15.16). Destacaremos aqui quatro verdades preciosas:

Em primeiro lugar, *a natureza do ministério de Paulo* (15.16). O apóstolo usa termos técnicos aqui para apresentar seu ministério sacerdotal. Paulo é um liturgo, porque exerce a função de sacerdote,[1152] vê a si mesmo como um sacerdote no altar, que oferece a Deus um sacrifício perfeito. Para F. F. Bruce, há nessas frases densa linguagem de culto: Paulo é um *leitourgos,* sua proclamação do evangelho, *hierougeo,* é um "serviço sacerdotal", e seus conversos gentios são uma oferenda que ele apresenta a Deus.[1153]

A palavra grega *leitourgos,* traduzida como "ministro", geralmente significa serviço público (13.6), mas na literatura bíblica é usada "exclusivamente" com referência a serviços rituais e religiosos. Assim, no Novo Testamento, aplica-se tanto ao sacerdócio judaico (Hb 7.11) como a Jesus, nosso grande sumo sacerdote (Hb 8.2). A seguir Paulo usa a palavra grega *hierourgeo,* traduzida por "sagrado" e que significa dever sacerdotal, ou servir como sacerdote, especialmente com relação aos sacrifícios no templo. Paulo emprega ainda as palavras gregas *prosphora,* "oferta", e *euprosdektos,* "aceitável", a Deus, ambas comumente utilizadas em relação aos sacrifícios (1Pe 2.5).[1154]

Uma grande e oportuna pergunta deve ser feita: Qual é, pois, o ministério sacerdotal de Paulo, e qual é o sacrifício que ele deve oferecer? A resposta tem claramente a ver com o evangelho e os gentios. Paulo considera-se um sacerdote no altar, oferecendo a Deus os gentios que ganhou para Cristo.[1155] John Stott esclarece:

> Paulo considera sua obra missionária como sendo um ministério sacerdotal porque ele é capaz de oferecer os seus convertidos

gentios como um sacrifício vivo a Deus. Embora os gentios fossem rigorosamente excluídos do templo de Jerusalém, e não lhes fosse permitido de forma alguma participar no ofertório de seus sacrifícios, agora, por intermédio do evangelho, eles mesmos passam a ser uma oferta sagrada e aceitável a Deus.[1156]

Paulo vê seu apostolado como um serviço sacerdotal, e considera os gentios que se converteram por meio dele a oferta agradável que ele apresenta a Deus.[1157] Warren Wiersbe diz que cada alma que ganhamos para Cristo é uma oferta de sacrifício que oferecemos a Deus para a sua glória.[1158] Alguns, sem dúvida, sustentavam que os gentios convertidos por meio de Paulo eram "impuros" por não terem sido circuncidados. A tais caviladores a réplica de Paulo é que esses conversos eram "limpos" porque haviam sido santificados pelo Espírito Santo.[1159]

Para que não fique nenhuma dúvida, porém, e não haja motivos de falsa interpretação por parte de leitores desatentos, deixamos meridianamente claro que não há na igreja cristã nenhum sacerdócio verdadeiro e nenhum sacrifício exceto os figurativos.[1160] Assistimos com pesar, em alguns redutos evangélicos, uma volta aos rituais judaicos, quando estes eram apenas sombras que cessaram com a vinda de Cristo e sua perfeita obra vicária, realizada na cruz do calvário. Leenhardt é absolutamente esclarecedor nesse ponto:

> O sacerdote, cuja função culminava no oferecimento do sacrifício, requeria-o uma instituição divina destinada a restaurar as relações entre Deus e seu povo que o pecado ameaçava e truncava. Na nova economia que Deus estabeleceu em Cristo Jesus, o evangelho anunciado pelo apóstolo é a nova senda dessa reconciliação do pecador com Deus: conduz o pecador à obediência da fé em Cristo,

vítima sacrificial que a todas as demais se substitui. O sacrifício de Cristo, no entanto, engloba e implica o sacrifício de cada crente, unido ao Crucificado pela fé e batismo (6.2,3). Mercê dessa união, torna-se o pecador, com Cristo, uma oferenda viva, santa e agradável a Deus (12.1). O pregador do evangelho assume, portanto, uma função sacerdotal, como outrora o sacerdote do templo que oferecia os animais. Exatamente como o sacerdote, tem o apóstolo por missão preparar a volta dos homens a Deus por via do oferecimento de uma vítima. Tais verdades são fundamentais: o sacerdote é de agora em diante assumido pelo apostolado não no sentido de que oficiaria em um novo altar para oferecer um novo sacrifício, mas em que anuncia o evangelho e se torna o instrumento por intermédio do qual o Espírito Santo associa os crentes ao sacrifício da cruz. Se os sacrifícios antigos e o sacerdócio que lhes era ordenado estão daqui em diante suspensos, é que o propósito a que servia essa instituição é agora superiormente alcançado pelo apostolado que instituiu Cristo.[1161]

Em segundo lugar, *a abrangência do ministério de Paulo* (15.16). O ministério de Paulo era voltado aos gentios. O próprio Deus o capacitou e o conduziu nessa direção. Paulo permaneceu fiel a seu chamado e no final de sua vida pôde dizer: "Mas o Senhor me assistiu e me revestiu de forças, para que, por meu intermédio, a pregação fosse plenamente cumprida, e todos os gentios a ouvissem..." (2Tm 4.17).

Em terceiro lugar, *a essência do ministério de Paulo* (15.16). O eixo central do ministério de Paulo era o sagrado encargo de anunciar o evangelho de Deus. Seu ensino não era próprio. Ele não pregava palavras de homens, mas o evangelho de Deus. É uma grande tragédia que muitos obreiros na igreja contemporânea tenham substituído o evangelho de Deus por outro evangelho, sonegando ao povo o Pão verdadeiro, dando-lhe o farelo de doutrinas engendradas no laboratório do engano. Pululam nos púlpitos falsas doutrinas; florescem no canteiro do evangelicalismo brasileiro novidades estranhas. Escasseiam nas pregações e nas músicas contemporâneas o santo evangelho de Cristo.

Em quarto lugar, *o propósito do ministério de Paulo* (15.16). O propósito de Paulo é que os gentios, ao apresentar no altar suas vidas convertidas e santificadas pelo Espírito, fossem como oferta aceitável a Deus. Paulo não era um pregador pragmático. Não se contentava apenas com números. Não se deixava impressionar por grandes movimentos. Ele queria vidas transformadas. Queria que os membros da igreja fossem ofertas aceitáveis a Deus.

Paulo, o pregador poderoso (15.17-19)

Destacaremos aqui alguns pontos vitais na vida do apóstolo Paulo como poderoso pregador.

Em primeiro lugar, *Paulo se gloria em Cristo, e não em si mesmo*. "Tenho, pois, motivo de gloriar-me em Cristo Jesus nas coisas concernentes a Deus" (15.17). Paulo não era um balão cheio de vento. Não se ufanava de seu abrangente e extraordinário ministério. William Hendriksen diz que a exultação de Paulo está correta, uma vez que é exultação em Cristo, e não autoglorificação (1Co 1.29-31; 2Co 10.17).[1162] Paulo se gloriava em Cristo, e não em si mesmo; nas coisas concernentes a Deus, e não em suas próprias coisas. Paulo não trabalhou para engrandecer seu próprio nome, pois tinha em mente propósitos mais elevados. Desejava glorificar a Cristo.[1163] Estão em total desacordo com o ensino bíblico aqueles que exaltam a si mesmos e constroem monumentos à sua própria glória. Toda glória dada ao homem é vazia, é vanglória, é idolatria. Deus não reparte a sua glória com ninguém.

Em segundo lugar, *Paulo prega aos ouvidos e aos olhos.* "Porque não ousarei discorrer sobre coisa alguma, senão sobre aquelas que Cristo fez por meu intermédio, para conduzir os gentios à obediência, por palavra e por obras" (15.18). A ênfase de Paulo não estava nas coisas que ele fazia para Cristo, mas nas coisas que Cristo fazia por intermédio dele. A obra é de Cristo, o poder vem de Cristo; Paulo é apenas o instrumento, e não o agente. Nas palavras de Stott: "Cristo age, não *com* ele, mas *por intermédio* dele".[1164]

O ministério de Paulo de conduzir os gentios à obediência realizou-se por *palavras* e *obras.* Ele pregava e fazia. Ele pregava aos ouvidos e também aos olhos. John Stott diz que as palavras explicam os gestos, mas os gestos representam as palavras.[1165] Deve existir profunda conexão entre o verbal e o visual, entre a palavra e a ação. Foi assim o próprio ministério de Cristo: ele fazia e ensinava (At 1.1).

Ressaltamos também que os gentios eram conduzidos à obediência. A salvação implica transformação. É impossível receber a Cristo como Salvador sem se submeter a ele como Senhor. Geoffrey Wilson diz corretamente: "Ao se opor ao legalismo, o apóstolo não fazia qualquer concessão à libertinagem. Ele não pregava um evangelho barato e fácil em que bastava 'crer', porque Cristo não aceitará ser Salvador daqueles que se recusam a segui-lo como Senhor".[1166]

Em terceiro lugar, *Paulo realiza sinais e prodígios pelo poder do Espírito Santo.* "Por força de sinais e prodígios, pelo poder do Espírito Santo..." (15.19a). Paulo é um pregador poderoso. Seu poder não emana de si mesmo, vem de Deus. Sua força não vem de dentro, mas do alto. Seu apostolado é confirmado com sinais e prodígios (2Co 12.12; At 13.6-12; 14.8-10; 16.16-18; 16.25,26; 19.11-16), os quais são operados mediante o poder do Espírito Santo.

William Hendriksen afirma que ambos, "sinais" e "prodígios", são *milagres,* realizados sobrenaturalmente. Um milagre é chamado "prodígio" quando se dá ênfase no efeito exercido sobre o observador. Em contrapartida, quando o milagre aponta para fora de si mesmo e representa os atributos (poder, sabedoria, graça etc.) daquele que o realiza, é chamado "sinal".[1167] John Murray diz que sinais e prodígios não significam dois tipos diferentes de eventos. Referem-se aos mesmos acontecimentos, considerados por ângulos diferentes. Um milagre é tanto um sinal quanto um prodígio. Na qualidade de sinal, aponta para o instrumento mediante o qual ele ocorre e, deste modo, possui caráter de confirmação; na qualidade de prodígio, enfatiza o aspecto admirável do evento.[1168]

Concordo com John Stott quando ele diz que o propósito principal dessas manifestações era autenticar o ministério todo especial dos apóstolos (Hb 2.4).[1169] Segundo Calvino, os milagres têm como propósito conduzir os homens ao temor e à obediência a Deus. No evangelho de Marcos, lemos que o Senhor confirmava a Palavra com os sinais que se seguiam (Mc 16.20). Lucas diz que o Senhor dava testemunho à Palavra de sua graça por sinais e milagres (At 14.3). Assim, pois, os milagres que buscam glorificar as criaturas, e não a Deus, e tratam de dar autoridade às mentiras, e não à Palavra de Deus, são do diabo.[1170]

É de bom alvitre enfatizar que o ofício apostólico cessou na igreja. Não temos mais apóstolos hoje como aqueles do Novo Testamento. O cânon das Escrituras está fechado. Não há mais novas revelações. O fundamento já foi lançado pelos apóstolos e profetas e agora precisamos edificar sobre o fundamento que é Cristo. A igreja é apostólica hoje na medida em que segue a doutrina dos apóstolos. É de bom-tom igualmente enfatizar que milagres físicos não são a única maneira pela qual o poder do Espírito Santo se manifesta. Cada conversão é uma manifestação de poder na qual o Espírito, por intermédio do evangelho, resgata e regenera pecadores.[1171]

Paulo, o missionário pioneiro (15.19b-21)

Paulo foi, sem sombra de dúvidas, o maior missionário da igreja de todos os tempos. Ele plantou igrejas nas províncias da Galácia, Macedônia, Acaia e Ásia Menor. Conforme F. F. Bruce, nas principais cidades às margens das mais importantes vias das províncias da Síria-Silícia, de Chipre, da Galácia, da Ásia, da Macedônia e da Acaia, havia comunidades de crentes em Cristo para testemunhar a atividade apostólica de Paulo. Em toda a parte, seu objetivo era pregar o evangelho onde ele ainda não tinha sido anunciado. Tendo completado sua obra no Oriente, olhava para o Ocidente e se propunha evangelizar a Espanha.[1172] Destacaremos a seguir aqui alguns pontos importantes de seu pioneirismo.

Em primeiro lugar, *os limites de sua ação missionária*. "[...] de maneira que desde Jerusalém e circunvizinhanças até ao Ilírico, tenho divulgado o evangelho de Cristo" (15.19b). Paulo vai desde o extremo Oriente, em Jerusalém, até ao Ocidente, ao Ilírico. Seguindo a rota do sol, seu caminho o conduziu do leste para o oeste, até a costa do mar Adriático.[1173] A indicação deve sugerir ao leitor a marcha triunfal do evangelho do Oriente ao Ocidente e o sentimento de que tudo o que jaz a leste de Roma já havia sido atingido.[1174] Essa região da Ilíria se situava na costa ocidental do mar Adriático, na Macedônia, e corresponde aproximadamente à Albânia e à parte sul do que era a antiga

Iugoslávia. Lucas não registra, no livro de Atos, nenhuma visita de Paulo ao Ilírico.

Em segundo lugar, *a filosofia de sua ação missionária.* "Esforçando-me, deste modo, por pregar o evangelho, não onde Cristo já fora anunciado, para não edificar sobre fundamento alheio; antes, como está escrito: Hão de vê-lo aqueles que não tiveram notícia dele, e compreendê-lo os que nada tinham ouvido a seu respeito" (15.20,21). William Hendriksen diz que Paulo se considerava um desbravador de trilhas para o evangelho, um missionário pioneiro, um plantador de igrejas.[1175] Seu chamado era para lançar os fundamentos (1Co 3.10). Sua vocação era semear, e não regar (1Co 3.6). Paulo era um plantador, e não um mantenedor de igrejas. John Stott tem razão quando diz que o próprio chamado e o dom de Paulo, como apóstolo dos gentios, eram para ele ser o pioneiro da evangelização do mundo gentílico, e deixar aos outros, especialmente aos presbíteros locais ali residentes, o cuidado pastoral das igrejas.[1176]

Leenhardt acrescenta que Paulo desejava terras virgens. A prioridade do seu apostolado era não passar onde outros haviam já trabalhado. Não que receasse dos conflitos de autoridade; é que a tarefa era urgente. Paulo chegou a ponto de excluir de seu apostolado a prática generalizada do batismo (1Co 1.17), sem dúvida porque se reservava a apenas lançar os alicerces, deixando a outros o cuidado do labor de mais longa duração, que era a instrução preliminar ao batismo (1Co 3.10). Paulo se apressa não por política eclesiástica, mas por fidelidade à vocação: os gentios estão à espera! [1177]

Paulo, o viajante intercontinental (15.22-29)

Paulo era um missionário itinerante. Fazia muitas e perigosas viagens, mesmo diante de precariedades óbvias e riscos profundos. No texto em apreço, o apóstolo fala sobre seus planos de viagem, inclusive o roteiro de Roma, Jerusalém e Espanha.

Em primeiro lugar, *seu plano de visitar Roma* (15.22-24). Acompanhemos o relato de Paulo:

> Essa foi a razão por que também, muitas vezes, me senti impedido de visitar-vos. Mas, agora, não tendo já campo de atividade nestas regiões e desejando há muito visitar-vos, penso em fazê-lo quando em viagem para a Espanha, pois espero que de passagem, estarei convosco e que para lá seja por vós encaminhado, depois de haver primeiro desfrutado um pouco a vossa companhia (15.22-24).

Duas verdades são destacadas aqui:

a. *Os motivos que retardaram a ida de Paulo a Roma* (15.22,23). O atraso da visita de Paulo à igreja de Roma não se deveu a barreiras espirituais, mas a oportunidades que não podiam deixar de ser aproveitadas. Se foi Satanás quem barrou o caminho do apóstolo a Tessalônica (1Ts 2.18), foi a obra de Deus que retardou sua visita a Roma. Enquanto havia campos para serem abertos nas províncias da Galácia, Macedônia, Acaia e Ásia Menor, Paulo se concentrou nessa tarefa. Agora, era tempo de alçar voos e alcançar horizontes mais distantes; e nessa nova empreitada pretendia passar por Roma.

b. *Os propósitos da visita de Paulo a Roma* (15.24). Paulo tinha três propósitos em mente ao visitar a igreja de Roma. Primeiro, desejava desfrutar um pouco a companhia daqueles irmãos, repartindo com eles algum dom espiritual, recebendo e oferecendo conforto por intermédio da fé mútua (1.11,12). Segundo, queria conseguir entre os crentes de Roma algum fruto espiritual (1.13). Terceiro, pretendia ser enviado pela igreja de Roma com o sustento devido à Espanha (15.24). Ele novamente dá a entender aos romanos: entre vocês terei apenas papel de visitante, mas me auxiliem em meu trabalho pioneiro na Espanha.[1178]

Em segundo lugar, *seu plano de visitar Jerusalém*. Acompanhemos atentamente o relato do apóstolo:

> Mas, agora, estou de partida para Jerusalém, a serviço dos santos. Porque aprouve à Macedônia e à Acaia levantar uma coleta em benefício dos pobres dentre os santos que vivem em Jerusalém. Isto lhes pareceu bem, e mesmo lhes são devedores; porque, se os gentios têm sido participantes dos valores espirituais dos judeus, devem também servi-los com bens materiais (15.25-27).

Três verdades merecem ser destacadas aqui:

a. *A diaconia de Paulo* (15.25). Paulo vai a Jerusalém exercer o ministério da misericórdia. Ele está cumprindo a promessa que assumira diante dos apóstolos de Jerusalém, de que não esqueceria os pobres (Gl 2.10). Esse trabalho não era menos digno que pregar o evangelho. Era na verdade uma demonstração da eficácia do evangelho e do amor dos crentes.

b. *A generosidade dos crentes gentios* (15.26). Os crentes gentios da Macedônia e Acaia demonstram amor àqueles que eles não conheciam pessoalmente. Ofertam de forma voluntária, proporcional e sacrificial (1Co 16.1-4; 2Co 8–9; At 24.17). Evidenciam que o amor cristão não consiste apenas em palavras, mas sobretudo em ação. A comunhão inclui o repartir o pão.

c. *A dívida dos crentes gentios* (15.27). Paulo argumenta que os judeus repartiram com os gentios as bênçãos espirituais, e agora os gentios deveriam repartir com eles as bênçãos materiais. A oferta dos gentios aos crentes judeus não era apenas uma questão de generosidade, mas também uma dívida espiritual. Paulo vê na oferta proveniente das igrejas gentílicas a demonstração simbólica, material e humilde da sua dívida aos judeus. John Stott lança luz sobre esse assunto:

> O significado primordial da oferta (a solidariedade do povo de Deus em Cristo) não era geográfico (da Grécia para a Judeia), nem social (dos ricos para os pobres) nem mesmo étnico (dos gentios para os judeus), mas era sobretudo religioso (de radicais liberais para conservadores tradicionais, isto é, dos fortes para os fracos), e especialmente teológico (dos beneficiados para os benfeitores). Em outras palavras, o que eles estavam chamando de "dádiva" era na realidade uma "dívida".[1179]

Leenhardt destaca que essa oferta econômica era uma expressão necessária do amor fraternal. Também os fundos arrecadados foram dados de bom grado, espontaneamente, e não extorquidos. Não se tratou de uma obrigação desagradável, ou uma extorsão, mas de uma santa permuta, pois aquele que recebeu é feliz em retribuir, sob outra forma. Ainda essa oferta foi uma espécie de *koinonia,* uma comunhão, uma reciprocidade de serviços. Cada qual dava do que tinha e recebia o que lhe faltava. Assim todos viviam reciprocamente em dívida e "obrigados".[1180] Finalmente, a referida oferta foi um sinal evidente de unidade da igreja. Mostra concretamente que os tenros rebentos são solidários com o velho tronco.[1181]

Em terceiro lugar, *seu plano de visita à Espanha.* "Tendo, pois, concluído isto e havendo-lhes consignado este fruto, passando por vós, irei à Espanha. E bem sei que, ao visitar-vos, irei na plenitude da bênção de Cristo" (15.28,29). Paulo sempre tivera os olhos fixos "nas regiões além" e passa a contar aos amigos em Roma seus planos de largo alcance.[1182]

Na época do imperador Augusto, toda a Península Ibérica havia sido subjugada pelos romanos e organizada em três províncias, com muitas colônias romanas florescendo. Adolf Pohl diz que, naquele tempo, semelhantemente à Palestina, seu ponto oposto no Leste, a Espanha era uma ponte terrestre muito disputada entre a Europa e a África, além de local de convergência de rotas marítimas bastante ramificadas. Havia séculos estava incorporada à cultura mundial grega, sendo berço de importantes filósofos, artistas e imperadores. Por muito tempo vivia lá uma colônia judaica, em várias comunidades com sinagogas. Portanto, Paulo sente-se desafiado por uma nova e importante etapa da missão.[1183]

William Barclay diz que a Espanha em certo sentido estava situada no limite extremo do mundo civilizado. Paulo queria levar as boas-novas do evangelho tão longe quanto possível. Além disso, muitos dos grandes homens do império eram espanhóis, como Lucano, o poeta épico; Marcial, o mestre dos epigramas; Quintiliano, o maior orador de seus dias; e Sêneca, filósofo estoico e tutor de Nero.[1184]

Não podemos afirmar categoricamente que Paulo tenha ido à Espanha. Há, contudo, fortes indícios de que este plano tenha sido concretizado. Clemente de Roma e o Fragmento Muratoriano, por exemplo, reforçam essa teoria.[1185]

Paulo, o pastor solícito (15.30-33)

Paulo conclui o passo bíblico revelando seu profundo senso pastoral. Ele não apenas cuida do rebanho, mas anseia também ser cuidado por ele. Não apenas ora pela igreja, mas também roga orações à igreja em seu favor. Não fala à igreja do alto de uma arrogância prepotente, mas deseja estar presente com os crentes e recrear-se no meio deles. Destacamos aqui três verdades:

Em primeiro lugar, *Paulo pede orações à igreja*. "Rogo--vos, pois, irmãos, por nosso Senhor Jesus Cristo e também pelo amor do Espírito, que luteis juntamente comigo nas orações a Deus a meu favor, para que eu me veja livre dos rebeldes que vivem na Judeia, e que este meu serviço em Jerusalém seja bem aceito pelos santos" (15.30,31). Destacamos alguns pontos:

a. *A oração é trinitariana* (15.30). Paulo diz que a oração é dirigida ao Pai, por intermédio do Senhor Jesus Cristo, pelo amor do Espírito. Paulo proclama a singularidade de Deus, constituído em três pessoas distintas. Não são três deuses, mas um só Deus, subsistindo em três pessoas da mesma substância.

b. *A oração é uma luta renhida* (15.30). A oração é uma batalha com Deus e contra o diabo, a carne e o mundo. Não há nada de amenidade na oração; ela é uma luta acesa e renhida. A sonolência e a indolência não combinam com a oração. Ela é uma luta que exige diligência e esforço. As palavras "luteis juntamente" trazem à mente um atleta dando o melhor de si numa competição. Devemos ser tão fervorosos em nossa oração quanto um atleta é dedicado em suas competições.[1186]

c. *A oração é o meio de Deus intervir nas circunstâncias* (15.31). Paulo acredita que Deus age nas circunstâncias por intermédio da oração. John Murray diz que a oração é um dos meios determinados por Deus para a concretização de seus desígnios graciosos, sendo também resultado da fé e da esperança.[1187] Paulo faz dois pedidos claros à igreja de Roma:

1) Ser liberto dos rebeldes da Judeia. Ele sabia que a maior oposição ao seu ministério procedia desses rebeldes.

Eles consideravam Paulo um traidor. Eles pensavam que Paulo estava pervertendo a religião judaica. Paulo pede orações à igreja de Roma para não ser vítima de emboscadas desses rebeldes em sua visita à cidade de Jerusalém. Embora ele não tivesse medo de morrer, tomava precauções para não morrer.

2) Ter seu serviço bem aceito pelos santos de Jerusalém. As ofertas que Paulo havia recolhido dentre as igrejas gentílicas eram mais que ajuda financeira aos santos de Jerusalém; simbolizavam a comunhão entre gentios e judeus e eram elo de união da multirracial igreja primitiva. John Stott diz que, aceitando a coleta trazida pelos apóstolos, os líderes cristãos judeus estariam endossando o evangelho de Paulo e sua aparente desconsideração pela lei e pelas tradições judaicas. Se a rejeitassem, porém, isso seria uma verdadeira tragédia, que aumentaria irrevogavelmente a rixa entre cristãos judeus e cristãos gentios. A aceitação da oferta fortaleceria a solidariedade entre judeus e gentios no corpo de Cristo.[1188]

Paulo desejava criar um vínculo mais próximo entre a igreja-mãe em Jerusalém e suas "filhas" em outras partes do império.[1189] William Hendriksen afirma que Paulo temia que aqueles a quem a oferta se destinava não estivessem dispostos a aceitar a oferta. Sabia muito bem que, a despeito das decisões do Concílio de Jerusalém (At 15.19-29), a oposição a ele e ao seu evangelho de liberdade em Cristo nunca havia cessado. Isso explica sua súplica sincera.[1190]

Em segundo lugar, *Paulo submete-se à vontade de Deus.* "A fim de que, ao visitar-vos, pela vontade de Deus, chegue à vossa presença com alegria e possa recrear-me convosco" (15.32). Paulo, diferentemente de alguns arrogantes e pretensiosos obreiros contemporâneos, não ordena nem exige coisa alguma de Deus; antes, submete-se à agenda de Deus e à sua soberana vontade. Concordo com John Stott quando ele diz que o propósito da oração não é, de maneira alguma, submeter a vontade de Deus à nossa, mas alinhar nossa vontade à dele (1Jo 5.14; Mt 6.10).[1191] Paulo foi a Roma não conforme havia planejado. Chegou preso e algemado, depois de uma injusta prisão e um terrível naufrágio, mas o plano de Deus foi cumprido, a vontade de Deus foi feita e a obra de Deus prosperou por seu intermédio.

A alegre expressão "estou chegando", repetida várias vezes em Romanos, não se cumpriu conforme imaginava Paulo. Em Jerusalém, Paulo foi imediatamente preso. Passou dois anos preso em Cesareia. Apenas na primavera de 61 d.C., chegou a Roma – num comboio de prisioneiros. Somente depois de outros dois anos de prisão foi solto (At 28.30,31). Depois de sair da primeira prisão em Roma, visitou as igrejas e encorajou os crentes em tempos sombrios de iminente perseguição. Então, foi recapturado e jogado numa masmorra, de onde saiu para o martírio. Em todo o tempo e em todas as circunstâncias, entretanto, jamais duvidou da soberana providência divina. Jamais se considerou prisioneiro de César. Via a si mesmo como prisioneiro de Cristo e embaixador em cadeias (Ef 4.1; 6.20). Mesmo sob circunstâncias tão adversas, entendia que todas as coisas contribuíam para o progresso do evangelho (Fp 1.12). Ao chegar a hora do seu martírio, estava convicto de que não era Roma que lhe tiraria a vida, mas ele é quem oferecia sua vida a Deus como libação (2Tm 4.6).

Em terceiro lugar, *Paulo invoca sobre os crentes a bênção de Deus*. "E o Deus da paz seja com todos vós. Amém!" (15.33). Em Romanos 15.5 Paulo havia testemunhado acerca de Deus como o "Deus da paciência" e em Romanos 15.13 como o "Deus da esperança". Agora ele encontra uma terceira designação, o "Deus da paz".[1192] Cranfield é da opinião de que "paz" aqui provavelmente significa a soma de todas as verdadeiras bênçãos, inclusive a salvação final. Ao chamar Deus de "o Deus da paz", Paulo o está caracterizando como a Fonte e o Doador de todas as verdadeiras bênçãos, o Deus que está ao mesmo tempo disposto e é capaz de ajudar e salvar até o máximo.[1193]

Em vez de falar sobre a paz de Deus, o apóstolo fala sobre o Deus da paz. Quando temos o Deus da paz, temos a paz com Deus e a paz de Deus. Deus é melhor que suas bênçãos. Quando temos Deus, temos tudo o que Deus é e tudo o que Deus dá.

Do começo ao fim desta carta, Paulo se preocupa com a unidade entre judeus e gentios. Por isso, conclui rogando que o Deus da paz fosse com todos eles. A palavra hebraica *shalom*, "paz", era uma preocupação central para os judeus. Assim, o judeu Paulo, que é também apóstolo dos gentios, pronuncia sobre os seus leitores gentios a bênção judaica.[1194]

NOTAS DO CAPÍTULO 22

[1140] STOTT, John. *Romanos*, p. 455.

[1141] LEENHARDT, Franz. J. *Epístola aos Romanos*, p. 374.

[1142] WILSON, Geoffrey B. *Romanos*, p. 209.

[1143] CRANFIELD, C. E. B. *Comentário de Romanos*, p. 326.

[1144] HENDRIKSEN, William. *Romanos*, p. 638.

[1145] MURRAY, John. *Romanos*, p. 570.

[1146] MURRAY, John. *Romanos*, p. 570.

[1147] MURRAY, John. *Romanos*, p. 570.

[1148] RIENECKER, Fritz; ROGERS, Cleon. *Chave linguística do Novo Testamento grego*, p. 281.

[1149] CALVINO, João. *Epístola a los Romanos*, p. 373.

[1150] ERDMAN, Charles R. *Comentários de Romanos*, p. 161.

[1151] HENDRIKSEN, William. *Romanos*, p. 637.

[1152] LEENHARDT, Franz. J. *Epístola aos Romanos*, p. 375.

[1153] BRUCE, F. F. *Romanos: introdução e comentário*, p. 210.

[1154] STOTT, John. *Romanos*, p. 457.

[1155] WIERSBE, Warren W. *Comentário bíblico expositivo*, p. 736.

[1156] STOTT, John. *Romanos*, p. 457.

[1157] BRUCE, F. F. *Romanos: introdução e comentário*, p. 209.

[1158] WIERSBE, Warren W. *Comentário bíblico Wiersbe Novo Testamento*, p. 443.

[1159] BRUCE, F. F. *Romanos: introdução e comentário*, p. 210.

[1160] WILSON, Geoffrey B. *Romanos*, p. 209.

[1161] LEENHARDT, Franz. *Epístola aos Romanos*, p. 375, 376.

[1162] HENDRIKSEN, William. *Romanos*, p. 641.

[1163] WIERSBE, Warren W. *Comentário bíblico expositivo*, p. 736.

[1164] STOTT, John. *Romanos*, p. 459.

[1165] STOTT, John. *Romanos*, p. 459.

[1166] WILSON, Geoffrey B. *Romanos*, p. 210.

[1167] HENDRIKSEN, William. *Romanos*, p. 641.

[1168] MURRAY, John. *Romanos*, p. 574.

[1169] STOTT, John. *Romanos*, p. 460.

[1170] CALVINO, João. *Epístola a los Romanos*, p. 376.

[1171] STOTT, John. *Romanos*, p. 460.

[1172] BRUCE, F. F. *Romanos: introdução e comentário*, p. 209.

[1173] POHL, Adolf. *Carta aos Romanos*, p. 242.

[1174] LEENHARDT, Franz. J. *Epístola aos Romanos*, p. 377.

[1175] HENDRIKSEN, William. *Romanos*, p. 645.

[1176] Stott, John. *Romanos*, p. 462.

[1177] Leenhardt, Franz. J. *Epístola aos Romanos*, p. 378.

[1178] Pohl, Adolf. *Carta aos Romanos*, p. 243.

[1179] Stott, John. *Romanos*, p. 465, 466.

[1180] Pohl, Adolf. *Carta aos Romanos*, p. 245.

[1181] Leenhardt, Franz. J. *Epístola aos Romanos*, p. 380.

[1182] Erdman, Charles R. *Comentários de Romanos*, p. 162.

[1183] Pohl, Adolf. *Carta aos Romanos*, p. 244; Cranfield, C. E. B. *Comentário de Romanos*, p. 331, 332.

[1184] Barclay, William. *Romanos*, p. 218, 219.

[1185] Murray, John. *Romanos*, p. 578.

[1186] Wiersbe, Warren W. *Comentário bíblico expositivo*, p. 738.

[1187] Murray, John. *Romanos*, p. 583, 584.

[1188] Stott, John. *Romanos*, p. 469.

[1189] Wiersbe, Warren W. *Comentário bíblico expositivo*, p. 738.

[1190] Hendriksen, William. *Romanos*, p. 654.

[1191] Stott, John. *Romanos*, p. 469.

[1192] Pohl, Adolf. *Carta aos Romanos*, p. 246.

[1193] Cranfield, C. E. B. *Comentário de Romanos*, p. 335.

[1194] Stott, John. *Romanos*, p. 471.

Capítulo 23

A importância dos relacionamentos na igreja
(Rm 16.1-27)

A CARTA DE PAULO AOS ROMANOS é singular não apenas quanto ao seu conteúdo, mas também quanto à sua conclusão. Aqui está a mais longa lista de saudações feita pelo apóstolo. À primeira vista este capítulo parece árido e somos inclinados a subestimar o valor de seus ensinos. Entretanto, no epílogo desta missiva, Paulo enfileira grandes verdades e preciosos ensinamentos acerca dos relacionamentos pessoais de amor na igreja. Para usar uma conhecida expressão de Crisóstomo, devemos aproximar-nos dessa introdução como garimpeiros à cata de grandes tesouros.

Romanos 16 pode ser dividido em cinco pontos: recomendação, saudação

paternal, exortação, saudação fraternal e adoração doxológica. Warren Wiersbe sintetiza-os em três verdades preciosas:
alguns amigos para saudar (16.1-16), alguns inimigos a
evitar (16.17-20) e alguns servos a honrar (16.21-27).[1195]

Uma recomendação pastoral (16.1,2)

O apóstolo escreve: "Recomendo-vos a nossa irmã Febe,
que está servindo à igreja de Cencreia, para que a recebais
no Senhor como convém aos santos e a ajudeis em tudo
que de vós vier a precisar; porque tem sido protetora de
muitos e de mim inclusive" (16.1,2). As cartas de recomendação eram comuns e necessárias naquele tempo (At
18.27; 2Co 3.1), uma vez que os crentes precisavam contar
com a hospitalidade dos irmãos quando viajavam de uma
cidade para outra. Igualmente, eram necessárias para proteger as pessoas de charlatães.[1196] John Murray diz que Febe
era uma mulher que realizara eminentes serviços à igreja, e
a recomendação tinha de ser proporcional a seu caráter e
devoção.[1197]

Uma carta de apresentação daria à Febe o acesso à igreja
de Roma. Ela era membro da igreja de Cencreia, onde se
localizava o porto de Corinto, quinze quilômetros a leste
da cidade (At 18.18). A igreja de Cencreia talvez fosse filha
da igreja metropolitana de Corinto.

O nome próprio Febe significa radiante ou brilhante,
título do deus Apolo, e isto pode indicar os antecedentes
gentílicos dessa cristã.[1198] William Hendriksen é da opinião
de que o nome Febe deriva da mitologia pagã, sendo outra
palavra para Artemis, a brilhante e radiante deusa lua, iden-
tificada com Diana, deusa romana.[1199] Febe estava viajando
de Cencreia a Roma e possivelmente foi a portadora dessa
carta aos Romanos.

Paulo ensina aqui algumas lições:

Em primeiro lugar, *o importante papel da mulher na igreja* (16.1,2). Febe era uma servidora da igreja de Cencreia. A palavra grega *diakonon,* usada pelo apóstolo para descrever Febe, é o feminino do termo *diaconos,* "diácono". Embora muitos comentaristas, como F. F. Bruce, John Stott, Dale Moody, Warren Wiersbe, Franz Leenhardt, Charles Hogde, C. H. Lenski, C. E. B. Cranfield a considerem diaconisa, concordo com Charles Erdman em que o simples uso do termo não significa que Febe tivesse esse ofício. O termo pode denotar simplesmente o exercício da caridade e da hospitalidade que deveriam caracterizar a vida de todo verdadeiro crente e que Febe parecia manifestar em assinalado grau.[1200]

Mesmo que as opiniões sobre esse assunto sejam divididas, creio que William Hendriksen tem razão quando declara não haver nenhuma menção do diaconato feminino no restante do Novo Testamento.[1201] Por conseguinte, o que se enfatiza nesta epístola é a importância de Febe para a igreja como servidora e protetora de muitos, inclusive do próprio apóstolo Paulo. A lição clara é que se deve evitar dois extremos: 1) o de ordenar mulheres para um ofício eclesiástico quando não há nas Escrituras autorização para fazê-lo; 2) o de ignorar os importantíssimos e valiosos serviços que mulheres devotas e alertas são capazes de prestar à igreja de nosso Senhor e Salvador Jesus Cristo.[1202]

Em segundo lugar, *o importante papel do cuidado mútuo na igreja* (16.2). Febe era protetora de muitos e inclusive do apóstolo Paulo. A palavra grega *prostatis* significa "ajudadora, patronesse, benfeitora", ou seja, *prostatis* era um representante legal e um protetor rico.[1203] Leenhardt diz que *prostatis* designava o representante legal e protetor dos estrangeiros, uma vez que eles eram privados de garantias jurídicas.[1204] Charles Erdman acrescenta que essa palavra tem também o sentido de patrocinadora.[1205] Isso demonstra que Febe era uma mulher de posses que usava a sua riqueza para apoiar a igreja e também o apóstolo.[1206]

Febe usou seus recursos não apenas para seu deleite e conforto, mas para sustentar e socorrer muitos irmãos. Era uma mulher altruísta, abnegada, desapegada das coisas materiais e apegada às pessoas. Sua vida, sua casa e seus bens estavam a serviço da igreja. Ela não se blindou para viver confortavelmente num castelo seguro em meio às tempestades da vida, mas serviu de porto seguro para muitos que estavam sendo batidos pelos vendavais furiosos das circunstâncias adversas. De acordo com Adolf Pohl, Febe trabalhava no vasto campo da assistência e do cuidado de necessitados.[1207]

Em terceiro lugar, *o importante papel da recepção calorosa na igreja* (16.2). A igreja de Roma deveria receber Febe no Senhor como um membro da família de Deus e ajudá-la em tudo aquilo de que precisasse. A palavra grega *parasthete,* traduzida como "ajudar", significa auxiliar, assistir, ficar atrás a fim de empurrar, de sustentar alguém.[1208] Chegara o momento de Febe colher os frutos de sua semeadura. Ela havia cuidado de muitos e agora deveria ser alvo do cuidado da igreja de Roma. A igreja é a comunidade da ajuda mútua.

Uma saudação paternal (16.3-16)

Paulo passa da recomendação às saudações. Elenca 26 nomes, acrescentando na maioria dos casos uma apreciação pessoal e uma palavra de elogio. O apóstolo é um mestre de relacionamentos humanos. É um pastor experiente e sabe o valor de tratar as pessoas pelo nome e de fazer-lhes elogios encorajadores. Concordo com Charles Erdman quando ele diz que essa lista de nomes obscuros é de grande valor e verdadeira significação. Tais saudações revelam o coração de Paulo a patentear terna afeição, apreciação à bondade, afetuosa simpatia e o alto conceito em que tinha as amizades humanas. Dão-nos instrutivos relances da vida da igreja primitiva, capacitando-nos a ter ideia da íntima união, dos heroicos sofrimentos, das generosas simpatias, da pureza, da consagração, da fé, da esperança e do amor então reinantes.[1209]

Alguns estudiosos atribuem essa longa saudação à igreja de Éfeso, e não à igreja de Roma,[1210] argumentando que Paulo não conhecia pessoalmente a última e seria improvável que tivesse tantos amigos lá. Além disso, Paulo faz referência a Priscila e Áquila, proeminente casal que fora expulso de Roma pelo edito de Cláudio em 49 d.C. (At 18.2) e servira a Cristo na cidade de Corinto, onde Paulo os acompanhara (At 18.1-3). Depois viajaram juntos para Éfeso (At 18.18,19; 1Co 16.10), e deve ter sido ali que o casal arriscou a vida por ele (16.4). Além do mais, Paulo envia saudações a Epêneto (16.5), primeiro convertido da Ásia, sendo Éfeso a capital da Ásia Menor. Concordo, entretanto, com William Barclay quando ele diz que, se Paulo tivesse enviado saudações a tanta gente para uma igreja conhecida como Éfeso, teria provocado ciúmes nos demais membros, mas para uma igreja que ainda não havia visitado, como a de Roma, essa longa lista era um expediente sábio para criar a maior rede possível de relacionamentos.[1211]

Outro argumento consistente para provar que essa saudação foi realmente dirigida aos crentes de Roma, e não aos membros da igreja de Éfeso, é que Roma era a capital do império, a maior e mais cosmopolita cidade da época, com mais de um milhão de habitantes, e todos os caminhos levavam a Roma.[1212] A essa magnífica cidade todos os dias afluíam pessoas em busca de novas oportunidades. Havia naquele tempo grande mobilidade e era natural que muitos crentes convertidos em igrejas que Paulo fundara agora estivessem residindo em Roma. Concordo com John Stott quando ele diz não ser nada improvável que, após a morte de Cláudio em 54 d.C., Priscila e Áquila tenham retornado a Roma, onde teriam recebido essa saudação de Paulo.[1213]

Destacamos aqui algumas preciosas lições:

Em primeiro lugar, *os crentes fazem parte da família de Deus.* A família de Deus tem duas marcas distintas – unidade e diversidade –, como destaca.[1214] Com respeito à diversidade, podemos notar que na lista de Paulo há homens e mulheres, escravos e livres, pobres e ricos, gentios e judeus, mas todos estão em Cristo, e é essa união com Cristo que fornece a base para a unidade da igreja.

A diversidade da igreja pode ser notada pelo gênero, classe social e raça. Na igreja de Roma havia homens e mulheres servindo a Deus. Dentre as 26 pessoas saudadas na carta de Paulo, nove são mulheres. Na igreja de Roma pobres e ricos, escravos e livres estavam juntos nesse labor. Na igreja de Roma judeus e gentios faziam parte da mesma família. Na igreja de Deus há unidade na diversidade.

Os comentaristas acham muito provável que o Aristóbulo mencionado aqui (16.10) seja um neto de Herodes, o Grande, e amigo do imperador Cláudio, e que Narciso (16.11) seja ninguém menos que o conhecidíssimo, rico e poderoso liberto que exerceu grande influência em Cláudio.[1215] Havia pessoas da corte imperial convertidas a Cristo na igreja de Roma (Fp 4.22). No que concerne à unidade, precisamos salientar que ela não é feita pelo homem, mas por Deus. Não criamos a unidade da igreja; ela existe. Ao descrever seus amigos, Paulo destaca quatro vezes que eles estão *em Cristo* (16.3,7,9,10) e cinco vezes que *estão no Senhor* (16.8,11,12,13). Por duas vezes ele usa uma linguagem de conotação familiar, referindo-se a "irmã" (16.1) e "irmãos" (16.14).[1216]

Em segundo lugar, *os crentes devem ter mãos dispostas para o trabalho de Deus* (16.3,6,9,12). Priscila e Áquila eram cooperadores de Paulo (16.3), assim como Urbano (16.9). Maria muito trabalhou pela igreja de Roma (16.6). Trifena e Trifosa trabalhavam no Senhor (16.12). Os verbos "cooperar" e "trabalhar" destacam que essas pessoas tinham as mãos dispostas para o trabalho de Deus.

Em terceiro lugar, *os crentes devem ter a casa aberta para a igreja de Deus* (16.5). Paulo saúda os líderes dos cinco grupos em cujas casas a igreja se reunia para a adoração (16.5,10,11,14,15). Em destaque está o casal Priscila e Áquila. Eles tinham vocação missionária. Eram fabricadores de tendas e deixaram Roma para habitar em Corinto, depois em Éfeso e agora estavam de volta a Roma. O edito de Cláudio, pelo qual os judeus haviam sido expulsos, deixara de vigorar, e Priscila e Áquila não hesitaram, como muitos outros judeus, em voltar ao seu antigo lar e a seus antigos negócios. E, uma vez mais descobrimos que eles são exatamente os mesmos: outra vez há uma igreja, um grupo de cristãos que se reúnem em seu lar (16.5). Em outra ocasião, pela última vez, eles estão novamente em Éfeso (2Tm 4.19).[1217] Priscila e Áquila era um casal nômade, dois missionários itinerantes. Em todas as cidades por onde passaram – Roma, Corinto, Éfeso, novamente

Roma e outra vez Éfeso –, eles abriram as portas da sua casa para a igreja de Deus. Naquele tempo, não havia templos, e as igrejas se reuniam nas casas. A casa desse casal era uma igreja na qual os crentes se reuniam para adorar a Deus e proclamar sua Palavra.

Em quarto lugar, *os crentes devem ter o coração aberto para os filhos de Deus* (16.4,7,13). Priscila e Áquila não apenas abriram a casa para abrigar a igreja de Deus, mas também estavam dispostos a correr riscos pelos filhos de Deus. Arriscaram a vida para salvar o apóstolo Paulo. A palavra grega *upethekan* significa colocar-se sob o machado do executor, sob a lâmina do carrasco e arriscar a vida em prol de outras pessoas.[1218] Possivelmente isso aconteceu em Éfeso, onde Paulo enfrentou lutas maiores que suas forças a ponto de desesperar-se da própria vida (2Co 1.8). O casal Andrônico e Júnias esteve com Paulo na prisão (16.7) e compartilhou de seus sofrimentos.

Em quinto lugar, *os crentes devem ter lábios abertos para expressar amor aos filhos de Deus* (16.5,7,8,9,10,12,13). Paulo era pródigo nos elogios. Acerca de Epêneto, diz que era seu querido. Ressalta que Andrônico e Júnias eram notáveis entre os apóstolos. Destaca que Amplíato era seu dileto amigo. Chama Estáquis de amado. Afirma que Apeles é aprovado em Cristo. Destaca que estima Pérside. Informa que Rufo é eleito no Senhor e destaca que sua mãe também foi mãe para ele. O elogio sincero tem grande valor nos relacionamentos humanos. Paulo sabia disso e não hesitava em usar esse importante recurso.

Em sexto lugar, *os crentes devem ser zelosos no serviço, mesmo que no anonimato* (16.13-15). Na família de Deus há muitos heróis anônimos. Há muitos santos cujos nomes não são destacados na terra, mas são eminentes no céu. Rufo era possivelmente, filho de Simão Cirineu, o homem que carregou a cruz de Cristo (Mc 15.21). Sua mãe, embora não mencionada pelo nome, foi como uma mãe para o apóstolo Paulo. Que progenitores tinha Rufo! Um pai que carregara a cruz do Salvador, e uma mãe que "adotara" o seu maior apóstolo.[1219] O apóstolo saúda muitos irmãos e muitos santos sem declinar seus nomes, gente desconhecida na terra, mas cujos nomes estão arrolados no céu.

Em sétimo lugar, *os crentes devem ser afetuosos em seus relacionamentos interpessoais* (16.16). Na igreja primitiva, o ósculo santo era a forma afetuosa e calorosa de cumprimento e demonstração de amizade, especialmente antes da celebração da Ceia. Concordo, entretanto, com Calvino quando ele diz: "Não me parece que Paulo exija a observância desta cerimônia, senão que exorta a prática do amor fraternal para que se diferencie das amizades profanas do mundo".[1220] Em nossa cultura o aperto de mão e o abraço são emblemas de efusividade no trato uns com os outros. Mesmo que o gesto seja cultural, o princípio permanece. Devemos ser atenciosos e calorosos em nossos relacionamentos interpessoais.

William Hendriksen aponta três conjuntos de passagens nas quais o Novo Testamento faz referência ao beijo.[1221]

a. Lucas 7.36-50, onde Jesus diz a seu hospedeiro, Simão, o fariseu: Você não me saudou com um beijo, mas esta mulher, desde que entrei aqui, não parou de beijar meus pés (Lc 7.45). Eis a lição: não só deve haver afeição, mas esta tem de ser *expressa*. É preciso haver um sinal de afeição, por exemplo, o ósculo.

b. Lucas 22.47,48. Jesus perguntou a Judas: É com um beijo que você trai o Filho do homem? O amor deve não apenas ser expresso, mas tem de ser *real*. O ósculo precisa ser sincero.

c. O ósculo trocado entre os membros da comunidade cristã, a igreja. Este é o ósculo referido em Romanos 16.16 e em 1Coríntios 16.20 e 2Coríntios 13.12. Não só teria de ser um ósculo e um símbolo de afeição genuína, mas também deveria ser *santo*. Em outros termos, jamais poderia implicar menos de três partes: Deus e as duas pessoas que se osculam reciprocamente. O ósculo santo assim simboliza o amor de Cristo mutuamente compartilhado.

Uma exortação apostolar (16.17-20)

Paulo teve dificuldade em concluir a epístola aos Romanos. Mesmo após ter enviado suas saudações, antes de terminar ele faz uma última advertência aos cristãos de Roma.[1222] O apóstolo passa da saudação a alguns crentes da igreja de Roma à exortação à igreja de Roma. Destacamos aqui alguns pontos:

Em primeiro lugar, *os crentes precisam ter discernimento espiritual*. "Rogo-vos, irmãos, que noteis bem aqueles que provocam divisões e escândalos, em desacordo com a doutrina que aprendestes; afastai-vos deles" (16.17). Havia falsos mestres infiltrando-se na igreja de Roma com o propósito de provocar divisões e escândalos em desacordo com a doutrina. Quem eram esses falsos mestres? Em parte alguma o apóstolo diz ou insinua que esses perturbadores fossem membros da igreja romana. Provavelmente eram intrusos, propagandistas itinerantes de erro. William Hendriksen diz que não é necessário crer que fossem todos de uma só classe. Alguns poderiam ser judaizantes legalistas; outros, antinomianos libertinos ou talvez ascetas; ou ainda defensores de uma combinação de dois ou mais ismos destrutivos.[1223] Calvino destaca o fato de que Paulo não condena todas as dissensões indiscriminadamente, senão aquelas que destroçam a harmonia e o assentimento da fé verdadeira.[1224]

Paulo diz que os crentes de Roma precisam fazer duas coisas: 1) notar bem esses falsos mestres, que são lobos querendo entrar no meio do rebanho (At 20.29,30); 2) segundo, afastar-se deles. Nós também devemos aproximar-nos dos irmãos e afastar-nos dos falsos mestres. Devemos fazer uma caminhada na direção da comunhão fraternal e uma caminhada de distanciamento daqueles que provocam divisões e escândalos na igreja. Geoffrey Wilson está correto quando diz que a verdadeira doutrina é *uma*; as divisões do erro são *muitas!* Os crentes devem afastar-se de tais homens, evitá-los como a uma praga. Devemos esquivar-nos daqueles que quebram a verdadeira unidade da igreja enquanto buscam uma falsa unidade.[1225]

Em segundo lugar, *os falsos mestres escondem o veneno do engano sob o manto da simpatia*. "Porque esses tais não servem a Cristo, nosso Senhor, e sim a seu próprio ventre; e, com suaves palavras e lisonjas, enganam o coração dos incautos" (16.18). Os falsos mestres não servem a Cristo, mas a si próprios. Em vez de serem servos de Cristo, são escravos de seus próprios apetites e interesses egoístas. O deus deles é o ventre. Eles fazem da igreja uma plataforma para se locupletarem. Buscam o lucro, e não a salvação dos perdidos. Erguem monumentos a si mesmos em vez de buscar a glória de Cristo. A língua deles é cheia de lisonjas. Suas palavras são doces e suaves, mas carregadas de veneno. Eles são amáveis em seus gestos e sempre agradáveis em suas atitudes, mas seu propósito é enganar o coração dos incautos.

A palavra grega *crestologia,* traduzida por "palavras suaves", ajuda-nos a entender o caráter desses falsos mestres. Os próprios gregos definiam *crestólogo* como a pessoa que fala bem e atua mal. É aquela classe de pessoas que, por trás da fachada de palavras piedosas e religiosas, exercem má influência; a pessoa que desencaminha os outros não por um ataque direto, mas sutilmente; a pessoa que finge servir a Cristo, mas na realidade está destruindo a fé.[1226]

Em terceiro lugar, *a obediência e a maturidade espiritual devem ser as marcas do crente.* "Pois a vossa obediência é conhecida por todos; por isso, me alegro a vosso respeito; e quero que sejais sábios para o bem e símplices para o mal" (16.19). Paulo elogia a obediência da igreja de Roma e exorta os crentes a serem sábios para o bem e símplices para o mal. A palavra grega *akeraios,* traduzida por "símplices", era aplicada ao metal sem impurezas e também ao vinho e ao leite sem adição de água.[1227] Os crentes devem ser prudentes como a serpente e símplices como as pombas. Devem ser meninos no juízo e crianças na malícia (1Co 14.20).

Concordo com John Stott quando ele diz que temos aqui três valiosos testes com os quais avaliar os diferentes sistemas de doutrina e ética: o teste bíblico, o cristológico e o moral. Esses testes podem ser expressos em forma de perguntas, diante de qualquer tipo de ensino que nos apareça pela frente: É um ensino que concorda com as Escrituras? É para a glória do Senhor Jesus Cristo? Promove o bem?[1228]

Em quarto lugar, *os crentes devem compreender a vitória que têm em Cristo.* "E o Deus da paz, em breve, esmagará debaixo dos vossos pés a Satanás. A graça de nosso Senhor Jesus seja convosco" (16.20). Por trás da atuação dos falsos mestres, Paulo detecta a estratégia de Satanás, o pai da mentira (Gn 3.5), a quem Deus em breve esmagará sob os pés dos crentes que estão em Cristo (Gn 3.15). William Greathouse afirma que as divisões na igreja são obra de Satanás, e a supressão delas pelo Deus da paz é vitória sobre Satanás.[1229] Na mesma linha de pensamento, John Murray diz que Deus é quem esmaga Satanás e estabelece a paz, em contraste com o conflito, a discórdia e as divisões.[1230] Paulo revela aqui a fonte de toda falsidade para que nenhum crente possa ser enganado quando os instrumentos de Satanás realizarem sua obra mortal de destruir a alma dos homens.[1231] Paulo está convicto de que o diabo será destronado. O Deus da paz não quer saber de conchavos com o diabo. Somente com a destruição do mal é que se alcança a verdadeira paz.[1232]

Concordo com William Barclay quando ele diz que a paz de Deus é a paz da ação, da conquista e da vitória. Existe uma classe de paz que pode ser alcançada à custa de furtar-se de questões que devem ser enfrentadas corajosamente, uma paz que provém de uma inatividade letárgica e de uma evasão de toda ação decisiva. A paz de Deus não se submete ao mundo, mas vence o mundo.[1233] De acordo com F. F. Bruce, o título "o Deus da paz" é particularmente apropriado aqui, uma vez que Satanás é o autor da discórdia.[1234] O Deus da paz é o guerreiro valente que nos dá vitória contra Satanás. O Deus da paz é quem esmagará em breve debaixo dos nossos pés a Satanás. Satanás já foi expulso do céu, já foi despojado na cruz e em breve será esmagado debaixo dos nossos pés, e depois, será lançado no lago de fogo. Somos soldados de um exército vitorioso. Seguimos o capitão invicto em todas as batalhas.

William Hendriksen sintetiza Romanos 16.20, ressaltando três itens em conexão com aquilo que o Deus da paz fará.[1235]

a. Deus esmagará Satanás. Em outros termos, cumprirá a promessa de Gênesis 3.15. O vitorioso não é Satanás, mas Deus.

b. Deus o esmagará debaixo dos pés dos crentes. Os que são coerdeiros (8.17) são também covencedores. Os santos participarão da vitória de Deus sobre Satanás (Ap 19.13,14).

c. Deus fará isso logo. Em certo sentido, é verdade que Deus já está esmagando Satanás. Uma vitória mais decisiva foi conquistada no Calvário. Ao que a presente passagem se refere, entrementes, é a vitória final e escatológica sobre Satanás, a qual se concretizará em conexão com o glorioso regresso de Cristo (2Ts 2.8).

Uma saudação fraternal (16.21-24)

Paulo escreve esta carta aos Romanos da região da Acaia, possivelmente de Corinto, após sua última viagem missionária, de caminho a Jerusalém. Ele não apenas envia saudação a 26 pessoas e aos demais irmãos da igreja de Roma, mas também elenca nessa missiva as saudações dos amigos que estão com ele em Corinto, à maneira de um *post scriptum*.

Paulo é um homem muito polido para esquecer seus cooperadores. Havia uma equipe que trabalhava a seu lado e ele sempre valorizava essas pessoas. De acordo com William Barclay: "Nenhum grande homem pode fazer sua obra sem a ajuda que lhe prestam humildes colaboradores".[1236]

Oito irmãos são destacados nessa saudação: "Saúda-vos, Timóteo, meu cooperador, e Lúcio, Jasom e Sosípatro, meus parentes. Eu, Tércio, que escrevi esta epístola, vos saúdo no Senhor. Saúda-vos Gaio, meu hospedeiro e de toda a igreja. Saúda-vos Erasto, tesoureiro da cidade, e o irmão Quarto. [A graça de nosso Senhor Jesus Cristo seja com todos vós. Amém]" (16.21-24).

O primeiro nome da lista é Timóteo (16.21). Esse jovem foi um grande cooperador de Paulo. Timóteo era de Listra. Tinha bom testemunho dos irmãos de sua cidade e de Icônio (At 16.1,2). Era um homem singular, de caráter provado, que cuidava como ninguém dos interesses de Cristo e da sua igreja (Fp 2.20-22). Timóteo era o estimado cooperador de Paulo, seu filho na fé, seu companheiro de perigosas jornadas, seu conforto em longos encarceramentos, seu enviado em missões espinhosas – um homem que, como poucos outros, conhecia a plenitude e a alegria da estima e do afeto do apóstolo.[1237] Timóteo era o braço direito de Paulo, o homem que foi preparado para ser o continuador da sua obra.

Paulo cita em seguida seus parentes Lúcio, Jasom e Sosípatro (16.21). São nomes desconhecidos, mas destacados pelo apóstolo por seu vínculo de parentesco, seja no sentido lato de nacionalidade, seja no sentido restrito de consanguinidade. Lúcio pode ser o Lúcio de Cirene, que era um dos profetas e mestres de Antioquia (At 13.1). Jasom pode ser o Jasom que hospedou Paulo em Tessalônica e sofreu nas mãos da multidão alvoroçada (At 17.5-9). Sosípatro pode ser o Sópatro de Bereia, que levou a parte das ofertas levantadas naquela igreja para os pobres da Judeia (At 20.4). Gaio pode ser um dos poucos crentes que Paulo batizou em Corinto (1Co 1.14).[1238]

Na ordem, vem a saudação de Tércio, o amanuense desta epístola, à igreja de Roma (16.22). Ao que parece, Paulo normalmente empregava amanuenses para redigir suas cartas, mas este é o único cujo nome se nos tornou conhecido. Talvez fosse um amanuense profissional, visto que Romanos é bem mais formal que a maior parte das missivas paulinas.[1239] O costume de Paulo utilizar amanuense é confirmado em outras cartas (1Co 16.21; Gl 6.11; Cl 4.18; 2Ts 3.17).

Em continuação, Gaio, o hospedeiro de Paulo em Corinto (16.23), em cuja casa se reunia uma igreja, também envia saudações à igreja de Roma.

Finalmente, Erasto o tesoureiro da cidade, agora convertido a Cristo, endereça saudações à igreja, sendo acompanhado pelo irmão Quarto (16.23). Este Erasto foi identificado com o oficial civil de mesmo nome mencionado em inscrição latina num bloco de mármore, de calçamento, descoberto em Corinto, em 1929, por membros da Escola Norte-americana de Estudos Clássicos em Atenas.[1240]

William Barclay tem razão quando diz que nessa lista de oito nomes há dois grandes sumários. Gaio é o homem da hospitalidade; Quarto é, em uma palavra, o irmão. É uma grande coisa entrar na História como o homem da casa aberta e o homem do coração fraternal. Algum dia as pessoas nos definirão em uma frase. Qual será essa frase?[1241]

Uma doxologia singular (16.25-27)

Paulo ensaiou encerrar esta carta várias vezes. Concluiu sua exposição doutrinária com uma sublime doxologia (11.33-36). Depois invocou a bênção três vezes (15.33; 16.20; 16.24) antes de encerrar com a doxologia final (16.25-27). Essa é a mais longa doxologia de Paulo usada em suas cartas. Charles Erdman tem razão quando diz que Paulo nos legou outras grandiosas doxologias; contudo, elas não estão lavradas na conclusão das epístolas, mas incrustadas no próprio corpo da exposição. Esse magnífico jorro de louvor sintetiza os grandes pensamentos da epístola e está em perfeita harmonia com o conteúdo geral da carta.[1242] Concordo com Leenhardt quando ele diz que a doxologia final de Romanos se reveste de impressiva solenidade. Ela confirma a mensagem da epístola, apresentando-a em síntese numa forma litúrgica.[1243]

Destacaremos aqui quatro preciosas verdades.

Em primeiro lugar, *Paulo exalta Deus pelo seu poder.* "Ora, àquele que é poderoso para vos confirmar segundo o meu evangelho e a pregação de Jesus Cristo, conforme a revelação do mistério guardado em silêncio nos tempos eternos" (16.25). O Deus que elege, chama e justifica é poderoso para confirmar os crentes. A segurança da salvação não se estriba no frágil fundamento da confiança humana, mas na firme rocha da onipotência divina. John Stott argumenta com exatidão: "Se o evangelho é o poder de Deus para salvar (1.16), ele é também o poder de Deus para confirmar. O verbo grego *sterizo,* traduzido como 'confirmar', é quase um termo técnico cujo sentido é nutrir novos convertidos e fortalecer igrejas jovens".[1244]

Adolf Pohl destaca o contraste entre a fragilidade da igreja e a onipotência divina, nas seguintes palavras:

> Como eram frágeis esses pequenos grupinhos de cristãos, que se reuniam num lugar qualquer do gigantesco mar de casas de Roma. Faltava-lhes todo *status* de reconhecimento social. No entanto, faltava-lhes também, como evidencia, sobretudo, Romanos 14.15, a clareza doutrinária nas próprias fileiras, de modo que a igreja corria perigo de se dividir. Acima de tudo acontecia em Roma, como nas comunidades de todos os lugares e tempos, que forças intelectuais tentavam apagar novamente a fé (16.20). Em decorrência, a preocupação de firmar na fé determina essa carta. Porém, contra a morte da igreja existe o poder de Deus, o poder da ressurreição.[1245]

Em segundo lugar, *Paulo exalta Jesus Cristo como o conteúdo do evangelho*. "[...] e a pregação de Jesus Cristo, conforme a revelação do mistério guardado em silêncio nos tempos eternos, e que, agora, se tornou manifesto e foi dado a conhecer..." (16.25,26). O evangelho de Paulo tem como conteúdo a Pessoa e a obra de Jesus Cristo. A oferta de Jesus Cristo como sacrifício perfeito e eficaz pelos pecados de judeus e gentios, para formar a igreja, foi um mistério guardado em silêncio nos tempos eternos. Recorro mais uma vez a John Stott para esclarecer esse importante tema:

> O segredo de Deus, antes oculto mas agora revelado, é essencialmente o próprio Jesus Cristo em sua plenitude (Cl 2.2), e em particular Cristo para os gentios e nos gentios (Cl 1.27), de forma que agora os gentios têm a mesma participação que Israel na promessa de Deus (Ef 3.6-11). O mistério inclui também boas-novas para os judeus e não só para os gentios, ou seja: que um dia "todo o Israel será salvo" (11.25-27). E vive na expectativa da glória futura (1Co 2.7-9), quando Deus fará convergir em Cristo todas as coisas (Ef 1.9,10). Assim, o mistério começa, continua e termina com Cristo.[1246]

Em terceiro lugar, *Paulo exalta as Escrituras como revelação de Deus*. "[...] por meio das Escrituras proféticas, segundo o mandamento do Deus eterno, para a obediência por fé, entre todas as nações" (16.26). As Escrituras revelam a Jesus Cristo, o conteúdo do evangelho de Paulo, enquanto a pregação de Jesus Cristo, por intermédio das Escrituras é o meio de tornar esse mistério conhecido aos homens em todo o mundo. O mistério que estivera oculto agora foi revelado por meio da vida, morte, ressurreição e exaltação de Jesus. As Escrituras proféticas não são uma invenção humana, mas o mandamento do Deus eterno; seu propósito é despertar a obediência por fé entre todas as nações. A evangelização precisa desembocar em transformação de vida. À conversão segue o discipulado.

Em quarto lugar, *Paulo exalta Deus por sua sabedoria.* "Ao Deus único e sábio seja dada glória, por meio de Jesus Cristo, pelo séculos dos séculos. Amém!" (16.27). Paulo exalta a Deus, o Deus único e sábio, criador, sustentador, redentor e galardoador. Deus é merecedor de toda a glória, pelos séculos dos séculos, pois o glorioso evangelho apresentado nesta carta foi concebido por sua sabedoria e por seu poder desde toda a eternidade. O mesmo Paulo que já prorrompera em adoração e louvor: "Ó profundidade da riqueza, tanto da sabedoria, como do conhecimento de Deus!" (11.33) volta a exaltar a Deus por sua sabedoria na conclusão desta carta. Na verdade, o povo redimido de Deus passará a eternidade atribuindo a ele "louvor, e a glória, e a sabedoria e as ações de graças, e a honra, e o poder e a força" (Ap 7.12). Eles o adorarão por seu poder e sabedoria manifestos na salvação.[1247]

Como ele fez antes, ou seja, na conclusão da primeira parte desta carta (11.36), assim também agora, no término da carta inteira, Paulo acrescenta a palavra de solene e entusiástica afirmação e aprovação: Amém.[1248]

Notas do capítulo 23

1195 Wiersbe, Warren W. *Comentário bíblico expositivo*, p. 738, 739.

1196 Stott, John. *Romanos*, p. 472.

1197 Murray, John. *Romanos*, p. 588.

1198 Moody, Dale. Romanos. In: *Comentário bíblico Broadman*. Vol. 10. Rio de Janeiro: Juerp, 1984, p. 326.

1199 Hendriksen, William. *Romanos*, p. 657.

1200 Erdman, Charles R. *Comentários de Romanos*, p. 164.

1201 Hendriksen, William. *Romanos*, p. 659.

1202 Hendriksen, William. *Romanos*, p. 660.

1203 Greathouse, William. *A epístola aos Romanos*, p. 187.

1204 Leenhardt, Franz. J. *Epístola aos Romanos*, p. 387.

1205 Erdman, Charles R. *Comentários de Romanos*, p. 165.

1206 Stott, John. *Romanos*, p. 473.

1207 Pohl, Adolf. *Carta aos Romanos*, p. 247.

1208 Rienecker, Fritz; Rogers, Cleon. *Chave linguística do Novo Testamento grego*, p. 282.

1209 Erdman, Charles R. *Comentários de Romanos*, p. 166.

1210 Bruce, F. F. *Romanos: introdução e comentário*, p. 215.

1211 Barclay, William. *Romanos*, p. 20.

1212 Bruce, F. F. *Romanos: introdução e comentário*, p. 216.

1213 Stott, John. *Romanos*, p. 475.

1214 Stott, John. *Romanos*, p. 475.

1215 Stott, John. *Romanos*, p. 475.

1216 Stott, John. *Romanos*, p. 478.

1217 Barclay, William. *Romanos*, p. 223.

1218 Rienecker, Fritz; Rogers, Cleon. *Chave linguística do Novo Testamento grego*, p. 282.

1219 Moody, Dale. *Romanos*, p. 329.

1220 Calvino, João. *Epístola a los Romanos*, p. 389.

1221 Hendriksen, William. *Romanos*, p. 670, 671.

1222 Barclay, William. *Romanos*, p. 232.

1223 Hendriksen, William. *Romanos*, p. 673.

1224 Calvino, João. *Epístola a los Romanos*, p. 390.

1225 Wilson, Geoffrey B. *Romanos*, p. 219, 220.

1226 Barclay, William. *Romanos*, p. 232.

1227 Barclay, William. *Romanos*, p. 233.

1228 Stott, John. *Romanos*, p. 482.

1229 Greathouse, William. *A epístola aos Romanos*, p. 192.

[1230] MURRAY, John. *Romanos*, p. 599.

[1231] WILSON, Geoffrey B. *Romanos*, p. 221.

[1232] STOTT, John. *Romanos*, p. 482.

[1233] BARCLAY, William. *Romanos*, p. 233.

[1234] BRUCE, F. F. *Romanos: introdução e comentário*, p. 224.

[1235] HENDRIKSEN, William. *Romanos*, p. 676, 677.

[1236] BARCLAY, William. *Romanos*, p. 234.

[1237] ERDMAN, Charles R. *Comentários de Romanos*, p. 168.

[1238] BARCLAY, William. *Romanos*, p. 234.

[1239] BRUCE, F. F. *Romanos: introdução e comentário*, p. 226.

[1240] BRUCE, F. F. *Romanos: introdução e comentário*, p. 226.

[1241] BARCLAY, William. *Romanos*, p. 234.

[1242] ERDMAN, Charles R. *Comentários de Romanos*, p. 169.

[1243] LEENHARDT, Franz. J. *Epístola aos Romanos*, p. 395.

[1244] STOTT, John. *Romanos*, p. 485.

[1245] POHL, Adolf. *Carta aos Romanos*, p. 255, 256.

[1246] STOTT, John. *Romanos*, p. 486.

[1247] STOTT, John. *Romanos*, p. 488.

[1248] HENDRIKSEN, William. *Romanos*, p. 685.

Outros
títulos do
**mesmo
autor**

Série
Mensagens para você

No inconfundível estilo de Hernandes Dias Lopes, o leitor se deleitará com uma prática e agil leitura, de aplicação pessoal para o dia a dia. São breves reflexões sobre o cotidiano e a vida espiritual.
Esta série é composta por diversos títulos, em formato pocketbook

Autor: Hernandes Dias Lopes
Págs: 72
Formato: 10,5x15cm
Encadernação: Brochura

Sua opinião é importante
para nós, por gentileza envie
seus comentários pelo e-mail
hagnos@hagnos.com.br

Visite nosso site: www.hagnos.com.br

Esta obra foi composta na fonte
Adobe Garamond Corpo 13/15
e impressa na imprensa da Fé.
São Paulo, Brasil,
verão de 2010